Tous les jours
de ma vie

Hilary Bailey

TOUS LES JOURS
DE MA VIE

Traduit de l'anglais par :
Evelyne Chatelain

Baldaquin

Baldaquin
© 1984, Hilary Bailey
Édition originale, *All the days of my life,* Ed. Heinemann
© 1987, Phidal.

Prologue

1996

La limousine noire de Sir Herbert Precious s'avança silencieusement – grâce à son moteur électrique – le long de l'allée bordée
de hêtres, et s'arrêta en face d'une demeure de briques rouges,
Allaun Towers. Trois marches de pierre abritées sous un portique
conduisaient à la maison. Des chrysanthèmes jaunes et blancs,
têtes ébouriffées, se détachaient sur les plantes vertes taillées pour
l'hiver. De l'autre côté, la pelouse descendait vers un bosquet et
les eaux argentées du lac. Le soleil de septembre brillait sur les
collines alentour. Les murs étincelaient d'une lumière poupre.

Avant que le chauffeur n'ait ouvert la porte de la voiture, Herbert Precious était déjà descendu. Il se dirigea vers le majordome
qui l'attendait sur les marches. Grand, âgé d'une soixantaine bien
portée, Herbert Precious le salua.

– Bonjour, Henderson. Pas de chapeau, mon manteau est resté
dans la voiture. J'espère que vous allez bien.

– Je n'ai pas à me plaindre. Merci, monsieur Herbert, dit-il en
refermant la porte derrière lui.

– Je suis content d'être de retour.

– C'est toujours un plaisir de vous voir, monsieur Herbert.
Madame Allaun est dans le salon. Voulez-vous la voir maintenant ?

– Je préfère me laver les mains d'abord. Ne vous inquiétez pas,
je me présenterai tout seul plus tard. Voulez-vous lui annoncer
mon arrivée ?

Herbert Precious jeta un coup d'œil sur la porte qui menait au
salon et sur le portrait d'un ancêtre des Allaun qui la surplombait,
un homme, une main sur le cœur, l'autre appuyée sur sa canne
finement décorée. Très raide, il avança sur le sol de marbre, entra
dans la salle de bains et tenta de se détendre avant de rejoindre
Lady Allaun, car soudain, son cœur s'était mis à battre trop vite.

« La puissance du passé, songea-t-il en remontant ses manches et
en se passant les mains sous l'eau froide. Le retour des vieux souvenirs et des vieilles émotions ! Surtout en une telle occasion ! »

Il s'essuya et regarda son visage long et pâle dans le miroir. Il avait perdu sa jeunesse, pourtant, il était toujours plus séduisant que son propre fils. Il sourit à son image devant ce reste de coquetterie avant de se détourner. Il inspira profondément, puis, s'étant repris, traversa le hall d'un pas sûr, passa sous le portrait de l'ancêtre du XVIIᵉ siècle pour se rendre là où il était attendu.

Assise dans un fauteuil, dos à la fenêtre qui donne sur le jardin, à côté d'une petite table sur laquelle est posé un vieux panier d'osier rempli de chutes de coton et de soie, Lady Allaun regarde les bûches crépiter dans l'âtre. Un ouvrage de broderie retombe négligemment en plis sur ses genoux. De l'autre côté de la cheminée, le sofa, recouvert de la même tapisserie gris clair que son fauteuil, se plonge doucement dans la pénombre au fur et à mesure que la lumière décline.

C'est la nouvelle image de Lady Allaun, grande femme d'une soixantaine d'années, à peine plus ronde qu'autrefois. Ses cheveux blonds, désormais parsemés de gris, paraissent un peu plus foncés que par le passé. Pourtant, les yeux bleus brillent toujours du même éclat, dans un visage frais et rose.

Dehors, dans la semi-obscurité, le cri des corneilles balaye l'air brumeux au-dessus des collines et du lac. Dans un bruit sourd, Herbert Precious ouvre la double porte et la voit...

Lady Allaun lève les yeux.

— Bonjour, Bert.

Elle va à sa rencontre, et l'embrasse fermement sur les lèvres en passant les mains sur ses épaules.

— Molly !, s'exclame Herbert en lui prenant le bras et en la regardant. Toujours aussi belle ! Pas une ride de plus. Depuis combien de temps maintenant ? Cinq ans ?

— Six. Le temps t'a épargné, toi aussi. Viens, assieds-toi. J'ai fait servir du thé. Je suis contente de te revoir.

— Ça me fait plaisir. Eh bien...Il y a tant à dire, je ne sais par où commencer...

— Par le début, dit Molly d'un ton pragmatique mais poli.

— Financièrement, tu n'es pas gênée ? demande Herbert d'un ton neutre.

— Je n'ai pas à me plaindre, répond-elle d'une voix assurée. Il y a des hauts et des bas, mais je n'ai plus de soucis à me faire.

— Tu as été plus sage que moi, remarque-t-il en soupirant .

— Oh !

— Je suis content que tout aille bien pour toi.

Il tend son assiette à Molly qui lui coupe une part de gâteau en ajoutant : .

— Pas de problème d'argent ? Alors, pourquoi ces Mémoires ?

— Mémoires..., dit Molly avec un sourire triste. Plutôt des confessions..., précise-t-elle en regardant les flammes. Je... je ne sais pas trop pourquoi j'ai enregistré ces cassettes. J'avais besoin de changement, de faire quelque chose par moi-même, pour une fois. Mais je ne suis pas sûre que cela soit la seule raison. Je ne me suis jamais posé beaucoup de questions à ce sujet, du moins, avant que j'aie terminé, il y a peu de temps. Je m'y suis mise à la mort de Johnnie, Johnnie Bridges. En fait, je crois que cela a tout déclenché.

— Ah, oui, Johnnie...

— Pauvre Johnnie ! Il n'a pas eu de chance. Un cancer. Il est mort à l'hôpital de la prison de Brixton. Quand il a pensé à me faire appeler, il était déjà trop tard. La vie est bien cruelle parfois...

Herbert Precious hoche la tête en silence.

— De toute façon, cela a sûrement joué un grand rôle dans ma décision. Mais ce n'est pas seulement Johnnie. Après tout, même avec de la chance, il ne nous reste plus tellement de temps devant nous, à tous les deux, et maintenant, il n'y a plus grand changement à espérer. Tu y as déjà songé ?

— Oui, bien sûr, mais cela ne m'inquiète pas outre mesure.

— Moi non plus, mais je vieillis, et toi aussi. Nous avons sûrement encore un peu de paix et de tranquillité devant nous, c'est normal. Mais quand on y pense, c'est un chemin sans retour.

— Il est parfaitement compréhensible de vouloir se tourner avec une certaine tendresse vers son passé, mais pourquoi publier ses souvenirs, et pourquoi maintenant ?

— Je veux raconter mon histoire pendant que je suis toujours en vie. Non pas parce que j'ai des ennuis ou que je manque d'argent, ni pour provoquer un scandale, mais simplement parce que c'est le moment ou jamais. Pour toi, c'est différent. Tu as une situation, une ferme, une vieille famille, un pied dans le passé et un autre dans l'avenir. Un sentiment de continuité : voilà ce que tu as toujours eu. Pour moi, ce n'est pas la même chose. Depuis que je suis enfant, seul le présent a compté. En me demandant d'attendre, tu me demandes l'impossible. Je ne crois pas en l'avenir. Je veux que cette histoire existe maintenant. Et je n'ai pas envie que, quelqu'un, se mette en travers de mon chemin. Je te fais une proposition. Prends la copie des cassettes, et écoute-les. Tout y est. Je n'ai jamais eu envie d'écrire. Je n'ai jamais su et cela ne correspond pas à ma nature. Tu connais ma formule. Ne couchez jamais rien sur du papier, et si vous commettez cette erreur, surtout, ne signez pas !

— Bien sûr, mais ce qui m'inquiète, c'est...

— Ecoute..., prends-les, et si tu trouves un seul mensonge, une seule erreur, dis-le moi. Quant au reste, je veux ton opinion, je ne ferai rien avant de l'avoir. Je te fais confiance, crois-moi. Et je ne signerai rien, ça, je te le promets.

Sir Herbert s'en alla le lendemain dans la soirée. Ce fut seulement lorsqu'il franchit les lourdes portes en sens inverse et s'enfonça dans son siège de voiture qu'il se rendit compte à quel point il avait été mal à l'aise, à quel point il était épuisé. Il quittait à regret le confort d'Allaun Towers et la compagnie de son amie, pourtant, il se sentait soulagé de partir. Des images du passé lui revenaient à l'esprit – des bougies dans leurs chandeliers d'argent, un faisan sur un plat luxueux, Molly Allaun elle-même riant à gorge déployée, marchant tranquillement dans la roseraie en fleurs derrière la maison, discutant avec lui près du feu, tard dans la nuit. Ces souvenirs l'avaient hanté tout au long de sa visite, comme une cascade souterraine qui coule à votre insu, comme une image en dehors du champ de vision, un son à peine audible. Peut-être était-ce ce qui l'avait tant fatigué. Mais il avait les cassettes, et, dès ce soir, il commencerait à les écouter.

Tandis que la voiture traversait la campagne, Herbert Precious songea qu'il aurait mieux à faire qu'à se fier tout bonnement à la version de Molly. Sans doute pourrait-il éclairer certains événements, corriger les erreurs inévitables. En fait, ses commentaires et ses critiques, ses précisions, enrichiraient les révélations finales, et désormais irrévocables de Molly.

Il ouvrit l'étui de cuir posé sur le siège du passager et prit la première cassette. Immédiatement, la voiture se remplit de la voix familière.

Tard dans la nuit et pendant toute la journée du lendemain, Molly Allaun allait ressusciter les morts pour lui seul.

Mary Waterhouse

1941

Mary Waterhouse se trouvait dans le compartiment, avec six autres enfants. Elle n'avait pas tout à fait cinq ans et tous étaient plus grands qu'elle. De leurs pieds, ils froissaient les journaux qui avaient emballé leurs casse-croûte et qui gisaient à présent sur le sol. Ils s'étaient battus pour savoir qui aurait droit à la dernière gorgée de limonade. La fillette était assise, face à la marche du train. Cissie s'amusait à faire un berceau avec un vieux bout de ficelle. A côté d'elle, Peggy James, le visage rond, la bouche ouverte, regardait Frank Jessop et James Hodges sauter sur le siège d'en face. La sœur de James, Win, dormait dans le coin. Ian Brent s'était caché dans le filet à bagages. Mannie Frankel, dans le couloir, se penchait par la fenêtre et criait des insultes chaque fois que le train passait devant une maison. La bouteille de limonade vint se fracasser sur le sol dans un grand bruit.

Seule dans son coin près de la fenêtre du compartiment, Mary observait les arbres et les bosquets, les champs et les prairies parsemés de digitales, les rails qui défilaient, en longues bandes jaunes et vertes, brouillées par la vitesse. La chaleur lui écrasait le visage, et ses cuisses collaient sur le siège. Elle avait la bouche sèche, mais ne pensait pas à boire. Jamais elle n'était allé si vite, jamais elle n'avait vu tant de verdure, tant de végétation, tant de ciel. Elle était fascinée par la diversité du paysage, la succession de prés et de collines. Elle se sentait comme dans un rêve, ou dans une image de ses livres. Comment vivait-on, se demandait-elle, dans ces maisons aux jardinets fleuris ? On pouvait se lever le matin et aller se promener dans les champs, marcher dans l'herbe et se réchauffer au soleil. Peut-être avait-on le droit de cueillir des fleurs si le jardin vous appartenait vraiment. Elle se voyait déjà, un gros bouquet dans les bras, en train de respirer les senteurs parfumées, comme lorsqu'elle passait devant un marchand de fleurs. Il fallait être riche, très riche, pensa Mary, dans sa pauvre petite robe marron et moutarde, pour payer le loyer d'une maison avec jardin.

C'était de la magie, un peu comme tourner les pages de son

17

livre, aller d'image en image, pour rencontrer une femme dans sa belle robe longue, au cœur de la forêt.

Elle avait dû tomber dans une rêverie éveillée, car la voix furieuse de Burns la surprit.

– Regardez-moi ça.

Soudain, elle s'aperçut que son attention ne s'était pas détournée des autres enfants. Elle avait même entendu Ian Brent tomber de sa cachette comme une pomme trop mûre, et atterrir assis à sa place. A présent, il se tenait tout droit, les bras croisés, le regard fixé sur M. Burns, position que le maître exigeait d'eux à l'école. Cissie Messiter avait le dos bien raide, mais elle était assise au bord du siège, et essayait de repousser discrètement le papier froissé sous la banquette. Seule Peggy James, à côté d'elle, regardait stupidement Mannie Frankel pleurer dans le corridor, la tête dans les mains.

Le visage rouge, tout en sueur, M. Burns continuait à crier :

– Je vous avais pourtant bien dit de vous tenir tranquilles ! Vous n'êtes plus dans vos taudis maintenant ! Vous allez dans un endroit chic, rencontrer des gens bien, pas des porcs comme vous ! Et toi, si je te reprends avec la tête par la fenêtre, mon garçon, tu auras de mes nouvelles. C'est compris ?

Mannie, qui s'attendait à ce que ces paroles fussent suivies d'une gifle, sanglota de plus belle.

M. Burn prit le garçon par l'oreille et lui répéta :

– Compris ?

Mannie Frankel hurla à se rompre les tympans et M. Burns le relâcha si soudainement qu'il tomba en arrière.

Dans le compartiment, tous les enfants, à part Peggy, regardaient droit devant eux. En entendant Mannie courir dans le couloir, Mary, doucement mais sûrement, porta son pouce à la bouche. Elle était terrifiée. Elle ne savait pas ce qui allait se passer. M. Burns aurait pu soudain revenir et leur ordonner de tendre leurs mains, pour les frapper avec sa règle de bois. Un jour, il avait cassé le doigt d'une fillette, lui avait dit son frère Jackie. Et puis, on lui avait volé son rêve. C'était un peu comme si elle avait trouvé un bonbon et qu'au dernier moment, Ivy le lui eût pris pour le mettre dans sa propre bouche. De grosses lèvres rouges, des dents jaunes, une langue rosâtre, qui avalaient son bonbon.

– Mary Waterhouse, on ne suce pas son pouce ! Tu n'es plus un bébé maintenant. Et vous, bande de va-nu-pieds, vous allez me nettoyer ce compartiment. Pouah, ça sent mauvais. Vos mères ne vous ont pas lavés ce matin ? dit-il avant de disparaître.

– Ivy m'a lavée, dit Mary dans le bruissement des papiers de journaux que les enfants ramassaient.

Elle se souvenait du tissu gris, un morceau d'une vieille chemise, humide et sentant le rance, qu'on lui avait passé autour du cou et des oreilles avant de l'envoyer à l'école, où tous les enfants jouaient dans la cour, leurs vêtements empilés dans un coin, dans des sacs de papier brun. Elle se souvenait de la poitrine d'Ivy, qui bougeait en cadence alors qu'elle frottait. « Ne gigote pas comme ça ! » avait-elle crié, car Mary détournait la tête pour ne pas respirer son haleine.

— Je ne sais pas quoi faire avec ça, dit Cissie, un tas de journaux froissés dans les bras. Ce vieux rogaton de Burns se croit au-dessus de nous, tout simplement parce qu'il est maître d'école. Maman m'a dit, qu'avant, quand c'est lui qui allait à l'école, il avait même pas de chaussures ! Ils étaient huit dans sa famille, et ils habitaient à Wakefield. L'hiver, ils avaient pas de quoi s'offrir des couvertures, conclua-t-elle, triomphante, dans sa jupe de laine grise trop longue pour elle et son chemisier passé.

— Jette-les donc par la fenêtre, dit Peggy.

Peggy, toujours assise, se leva et prit les papiers.

— J'y arriverai pas, dit-elle, une fois près de la fenêtre.

— Mary se mit debout sur le siège et, sur la pointe des pieds, l'aida à pousser les journaux qui s'envolèrent le long du wagon.

Peggy riait en voyant les papiers se déchirer.

— Maintenant, Peggy, assieds-toi et tiens-toi tranquille, dit Cissie, l'aînée d'une grande famille.

Peggy, l'enfant à l'esprit lent, de père inconnu, fille de Marge Jones, la simplette qui habitait derrière l'écurie de Tom Totteridge, à Meakin Street, fit ce qu'on lui disait.

— Je veux ma maman, murmura-t-elle.

— Oh, là, là ! dit Cissie.

— « Trop parler peut coûter une vie », lut Frank Jessop sur une affichette en face de lui, au-dessus de la tête de Mary.

Pendant un long moment, le train traversa un tunnel obscur. Dans le noir, qui rendait plus âpre l'odeur de crasse, Peggy se mit à pleurer. On entendit un bruit dans le couloir et un cri de douleur.

— Il fait noir, dit Mary.

— On est dans un tunnel, répondit Ian Brent. J'en ai traversé un une fois, pour aller au bord de la mer.

— Ça s'arrêtera ? demanda Cissie.

— Bien sûr, puisque c'est un tunnel.

Pourtant, dans les cahots et le vacarme de la voiture, il n'en était pas si certain.

— Hé, que se passe-t-il ? s'écria-t-il alors qu'on entendait un nouveau fracas dans le couloir.

— C'est moi, répondit Mannie. Je n'arrive pas à trouver le compartiment. Pourquoi fait-il si noir ? C'est une alerte ?

— Non, répondit Ian. Attends, je vais passer la main par la porte, tu n'auras plus qu'à l'attraper.

Soudain, la lumière les aveugla. Ian Brent avait un bras à l'extérieur. Cissie se léchait les lèvres. Mannie se tenait dans le couloir, à la recherche de son équilibre.

– Poule mouillée ! poule mouillée ! Mannie n'est qu'une poule mouillée ! s'écria Peggy.

Mais les autres, dont la peur s'était encore accrue dans le noir, ignorèrent cette remarque. Ils n'étaient pas d'humeur à se moquer les uns des autres.

Win Hodges, qui était restée éveillée une grande partie de la nuit pour faire sa lessive et celle de son frère, dormait, blanche comme la craie.

– On arrive quand ? demanda Cissie à Ian Brent.

Enfant unique, fils d'un employé du gaz et d'une mère qui faisait des petits travaux de couture, il avait déjà pris le train deux fois.

– Aucune idée ! Ça va bientôt être l'heure du goûter maintenant.

Mary, toujours un peu éblouie, regardait de nouveau par la fenêtre. Le train traversait une sapinière. Les rayons du soleil filtraient des cimes. Plongeant le regard dans l'obscurité du sous-bois, Mary se souvint de son livre d'images et des deux enfants perdus, main dans la main, au cœur de la forêt, en pleine nuit. Les arbres étincelants de lumière qui l'avaient tant séduite l'effrayaient à présent. Ses yeux s'emplirent de larmes.

– Que se passe-t-il, Mary ? demanda Frank.

Mary, se souvenant des paroles d'Ivy, répéta :

– Ensuite, ils sont arrivés près de la maison d'une sorcière, qui les a attachés dans le four pour les manger..., dit-elle en soupirant.

– Voyons, Mary, ne t'inquiète pas. C'est pour ton bien. Tu auras un œuf tous les jours. Tu retourneras à la maison quand nous aurons battu les Allemands.

Cela ne consola guère Mary qui n'avait pas très envie de rentrer chez elle. Elle était partagée entre deux images, celle d' Ivy et Sid, qui l'attendaient devant la porte de la petite maison de brique, et celle de son frère Jackie et elles abandonnés dans la forêt obscure. Perdue entre ces deux visions, elle continuait à pleurer. Peu à peu, à travers les sanglots, son optimisme naturel reprit le dessus. Jackie s'occuperait d'elle, comme d'habitude. A lui, il ne lui arrivait jamais rien de mal. La forêt avait bien une fin. Ils réussiraient à en sortir, ils marcheraient dans les champs. A ce moment précis, les arbres cédèrent la place à une étendue de prairies, vastes terrains verdoyants sans clôtures, parfois brisés par les sentiers qui menaient aux fermes avoisinantes, éclairées et réchauffées par la lumière dorée de cette fin d'après-midi. Mary frotta ses joues humides, s'essuya le nez sur son bras nu et mit fin à ses pleurs.

« Quand nous aurons battu les Allemands », avait dit Frank.

20

Les enfants chuchotaient dans la voiture surchauffée. Ils étaient fatigués.

— Mais je ne sais pas quand ce sera.

— Papa pense qu'on va perdre, dit Jim Hodges.

— Quoi ? Perdre ? Pourquoi ? dit Mannie Frankel, terrifié.

— Papa dit qu'ils ont plus d'hommes que nous et qu'ils sont mieux armés. On va être écrasés à plate couture, c'est certain. Ils sont déjà sur le pas de la porte, et, ajouta-t-il après avoir marqué une pause, papa dit que Churchill est un menteur.

— C'est pas vrai, ton père n'est qu'un sale espion allemand ! s'exclama Cissie.

— Il n'y a pas que son père qui pense ça. Tout le monde sait bien que cet hypocrite de Winston a un avion caché quelque part dans la campagne et qu'il s'envolera pour l'Amérique dès que les Boches débarqueront.

Cissie scruta la campagne, inconsciemment à la recherche de cet avion maudit et murmura :

— Je te crois pas.

— C'est la pure vérité, hein, Win ? répondit Jim.

Il tendit la main et secoua le genou de sa sœur.

— Réveille-toi, Win ! Dis-leur que papa raconte que Winston Churchill a préparé un avion pour s'enfuir quand on perdra la guerre ! Hein, Win, que c'est vrai ?

— Oui, papa dit toujours ça. Pourquoi tu m'as réveillée ? J'ai sommeil.

— Ils ne voulaient pas me croire, dit Jim raisonnablement. Tu peux te rendormir maintenant. Vous voyez bien que je vous avais pas menti. D'ailleurs mon père s'en moque, si c'est les Allemands qui gagnent.

— Il est complètement fou ! dit Frank Jessop.

— Tu n'as pas le droit d'insulter mon père. Il dit que pour nous, cela ne pourra pas être pire avec les Allemands. Churchill, lui, il tire sur les ouvriers !

— Pas pire avec les Allemands ! Parle pour toi ! Pour maman et moi, ce sera bien pire, ça c'est sûr.

— Oh, les juifs, répondit Jim. C'est pas la même chose. Mon père dit que de toute façon, il y en a de trop et que c'est eux qui ont tout l'argent. Mon père, il pense d'abord à la classe ouvrière.

— Qu'est-ce que c'est ? demanda Mary, mais personne ne sembla l'entendre.

— Les Allemands tueront le roi, commenta Cissie en se grattant le crâne. Hé, j'espère qu'il n'y a pas trop de bestioles sur les sièges, j'ai la tête qui me pique.

— T'inquiète pas, maintenant, ça s'enlève à la brosse. Oh, j'en vois ! T'es pleine de poux. Tu les as sûrement ramenés de chez toi.

– Sale menteur ! protesta Cissie sans grande conviction.

Les enfants, fatigués et affamés, avaient perdu leur entrain.

– J'aimerais bien aller dans une ferme, dit Jim Hodges, ça me plairait drôlement de voir des animaux.

– Quels animaux ? demanda Mary.

– Des vaches et des moutons, des canards et tout ça.

– J'espère bien que les taureaux te mangeront, dit Cissie dans un murmure.

– Et des poules, ajouta Frank, soudain animé. Tu sais, celles qui pondent les œufs.

– Quels œufs ? dit Mary, toujours perplexe.

– Eh bien, ceux que tu manges.

Tous les jours, Mary avait droit à son œuf, mais ni Ivy, ni Sid, ni Jackie ne partageaient ce privilège.

« Ne parle jamais de ces œufs à personne, lui avait ordonné Ivy, jamais, c'est bien compris ? Si tu dis un mot, un seul mot, je t'enferme dans le cagibi à charbon et tu n'en sortiras plus. Tu m'écoutes, Mary ? »

Pour Mary, le mystère des œufs s'obscurcissait, mais comme apparemment il avait quelque chose à voir avec le trou à charbon, elle se contenta de répondre « Ah bon », et s'arrangea pour changer de sujet de conversation.

– C'est ça, la campagne ?

– Bien sûr, que veux-tu que ce soit ? répondit Frank.

– Il y a des alertes ici ?

– Mais non, voyons. Sinon, pourquoi on nous aurait envoyés là ? Tiens, voilà Jackie.

Le frère de Mary pencha la tête par la porte, comme pour surveiller les autres enfants.

– Alors, ça gaze ?

– Va-t'en, dit Ian Brent d'un ton méprisant.

– Oh, tu crois que je suis venu vous surveiller ? Je lui ai dit que je voulais aller au cabinet.

– A qui ? A Burns ? demanda Cissie. Tu es avec lui ?

– Ouais. Il a même partagé son casse-croûte avec moi tout à l'heure.

– Pas possible, dit Ian Brent. A quoi il était ?

– Au pâté. Ça va, Mary ? Mais tu as pleuré. Tu es toute sale. Allez, souris un peu, tu as l'air sinistre. On arrive dans une demi-heure.

– Je crois que c'est le tunnel, dit Cissie. Elle est trop petite pour voyager toute seule, la pauvre.

– Je suis là, moi. Sois raisonnable, Mary, même maman sait bien qu'il ne pourra rien t'arriver tant que je serai avec toi. N'est-ce pas, Mary ?

Mary hocha la tête.

– Bon, il vaut mieux que j'y retourne. Pour le moment, on ne peut pas dire que ce voyage m'enchante.

– Alors, t'es juste venu nous dire un petit bonjour, pour nous réconforter, c'est ça ? dit Ian.

– Ben, on nous renvoie de la maison pour aller vivre avec je ne sais qui dans un pays où on n'a jamais mis les pieds. Moi, je n'ai pas confiance dans toutes leurs histoires d'œufs, de lait et d'air pur. Ça cache sûrement quelque chose.

– Qu'est-ce que tu en sais ? demanda Ian, soupçonneux.

– Simplement que rien ne marche jamais comme prévu. C'est la vie, tu peux me croire.

– Oui, mais maintenant qu'on est là, autant s'accomoder de la situation.

– Tu parles, ça nous fait une belle jambe, dit Jackie.

– On ne peut plus rien y faire, il faudra bien que tu t'y habitues, comme tout le monde.

– Moi, si ça ne me plaît pas, je retournerai chez moi.

– Ah oui ? Et comment ? A pied, Tarzan ? dit Ian.

– Oh, il y a toujours un moyen, si tu fais travailler ta matière grise, dit Jackie d'un ton mystérieux. Cette fois, il faut vraiment que j'y aille avant qu'il ne vienne me chercher. Allez, Mary, encore un effort, nous sommes bientôt au bout de nos peines.

Jack, avec son visage rose, son mètre quarante et ses neuf ans, dans sa culotte de flanelle qui lui tombait sur les genoux, ses bottes trop grandes et la vieille veste noire de son père retaillée pour lui, se détourna.

– Lui, il est intelligent. Il trouvera toujours une solution, admira Cissie, lorsque Jack eut tourné les talons.

Il était au moins parvenu à réconforter les petits réfugiés. Pour eux, le voyage avait déjà duré une éternité, comme s'ils ne devaient jamais ni retourner à la maison, ni arriver à destination. Mary soudain remplie de bonheur et d'espoir, soupira de soulagement et s'enfonça dans la banquette. Jackie savait tout faire. Il pouvait noyer les petits chats dans un seau ou grimper sur le toit et s'asseoir sur la cheminée en criant : « Regardez moi ! » Il jouait des tours à Ivy et s'esquivait avant qu'elle ait eu le temps de l'attraper par l'oreille. Un jour, il avait emprunté la bicyclette de l'infirmière et l'avait abandonnée quelque part près des rails, sans que personne ne découvre le coupable. Mary adorait Jackie. Elle se sentait très malheureuse quand elle devait manger son œuf en cachette après le départ de Jack pour l'école, afin qu'il n'essaie pas d'avoir sa part. Les œufs, encore les œufs...

Pourtant, elle avait soif. La grosse boule du soleil, très basse à l'horizon, dardait encore tous ses rayons sur le paysage qui défilait, quadrillage de petits champs de blé et de pâturages bordés de haies, parcourus par des sentiers de terre brune. Çà et là, des bosquets d'ormes et de chênes ornaient les collines ou comblaient les vallons. On n'entendait aucun bruit, à part le claquement des rails. Les enfants restaient sagement assis. De l'autre côté des fenêtres, le paysage languide était baigné par la douce lumière de cette fin d'après-midi.

Soudain, un petit cottage avec un jardin bordé de rosiers en boutons apparut. Sur la pelouse, du linge séchait, accroché à une corde. De l'autre côté, une allée conduisait à un petit potager. Une petite fille sautait à la corde sur le chemin, bondissant dans le soleil, ses cheveux d'or volant au vent.

Lorsque le train dépassa la maison, Mary se retourna, appuya son visage contre la vitre, et vit un petit chien noir et blanc se précipiter vers la fillette. Le train dessina une courbe. Et ils se retrouvèrent entre deux murs de pierre noire parsemés de touffes d'herbe et de buissons.

Mary, qui faisait de nouveau face à Frank Jessop, mit sa main devant sa bouche et poussa un gémissement de chaton perdu.

Le train traversait un second tunnel obscur.

— « *It's a long way to Tipperary, it's a long way to go* », se mit à chanter le chœur en haillons.

— Oh, Peggy, enlève tes mains de mes genoux, tu m'as fait peur ! dit la voix de Cissie.

— « *It's a long way to Tipperary...* »

Mary restait très raide, le cœur battant. Lorsque la lumière revint enfin, elle demanda d'une voix tremblante dans un brouhaha de gémissements, de grognements et de cris de joie :

— Cissie, tu as un peigne ?

— Quoi ? dit-elle en repoussant Peggy qui s'était collée contre elle dans le noir. Laisse-moi, tu n'as plus peur maintenant. Un peigne, pour quoi faire ?

— Pour me coiffer, et puis, je voudrais que tu m'accompagnes au petit coin.

— Oh, là, là ! Qu'est-ce qui vous prend à toutes les deux. Pas moyen d'avoir la paix. Allez, viens.

— Et le peigne ?

— Tu te coifferas en revenant.

— Non, je veux me coiffer là-bas.

— Mais pourquoi ?

— Parce que..., dit Mary qui savait que Cissie avait l'habitude de céder devant l'obstination des plus petits.

En fait, elle voulait surtout se coiffer devant le miroir qu'elle avait aperçu dans les toilettes. Il n'y avait pas de miroir dans le compartiment, à la place, il ne restait qu'un vilain panneau de bois. Mais elle ne voulait pas confier ses véritables raisons, elle était bien trop maligne pour cela. Elle versa quelques larmes en gémissant.

— Bon, bon, inutile de pleurer, dit Cissie, succombant au chantage, le voilà ton peigne, allez, je t'emmène.

— Maintenant, laisse-moi toute seule, dit Mary devant la porte.

Cissie la regarda d'un regard sévère en disant :

— Ne t'enferme pas, surtout !

— Alors, donne-moi le peigne.

Cissie lui passa la moitié d'un peigne en bakélite rose.

— Qu'est-ce que tu mijotes, Mary Waterhouse ?

Pour toute réponse, Mary lui lança un regard vide. Elle haussa les épaules, et se détourna. Avant de s'éloigner, Cissie répéta :

— Ne ferme pas la porte, surtout.

Mais elle n'expliqua pas pourquoi, et Mary, qui était déjà à l'intérieur de la petite cabine, l'entendit à peine. Debout sur la pointe des pieds, s'appuyant contre la paroi pour assurer son équilibre, elle poussa le verrou du bout des doigts. Il faisait assez sombre car les vitres en verre cathédrale estompaient la lumière. Légèrement chancelante sous le mouvement du train, Mary releva sa robe, mouilla un pan sous le robinet se frotta le visage avec le tissu humide et s'essuya de la même façon, car il n'y avait ni serviette ni papier. Elle se lava les mains, et se les passa sur le visage. Des gouttes d'eau tombèrent sur ses jambes et, en voyant les coulées de saleté, Mary pensa qu'elle devait encore avoir des traces sur le visage. Elle se hissa sur le couvercle de la cuvette et se regarda dans le miroir. Puis elle descendit, délaça ses chaussures et ôta ses chaussettes. Elle en trempa une dans le lavabo, se relava soigneusement le visage et s'essuya avec l'autre. Les chaussettes mouillées ruisselaient sur ses pieds nus. Se hissant à nouveau sur la pointe des pieds, elle se regarda dans le miroir. Elle était propre. Courbée en deux dans le train cahotant, elle se lava aussi les jambes. Ensuite, elle commença à coiffer les cheveux ébouriffés qui lui tombaient sur les épaules. Oh, comme cela faisait mal de passer ce peigne dans les nœuds et les boucles avec ce train qui n'arrêtait pas de bouger ! pensait-elle en fermant ses yeux qui s'humidifiaient malgré elle sous la douleur. Elle avait les bras endoloris à force de les tenir levés. Pourquoi devait-elle faire ça elle-même au lieu d'en laisser la charge à Ivy ? Il lui sembla rester des heures et des heures dans le cabinet obscur de ce train qui traversait une campagne qu'elle ne voyait même pas à travers les vitres opaques.

Pourtant, deux raisons qu'elle ne pouvait pas très bien comprendre la poussaient à s'infliger ce traitement. D'abord, intuitivement, elle sentait qu'elle devait avoir l'air d'une bonne petite fille en arrivant. Et puis elle songeait aussi à une femme aux cheveux d'or, avec une couronne dorée, qui marchait dans une prairie parsemée de fleurs blanches. Tirant et démêlant, chancelant contre la paroi, essayant de garder son équilibre dans cette petite pièce malodorante, elle ne pouvait détacher son esprit de ces images, celles de la bonne petite fille bien propre et de la femme blonde. Souvent, on s'était retourné sur elle dans la rue ou dans les magasins en disant à Ivy : « Oh, la belle petite, regardez-moi ces cheveux ! On dirait une princesse. »

Mary se rendit compte qu'elle n'avait pas réussi à se coiffer le haut du crâne, sa raie n'était pas droite, elle n'était pas assez grande pour arriver jusque-là. Elle remit ses souliers et se hissa à nouveau sur la pointe des pieds pour ouvrir la porte. Elle ne se sentait pas très tranquille d'avoir ainsi gâché une paire de chaussettes, mais elle fut terrifiée en s'apercevant que le verrou ne voulait pas céder. Elle était prise au piège. « Oh, mon Dieu », se dit-elle, regrettant déjà le parc de sa rue, avec son herbe rare et ses chemins parsemés d'étrons de chiens. Elle luttait de toutes ses forces contre ce verrou qui collait sous ses doigts. Qu'arriverait-il si elle restait prisonnière ? La laisserait-on toute seule dans le train ?

— Oh, Mary ! geignit Cissie de l'autre côté de la porte, tu t'es enfermée ! Maintenant, c'est moi qui vais me faire disputer !

Mary, affolée, les larmes aux yeux, protesta :

— Non, c'est pas moi ! Ça s'est fermé tout seul.

Sautant littéralement en l'air, elle parvint à soulever le loquet et retomba sur la pointe de ses souliers poussiéreux. Elle poussa un cri de douleur lorsque Cissie lui heurta le front en ouvrant la porte.

— Au moins, tu es un peu plus propre, la félicita Cissie à contre-cœur. C'est bien. Dépêche-toi maintenant. M. Burns dit que nous allons arriver.

Elle attendit que Cissie passe devant elle, mais sa camarade ne bougea pas d'un pouce.

— Allez, dit-elle, impatiente.

— Toi d'abord.

— Mary, enfin !

Mais Mary restait immobile. Soupçonneuse, Cissie inspecta la fillette.

— Où as-tu mis tes chaussettes ?

— Je me suis lavée avec.

— Lavée ? Tu t'es lavé la figure avec tes chaussettes ? Petite idiote ! A quoi penses-tu ? On ne peut pas te laisser toute seule cinq minutes ! Ah, j'avais vraiment besoin de ça ! Bon, passons. Et où les as-tu mises ?

— Par terre.

— Par terre, par terre ! Mais tu n'as donc pas pour deux sous de bon sens ? Allez, passe devant.

Cissie poussa la porte et ramassa les deux chaussettes trempées et souillées et les mit d'autorité dans les mains de Mary.

— Tiens, tu les porteras mouillées, ça t'apprendra. Et rends-moi mon peigne.

Mary suivit Cissie dans le corridor et, à la première occasion, elle se pencha, essuya rapidement ses souliers avec les chaussettes mouillées puis les jeta par la fenêtre ouverte. La tête baissée, le regard obstiné mais un peu effrayé, elle alla se rasseoir à sa place.

— Allez, mets tes chaussettes, je nouerai tes lacets. Cette petite idiote s'est lavé la figure avec ses chaussettes ! ajouta Cissie en s'adressant aux autres. Alors, ça vient ? Mais où sont passées tes chaussettes ?

— Tu veux bien me remettre mes lacets ?

— Non, pas tant que tu ne m'auras pas dit où tu as mis tes maudites chaussettes.

— On ralentit, dit Ian Brent. Regardez, on voit un panneau.

— Tu me remets mes chaussures ?

— Alors, ces chaussettes ?

— S'il te plaît Cissie, remets-les moi, on arrive.

— Si tu ne me dis pas ce que tu as fait de tes chaussettes, je te laisserai toute seule dans le train.

— Je les ai jetées par la fenêtre, dit Mary, terrorisée.

— J'aurai tout entendu ! commença Cissie, mais il n'y avait plus guère le temps d'épiloguer.

— J'espère que vous êtes prêts, dit M. Burns qui passait dans le couloir. Tu es prêt, Charles Grayson ? demanda-t-il dans un autre compartiment

Furieuse, Cissie renoua les souliers noirs de Mary sur ses pieds nus, tandis que le train s'arrêtait en gare de Framlingham.

Plus tard, le chauffeur d'autobus, installé à la terrasse du pub devant une pinte de bière, confia au postier dans la lumière du crépuscule qui tombait sur les rues silencieuses :

— Ces réfugiés, je n'ai jamais rien vu de pareil, et le vieux George non plus, si on en croit la tête qu'il faisait.

— Ah bon, répondit le postier d'une voix encourageante.

— Pas une paire de chaussures correctes dans tout le lot ! Il y a en un, on aurait juré qu'il portait les vieilles bottes de son père. Et blancs comme des linges, tous autant qu'ils sont. Jamais vu le soleil, ces mioches. Et quelle puanteur ! Il a fallu que j'ouvre les fenêtres pendant **une** bonne demi-heure. Une odeur de rance. Je ne sais vraiment pas ce qu'on va pouvoir faire d'eux. Ils vont nous attirer des ennuis, d'une façon ou d'une autre.

— Ils ne tarderont pas à s'habituer, répondit le postier en uniforme, la casquette posée sur la table, à côté de sa bière. Les enfants sont les enfants. Dans peu de temps, on jurera qu'ils sont nés ici.

— Pas ceux-là.

— De toute façon, il fallait bien qu'ils s'arrêtent ici, avec tous ces Londoniens qui fuient à la campagne.

— Quel désastre !

— Oui, mais on ne peut pas leur tourner le dos.

— Que leur est-il arrivé ? demanda un autre homme.

— Rien, je les ai simplement conduits à la mairie, ils trouveront bien une solution.

— Il paraît que George Twinning a mis la main sur deux garçons costauds pour la ferme.

– Eh bien, je lui souhaite bien du plaisir.

L'opinion publique, assez lente à se former, mais solide comme le roc une fois qu'elle était établie, faisait son chemin dans l'air frais de ce village du Kent où Mary et une vingtaine d'autres réfugiés venaient d'arriver en cet été 1941 afin d'échapper aux bombardements.

Assis sur les bancs nus de la mairie, les enfants attendaient. M. Burns, à côté d'une femme très maigre, derrière la table de l'estrade, disparaissait sous une pile de papiers et un bouquet de roses.

Les enfants étaient anormalement calmes. Ils n'avaient aucune idée de ce qui allait advenir d'eux. Un chauffeur de bus rougeaud les avait fait descendre, les regardant d'un air indifférent alors qu'ils passaient devant lui, leurs sacs de papier pleins de haillons à la main. Il leur avait fait traverser la place du village, où de gros oiseaux maladroits revenaient de la petite mare en se dandinant. L'odeur de l'air et du pollen à laquelle ils n'étaient pas habitués les avait assaillis tandis qu'ils avaient longé de coquettes maisonnettes avec leurs jardins bordés de haies et leurs rideaux qui se soulevaient à leur passage. On les avait ensuite conduits dans l'obscurité de la mairie où on les avait fait asseoir. M. Burns avait rejoint le vicaire et un groupe d'hommes et de femmes.

Derrière le bureau, la femme aux cheveux blonds impeccablement coiffés se leva et fit un discours d'une voix que Mary associait vaguement à la radio. La fillette se tenait aussi près que possible de son frère et de Cissie.

Soudain, une paire de jambes bottées s'approchèrent. Une énorme main atterrit sur l'épaule de Jackie.

– Lève-toi, mon garçon, dit une grosse voix.

Jackie se leva. Son expression assurée s'évanouit un instant pour revenir aussitôt.

– Je prends celui-ci, et celui-là, juste derrière lui.

– Très bien, monsieur Twinning, dit la femme derrière le bureau. Monsieur Burns, vous pouvez me donner leur nom ?

– Alors, venez avec moi, tous les deux, dit l'homme.

Comme dans un rêve, Mary vit Jackie et Ian Brent se lever, puis, les jambes de l'homme et des deux garçons se faufilèrent à travers le groupe d'enfants. Près du bureau, Ian et Jackie regardaient tout autour d'eux, l'air affolé. La femme inscrivit quelque chose sur un registre. Le vicaire parla à Ian. Lorsque l'homme s'apprêta à partir avec Jackie et Ian Brent, Mary, se rendant soudain compte de ce qui ce passait, se leva en criant :

– Je veux aller avec Jackie.

– Twinning, dit la femme, et l'homme aux guêtres se retourna. C'est difficile de séparer une famille, poursuivit la femme.

Mary, toujours debout, regardait Jackie se mordre les lèvres. La femme observa la fillette en robe marron et pieds nus dans les souliers noirs, vit la petite tête blonde à l'air perdu, jeta un coup d'œil sur les autres enfants et annonça :

— Je prends la fillette. Tu viendras avec moi, puis, parcourant sa liste, elle ajouta : Mary ? Tu pourras voir ton frère tant que tu voudras. J'habite juste à côté de la ferme.

Mary, en voyant le visage inquiet de son frère et la jeune femme blonde aux traits réguliers, telle la princesse du champ de marguerites, fit immédiatement la somme de toutes ses impressions avec un instinct qui lui ferait rarement défaut. Pour la première fois, Mary manifesta sa tendance à tout accepter plutôt qu'à oser ne pas dire « oui ».

— Oui, oui, s'il vous plaît.

— Bien, répondit la femme en écrivant de nouveau sur le registre.

Jackie et Ian furent conduits à l'extérieur en plein soleil. Mary essaya de ne pas pleurer mais dut se contenter de cacher ses sanglots.

Cette nuit-là, elle dormit sous une couverture rose et blanc dans une petite chambre sous les combles qui donnait sur la pelouse, le lac et les bouquets d'arbres où les corneilles virevoltaient avant de s'endormir dans leurs nids.

—C'est un peu plus calme, ces derniers temps, sans les enfants qui font toujours des bêtises, remarqua Sid Waterhouse d'un ton satisfait en levant son verre de bière mousseuse (d'ailleurs, c'était vraiment son verre, car il n'y en avait pas d'autres chez les Waterhouse).

— Bravo, c'est bien à toi de dire ça. Tu n'as pas une pensée pour ce pauvre gosse, qui est à des kilomètres d'ici. Ni pour la petite Mary. Tu ne penses qu'à toi, comme d'habitude.

Elle leva de l'évier un caleçon plus gris que blanc et le laissa dégouliner dans l'évier pour faire sortir la crasse. Sa bouche, dont le rouge à lèvres était parti, à part le trait de crayon qui en soulignait les contours, retombait tristement. Elle avait l'air fatigué.

— Il part en quenouille.

Effectivement, le caleçon grisâtre, avec son élastique détendu et ses jambes déformées, avait bien triste mine.

— Il y a un trou qui doit être bien pratique pour toi ! dit-elle en passant un, puis deux, puis trois doigts par l'entrejambe. A brûle-pourpoint, elle déclara ensuite : La bière, les cigarettes et les femmes, il n'y a que ça qui t'intéresse, et tu te fiches pas mal des conséquences. Je me demande bien ce que tu peux faire avec tes caleçons.

—J'en ai pas besoin par cette saison, dit-il, très détendu, ses bretelles pendant de chaque côté de son pantalon de serge bleue. Et puis de toute façon, qui les voit ?

– Ça, j'aimerais vraiment bien le savoir ! dit-elle en colère.

– Tu te fais des idées. Tu as besoin d'un gros câlin, voilà tout, répondit Sid en se versant une autre bière.

– Eh oui, une autre bouche à nourrir ! Un autre bébé pleurnichard qui me réveillerait au beau milieu de la nuit et des tonnes de couches à laver, comme s'il n'y avait pas assez des bombes ! Et toi, qu'est ce que tu ferais pendant ce temps-là...

Elle se rendit compte qu'il ne l'écoutait pas. En pantoufles, la poitrine et la taille boudinées dans sa robe de coton à motif de fleurs tropicales, elle alla vers la table, les mains sur les hanches.

– Une chose est sûre, Sidney Waterhouse, à partir de maintenant, inutile de me siffler. Tu pourras dormir dans le lit de Jackie et de Mary. Pour moi, tout ça c'est fini.

– On en reparlera. Tu ne vas sûrement pas changer. Pas vraiment du moins. Allez, ma chère, montons donc un peu dans la chambre.

– Salaud ! Cochon ! La dernière fois, j'ai failli en mourir et c'est tout l'effet que ça te fait ? J'aurais pu perdre tout mon sang. Où est le plaisir pour moi, c'est ce que je voudrais savoir. La mère Green et ses remèdes à vous faire trépasser ou une maison pleine de marmots, c'est l'un ou l'autre. Oh, non, ne compte plus sur moi pour ça.

– C'est ce qu'elles disent toutes, dit Sid, philosophe. Tu veux une bière ? demanda-t-il en prenant une bouteille sous la table. Cherche-toi une tasse.

Ivy lui tendit une chope à l'effigie du roi George et de la reine Elizabeth, marquée du blason royal. Elle s'assit en face de Sid qui la servit, et elle essuya la sueur de son front.

– Pourquoi ne fais-tu pas attention, comme les autres ? dit-elle d'une voix plus douce. Tu ne voudrais tout de même pas que je tombe encore enceinte ?

– Ça arrive à tout le monde de ne pas pouvoir se retenir, répondit-il, mal à l'aise.

– Oui, et pour moi, ça signifie des années de travail supplémentaire. Oh, j'en ai assez. Cette guerre me rend folle.

Dans la pièce chaude et silencieuse on n'entendait plus que le bourdonnement des mouches. Sur le rebord de la fenêtre derrière l'évier de pierre, les feuilles des pieds de tomates en pot retombaient misérablement dans l'air brûlant. Dans la cour, une chemise et une robe pendaient, immobiles sur la corde à linge. Derrière le petit mur de briques rouges, on voyait une autre rangée de maisons.

– Elle remet ça, remarqua Ivy. Les rideaux sont tirés en plein jour.

– La vie privée des autres ne me regarde pas. Ils ont bien du courage par une telle chaleur, ou bien de la chance..., ajouta-t-il tristement.

30

Le tic-tac de l'horloge, calée par une boîte d'allumettes car il lui manquait un pied, résonnait bruyamment dans le lourd silence de la pièce. Le couple, dans la cuisine étriquée d'une propreté douteuse, n'avait pas l'air très reluisant. Nuit et jour, Sid conduisait un bus de Harlesden, à l'ouest de Londres, jusqu'à Liverpool Street, à l'est. A l'aube, il était parfois forcé de faire un détour, car la voie était bouchée par des blocs de pierre, vestiges d'une maison ou même d'une rue entière. Là, des hommes et des femmes, en casque métallique, fouillaient à la recherche des blessés et des morts, soulevaient les gravats, chacun espérant retrouver des restes de ses biens, un chat, un chien, un landau ou une bicyclette qu'il n'aurait pas les moyens de remplacer. Des milliers de morts déjà, des milliers de maisons détruites dans la seule ville de Londres.

La nuit, Sid conduisait dans les rues noires du couvre-feu d'une ville en ruines, où la seule lumière était celle des projecteurs, qui balayaient impitoyablement le ciel à la recherche d'avions ennemis, ou d'un incendie dans le lointain. Le seul bruit était celui des bombardements. Souvent, le son des sirènes l'obligeait à s'arrêter, et, avec les passagers, il courait à l'abri le plus proche. Parfois, ils devaient même se réfugier sous l'autobus. De temps en temps, Sid prenait son tour au beffroi de Saint Stephen et, casque sur la tête, il attendait l'ennemi, voyant les monstres noirs transpercer la trouée de lumière des projecteurs, tels de gigantesques insectes, et lâcher leurs œufs maléfiques qui mettaient la ville en feu. Lorsque le raid était trop proche, Sid et son ami, Harry Flanders, dégringolaient les escaliers étroits pour aller s'abriter dans la crypte de l'église. Tapis dans l'obscurité, ils entendaient la bataille faire rage. Ils devaient économiser leur torche, au cas où l'église serait touchée et qu'on mette du temps à les retrouver... si jamais on les retrouvait. Si le bombarbement se faisait trop intense, Sid ou Harry courait en rasant les murs et frappait à une porte en criant : « Spot est là ? » La porte s'ouvrait dans un craquement pour laisser le passage à un chien noir et blanc, un bâtard de terrier avec une tache sombre sur l'œil. Aux côtés des sauveteurs, le chien fourrait son nez dans les ruines encore en flammes et commençait à creuser. Là où Spot fouillait, les sauveteurs se mettaient au travail, car le chien trouvait toujours les survivants, enfouis sous les escaliers ou dans les caves. Une nuit, Spot les conduisit à un endroit où l'on découvrit un bébé dans son berceau, protégé par deux énormes blocs de maçonnerie qui avaient empêché une masse de décombres de l'écraser.

Parfois, les nuits étaient calmes. Sid et Harry jouaient aux cartes, bavardaient et sommeillaient. Mais la fatigue de journées trop remplies et de nuits interrompues se lisait sur le visage terreux de Sid. Il ne savait pas comment il tenait encore debout.

Pendant ce temps, Ivy, avec ses tickets de rationnement qui lui donnaient droit à de maigres morceaux de fromage et de viande, et à deux œufs par semaine pour elle et Sid, faisait la queue pendant une heure pour un kilo de pommes de terre et pendant deux heures pour un lapin, qui lui n'était pas rationné. La nuit, si les sirènes hurlaient, elle prenait un casse-croûte et une théière et courait jusqu'à la gare malodorante, où elle se couchait sur les quais, sous des couvertures, avec des centaines d'autres femmes qui ronflaient, toussaient, gémissaient, gigotaient, bavassaient. Ivy, originaire de l'est de Londres, avait un oncle qui travaillait aux docks et des relations très utiles dans tout Wapping et Limehouse. Lorsqu'elle le pouvait, elle prenait un bus pour se rendre au port et revenait généralement avec du sucre, du thé ou de la viande en conserve qu'un membre de sa famille avait récupéré en déchargeant un bateau. Etrangement, l'idée de la mort restait assez lointaine dans l'esprit de Sid et d'Ivy, c'est le sommeil et la nourriture surtout qui les préoccupaient.

Au cours de l'année 1941, avec pour seuls véritables alliés les membres du Commonwealth, alors que les Allemands n'étaient qu'à trente kilomètres de l'autre côté de la Manche, toute la Grande-Bretagne, comme Sid et Ivy avaient attendu l'invasion.

Le danger permanent, la vie dure, l'imminence de la mort avaient brisé le cours normal de la vie des Waterhouse. Quand la guerre serait terminée, ils ne seraient plus les mêmes. Peut-être était-ce à cause des bagues dissimulées sous les lames de parquet des maisons bombardées, ou des bouteilles de jus d'orange et de lait qu'on accordait dans les maternités ou des pièces ivoire et or des belles maisons éventrées, offertes aux regards... Quelles que soient les vraies raisons, il arriverait un moment où de nouvelles idées naîtraient chez les Waterhouse. Quand la guerre serait terminée, ils auraient plus d'exigences.

A Allaun Towers, Mary joue sur la pelouse au soleil. Elle porte une robe imprimée toute propre, des socquettes blanches et ses cheveux brillent d'éclats dorés. Elle saute à la corde.

Ils n'arrivaient pas à comprendre pourquoi je parlais toujours de corde à sauter. Moi non plus. Je savais simplement qu'il m'en fallait une. Je n'osais pas la demander, car avec Ivy et Sid, c'était le meilleur moyen de ne jamais l'obtenir. « Tu ne peux pas avoir tout ce que tu veux, » c'était leur formule.

Finalement, Mme Gates, la gouvernante, me vit regarder un bout de corde à linge suspendu dans la buanderie. D'origine populaire, elle comprit immédiatement ce que signifiait ce regard désespéré. Alors, elle m'envoya chercher un couteau avec lequel elle coupait toujours la ficelle et le papier paraffiné et me découpa un morceau de corde. Je n'oublierai jamais l'image de cette corde toute blanche dans l'herbe verte. Il faisait beau ce jour-là. Elle fit des nœuds à chaque extrémité et je sautais, sautais, sautais. Elle me disait que j'allais user le gazon ! Bien sûr, je devais rester devant la porte de la cuisine, sur le pan d'herbe du potager, je n'avais pas le droit de marcher sur la pelouse en face de la maison. Je l'ai fait une fois pourtant. Cette herbe avait quelque chose de particulier. Elle rebondissait mieux. Un jour, je me suis levée avant tout le monde, de bon matin. Je me vois encore me glisser dans la maison silencieuse ; je me souviens du soleil brumeux qui se levait au-dessus des arbres et qui montait et descendait au fur et à mesure que je sautais. Je retombais sur l'herbe souple et humide de rosée, je sentais la fraîcheur de l'air matinal sur les bras et le visage. Mais le vieux Benson, le jardinier, arriva. Il me prit par le bras et mit vite fin à mon manège. J'ai sûrement eu droit à une scène, mais sans doute m'en suis-je tirée grâce à mes yeux bleus.

Tandis qu'il roulait devant un pub à façade vitrée où un homme et une femme nus dansaient sur une petite estrade, Sir Herbert, coupa la cassette et se mit à parler.

Le premier document dans ce dossier anonyme qui allait devenir si important pour moi, le premier indice dans toute cette affaire qui allait jouer un si grand rôle dans ma vie n'était qu'une simple feuille de papier à l'en-tête de notre adresse d'Eaton Place. Quand je vis ce document pour la première fois, il devait bien dater d'une vingtaine d'années, à peu près mon âge. Il n'était pas froissé, bien qu'il fût un peu corné et rugueux, après un si long contact avec la couverture de la chemise dans laquelle il se trouvait, au-dessus de la première page tapée très serré de ce qui ressemblait à un long rapport. Au centre de la page, une adresse, de la main de mon père, 19, Meakin Street, Londres, pas de nom. Et, dans une encre un peu plus foncée, les mots avaient été barrés et remplacés par : Allaun Towers, West Framlingham, Kent.

D'une certaine manière, cela me paraissait obscur. Quelque chose me fit m'éloigner du bureau sur lequel reposait le dossier et la voix de mon père résonne encore dans mes oreilles : « Tu ferais mieux de le lire et de me dire ce que tu en penses. » J'avais envie de fuir. Je m'approchai de la fenêtre et regardai le jardin.

— Ce dossier ne doit pas quitter ce bureau. Pas plus que je ne peux te demander de te charger de ce travail, même en partie, si tu ne le souhaites pas. Je dois obtenir ton consentement, libre et sans réserve, sinon, il me faudra trouver quelqu'un d'autre.

— Je ne sais pas encore de quoi il s'agit, répondis-je pour trouver un compromis.

Une colonie d'étourneaux tournoya devant la fenêtre, obscurcissant le ciel.

— Il faut que tu le lises d'abord.

Je m'éloignai de la fenêtre. C'était une fin d'après-midi d'avril. Le jardin commençait à reverdir. Je m'approchai de mon père et pris le dossier dans sa main tendue. Déjà jeune homme, j'aurais dû me sentir enthousiasmé et intrigué par ces nouvelles responsabilités et fier de la confiance que mon père plaçait soudainement en moi, pourtant, j'avais l'impression d'être encore un enfant. Une seconde plus tard, le dossier en main, je ressentis néanmoins les émotions appropriées à la circonstance et dis, d'une manière aussi neutre que possible :

— Eh bien, je vais y jeter un coup d'œil.

Je tentai de réprimer ma joie exubérante, ma curiosité, et de donner l'image de l'homme que j'allais devenir. Je me souviens encore m'être assis au bureau et avoir commencé à lire.

Maintenant, c'est moi qui ai ce dossier, et tous ceux qui ont suivi. Curieusement, j'avais un peu peur de l'ouvrir et je revois cette première feuille de papier avec ses deux adresses. Finalement, je l'ai ouvert — et voilà. Tout cela semble un peu décevant aujourd'hui, il n'y avait aucun mystère. Du vent, sans la moindre information tangible. Peut-être qu'après toutes ces années, le dossier s'était détérioré, et qu'une main plus soigneuse que la mienne avait décidé de faire un nettoyage par le vide ou bien tout simplement, certaines feuilles étaient tombées, sans que personne ne s'en soit aperçu. Peu importe, je me le rappelle comme si je l'avais encore entre les mains.

Les chaudes journées de juin 1941 coulaient régulièrement à Allaun Towers. Il n'avait pas fallu longtemps à Mary pour saisir les différences, physiques et morales, entre sa vie londonienne et sa vie campagnarde. Là, Mme Gates changeait toutes les semaines les draps de sa petite chambre de bonne, au papier peint à décor de roses. Tous les samedis, quand Mme Gates lui faisait prendre son bain, elle lavait en même temps la brosse et le peigne neuf qui ornaient la plaque de marbre du lavabo. Ses quelques vêtements étaient rangés dans la commode ou suspendus dans l'armoire de pin. Le matin, elle se réveillait à sept heures et demie en entendant Mme Gates sortir lourdement de son lit dans la pièce attenante. Immédiatement, elle allait regarder par la fenêtre au-dessus des toits de tuiles, et admirait la pelouse baignée de soleil où les merles voletaient et picoraient dans l'herbe humide.

— Déjà levée ? disait Mme Gates en passant la tête par la porte. Tu es une bonne petite fille. Va te laver maintenant.

Il y avait un évier de pierre sur le palier, avec le gant de toilette de Mary suspendu à un crochet de cuivre et sa brosse à dents dans

34

un verre émaillé décoré d'une image de Donald. Dressée sur la pointe des pieds, elle ouvrait le robinet et se lavait à l'eau glacée les mains, le visage et le cou avec son gant et un gros morceau de savon jaune. Ensuite, elle retournait dans sa chambre, luttait avec sa chemise de nuit, enfilait une robe de coton et des socquettes blanches et mettait ses souliers à barrette rouge et à boucle dorée.

Debout dans le salon, Mme Gates regardait Lady Allaun, à demi tournée vers son secrétaire.

— Une seule culotte, et même plus bonne pour la poussière ! avait-elle dit d'un ton véhément.

— Oh, vous voyez bien que je suis en train d'écrire à Sir Frederick ! avait répondu sèchement Isabel Allaun, clignant les yeux sous la lumière du soleil qui pénétrait par les larges baies.

— Et elle n'a rien pour dormir, poursuivit Mme Gates, sans scrupules. En culotte et en petite chemise, vous imaginez un peu ?

— Je ne veux pas en entendre plus, répliqua Mme Allaun en se tournant vers sa lettre inachevée. Bien sûr, autrefois, Nanny...

— Elle a besoin de nouveaux vêtements, madame.

— C'est à la charge de sa famille. Mais évidemment, on ne peut pas la laisser se promener en haillons.

— Je me demandais si je ne pourrais pas l'emmener à Gladly pendant mon après-midi de congé pour m'occuper de ça.

— Excellente initiative, je vous en remercie, dit Isabel Allaun.

Mme Gates ne bougea pas d'un pouce. Ce n'était pas toujours facile de demander de l'argent aux riches, mais en général l'obstination payait.

— J'ai ses tickets de vêtements, suggéra-t-elle.

— Oui, bon, je vous donnerai un chèque que vous pourrez toucher à Gladly. Huit livres, ça me paraît raisonnable ? ajouta-t-elle en sortant son carnet de chèques d'un tiroir et en commençant à écrire.

— Il vaudrait mieux compter douze, madame, avec les prix qui ne cessent de grimper.

Mme Gates n'avait pas la moindre intention d'affronter cette même scène dans quelques mois lorsqu'il faudrait songer aux vêtemetns d'hiver.

— Tant que ça ! s'exclama Isabel Allaun en recommençant son chèque. Enfin, inutile de lésiner. J'espère que vous en ferez bon usage.

— Bien sûr, répondit Mme Gates d'une voix neutre. Je vous remercie, madame.

Puis, de son pas lourd habituel, elle repartit vers la cuisine.

— Autant arracher des larmes à un rocher ! grommela-t-elle en refermant la porte sur elle, d'autant plus rageuse que désormais il n'y avait plus ni cuisinière ni femme de chambre avec qui partager sa rancœur.

Rose et Maggie étaient parties, appelées par leurs devoirs militaires. Parfois, lors de ses permissions, Clarisse pointait son nez par la porte de service, son béret kaki négligemment posé sur sa chevelure blonde, un peu plus claire que lorsqu'elle travaillait comme femme de chambre. « Alors, madame Gates, le ménage, comment ça va ? » Mme Gates, sentant soudain tout le poids de ses jambes de cinquante ans, répondait : « Pas beaucoup mieux en te voyant ici, Clarisse. Et puis, si tu ne veux pas salir ma cuisine, autant ôter ce mégot de ta bouche avant d'entrer.

— Je ne mettrai plus les pieds dans cette cuisine pour un empire, répondait Clarisse. Et puis, je me suis débarrassée de mon petit ami avec une gifle, alors autant garder le sourire, madame Gates. »

Mme Gates était déchirée entre sa réprobation pour l'insolence de la jeune fille qui méprisait les vieilles conventions villageoises et son plaisir de voir qu'elle au moins avait réussi à s'échapper, semblait-il, vers une vie meilleure et plus indépendante.

Dans la cuisine, à présent, il n'y avait plus que la petite Mary aux cheveux blonds, qui lisait un livre devant son verre de lait.

— Mme Allaun m'a donné de l'argent pour que je t'achète des vêtements neufs. Ah, tu lis ?

— Je comprends pas tout. Je regarde les images, mais Jackie m'a appris des mots.

Intelligente, pensa Mme Gates, comme tous les petits Londoniens.

— Tu en apprendras beaucoup plus en allant à l'école en septembre.

— La maîtresse est gentille ? demanda Mary sous le choc de cette nouvelle.

— Oui, si tu es sage. Bon, demain, nous irons à Gladly en bus. Tu pourras te débarrasser de tes vieilles bottes.

— Qu'est-ce que tu vas en faire ? Je veux pas que tu prennes mes bottes.

— Elles sont bonnes pour la poubelle. Plus de bottes tant que tu seras ici.

— Qu'est-ce que je mettrai alors ?

— Des souliers.

— Oh ! s'exclama Mary, toute contente.

Les souliers, c'était monter d'un cran dans le monde.

L'après-midi suivant, ses boucles blondes bien coiffées encadrant son visage, en robe rose rayée blanc et en sandales rouges, Mary fut conduite auprès de Mme Allaun pour la remercier. Elle avait l'impression d'avoir des ailes et de pouvoir sauter au plafond. Pourtant, elle essaya d'entrer calmement dans la pièce.

— Mary aimerait vous remercier pour les vêtements que vous lui avez offerts.

– Méconnaissable ! s'exclama Lady Allaun, impressionnée par la beauté de l'enfant. Je vous félicite, madame Gates.

– Merci beaucoup, dit Mary.

– Cela en valait la peine. Tu es ravissante, Mary, dit Isabel en reprenant son livre avant d'ajouter : Madame Gates, vous devriez corriger l'accent de cette enfant. Une si vilaine voix dans une si jolie bouche, c'est chcquant.

– Oh, mais je peux parler très bien, dit Mary avec l' accent pointu d'Isabel Allaun qui posa immédiatement son livre pour observer la fillette.

– Répète, s'il te plaît.

– Je peux parler très bien.

– Quel beau petit perroquet nous avons là ! dit Isabel Allaun, aussi surprise que mécontente. C'est très bien, Mary, tu es très intelligente.

– Merci, madame, répondit Mary, imitant cette fois la voix de Mme Gates.

– Eh bien..., murmura Lady Allaun tandis que Mme Gates sortait avec la fillette.

De retour à la cuisine, la gouvernante sermonna sévèrement Mary.

– Que je ne te voie plus jamais prendre ces airs prétentieux. C'est bon pour la haute, pas pour toi.

– Qu'est-ce que c'est, la haute ?

– Les gens riches, au-dessus de toi.

– Au-dessus de moi ?

– Toi, tu es dans la cuisine, et madame au salon. Je suis à son service, je nettoie, je prépare les repas, et tant que tu seras là, tu auras ta part de travail. Dieu sait qu'un peu d'aide ne serait pas du luxe ! Voilà, c'est toute la différence.

– Alors, comment je dois parler ?

– Pas comme une va-nu-pieds, pour sûr. Tiens, range donc ces assiettes. Tu sais où je les mets ?

Un an plus tard, tous les problèmes s'étaient résolus d'eux-mêmes. Les Londoniens parlaient avec l'accent traînant des enfants du village, sauf lorsque les clans se divisaient. Ils retournaient alors à leur parler citadin, pour manifester leur solidarité.

Mary avait changé, elle avait grossi ; son visage autrefois blême respirait la santé. Elle avait insisté pour qu'on lui rachetât les mêmes sandales rouges que l'année précédente. Tous les matins, elle attachait les boucles avec le même plaisir avant de descendre pour le petit déjeuner. Le menu ne variait jamais : de la bouillie, du lait et des tartines de miel, grâce au petit pot qu' Arthur Twinning déposait clandestinement sur le palier, jour après jour.

Pendant ce temps, Mme Gates préparait l'œuf à la coque d'Isabel Allaun. Mary, qui savait désormais toute la vérité sur les œufs, grâce à son frère Jackie toujours employé à la ferme des Twinning, ne faisait aucun commentaire. Elle avalait sa bouillie sans rien demander, pas même qu'on lui dessinât un M de liquide doré sur son pain grillé. Mme Gates ne supportait pas les caprices. Mary s'était aperçue qu'elle avait bien plus de chance que la plupart de ses camarades. En fait, elle se sentait plus en sécurité auprès de l'impertubable Mme Gates qu'elle ne l'avait jamais été aux côtés d'Ivy Waterhouse, qui, sans cesse énervée par l'agitation de la grande ville, assénait volontiers une bonne gifle au moment où on s'y attendait le moins et donnait un baiser lorsqu'une semonce aurait été plus appropriée.

Dans l'ensemble, Lady Allaun avait accepté l'arrivée de la fillette, avec ses guenilles et son accent vulgaire, une gamine qui n'avait jamais dormi seule dans un lit, ni même dans une chambre à coucher, qui ne savait pas ce qu'était une brosse à dents, ou se laver autrement que devant l'évier de la cuisine. La grande maison permettait de vivre sans se gêner, et Mme Gates semblait aimer l'enfant. Isabel Allaun se félicitait d'avoir donné le bon exemple en accueillant un de ces petits Londoniens en péril, tout en se réjouissant de n'avoir pas fait une trop mauvaise affaire.

A la ferme des Twinning, Jack et Ian travaillaient comme des bœufs, mangeaient comme des ogres et dormaient dans la chambre des deux garçons Twinning, appelés sous les drapeaux depuis longtemps et de leur frère mort. Eux aussi respiraient la santé. Ils contribuèrent même à ramener Mme Twinning, dont le cher Donald reposait dans la carcasse d'un Spitfire tombé dans la Manche, à une vie plus normale.

Jim et Win Hodges avaient eux aussi pris la place des morts, car les Beckett, qui possédaient un potager à un kilomètre du village, avaient perdu deux de leurs trois enfants, emportés par la diphtérie, l'hiver précédent. Le frère et la sœur avaient adopté la lenteur campagnarde, ils travaillaient dans les rangs d'oignons et de choux de Bruxelles et s'occupaient du verger pendant l'été. Comme les garçons à la ferme Twinning, ils étaient bientôt devenus les enfants de la maison.

Mannie Frankel vivait chez le postier et l'aidait à distribuer le courrier, jusqu'à ce que son frère Ben vienne l'arracher à cette vie agréable pour le ramener à Londres. La famille en était arrivée à la conclusion que, avec les Allemands à soixante kilomètres de l'autre côté de la Manche, Mannie serait plus exposé à Framlingham en cas d'invasion. En ville, au moins, le physique caractéristique de l'enfant passerait plus facilement inaperçu que dans un village où le reste de la population avait l'air on ne peut plus saxon.

Tandis que les autres enfants s'adaptaient ou étaient rapatriés à Londres pour une raison ou pour une autre, la situation allait de mal en pis pour Cissie Messiter et Peggy Jones au presbytère. Cissie devenait pâle et squelettique, et Peggy, de plus en plus lente, irritait chaque jour un peu plus Mme Templeton, qui elle aussi maigrissait.

Mary Waterhouse était sans doute la mieux lotie de tous les réfugiés de Framlingham. Elle était très jeune, si bien que ses souvenirs s'effaçaient plus rapidement, il lui suffisait de traverser un champ pour voir Jack, son frère adoré, et puis, elle était chez des riches. Pour ses jeux, elle disposait de tous les champs des Allaun, y compris ceux des métayers qui travaillaient dans les fermes avoisinantes. L'été, elle se promenait parmi les rangées de blés dorés, arrachait quelques épis, et mâchonnait les graines dures. Elle pouvait cueillir autant de coquelicots qu'elle voulait. Au printemps, toutes les prairies étaient siennes. Elle se couchait dans l'herbe verte et regardait le ciel bleu. Elle batifolait dans le petit ruisseau en bas de la prairie, construisait des barrages et fabriquait des bateaux imaginaires avec des brindilles. Elle restait là pendant des heures, à se demander combien de temps il faudrait à sa frêle embarcation pour rejoindre la mer, si elle suivait le cours d'eau jusqu'à ce qu'il se fasse rivière puis fleuve. En automne, elle et son frère Jack avaient droit aux meilleures châtaignes du domaine. Parfois, dans ses rêveries, elle voyait un avion, au loin dans le ciel, qui survolait vergers, champs et collines. Elle le regardait dégringoler dans un tourbillon de fumée, mais cela ne signifiait pas grand-chose pour elle, bien que parfois, elle espérât capturer un aviateur allemand pour le conduire au commissariat du village. De temps en temps, elle ramassait un éclat d'obus pour le rapporter à Jack qui avait la plus belle collection de tout le village. Mais, au même titre que les camions militaires ou les carcasses d'avions qui s'écrasaient sur les collines, cela faisait partie du paysage, comme la pleine lune voguant silencieusement à travers les nuages. Mary restait souvent éveillée la nuit pour admirer l'obscurité au-dessus des toits. Elle ne devait pas faire de bruit, pour éviter que Mme Gates, qui couchait dans la chambre à côté, ne l'entende. Un jour, pourtant, cette proximité prit fin d'une bien étrange manière.

Un après-midi de septembre, Mary revenait de l'école en trottinant, le manteau délibérément ouvert flottant au vent. Jackie lui avait récemment parlé de Dracula, et elle avait préféré assumer ce rôle plutôt que celui d'une de ses victimes. Soudain, elle s'arrêta en voyant une longue limousine noire sur le carré de gravillons devant la maison. Appartenait-elle au mystérieux Sir Frederick, dont on attendait la visite prochainement ? Drôle de famille, pensa Mary. Lady Allaun était allée voir M. Frederick à Londres, lors d'une permission. Une autre fois, elle avait rendu visite à son fils Tom, dans le Yorkshire, où il habitait avec son cousin Charlie. Pourquoi ne rentraient-ils jamais à la maison ? Il y avait pourtant assez de place pour tout le monde, songea-t-elle, se souvenant pour une fois des quatre petites pièces de Meakin Street, où sa famille s'entassait. Peut-être était-ce trop loin. Mais comme elle aurait aimé voir M. Frederick dans son uniforme de soldat !

– Est-ce la voiture de M. Frederick ? demanda-t-elle à Mme Gates qui s'apprêtait à ouvrir le four.

– Non, répondit-elle en se relevant, un plateau de petits pains au lait à la main. Mais c'est quelqu'un d'important. Madame a reçu une lettre ce matin, et a commencé par me demander du thé, du vrai ! Avec un gâteau ! Elle me prend pour un magasin. Ce que j'ai dû promettre à Twinning pour un quart de beurre !

– Du gâteau ? Où ça ?

– Là, sur la table.

– Tu crois qu'ils nous en laisseront ? Je pourrai en avoir un bout ?

– Un morceau, on dit un morceau. Je suppose que oui, il faudrait qu'ils soient gloutons pour le manger à eux deux.

Une des clochettes au-dessus de la porte de la cuisine retentit. Quand Mme Gates et Lady Allaun s'absentaient, Mary s'amusait à tirer les sonnettes dans toutes les pièces, chambres, salon, bibliothèque, et à courir vers la cuisine pour arriver avant que les clochettes de laiton du tableau aient cessé de vibrer. Elle n'avait encore jamais réussi, pourtant, la clochette de la salle de bains ne fonctionnait plus.

Mme Gates sortit de la cuisine et Mary ouvrit la porte du four pour voir ce qui s'y mijotait. Un ragoût.

Déjà de retour, Mme Gates l'observait.

– Je t'ai dit et redit de ne pas ouvrir ce four sans demander la permission, déclara-t-elle froidement à Mary qui baissait la tête d'un air coupable. Bon, on te demande au salon, je ne sais trop pour quelle raison. Enlève ton manteau, pose tes chaussures mouillées près du feu et monte te coiffffer. Change de chaussettes par la même occasion et mets tes sandales.

– Pourquoi il faut que j'y aille ?

– Je ne sais pas, répondit Mme Gates en grimaçant.

– Ils me donneront du gâteau ? Il est au chocolat ? demanda Mary, toute joyeuse.

– Peut-être. Mais ne demande rien, surtout. Attends qu'on te le propose. Il se passe de drôles de choses, ajouta-t-elle en versant de la confiture dans un ramequin de verre ciselé.

Une réfugiée invitée à goûter au salon ? A cinq ans ? Peut-être Isabel Allaun voulait-elle prouver à une huile qu'elle contribuait à l'effort de guerre ? C'était peu probable. Malgré sa longue habitude de la maison, elle ne comprenait pas ce qui se passait. La limousine, conduite par un chauffeur, était arrivée à trois heures. Un homme grand d'âge mûr, un personnage d'un certain rang, assez important même d'après l'expérience de Mme Gates, était entré. Isabel Allaun ne le connaissait pas. A quatre heures, elle avait demandé qu'on lui apporte le thé. A quatre heures et demie, elle devait préparer Mary pour la présenter au nouveau venu. Ce n'était pas un journaliste du *Times* venu faire une enquête sur les meilleurs types de foyers possible pour les réfugiés ; ni la police pour annoncer que les Waterhouse avaient été tués lors d'un bombardement. Cela avait-il un rapport avec la lettre de la mère avertissant de la naissance d'une petite sœur ? Peu vraisemblable. Pourquoi un gros bonnet s'intéresserait-il à une Shirley Waterhouse ? Au salon ?

Tout cela n'avait pas de sens.

— Voilà pour madame, une bien grande chambre sur la façade ! dit Mme Gates qui était en train de cirer le plancher autour du tapis vert et or fané de la pièce. Bon, va chercher ton torchon et donne-moi un coup de main.

Mary alla donc chercher le tablier que Mme Gates lui avait fait, celui avec un petit lapin rose, prit son chiffon dans son coin du placard à balai et remonta en courant. Elle aimait bien cette pièce. Elle avait une certaine dignité. Elle était située au-dessus de la bibliothèque. Mary admirait la commode de bois gravé sous une fenêtre, la coiffeuse de marqueterie, où elle rangerait son linge. Il y avait même deux chaises de tapisserie sous l'autre fenêtre. On avait enlevé les rideaux de velours vert pour les aérer, et nettoyé le tapis. Désormais, elle aussi avait une sonnette.

— Tu as vu, j'ai une sonnette, maintenant.

— Ne t'avise pas de t'en servir.

— Je pourrais avoir peur. Pourquoi je change de chambre ?

— Je te l'ai dit, c'est sans doute à cause de l'arrivée de Tom.

— Il est gentil ? Il jouera avec moi ?

— C'est un grand garçon. Il va à l'école, avec des jeunes de son âge, il te trouvera peut-être trop jeune pour jouer avec toi, dit Mme Gates sur un ton diplomatique.

— Il jouera avec Jackie, ils ont le même âge.

— Peut-être.

— Je lui demanderai de me prêter son puzzle.

Elle désirait ardemment les pièces de bois empilées dans la chambre de Tom, à l'opposé de la sienne, sur le même palier. Une fois, elle y avait emmené Jackie en cachette. En voyant le cheval à bascule, le train miniature, le mécano, Jack s'était contenté de dire : « Oh, là, là, c'est la chambre du fils du roi d'Angleterre ! » mais Mary n'avait pas le droit de toucher aux jouets.

Mme Gates observait Mary d'un air circonspect. Chaque fois qu'elle essayait d'ôter les idées trop optimistes et légères de cette petite tête blonde pour y planter les notions plus raisonnables de doute et d'humilité, comme un jardinier qui lutte contre les mauvaises herbes, elle était éternellement vaincue par la nature. La cervelle de Mary se montrait fort récalcitrante. Si un espoir y mourait, un autre renaissait immédiatement. Elle soupira en voyant la fillette frotter énergiquement les lattes avec son chiffon jaune. Elle avait bien connu ce genre de fille en son temps, mais aucune n'était arrivée à rien de bon. Elle aussi avait été comme elle, pas trop, heureusement, et Dieu sait qu'elle était rapidement revenue à la raison après avoir quitté son service à dix-sept ans, sur un coup de tête, pour épouser Gates, un imprimeur. Elle avait donné naissance à un enfant qui mourut six mois plus tard de la scarlatine. C'était peut-être une bénédiction en la circonstance, car peu après, Gates était parti, sans dire un mot. Par chance, les Allaun avaient bien voulu la reprendre. Par chance encore, elle avait su en tirer la leçon. Elle espérait que Mary n'aurait pas à apprendre la sienne si durement. Elle finit de lustrer la commode et se pencha pour essuyer les traces de cire laissées par Mary.

Tom arriva quelques jours plus tard. Le vieux Benson, le jardinier, homme à tout faire et chauffeur à présent que les autres hommes n'étaient plus là, était allé le chercher à la gare. Les Allaun avaient économisé leurs coupons d'essence pour le voyage afin que Tom se sente bien accueilli lors de son arrivée, sa première visite depuis plus d'un an. De la fenêtre de sa chambre, Mary le vit dans la Bentley, assis à côté de sa mère. Il était mince, petit, et très très blond. Elle dégringola l'escalier pour aller prévenir Mme Gates. Toutes deux allèrent prendre place sur les marches devant l'entrée. Le garçon s'avança, précédant sa mère de quelques pas. Ses cheveux étaient si clairs qu'ils en paraissaient presque blancs, et ses cils si transparents que les yeux bleus semblaient d'une profondeur infinie. Il portait une veste grise, des culottes courtes, une chemise blanche et la cravate de son école.

— Bonjour, madame Gates, dit-il. Vous allez bien ? C'est elle la réfugiée ?

Mary baissa la tête. Le mot "réfugié" n'était jamais employé gentiment, même par les enfants du village. Cela signifiait étranger, intrus, ignorant et mal élévé. Isabel Allaun fronça les sourcils. De toute évidence, elle avait demandé à son fils d'être poli avec la fillette.

— C'est Mary Waterhouse, Tom, je t'en ai parlé.

— Excuse-moi, Mary, dit Tom en entrant dans le vestibule.

Mary comprit avec un pincement de cœur qu'il n'en pensait rien. D'ailleurs la même scène se renouvela à l'heure du thé.

— Elle vient goûter avec nous ? s'étonna-t-il en levant les sourcils.

— C'est notre invitée, répondit Lady Allaun.

— Elle fait des miettes partout, remarqua Tom. Et au dîner ?

— Mary se couche de bonne heure. Elle ne dîne pas avec nous. Et toi non plus, si tu continues à dire « elle » en parlant d'une de nos hôtes, aussi jeune soit-elle. J'aimerais bien que ta première journée ici ne soit pas qu'une série de disputes stupides.

– C'est bien la première fois que j'entends parler d'invitée à propos d'une simple réfugiée.

Isabel Allaun se mordit les lèvres mais se contenta de dire :

– Ton père devrait arriver dans quelques jours. Ne serait-ce pas fantastique d'être enfin tous réunis ?

Pourtant M. Frederick fut retardé, et Tom qui s'ennuyait sans la compagnie de son cousin Charlie, d'autant plus qu'il ne cessait de pleuvoir, passait son temps à tourmenter Mary en cachette. Il se cachait dans les coins et lui sautait dessus en faisant des grimaces effrayantes alors que personne ne le regardait. Un jour même, il était entré dans la chambre de Mary endormie, revêtu d'un drap et hurlant comme un fantôme. Mary était terrifiée par ses horribles grimaces et ses remarques désobligeantes. Elle craignait sans cesse de se faire pincer ou tordre le bras. Quand elle lui en parla, Tom nia être jamais entré dans sa chambre et prétendit que la maison était hantée.

– Cela m'étonne que tu n'aies pas vu le fantôme plus tôt. Il est toujours dans cette chambre. C'est pour ça que personne n'y dort. Sinon, on ne te l'aurait jamais donnée.

Les vacances parurent très longues à Mary. Elle devenait pâle, n'osait plus aller se coucher de peur que Tom, ou le fantôme, ne revienne. Quand Jackie qui, malgré la pluie, avait travaillé toute la semaine vint finalement voir sa sœur, il la trouva très éteinte, à côté d'une Mme Gates beaucoup plus avenante qu'à l'ordinaire.

– Jack, tu veux une tasse de thé ? lui demanda-t-elle, comme si elle s'adressait à un adulte.

Et Jack, comme un adulte, répondit :

– C'est gentil à vous, madame Gates. Merci. Eh bien, Mary, comment ça va ? On dirait qu'on t'a mangé ta soupe.

– Elle ne s'entend pas très bien avec le jeune Tom, expliqua Mme Gates.

– Ah, je vois, dit Jack, compréhensif. Je l'avais oublié, celui-là. J'en ai entendu parler, par Twinning. Il a égorgé un poulet à la hache. C'est vrai, hein ?

– Oh, il était trop jeune pour savoir...

– Ce n'est pas ce que dit Twinning. Il paraît que ça lui a donné la chair de poule. Pourtant, vous devriez voir ce qu'il fait, enfin, Twinning, avec les moutons et les cochons. Ce n'est pas ce qu'on appelle un cœur sensible.

– Il ferait mieux de tenir sa langue.

Ce fut tout ce que Mme Gates trouva à répliquer.

– Bon, qu'a-t-il fait à ma petite Molly ? Allez, dis-moi...

– Il me fait tout le temps peur, il me pince, et il me dit que je dois dormir dans la remise avec les araignées. C'est pas vrai qu'ils vont envoyer Shirley ici ?

— Pauvre sœurette ! Bien sûr que non, ce n'est qu'un bébé. Bon, j'irai parler à Tom.

— Oh que non ! s'exclama Mme Gates. Tu ne ferais qu'attirer de nouveaux ennuis, à toi et à ta sœur. Il s'en va lundi, sois bon garçon, Jack, ne t'occupe pas de ça.

— Comme vous voulez, Mme Gates.

— Tiens, bois donc ton thé.

— Eh bien, Mary, essaye de rester à l'écart.

— Je retournerai à Londres et je vivrai avec Sid et Ivy, répliqua Mary, d'un air têtu.

— Voyons, il y a la guerre là-bas.

— Si un petit bébé peut y vivre, moi aussi, dit Mary qui ne voulait pas laisser paraître sa peur.

— Tu es très bien ici et tu y resteras.

Pendant un instant, les enfants Waterhouse se regardèrent, comme deux adultes.

— Bon, dit Mary en baissant la tête.

Cette nuit-là, elle se réveilla et vit une tête blanche, avec une lumière qui brillait à la place des yeux. Elle hurla, sans pouvoir s'arrêter. En chemise de nuit blanche dans la chambre, Isabel Allaun avait l'air furieuse. Entre deux sanglots, Mary raconta une histoire de fantômes. Mme Gates lui prépara du lait chaud et finit par la faire dormir avec elle dans son lit de cuivre. Après le départ de Tom, elle ne fut pas très surprise de voir qu'il lui manquait un drap. Tom s'était débarrassé des preuves. Mary ne recouvra pas immédiatement sa tranquillité, car, dans la voiture, avant de partir, Tom s'était arrangé pour lui murmurer : « Je reviens pour Noël, et cette fois, j'amène mon cousin Charlie. Ah, ah, sale réfugiée ! »

Livide, Mary rentra à la maison, sentant une odeur de méchanceté planer dans l'air. Au cours des deux mois de pluie et d'obscurité précoce qui suivirent, elle se calma peu à peu. Sir Frederick venait pour le week-end et se montrait très gentil avec elle. Il lui rapporta une poupée d'Afrique. Mais, lorsqu'il fallut apprendre les chants de Noël à l'école, elle se remit à avoir peur. Tandis que Mary s'inquiétait du retour de Tom, Pearl Harbor était bombardé et les Etats-Unis entraient en guerre.

— Je ne vois pas pourquoi nous ne pourrions pas les avoir pour Noël, ce sont nos gosses après tout, dit Sidney Waterhouse en se servant une part de tourte.

— Peut-être, à moi aussi, ils me manquent. Mais qu'avons-nous à leur offrir ici ? Des bombes et des tickets de rationnement. Là-bas, ils tueront la dinde pour les fêtes. Et puis, ils sont en sécurité, c'est l'essentiel.

— Ils n'ont même pas vu leur sœur.

– Imagine qu'ils viennent et qu'ils se fassent tuer. Quel effet cela te ferait ? demanda Ivy

Le bébé, qui dormait dans un panier posé sur le sol, se mit à pleurer. Ivy se pencha pour le prendre dans ses bras et déboutonna son cardigan.

– Mon Dieu, encore !

– Je ne comprends pas pourquoi tu n'arrives pas à nourrir cette gosse correctement, remarqua Sid qui regardait jalousement l'enfant téter. Pourquoi ne lui donnes-tu pas un biberon ?

– Je perdrais le lait qu'on accorde aux mères qui allaitent. Et d'ailleurs, il passe dans ton thé, la plupart du temps.

– Puisque le gouvernement distribue gratuitement du lait pour les bébés, je pensais que tu serais trop heureuse de te débarrasser de cette corvée.

– Tu ferais mieux d'aller à ton travail, il est presque six heures.

A ce moment, le hurlement d'une sirène retentit. Sid prit sa casquette de chauffeur et son manteau sur la chaise avant de se diriger vers la porte.

– N'y va pas, pas maintenant. Attends de savoir où ça tombe.

– Je ne peux pas attendre que le bombardement soit terminé.

On entendit un sifflement, suivi d'une forte détonation. Les murs tremblèrent et les tasses de faïence tintèrent sur l'étagère.

– Ouille, ce n'est pas passé loin.

– N'y va pas, je t'en prie, supplia Ivy, sans prendre garde aux hurlements du bébé. C'est complètement idiot de sortir maintenant.

Deuxième explosion, deuxième bombe.

– Trop tard pour l'abri, dit Sid en s'approchant de la fenêtre. Autant prendre une tasse de thé. Oh, mon Dieu, ils visent encore la voie ferrée !

Une lueur rouge envahissait la pièce. Assise, le bébé sur les genoux, Ivy semblait parler toute seule :

– C'est affreux. Quelle vie pour un enfant ! Sid ! s'écria-t-elle tandis que le sifflement redoutable hurlait de nouveau. Sid, c'est pour nous ! mais la bombe tomba un peu plus loin. Eloigne-toi de cette fenêtre, hurla-t-elle, et tire les rideaux.

– Calme-toi. Je vais faire chauffer de l'eau. Calme-toi, tout ira bien, dit-il en déposant un baiser sur le front de la petite fille. Ils s'en vont. Ne t'inquiète pas, ajouta-t-il en allumant la lumière.

– Quelqu'un frappe à la porte, il vaudrait mieux ouvrir.

Quelques secondes plus tard, Sid revint avec un homme trapu d'une trentaine d'années, portant tunique et pantalon kaki. En voyant Ivy allaiter son enfant, il hésita un instant.

– Oh, excuse-moi, Ivy. Je me demandais si je ne pourrais pas m'abriter ici en attendant que ça passe. Je ne savais pas...

— Ce n'est pas le moment de faire des manières. Entre, répondit Ivy brusquement. Sid vient de mettre de l'eau sur le feu.

Elle l'observa attentivement, arrangea sa tenue et reposa l'enfant dans son panier où il gémit un peu avant de s'endormir.

De nouveau, la maison trembla. Sid se précipita vers la fenêtre et cria :

— Je crois qu'ils ont eu le dépôt, il faut que j'y aille.

— Non, Sid, non ! Ça ne servirait à rien.

— Je ne peux pas faire autrement, Ivy. Ils seront tous là, Harry Jim Jessop et les autres. C'est l'heure du changement d'équipe.

— Tu ne pourras rien faire, s'écria Ivy. Pense plutôt à nous.

— Une paire de mains, c'est toujours bon à prendre. De toute façon, l'alerte est presque terminée.

— Il en suffit d'une ! Si elle est pour toi...

— Ivy, ma chérie, il faut que j'y aille. Je ne suis pas un lâche.

— Bon, très bien. Fais ton devoir, soupira Ivy.

Elle l'aida à tirer sur les manches de son manteau et le suivit sur le trottoir. A l'ouest, le ciel s'embrasait. Un moteur d'avion ron ronnait au-dessus de leurs têtes. Les mitrailleuses pétaradaient. Ils restèrent devant la porte, tête baissée, comme si cette attitude pou vait les protéger des bombes.

— Ne me laisse pas seule à la maison avec Shirley et ce gangster, murmura-t-elle. Il peut arriver n'importe quoi.

— Il est inoffensif. Il est dans l'armée maintenant.

— Il n'a pas de permission. Il va être déclaré déserteur. Et puis, il a déjà fait de la prison pour avoir à moitié tué une femme. Sid, comment peux-tu me laisser avec lui ?

— Il n'a jamais porté la main sur une femme. La sienne, c'est pas pareil. Ecoute, il n'y a aucun problème avec Arnie si tu le connais. Et ce n'est qu'un moyen de me retarder. Tu étais à l'école avec lui et tu as peur de lui ? Bon, l'alerte est terminée, je dois aller au dépôt voir s'il y a des blessés.

Le ciel était plus serein, malgré quelques tirs sporadiques.

— D'accord, Sid. Mais fais attention à toi.

— A tout à l'heure, dit-il en s'éloignant dans l'obscurité.

Ivy l'entendit lui crier un « au revoir » de loin. Elle lui rendit son salut et rentra dans la maison. Elle sursauta en trouvant Arnie Rose sur son chemin.

— Rentre donc, Ivy, ne t'inquiète pas. Sid n'a rien à craindre. Tu as simplement besoin d'un petit remontant, et j'ai exactement ce qu'il te faut dans ma poche.

Puisqu'il n'y avait plus de danger, Arnie aurait dû partir, pensa Ivy. Un homme digne de ce nom aurait proposé d'accompagner Sid pour donner un coup de main au dépôt. Pourtant, elle laissa Arnie la conduire à la cuisine où il s'assit et sortit une demi-bouteille de whisky de sa poche.

46

– Et il y en a encore bien plus là d'où ça vient, commenta-t-il.

Ivy accepta le verre qu'il lui offrait en pensant intérieurement : « Oh, mon Dieu, protégez Sid !»

Hagard, sale, Sid revint tandis que les premières lueurs de l'aube éclairaient les rues pluvieuses.

– Excuse-moi, je suis en retard. Un hangar s'est écroulé, avec un type à l'intérieur. On l'a sorti et puis, on a donné un coup de main dans les maisons du coin. On a découvert une vieille dame dans la cave à charbon, mais deux petites filles ont été tuées. Fais-moi chauffer de l'eau, je voudrais me laver.

Ivy mit une grande casserole sur le gaz. Elle lui tendit une tasse de thé et mit deux tranches de bacon dans la poêle.

– Pauvres gosses.

– Tu as raison, mieux vaut ne pas faire venir Mary et Jack pour Noël. C'était idiot.

– Tu as dormi ?

– Presque une heure, dans la cabine d'un bus. J'étais trop fatigué pour rentrer. Tu es toute blanche, ça va ?

– Tu sais, je ne dors jamais beaucoup. Shirley a été sage.

Elle ne précisa pas qu'elle avait passé presque toute la nuit à éviter les avances d'Arnie Rose. Elle était trop prudente pour lui dire de partir ou même pour solliciter l'aide d'un voisin. Ce n'était jamais une bonne idée de se fâcher avec Arnie Rose et elle ne voulait pas non plus que Sid aille l'affronter.

– On mériterait bien une année de sommeil, dit Sid en avalant ses toasts au bacon. Nous ne pourrons pas en supporter beaucoup plus.

– Oh, mais si, tu serais surpris de savoir ce que les gens sont capables d'endurer.

– Il faudra quand même bien que ça s'arrête. Les familles déchirées, les morts, les blessés... Ces fichus bombardemetns toutes les nuits, les queues à n'en plus finir ! Avant, nous n'avions pas grand-chose, mais au moins, on avait nos maisons, et un peu de calme bien mérité.

– Oui, et de quoi mourir de faim. Au moins, les enfants ont leur lait, leur jus d'orange et leurs œufs. On s'occupe des gens, tu ne peux pas le nier. A propos, Arnie Rose peut nous avoir un bon gros poulet pour Noël, enfin, pour trente shillings quand même.

– Trente shillings ! Eh bien dis donc, cet Arnie n'y vas pas de main morte !

– Allez, va te coucher, Sid, tu dormiras peut-être quelques heures.

– Tu n'as pas envie de me rejoindre ? demanda Sid sans trop y croire.

– Je dois faire les courses de bonne heure, pour éviter les queues.

En bougonnant, Sid monta se coucher.

A Framlingham, chez les Twinning, les fêtes de Noël se déroulaient joyeusement, bien que Twinning, éméché, ait renversé l'horloge du grand-père de sa femme, en revenant du pub le soir du réveillon. Il y eut un grand bruit et quelques cris sur le coup de minuit, mais le lendemain, tandis que les rires et les feux de joie éclairaient la campagne obscure, tout était rentré dans l'ordre. Une grosse dinde bien grasse trônait sur la table, et la mère de Mme Twinning apporta son célèbre pudding. « Tu peux t'entraîner à l'escalade de l'Everest, là-dessus ! » Il y avait du porto à volonté, des jeux de cartes, des chants d'ivrognes autour du piano. Ian et Jackie, les réfugiés, étaient très contents de leurs soldats de bois et de leurs battes de cricket qui avaient appartenu aux fils de la maison. Ils s'endormirent tous deux sur le divan à minuit, tandis que les Twinning, la belle-mère, le frère, sa femme et leurs enfants, le postier du village et son épouse, qui étaient venus à bicyclette pour dîner, chantaient : « Le ciel brillera encore/ Sur les falaises de Douvres/ Demain. Attendez, vous verrez bien. »

Plus tôt dans l'après midi, pourtant, à Allaun Towers, la pauvre Mary était tapie dans les buissons humides, au pied de la pelouse. Secouée de gros sanglots, elle regardait à travers les feuilles mouillées les lumières du salon qui venaient de s'allumer. Elle se demandait si elle avait le temps de courir vers la maison avant que Tom et Charlie ne la trouvent. Peut-être devrait-elle rester cachée jusqu'à l'heure du coucher.

Le tricycle d'occasion rouge, fraîchement repeint, qu'elle avait trouvé sous le sapin ce matin-là, avec son nom sur un carton accroché au guidon, gisait à côté d'elle. On l'avait gentiment laissée pédaler dans les corridors et le vestibule mais elle avait vu Tom et Charlie la regarder méchamment par une porte entrebâillée. Immédiatement, elle avait fait demi-tour pour se précipiter à la cuisine. « Tom et Charlie vont me faire du mal », avait-elle dit à Mme Gates, qui l'avait grondée, mais Mary savait qu'elle disait la vérité. Les deux garçons l'avaient poursuivie dans toute la maison quand les adultes étaient encore assoupis, après le repas. Tremblante comme un oiseau sur une brindille, elle se blottissait dans le feuillage, ne sachant comment s'échapper.

— Je t'ai eue, s'écria Charles Markham, s'écroulant dans les feuilles de rhododendron et l'aspergeant de gouttes de pluie.

Elle sentait que des mains lui saisissaient fermement les épaules. Puis, l'une d'elles glissa, se faufila dans son entrejambe, lui pinça les cuisses, et lui baissa sa culotte.

— Non, non, laissez-moi tranquille.

Tom la plaquait contre le sol tandis que Charlie continuait ce qu'il avait commencé.

— Hé, Tom, regarde ce petit derrière !

Charlie, âgé de onze ans, avait de grands yeux bleus et des cheveux noirs bouclés. Mary entendait sa respiration haletante.

— Baah, c'est dégoûtant ! Dé-goû-tant ! Vite, remets-lui sa culotte toute sale, je n'ai pas envie de voir ça !

Elle les tuerait, elle les tuerait, pensa Mary, folle de rage. Mais Tom la tenait par les épaules et Charlie par les genoux.

— Hé, moi je veux regarder, dit Charlie d'une voix grossière. Alors, la petite réfugiée, ça te plaît de montrer ton derrière ?

Plus furieuse encore, Mary se tourna sur le côté et mordit le bras de Tom, enfonçant ses dents comme un chien, sans prendre garde au goût âpre du tissu de serge, imaginant les marques de dents sur la peau.

Tom hurla. Charlie, se rendant soudain compte de ce qui se passait, libéra les genoux. Mary sauta sur ses pieds, remit sa culotte et ramassa un bâton sur le sol. Il était inutile de se sauver, car ils étaient plus rapides qu'elle.

— Je le dirai, je le dirai ! cria-t-elle, prise d'une soudaine inspiration.

Le visage de Tom se tordit de douleur et d'inquiétude, tandis que Mary les frappait tous deux au visage. Charlie lui arracha bientôt le bâton.

— Je le dirai, je le dirai, criait toujours Mary en courant à travers la pelouse.

— Mary ? Mary Waterhouse, qu'est-ce que tu as fait ? demanda Mme Gates, qui préparait des tartines, bien que, dès qu'elle eut prononcé ces mots, elle eût déjà une idée de ce qui s'était produit ; les sanglots, les taches de boue et les feuilles collées sur le dos de la fillette en disaient assez long.

— C'est Tom et Charlie, ils m'ont enlevé ma culotte.

— Oh, non, saleté de gosses !

— Tu le diras à Mme Allaun ? T'iras lui dire ce qu'ils m'ont fait ?

— Pas maintenant.

Ce n'était pas seulement parce que c'était Noël et que la maison regorgeait d'invités, mais aussi parce qu'on ne racontait pas ce genre de choses aux gens bien à propos de leurs enfants. Il aurait fallu que ça aille beaucoup plus loin pour que Mme Gates prenne la peine d'avertir Mme Allaun.

— Alors, moi, j'irai. Tom et Charlie sont méchants, et je les ai prévenus.

Sur ces mots, le visage sali par les traces de larmes, Mary ouvrit la porte de la cuisine.

— Tu ne peux pas aller au salon dans cet état ! s'exclama Mme Gates en la retenant par l'épaule. Va te laver d'abord, ça te laissera le temps de réfléchir.

— Je le dirai, je le dirai ! cria Mary, comme elle l'avait fait devant Tom et Charlie.

Mary se débattait pour s'échapper alors que Mme Gates essayait de la retenir sans lui faire de mal.

Mme Allaun, qui s'était précipitée dans le couloir en robe de mousseline bleue, demanda :

— Que se passe-t-il ?

— Mary s'est disputée avec Tom et Charlie.

— Oh, le jour de Noël, dit Isabel Allaun, impatiente. Enfin, je suppose que tout le monde est énervé. Je suis venue vous demander si vous alliez bientôt servir le thé. Sally Staines est toute prête à vous aider si vous ne vous en sortez pas toute seule. Et quant au reste, Mary ferait mieux d'aller s'arranger avant de venir nous rejoindre. D'ailleurs, cela serait aussi bien si elle goûtait à la cuisine, ajouta-t-elle en tournant les talons.

— Ils ont baissé ma culotte, dit Mary, toujours retenue par Mme Gates, mais Isabel Allaun n'entendit pas, ou préféra ne pas entendre, car elle partit aussitôt.

— Elle s'en moque ! s'exclama Mary, abasourdie.

— Elle n'a sans doute pas entendu, répondit Mme Gates. Allez, viens, je vais t'aider à te préparer.

Après l'avoir lavée et coiffée, Mme Gates lui enleva ses chaussures, installa Mary sous les couvertures dans la grande chambre à l'élégance désuète et resta près d'elle jusqu'à ce qu'elle s'endorme. Elle regardait le visage pâle, toujours inquiet dans le sommeil, mais fut appelée par Charlie qui frappait brusquement à la porte afin de faire soigner le visage de son cousin. Il y avait une longue griffe, et Mme Gates s'empressa de laver la blessure sans douceur, à grand renfort de teinture d'iode. Elle fit semblant de ne pas voir la déchirure sur la manche, et, comme elle avait remarqué le fil de serge bleue entre les dents de Mary, elle n'avait aucune difficulté à deviner ce qui s'était passé. En fait, pendant les dix jours qui suivirent, Tom souffrit de plus en plus de cette morsure qui s'infectait. Il ne pouvait montrer ces traces de dents humaines sans qu'on lui pose des questions embarrassantes et dut attendre son retour à l'école pour se faire soigner.

Plus tard, Mme Gates apporta le dîner de Mary dans sa chambre. Elle lisait un conte de fées et essayait d'oublier la scène dans les buissons. Son petit corps fiévreux agité, elle ânonnait : « Cendrillon, qui était aussi bonne que belle, fit loger ses deux sœurs au Palais, et les maria dès le jour même à deux grands Seigneurs de la Cour. »

La morale de l'histoire restait très obscure pour Mary :

« C'est sans doute un grand avantage,
D'avoir de l'esprit, du courage,
De la naissance, du bon sens,
Et d'autres semblables talents,

Qu'on reçoit du ciel en partage ;
Mais vous avez beau les avoir,
Pour votre avancement ce seront choses vaines,
Si vous n'avez, pour les faire valoir,
Ou des parrains ou des marraines.

Quand Mme Gates vint lui apporter une tasse de lait chaud, Mary lui demanda de lui expliquer cette drôle de fin. Mme Gates, presque aussi perplexe que la fillette, réfléchit un instant avant de dire :
— On dirait que l'auteur savait bien des choses sur notre monde. Tu comprendras quand tu seras plus grande. Pourquoi ne trouves-tu pas un passage plus facile ?
Mais Mary avait déjà placé le présent de Mme Allaun sous son oreiller et dormait profondément.

La guerre se poursuivait. La population, plus morne et plus pauvre qu'auparavant, sentait que le plus gros du danger était écarté, bien que les rues fussent toujours encombrées d'uniformes, que les bombardements, les tickets de rationnement n'aient pas encore disparu et qu'on trouvât un peu partout des amas de pierres et de briques, là où les maisons avaient été détruites. Pourtant, les Allemands avaient été vaincus en Union soviétique et, l'année précédente, les hommes et les femmes avaient encore eu le courage de manifester afin d'obtenir un rapport du gouvernement préconisant la lutte contre les cinq maux principaux : « l'envie, la maladie, l'ignorance, la misère et l'oisiveté ». Au moment où les forces alliées préparaient leur offensive contre la Sicile, Isabel Allaun emmena Tom, Charlie et Mary à la foire d'été de Scoop Hill. Personne ne songeait à la guerre et encore bien moins à la reconstruction. C'était une journée merveilleuse. Une allouette traversa le ciel d'une pureté étincelante. Le petit groupe grimpait le sentier qui menait au plateau, place forte de l'âge de bronze, rendez-vous des sorcières au Moyen Age, et cachette des amoureux à travers les siècles.
La musique qu'ils entendaient confusément en bas du sentier leur paraissait à présent plus forte. Il y avait des manèges, des balançoires et des jeux de massacre, un théâtre de marionnettes, des stands de tir et des buvettes. De l'autre côté du terrain, on voyait les roulottes bariolées des romanichels.
Pleine d'admiration craintive, Mary regardait les manèges

bruyants et colorés, surtout les chevaux de bois, avec leurs taches noires et leurs rênes rouges. Les gitans, avec leur teint mat, leur longs cheveux noirs et leurs vêtements chatoyants, l'impressionnaient et l'effrayaient. Un homme au regard sombre et à l'allure fière portait des anneaux d'or aux oreilles. Comme elle avait envie de se balancer sur un de ces chevaux blancs, au rythme de la musique !

— Il y en a ici qui ont l'air de n'avoir jamais entendu parler de la mobilisation, murmura Rabbity Jim à Mme Gates, tandis qu'ils se tenaient près d'un stand de tir où un gitan s'entraînait en visant des cartes à jouer dans l'espoir de remporter un chien de faïence ou une poupée espagnole en robe rouge et noir.

— C'est quoi, la mobilisation ? demanda Mary.

— Chut, sois sage si tu veux rester avec nous, répliqua sévèrement Mme Gates.

Le gitan se tourna vers Rabitty Jim en grimaçant. Jack le regarda. En fin de compte, ils vivaient du même commerce, braconnage et vie campagnarde.

Sous la menace d'être abandonnée, Mary prit la main de Mme Gates. Elle avait réussi à échapper à Isabel Allaun, Tom et Charlie, pensant que la première risquait de jouer les rabat-joie et qu'elle ne s'amuserait guère en présence de Tom et Charlie. On n'avait pas revu les garçons après les vacances de Noël. Ils avaient passé les fêtes de Pâques chez Charlie et n'étaient arrivés à Allaun Towers que quelques jours plus tôt, dans la Bentley rutilante. Mary ne savait pas qu'après ses menaces de dénonciation et les difficultés de Tom pour expliquer la nature de sa plaie à l'infirmière de l'école, ils avaient tacitement décidé de la laisser tranquille, de peur de s'attirer des ennuis. De son côté, Mary se sentait en danger. Mme Gates ne l'avait pas défendue, et elle ne savait toujours pas si Isabel Allaun l'avait entendue, cet après-midi-là dans le couloir. Comme c'était une enfant, Mary pouvait accepter qu'on ne comprenne pas toujours tout, qu'on ne dise pas toute la vérité, mais de par sa nature, elle n'avait aucun penchant pour l'ambiguïté. Il n'y avait dans ses souvenirs fragmentaires de Meakin Street aucune trace de faux-fuyants, bien au contraire, Ivy accusait ouvertement Sid d'avoir trop bu, le couple se disputait bruyamment à propos du loyer, ou se lançait dans des effusions d'affection. Même si elle avait tout oublié, son frère, ennemi juré de l'hypocrisie déjà à dix ans, était là pour le lui rappeler. Pourtant, à la foire, elle se plongeait sans réserve dans les délices des manèges, de la limonade, du ciel bleu et de la musique du piano mécanique. La foule se bousculait, jetait des noix de coco dans des portraits de Hitler et de Goering en contre-plaqué, dans l'espoir de remporter une assiette à l'effigie du couple royal.

Mary regardait Jackie monter et descendre, tourner et tourner sur le manège, l'air ravi. Quand le tour fut terminé, elle courut vers lui, s'installa sur le cheval d'à côté, donna sa pièce de six pence, et, agrippant la barre, se balança au rythme de la musique. Les visages d'Isabel Allaun, de Mme Gates, de Rabitty Jim et de tous les gens du village, le postier, le boulanger, la maîtresse d'école, tournoyaient autour d'elle, comme dans un rêve. Elle croisait parfois le regard du sombre gitan au centre du manège, pour le perdre et le retrouver de nouveau. Elle tournait, tournait et tournait, montait et descendait ; soudain son chapeau de soleil s'envolât, pour retomber dans l'herbe, telle une assiette oubliée sur le sol poussiéreux. Elle commença à glisser le long de l'encolure du cheval, tenta de s'y accrocher, incapable de se retenir. Finalement, le manège s'arrêta. « Ouf, j'ai failli tomber ! J'ai la tête qui tourne. »

— Je peux faire encore un tour ? demanda-t-elle à Mme Gates qui venait l'aider à descendre, son chapeau de paille à la main.

— Tout à l'heure.

Tom approchait, le regard pein de malice. Mary prit rapidement la main de Mme Gates.

— Bon, d'accord, tout à l'heure.

Elles allèrent acheter de la limonade à une femme qui portait elle aussi des anneaux d'or aux oreilles.

— Tu as des trous dans les oreilles ? lui demanda Mary.

— Mais oui, ma petite.

La gitane regarda d'un air étrange Mary, qui fut immédiatement entraînée plus loin par Mme Gates.

— Pourquoi tu me tires ?

— Ils volent les bébés blonds, et mettent les leurs à la place dans les berceaux.

— Je ne suis plus un bébé, dit Mary, je suis trop grande pour qu'on me vole.

— Et bien trop raisonneuse !

Brusquement, elles tombèrent sur Isabel Allaun, qui paraissait gênée d'être surprise devant la tente de la diseuse de bonne aventure.

— C'est stupide, je sais, mais ils vous disent des choses extraordinaires sur vous. Ce qui n'est pas très surprenant, je suppose qu'ils prennent leurs renseignements avant. Ils ne doivent pas manquer un ragot. Benson a garé la voiture un peu plus loin, vous voulez rentrer avec nous ?

— Oh, non, pas tout de suite ! dit Mary. Je veux retourner sur le manège.

— Laissez-la rester, Lou, dit la femme qui sortait de sa tente.

Mme Gates la regarda sévèrement, troublée de s'entendre appelée par son prénom. Mary aussi observait la gitane aux longs cheveux noirs qui portait une grande jupe et un chemisier chatoyants, un foulard bariolé sur la tête, avec des franges qui retombaient sur les épaules. Elle paraissait brûlante, comme lorsqu'on reste près d'un feu par une journée d'hiver. Le gitan, près du jeu de massacre, les observait. Allaient-ils l'emmener ? Finalement, cela ne l'aurait pas trop dérangée de partir avec cette femme aux vêtements colorés et aux anneaux d'or, surtout dans une roulotte tirée par des chevaux !

— Il faudra rentrer à pied, l'avertit Mme Gates.

Tom et Charlie qui arrivaient s'approchèrent de Lady Allaun.

— Ça m'est égal.

— Tu ne viendras pas te plaindre, lui dit Mme Gates.

Lady Allaun, Tom et Charlie s'éloignèrent.

— Minable, cette foire, dit Tom en partant.

Mary n'était pas du tout d'accord avec lui. Elle était si heureuse qu'elle en sautillait de joie.

— Vous voulez connaître l'avenir ? demanda la femme d'une voix neutre.

Elle n'était plus jeune, pourtant son visage ne présentait aucune ride.

— Euh, je ne sais pas, dit Mme Gates.

— Ce serait dommage de refuser.

— Attends-moi, Mary, dit soudain Mme Gates, et, honteuse comme un ivrogne qu'on regarde entrer dans un pub, elle se glissa à l'intérieur de la tente.

Déçue de ne pas être retournée sur le manège, Mary resta à l'extérieur. Heureusement, son frère Jackie lui paya un autre tour de chevaux de bois.

Lorsque le manège s'arrêta, le gitan leur fit un clin d'œil et leur proposa :

— Prêts pour un autre tour, toi et ta sœur ?

— Oh ! oui, répondit Jackie, merci.

Mary regarda son frère et se demanda comment il faisait pour toujours savoir quelle attitude adopter. Lorsque les chevaux s'arrêtèrent, elle décida d'aller rejoindre Mme Gates. Cela faisait bien longtemps qu'elle était sous cette tente. Déjà, les adultes et leurs enfants rentraient goûter. Les petites têtes réticentes se retournaient pour profiter des derniers accords de musique. Le sommet de la colline reprenait son allure habituelle, on revoyait l'herbe et les fougères entre les roulottes. Même la musique semblait se taire pendant de longues minutes.

— Mary, Mary ! s'écria Mme Gates, la tête penchée à l'extérieur de la tente. Viens, la dame veut te voir.

— Quoi ? dit Mary, sortant brusquement de son rêve.

La silhouette penchée sur la table dans l'obscurité l'inquiétait. Elle n'était pas très sûre de vouloir entrer.

— Allez, Mary, dépêche-toi, la dame a demandé à te voir spécialement.

Mme Gates avait la même voix que lorsque Isabel Allaun, de

mauvaise humeur, demandait l'impossible et était prête à tout casser si elle ne l'obtenait pas.

— Non, je ne veux pas, il fait tout noir.

— Amenez-moi la petite fille aux cheveux d'or qui ressemble à votre fille, mais qui n'est pas à vous, dit Mme Gates, répétant les paroles de la gitane, qui est une enfant de la maison, mais qui n'appartient pas à la maison. Tu t'imagines ! Et je ne lui avais pas parlé de toi ! Viens, elle te lira l'avenir, et gratuitement, c'est ce qu'elle m'a dit.

L'accent campagnard de Mme Gates était plus prononcé, comme chaque fois qu'elle était fatiguée ou énervée. Mary n'aimait pas les humeurs agitées, elles l'effrayaient. Le noir aussi. Elle ne voulait pas connaître son avenir. Mary entendit une voix à l'intérieur de la tente.

— On te demande si tu préfères aller dans la roulotte.

— Oh, oui ! dit Mary, enthousiasmée par cette idée.

Entrer dans une roulotte ! Avec une cheminée ! Peut-être même qu'on pouvait faire du feu à l'intérieur.

— Viens, alors, dit Mme Gates en lui prenant la main. Je me demande vraiment pourquoi elle tient tant à te voir, ajouta-t-elle en chemin. "Allez me chercher la petite fille blonde." Et elle ne t'avait jamais vue de sa vie !

— Mme Allaun est allée dans la tente, elle a peut-être parlé de moi.

— Les choses qu'elle m'a dites sur moi..., poursuivit Mme Gates sans faire attention à la réflexion de Mary. Des choses qui étaient un secret entre moi et mon Créateur depuis trente ans, que pas âme vivante ne connaît. Et sur Gates aussi, Dieu ait son âme, il paraît qu'il est mort, d'un accident...

Mary retira brusquement sa main de celle de Mme Gates.

— On est vraiment obligées d'y aller ?

Toute cette excitation ne lui plaisait guère. Peut-être que la femme était une sorcière et qu'on allait la laisser toute seule avec elle. Après tout, elle n'avait plus si envie de voir la roulotte. Mais Mme Gates reprit sa main et l'entraîna. Assise sur les marches, la femme leur souriait.

— Tu restes avec moi ?

— Bien sûr.

— Tout le temps ? insista Mary.

— Tout le temps.

La roulotte rouge décorée de dessins noirs était installée au fond du champ de foire, à l'écart des autres, parmi les fougères écrasées. Tout près, un vieux cheval blanc attaché par un licol broutait paisiblement. Haut dans le ciel, presque invisibles, les alouettes emplissaient l'air du soir de leur chant.

Mary traîna les pieds en montant les quelques marches de la caravane. A l'intérieur, la femme n'était pas la même. Celle-ci était très vieille, toute ridée, fripée comme une coque de noix. Les cheveux poivre et sel remontés sur le front par deux peignes d'os, elle portait une vilaine robe bariolée.

– Madame Gates, c'est une sorcière, chuchota Mary.

On allait l'abandonner là, peut-être l'avait-on vendue. Elle se sentait aussi perdue que Hansel et Gretel. Si seulement Jack était là !

– C'est une sorcière, répéta-t-elle plus fort, terrifiée.

– Non, je ne suis pas une sorcière, dit la vieille, n'aie pas peur.

La vieille femme se leva. Elle était très grande. Elle s'approcha des marches, et fit une petite révérence moqueuse en voyant Mary et Mme Gates reculer, puis s'assit sur l'escalier.

– Assieds-toi près de moi, dit-elle à Mary.

Anxieuse, Mary regarda Mme Gates qui lui fit un signe de tête. Mary obéit.

– Donne-moi ta main, ma petite fille.

Une fois encore, Mary se tourna vers la gouvernante avant d'accepter. Le contact de la main brune, longue et fraîche la rassura un peu. La femme observa la paume, puis le dos.

– Quelle main impatiente ! dit-elle. Voilà quelqu'un qui ne réfléchit guère avant d'agir. Je vois de la force, mais il faut apprendre à former tes jugements.

Elle avait une voix chantonnante qui ne ressemblait ni aux tons pointus d'Isabel Allaun, ni aux intonations robustes de Mme Gates. Etrange accent qui ne rappelait ni celui de la campage, ni celui de Londres. De la musique plutôt, un son charmeur. Mary ne faisait guère confiance à cette voix. Soudain, une brise qui se levait au-dessus de la colline la fit trembler.

– Alors, continuez, que voyez-vous encore ? dit Mme Gates, brisant le silence.

Elle s'exprimait durement, car, comme tous les gens du comté, elle craignait les Bohémiens, tout en méprisant ces mendiants voleurs de poules.

– Tais-toi, vieille femme, dit la gitane, car je te vois ici, dans la paume de l'enfant. Je ne vois pas tout, ajouta-t-elle en effleurant de son doigt brun les petites veinules. Il y a des choses que je ne peux pas dire, mais cette main dévoile un étrange passé et un avenir plus bizarre encore. Une naissance d'un sang hors du commun, des mariages hors du commun. L'un très loin d'ici, un vrai mariage, mais court, malheureux, un autre tout près d'ici, mais un faux mariage, hélas, un autre vrai mariage, mais proche, beaucoup trop proche... du sang maudit. Je vois des enfants, mais une mauvaise action, commise sans mauvaises intentions, je vois un long et dur chemin pour toi, mon enfant, que tu parcourras courageusement. Toi, dit-elle, en regardant Mary droit dans les yeux, tu seras riche et puis pauvre, et puis riche à nouveau, mais jamais en paix, non, pas avant que tu ne sois aussi vieille que moi, et encore, ce n'est pas sûr. Proche d'une fortune, proche d'un royaume, elle finira par suivre son propre chemin, et pourtant, il en fera des détours et des détours. Quelqu'un veille sur toi, mon enfant, poursuivit-elle, paraissant très vieille et fatiguée.

Puis, elle s'adressa à Mme Gates d'un ton normal :

— Une bonne main, impatiente, nerveuse, un cœur généreux et une poche toujours ouverte.

— Quoi d'autre ? Qu'est-ce que vous voulez dire avec tout ce charabia ? Vous lui avez fait peur et vous ne lui avez rien dit.

— Elle n'a pas peur, répliqua la vieille, et elle ne se trompait pas, car Mary était tout excitée.

— C'est de moi que tu parles quand tu dis que je vais me marier, être riche et tout ça ?

— Regardez ce que vous avez fait ? Elle est complètement bouleversée avec toutes vos sottises.

— Elle est impatiente d'entreprendre le voyage, et ne sait pas combien de lieues il lui faudra parcourir avant de trouver le repos, dit la vieille en regardant Mary.

— Comme le commun des mortels ! Alors, elle va se marier trois fois d'après vous ? dit Mme Gates, comme si elle argumentait avec un commerçant malhonnête. Et elle sera riche ? Et qu'est-ce que ça signifie, ces histoires de faux mariages ? Et comment ça finira, tout ça ?

— Comme nous finissons tous, six pieds sous terre, ni plus, ni moins.

Mme Gates eut un soupir impatient, puis se résigna à ne pas en apprendre plus. Elle fouilla dans son sac usagé sortit sa bourse et tendit deux pièces d'une demi-couronne.

— Non, pas pour ça. Pas de têtes couronnées.

Les pièces étaient marquées à l'effigie de George VI et d'Edouard VII.

— Bon, alors, que voulez-vous ?

Si l'on ne mettait pas une pièce d'argent dans la main des romanichels, le malheur vous poursuivait toute votre vie. Du moins c'est ce qu'on disait.

— Rien, rien du tout. Rangez vos sous.

La foire était terminée. Déjà, on démolissait les stands. Mary regarda deux gitans emporter un cheval de bois gris pommelé.

— Vous ne pouvez pas nous en dire plus ? demanda Mme Gates.

— La fin ne sera pas malheureuse. Est-ce que cela vous satisfait ?

— Je suppose qu'il faut s'en contenter. Merci, venez me voir la prochaine fois que vous passerez dans la région.

Elle prit la main de Mary et commença à s'éloigner.

— Elle sera à vos côté lors de votre dernier jour, cria la gitane.

Alarmée, Mme Gates se retourna soudain.

– Plus tard, beaucoup plus tard, dit la gitane avec un sourire malicieux qui révélait des dents cariées et brisées comme celles d'un vieux chien.

– Que voulez-vous dire ?

– Ce n'est pas pour maintenant. Vous mourrez toutes deux paisiblement, dans vos lits, à un âge avancé. Que demandez-vous de plus ? Rentrez chez vous maintenant.

Une petite fille au visage sombre et aux boucles noires, portant elle aussi des anneaux dorés aux oreilles, courut vers la vieille femme et commença à bavarder dans une langue étrangère. La femme se pencha pour lui parler et se releva dans la lumière du soleil couchant qui descendait derrière les collines.

– Viens m'embrasser, mon enfant.

Mary regarda Mme Gates, qui la poussa discrètement dans le dos. Obéissante, elle courut vers elle et leva son visage vers la vieille qui posa ses lèvres sèches sur la joue rose. Très vite, Mary retourna vers Mme Gates en criant un « au revoir ».

Le long du chemin de pierre et de terre battue, Mme Gates resta silencieuse. Arrivée près de la ferme des Twinning, elle dit enfin :

– Eh bien, quand je repense à tout ça ! Et dire qu'elle n'a même pas voulu d'argent. Elle t'a lu l'avenir gratuitement.

– C'est quoi, l'avenir ?

– C'est ce qui va t'arriver plus tard.

– C'est magique ?

– Presque.

– Tu m'as dit que ça n'existait pas.

– Penser qu'un jour une diseuse de bonne aventure me prédirait l'avenir et pour pas un sou, je n'en reviens pas ! Tu te rends compte de ce qu'elle a dit ? Trois maris, je demande si on peut y croire, oh, là, là !

Mary s'était étonnée des brusques changements d'attitude de Mme Gates envers la gitane. Parfois, elle se montrait exigeante et méprisante, un peu comme Isabel Allaun dans les magasins, et la minute suivante, elle était flattée et impressionnée par l'attention qu'on lui accordait. Mary se sentait un peu troublée par cette aventure. Si tout cela était vraiment magique, elle n'était pas bien sûre que cela lui plaisait vraiment. Elle s'appliquait à faire un joli bouquet de marguerites et de boutons d'or. Elles marchèrent en silence et coupèrent à travers champs pour rejoindre le lac.

– Je crois que c'était Urania Heron.

– Qui c'est ?

– La reine des gitans, annonça solennellement Mme Gates. C'était elle.

– Elle peut jeter des sorts ?

– Sans doute.

Elles dépassèrent le lac où les canards caquetaient et se préparaient pour la nuit. Mary avait envie d'oublier cette gitane. Et, comme elle reçut un choc en arrivant à Allaun Towers, elle ne se souvint plus jamais clairement de l'épisode de la diseuse de bonne aventure.

Lorsqu'on nous a fait appeler il était là, debout sur le tapis turc devant la cheminée du salon, avec son visage rouge, son uniforme et sa canne. Dès qu'il me vit, il me prit dans ses bras et me fit tournoyer avant de me reposer à terre.

– Vous voyez bien qu'il y a quelque chose d'extraordinaire ici, même si l'on ne sait pas exactement ce que c'est, dit-il.

Il fouilla dans sa poche et me donna un petit collier en filigrane. Il avait dû l'acheter pour moi en Inde. Je revois son chapeau orné de laiton, sur le sofa. Il me laissa le mettre.

Sir Frederick fut très gentil ce week-end-là, mais un peu bizarre. Il emprunta un cheval et me fit faire une promenade avec lui. Il me racontait des histoires. Si je l'aimais tant, c'est surtout parce qu'il me rappelait Sid, mon papa. Pourtant, ce fut la dernière fois que je le vis heureux, enfin, monsieur Frederick, bien sûr. C'est horrible, ce qui s'est passé, vraiment. Le mal du siècle, je suppose. La guerre et ensuite la paix. Vers la fin de la guerre, il revint à la maison pour de bon. On l'avait sans doute démobilisé parce qu'il n'allait plus très bien. On avait dû remarquer qu'il n'avait plus toute sa raison.

Après avoir traversé les rues agitées de Londres, Sir Herbert retrouva son foyer paisible de Kensington. De nouveau, il ajouta quelques commentaires au récit de Mary.

Curieusement, cette rencontre fortuite de Mary Waterhouse et d'Urania Heron, la gitane, se retrouve dans une lettre d'Isabel Allaun au ministre de l'Intérieur, qui a fait suivre la correspondance à mon père. D'habitude, elle se contentait de donner des informations sur la santé de Mary, toujours excellente, et ses progrès à l'école. Pourtant, dans un courrier daté de 1942, Lady Allaun relate ce que Mme Gates lui avait appris de l'étrange prophétie. A cette époque, mon père ne fit aucun commentaire, mais en 1952, lorsque Jim Flanders, le mari de Mary, fut pendu et que la vie de la jeune fille sembla prendre un tour inquiétant, il dut se souvenir de cette lettre. Je n'ai jamais cru mon père superstitieux, mais ces étranges remarques de la vieille femme, bien qu'assez vagues, le firent sans doute réfléchir. Court et malheureux, c'est ce qu'elle avait dit du premier mariage de Mary. C'était incontestable De toute façon, il était de son devoir de chercher plus avant, c'est donc ce qu'il fit. Ou plutôt, il me chargea de la mission et m'envoya sur la piste de la gitane. Bien sûr, il ne me donna pratiquement aucune explication. Il me dit simplement que, pour certaines raisons, il fallait veiller sur Mary Waterhouse et son avenir, qu'Urania Heron avait prédit en partie. Cela méritait donc qu'on s'y intéressât, et que si possible on tentât de savoir exactement ce qu'elle savait et surtout, comment elle le savait. Tout naturellement, d'un cœur léger, il me confia cette tâche. Pour moi, à dix-sept ans, cette enquête à travers l'Angleterre, lors de longues vacances d'été plutôt ennuyeuses, s'annonçait comme une bonne aubaine. Je pris donc la route du Kent avec mon camarade de classe, Allan Pimm, dans sa petite Morris Minor noire. Cette course nous entraîna dans le Dorset et, quinze jours plus tard, de nouveau au sud de l'Angleterre, où nous avions entendu dire que les gitans avaient installé leur campement au bord de la mer. Lors de notre arrivée, une journée triste et grise menaçait. Un vent violent soufflait de la mer sombre et agitée, couchant les roseaux sur notre chemin, vers le campement situé entre la route où nous avions garé la voiture et la mer. Je ne comprenais pas pourquoi ils avaient choisi un endroit aussi sauvage. J'appris plus tard qu'à cette époque, les autorités locales ne cessaient de les tourmenter, afin de les empêcher de former des bidonvilles autour des agglomérations. Les gitans, autrefois intégrés à la vie campagnarde à part entière, utiles et méprisés tout à la fois, voyageurs de commerce rarement de bon augure, et main-d'œuvre supplémentaire bienvenue dans les fermes, avaient désormais perdu leur rôle. Il ne leur restait plus qu'à redevenir nomades, à éviter la police et les représentants de l'ordre.

Dans le lointain, sur les vastes étendues plates et désertiques, des chevaux broutaient nonchalamment l'herbe rugueuse et salée, autour du minuscule campement. En approchant, nous vîmes deux femmes qui revenaient de la plage, chargées de fagots de bois, jupes volant au vent. De près, les roulottes ne paraissaient pas aussi rutilantes qu'elles avaient dû l'être autrefois. Les rouges, les noirs et les jaunes éclatants ternissaient sous le vernis craquelé des panneaux de bois. Deux des chevaux semblaient mal en point. A côté de moi, mon camarade avait lui aussi l'air déprimé. Nous arrivâmes au campement en même temps que les deux femmes, qui luttaient contre le vent dans la direction inverse. Elles nous sourirent, méfiantes et accueillantes tout à la fois. J'allai à leur rencontre et leur demandai, poliment j'espère :

– Nous cherchons une vieille dame, Urania Heron. Peut-on la trouver ici ? Nous aimerions la voir.

Les deux femmes nous regardèrent. Rétrospectivement, je me rends compte que ni moi ni Allan ne faisions partie de ces gens inquiets qui, à la quarantaine, seraient capables d'aller trouver une voyante dans un coin aussi reculé pour qu'elle leur prédise l'avenir. Nous ressemblions à deux écoliers pétulants de santé, tendres innocents, aussi bien intentionnés que des collégiens pouvaient l'être si le système n'avait pas déjà corrompu leur jeunesse. Pour les deux femmes, nous devions représenter un mystère.

— Qu'est-ce que vous lui voulez ? demanda l'une d'elle, serrant fermement son fagot.

— Mon père voudrait la rencontrer, dis-je, ce qui en la circonstance était sans doute la meilleure réponse possible.

Au moins, elles n'imagineraient pas que j'étais envoyé par la police ou les services des impôts.

— Donnez-moi votre nom. Je lui demanderai si elle veut bien vous recevoir. Rien de moins sûr, car elle est vieille et malade.

Une rafale de vent salé vint nous frapper le visage. Je jetai un coup d'œil vers Allan, un peu à l'écart, et approchai mon visage des deux femmes.

— Je m'appelle Precious. Je suis ici au sujet de Mary Waterhouse.

— Bon. Je vais lui poser la question.

Ses longs cheveux noirs flottant au vent, elle traversa le terrain humide entre les caravanes, monta les quelques marches d'une roulotte or et noir. L'autre femme resta en arrière, comme pour nous surveiller.

— Vous pouvez y aller, dit la première femme en revenant. Mais lui doit rester là.

— Excuse-moi, Allan.

— J'étais presque sûr que ça finirait comme ça.

— Pourquoi n'irais-tu pas m'attendre dans la voiture ?

— Non, ça ne fait rien, je reste ici.

Apparemment, il voulait s'assurer qu'il ne m'arriverait rien. Lorsque je le laissai, il me sourit. Il acceptait sans poser de questions que je m'occupe d'une affaire qui ne le concernait pas. Pauvre Allan ! Il est mort quatre ans plus tard d'une septicémie en effectuant son service dans les jungles de Malaisie, c'était l'un des derniers défenseurs de l'Empire britannique. A ce moment, j'étais néanmoins soulagé de ne pas l'avoir sur le dos. Je ne savais pas ce qui m'attendait : une vieille décharnée, vêtue de haillons, ou une femme obèse penchée sur sa boule de cristal, une tasse de thé ou un verre de gin à la main.

L'intérieur de la caravane était plutôt rassurant. C'était propre et gai ; des photographies décoraient les murs ; un vase de fleurs trônait sur une petite table recouverte d'une nappe blanche, un feu crépitait dans la cheminée miniature. Dans un grand lit, rehaussé par trois énormes oreillers dans des taies de dentelle blanche, le corps maigrelet disparaissait sous la couverture de patchwork.

La femme jeune approcha une chaise du lit pour moi, puis s'éloigna et alla s'appuyer contre la porte.

La vieille, si vieille que je n'avais pas la moindre idée de son âge, me dit d'une toute petite voix :

— Donne-moi ta main, jeune homme.

Elle prit ma grosse main rose dans la sienne, petite et ridée. Ce contact n'était pas désagréable. Puis, comme ma main était visiblement trop lourde pour elle, elle la reposa doucement sur le drap. Je dus me pencher vers elle, ce qui souleva en moi aucune inquiétude, car soudain, elle me rappelait ma chère grand-mère, décédée un an plus tôt.

D'une certaine manière, elle semblait satisfaite par ce qu'elle voyait.

— Mon père aimerait vous parler de Mary Waterhouse. Je crois que vous lui avez prédit l'avenir, il y a bien des années à Framlingham, et il semble qu'une partie de la prophétie vient de se réaliser. Il voudrait connaître la suite.

— Je n'en doute pas. Mais ton père n'aura jamais l'occasion de me parler. Je suis près de la fin maintenant.

— Oh, non ! dis-je, tentant de la rassurer, mais elle m'interrompit.

— Je n'ai plus guère la force de prédire l'avenir. Mais je suis sûre de ne jamais voir ton père, ça je le sais. Et je sais aussi qu'il veille sur cette fille pour un maître. Elle a le pouvoir d'apporter la ruine à ce maître. Ton père obéit, comme un chien docile.

J'acquiesçai d'un hochement de tête dubitatif. Je ne savais pas si elle disait la vérité. Je ne croyais pas que mon père puisse se contenter d'agir sous les ordres d'un autre. Mais je sentais qu'il aurait été injuste de fatiguer cette femme avec mes commentaires ou mes questions, alors, je me tus.

Elle poursuivit de sa voix chantonnante, fil ténu qui pouvait se briser à n'importe quel moment :

— Il veut savoir ce qui va arriver à Mary pour essayer de l'empêcher. C'est stupide. L'avenir est l'avenir, et il ne sert à rien de le connaître, personne ne peut le modifier. Il espère pouvoir l'envoyer dans un autre pays, mais il n'y arrivera pas. Pour le maître, il vaudrait mieux qu'elle meure, mais elle ne mourra pas. Elle vivra très longtemps. Dis-lui..., dis à ton père...(à ce moment, elle ferma les yeux et marqua une pause, comme pour rassembler ses forces). Dis-lui qu'il ne peut pas changer le cours du destin. S'il agit, il n'obiendra pas ce qu'il espère, mais seulement ce qu'il craint le plus. On ne peut rien changer.

Elle semblait très fatiguée. Elle ferma ses paupières, aussi fragiles que du papier de soie. Il était inutile d'exiger de plus amples informations. De toute façon, j'étais chargé de la trouver, pas de l'interroger.

— Va-t'en, maintenant, dit la femme près de la porte.

Je retirai ma main du drap et me levai. Urania, sans ouvrir les yeux, me dit :

– C'est toi, jeune homme, l'élément important de toute cette histoire. Ne l'oublie pas.

Puis elle murmura quelque chose de très personnel sur mon compte qui me choqua énormément. Me disant qu'il était idiot de croire en la magie, la voyance et toutes ces sornettes, je quittai la caravane.

En traversant les étendues venteuses, je tentai d'expliquer à Allan que je savais très peu de choses de toute cette affaire. Je ne voulais pas qu'il pense que je lui faisais des cachotteries.

– Ne t'inquiète pas, et surtout ne me dis rien qui puisse trahir un secret. Les affaires sont les affaires... Ce qui compte, c'est que nous ayons passé de bonnes vacances aux frais de ton père et je lui en suis reconnaissant.

Allan était un véritable gentleman. Peut-être vaut-il mieux qu'il soit mort lors d'une des dernières guerres coloniales de son pays. Cela lui a évité de voir que ses valeurs n'ont plus cours, qu'il s'est battu pour une cause perdue.

Ce même soir, au dîner, je parlai à mon père de la rencontre avec Urania Heron. Avec une certaine animation, je lui relatai les propos concernant son obéissance à un maître, comme un chien docile. En entendant ces mots, il reposa le couteau qu'il avait pris pour couper un morceau de fromage et fixa les bougies qui brûlaient dans leurs chandeliers sur la table.

– J'aurais préféré qu'elle se taise à ce sujet.
– Pourquoi ?
– C'est sans importance. Qu'a-t-elle dit d'autre ?

Je lui racontai la scène en omettant la dernière remarque, qui me semblait trop personnelle.

– Elle se trompe sur un point. Je suis certain de la voir. Nous nous mettrons en route demain matin à la première heure. Tu me conduiras au campement. Je dois admettre que je ne me serais jamais imaginé en train de courir après une diseuse de bonne aventure, et Dieu sait que je ne suis pas superstitieux, mais pour la première fois de ma vie, je commence à me poser des questions. Apparemment cette femme connaît certaines choses, plus que moi, peut-être. Je veux la voir. Va te coucher maintenant, Bert, nous partirons à six heures.

Ma mère, qui savait que j'avais invité des amis à dîner le lendemain, se contenta de demander :

– Vous serez de retour demain soir ?
– Très certainement, répondit mon père, plein d'assurance.

Effectivement, nous étions de retour le lendemain soir, mais bredouilles. Sur les terres marécageuses brumeuses et désolées, il n'y avait plus ni gitans ni caravanes. Nous retrouvâmes le site du campement. Mon père fut outré du désordre qu'ils avaient laissé derrière eux, vaisselle brisée, bûches et fagots répandus sur le sol. Un grand feu de joie fumait toujours au milieu du terrain. Des livres à demi consumés, un pied de chaise, un morceau de tiroir, une brosse à cheveux, éparpillés dans les braises rouges se consumaient toujours dans le feu abandonné qui mourait lentement.

Mais, au milieu de toute cette confusion, mon père et moi comprîmes immédiatement qu'il ne s'agissait pas d'un départ naturel. On avait visiblement cassé volontairement vaisselle et meubles dont il ne restait plus maintenant que des débris. Mon père se tourna vers la plage. Là, tout près des vagues qui déferlaient et se brisaient sur le rivage, une roulotte à demi brûlée exhibait son squelette d'insecte géant. Un léger nuage de fumée, dispersé par le vent en bouffées nuageuses, en émanait encore. Seuls sur ce camp désert, nous n'entendions que le cri des mouettes et le grondement de la marée, nous demandant ce que tout cela signifiait.

– Que s'est-il passé ? dit mon père.

Il s'avança vers le centre du campement. Là, sous un arbre, la terre était creusée de frais. Nous entendîmes soudain des voix, et deux petites silhouettes, levant mystérieusement les bras, s'approchèrent. A travers la brume, nous aperçûmes deux hommes ordinaires en pantalon de velours et bottes de caoutchouc, une bêche sur l'épaule. Ils nous regardaient intensément.

– Bonjour, messieurs, leur dit mon père.

– Bonjour, répondit l'un d'eux.

– Savez-vous ce que cela signifie ? demanda mon père. On dirait une tombe. Que sont devenues les caravanes ?

Je commençais à me sentir nerveux. On avait commis des actes de violence et mon père, tout seul dans les marécages, posait des questions avec sa voix d'inquisiteur. Après tout, c'étaient peut-être eux, les responsables de ces troubles.

– Pourquoi tenez-vous tant à le savoir ? demanda le second homme, d'âge mur, mal rasé.

– Je ne fais pas partie de la police ni du service des impôts, si c'est ce qui vous inquiète, répondit mon père qui visiblement comprenait mieux la situation que moi. Nous voulions rencontrer un de ces gitans pour une affaire très personnelle. Et en arrivant, nous avons trouvé cela, et plus de campement ! Savez-vous ce qui s'est passé ? Où sont-ils partis ?

Les deux hommes, qui semblaient toujours avoir quelque chose à cacher, parurent un peu moins mal à l'aise.

– Des funérailles de manouches, dit le premier homme. Ils ont incinéré le corps à l'église de Rye. Ils étaient plus d'une centaine. Il y en avait même qui avaient dû se mettre en route avant sa mort. Mais ils ont brûlé tout ce qui lui appartenait, c'est la coutume chez eux.

– Oui, bien sûr. Est-ce cette vieille femme, Urania Heron, qui est décédée ?

– Elle-même. Urania, on dit que c'était la reine des gitans. Mais ce n'est sûrement qu'une légende. Il y a pas mal de rois et de reines parmi les gens du voyage. Elle était riche, il paraît.

Le second homme regardait étrangement mon père. En dépit de ses dénégations, on le prenait pour un fonctionnaire.

— Si vous êtes des impôts, vous ne pouvez plus rien contre elle, maintenant. Et vous n'aurez pas plus de chance avec les survivants.

— Hum, dit mon père. Puis, se tournant vers moi, il ajouta : Elle avait dit que je ne la verrais jamais.

Je fis un signe de tête. Les deux hommes restaient silencieux.

— Eh bien, si vous voulez toujours les retrouver, ils doivent être partis aux quatre vents, à présent, finit par dire le second homme.

Visiblement, ils avaient envie de nous voir quitter les lieux.

— Allez, viens, on y va, dit le premier.

— En fait, nous étions là pour le cheval, expliqua le premier à mon père, en hochant la tête devant la tombe.

— Ah ! s'exclama-t-il, son visage s'éclairant soudain. Je savais bien que ce n'était pas une tombe humaine. C'est là qu'ils ont enterré le cheval ?

— Normalement, ils tuent les chevaux. C'est pas que le sien ait été une bonne affaire, vieux comme il l'était. Bah, nous sommes venus pour la carcasse. Autant la vendre, elle ne sert pas à grand-chose ici.

— Effectivement. Mais ne vous inquiétez pas, je n'ai rien à voir avec les impôts. J'étais venu me faire prédire l'avenir, continua-t-il hardiment. Il paraît que la vieille avait des dons.

Les deux hommes fixèrent mon père d'un regard incrédule. Drôle de client pour la boule de cristal et les roulottes bariolées !

— C'est ce que disent les femmes du pays, fut tout ce qui put sortir du visage rugueux. Moi, ça ne m'intéresse guère. A quoi bon connaître l'avenir, si l'on ne peut rien y faire ?

— Vous devez avoir raison, dit mon père.

— Si vous voulez bien nous excuser, nous allons nous mettre tout de suite au travail, au cas où ils reviendraient. Ils peuvent devenir mauvais, ces manouches.

— Bien, je vous laisse. Merci encore pour vos renseignements.

— Il n'y a pas de quoi.

Dans le vent nous traversâmes les marécages humides, laissant la mer, le cri des mouettes et les coups de bêches, derrière nous.

— Pas de diseuse de bonne aventure pour moi, dit mon père, dommage !

— De toute façon, c'est sûrement des bêtises.

— Sans aucun doute, mais j'aurais aimé la rencontrer.

1945

La guerre était terminée. Mary Waterhouse se trouvait de nouveau dans le train qui l'avait emmenée à Framlingham quatre ans auparavant. A cette époque, elle n'avait pas cinq ans, elle en avait neuf maintenant. Cette fois, c'était Mme Gates qui l'accompagnait et non les autres réfugiés. Au lieu de guenilles, elle portait une robe rose rayée blanc, au col claudine amidonné, et des souliers bruns impeccablement cirés. Ses nattes blondes se terminaient par des rubans roses. La petite Londonienne des rues se tenait désormais bien droite, en véritable fillette élevée par une gouvernante.

Pleine de doutes, elle regarda Mme Gates, sortit consciencieusement le volume à reliure verte des *Voyages de Gulliver,* triste cadeau d'adieu de Sir Frederick Allaun, et se mit à lire. Raide comme la justice, Mme Gates ressassait les griefs à demi formulés qui la hantaient depuis des jours et des semaines. Pourquoi les parents négligents n'étaient-ils pas venus chercher leur fille dès qu'ils avaient reçu la lettre de Lady Allaun ? Cela ne leur avait donc pas suffi d'envoyer un gribouillage infâme la semaine suivante, disant que leur rue organisait une grande fête et qu'ils n'auraient pas le temps de venir avec le bébé – un bébé qui devait bien avoir trois ans, selon ses calculs. Sans parler de leur suggestion de laisser Mary prendre le train toute seule jusqu'à Victoria où ils l'attendraient ! Drôles de gens pour laisser une enfant de neuf ans toute seule dans un train, avec tous ces soldats démobilisés et Dieu sait qui encore ! Et pourquoi avaient-ils écrit que Mary pourrait revenir avec les autres réfugiés, sous la garde d'une assistante sociale ? C'était bien d'eux de proposer une chose pareille alors que Lady Allaun leur avait expliqué longuement qu'elle avait besoin de la chambre pour un parent malade, un officier de marine en convalescence ! Pas brillants, les Waterhouse ! Des profiteurs, c'était tout. Oh ! bien sûr, Mme Twinning aurait le cœur brisé quand il faudrait qu'elle se sépare de Jack et de son camarade Ian. Mais c'était sûrement Jack son préféré, celui de Mme Gates aussi, d'ail-

69

leurs. Les Waterhouse se rendraient-ils compte à quel point leur garçon était intelligent, quand ils le reverraient ? Pour le moment, elle espérait simplement que cette Mme Ivy Waterhouse serait à l'heure à la gare. Ils avaient l'air plutôt mal organisés, avec toutes leurs fêtes et leurs réponses tardives. S'il y avait le moindre problème, elle ne ferait pas de quartier, elle reprendrait immédiatement le train en sens inverse avec Mary. Si Ivy Waterhouse avait une seule minute de retard, elle pourrait toujours chercher sa fille, Mary serait rentrée à Framlingham pour l'heure du goûter.

Mme Gates soupira de rage et sentit des larmes lui monter aux yeux. Mary leva le nez de son livre.

– Oh, madame Gates...

– Ce n'est rien, pas de ça, je t'en prie.

Nerveuse, Mary reprit sa lecture. Mme Gates se leva, dissimulant sous la colère la tristesse que lui infligeait cette séparation. Un autre combat faisait rage dans sa poitrine où s'affrontaient la fidélité à ses maîtres et ses rancœurs. Car Mme Gates n'osait pas reconnaître ouvertement en quoi Isabel Allaun avait eu tort d'envoyer cette lettre pour demander aux parents de venir chercher leur fille dans les trois semaines. Il y avait de la mesquinerie derrière tout cela, et Mme Gates le savait. Qui était mieux placé qu'elle pour le savoir, elle qui avait pris son service à seize ans alors que Sir Frederick n'était qu'un enfant, qui les connaissait depuis près de quarante ans, l'une des seules invitées parmi les serviteurs à la noce de Frederick et Isabel à Saint James, à Londres ? Elle connaissait les tenants et les aboutissants de cette maison mieux que ses propres battements de cœur. Mais, même en pensée, elle refusait d'admettre qu'elle en savait autant. Les serviteurs ne devaient pas parler de leurs maîtres ; les bons serviteurs s'efforçaient même de ne pas y songer. Dans le train, Mme Gates s'occupait l'esprit à recenser les méfaits des Waterhouse, afin de contenir la tristesse désillusionnée qui s'emparait d'elle. Malheureusement, comme en écho au bourdonnement du train qui les emportait inexoralement vers Londres, un mot revenait sans cesse : « Adoption, adoption, adoption... » Il avait souvent été mentionné entre Sir Frederick et Lady Allaun. Ils avaient rédigé une lettre importante, et reçu une réponse positive, qu'elle n'avait pas vue arriver. On avait appelé l'avocat de la famille. Mme Gates, sans écouter aux portes ni lire le courrier qui ne lui était pas destiné, le savait bien. Elle savait aussi que c'était surtout une idée de Sir Frederick et que Lady Allaun n'était pas très chaude. Cela correspondait parfaitement à leurs personnalités respectives. Quant à elle, elle n'avait aucun doute là-dessus, les Waterhouse seraient d'accord et bientôt Mary ferait légalement partie de la famille. Que s'était-il donc passé ?

La tonnelle. C'est ce qui s'était passé sous la tonnelle qui avait mis fin à tout.

Elle se trouvait au bout de la pelouse, face à Allaun Towers, à gauche, près des bosquets de rhododendrons. Si elle n'avait pas ramassé des petits pois à ce moment-là, Mme Gates n'aurait rien vu. Elle venait juste de jeter une grosse poignée de cosses dans son panier et se relevait un moment pour se reposer le dos. Par-dessus la haie, à travers les treillis poussiéreux du pavillon octogonal, elle avait aperçu Mary assise sur les genoux de Sir Frederick qui lui faisait la lecture, apparemment. C'était assez fréquent. Sir Frederick s'occupait souvent de Mary les jours où elle n'allait pas à l'école, fort nombreux en avril, car la fillette avait été retenue à la maison pendant trois semaines par une grosse angine. Ils se promenaient dans le domaine, ou, comme à ce moment-là, lisaient à l'ombre du pavillon. Ces séances de lecture ne plaisaient guère à Isabel Allaun. La vérité était que – et Mme Gates devait bien l'admettre – Isabel Allaun était l'une de ces femmes foncièrement jalouses. Pas seulement des femmes qui se présentaient comme des rivales directes. Non, elle ne supportait tout simplement pas la présence d'une autre femme, qu'elle soit vieille ou laide, ou à peine âgée de neuf ans. Elle se sentait menacée par l'affection de son mari pour une enfant. De plus, depuis le retour de Sir Frederick, Lady Allaun était fort nerveuse. Il était arrivé dans un drôle d'état, épuisé, toujours dans les nuages. On aurait dit qu'il voulait vider son esprit. Il dormait beaucoup, recherchait la solitude et lisait des romans policiers à longueur de journée. La nuit, et Mme Gates l'avait déjà entendu, il errait dans la maison. Le matin, elle s'apercevait qu'il s'était fait du thé, avait mangé quelques toasts, et était retourné se coucher sans faire la vaisselle qui traînait sur la table, témoignage de ces vagabondages nocturnes. Il n'était guère surprenant que Lady Allaun, qui, pendant cinq difficiles années, avait tenu seule la maison et les fermes, fût troublée par ce comportement. Elle avait attendu avec impatience le retour de son mari, d'une vie plus facile, des voyages à la ville et des réceptions dans le voisinage. Et on lui avait renvoyé un homme qui évitait de sortir de chez lui, refusait les visites, lui laissait toutes les responsabilités, et, d'après ce qu'avait vu Mme Gates, était incapable de regarder sa femme dans les yeux, comme s'il se sentait coupable. Il y avait de quoi, car il savait parfaitement ce qu'on attendait de lui, mais il ne pouvait ou ne voulait pas le faire. S'il passait passer toute la journée à lire ou à se promener avec une petite fille, il semblait ne plus accorder la moindre attention à son propre fils. Souvent, il trouvait un prétexte pour quitter la maison lorsque Tom venait y passer une semaine de vacances. Et c'était bien dommage, pensait Mme Gates, car Tom aurait eu fort besoin de la poigne paternelle.

Un matin, Mme Gates avait abordé le sujet du choc des bombardements avec Isabel Allaun. Elle avait d'abord expliqué que la livraison avait sans doute du retard car l'épicière éprouvait des difficultés avec son vieux père qui avait connu les tranchées pendant la Première Guerre mondiale et n'avait plus toute sa raison depuis. Isabel Allaun, pressentant ce qui allait suivre, s'était raidie, et avait répondu sèchement, en regardant sa gouvernante droit dans les yeux : « Cette guerre aura été horrible pour tout le monde, mais finalement nous avons eu de la chance, il y a au moins une chose qui nous a été épargnée. Personne n'a subi un tel choc chez nous. » Mme Gates ne répliqua pas, mais elle savait qu'Isabel Allaun l'avait comprise et proprement remise à sa place. Choc des bombardements ou pas, pensa Mme Gates, cela y ressemblait fort.

À la fin de la guerre, avant d'être envoyé en France après le Débarquement, Sir Frederick avait été l'un des premiers à entrer dans le camp de concentration de Belsen, à moins que cela ne fût Auschwitz. Peu importe, il n'y avait rien d'étonnant à ce qu'il fût dans cet état. Peut-être que seule la présence de la petite Mary réussissait à lui faire oublier le souvenir des squelettes ambulants qu'il y avait rencontrés.

Pourtant, le mystère de la tonnelle restait entier. Mme Gates savait simplement, qu'au moment où, un peu soulagée, elle s'apprêtait à se repencher sur son ouvrage, elle avait vu Isabel Allaun courir le long de la pelouse, le visage déformé par la colère. A demi dissimulée par la haie, Mme Gates avait observé. Soudain, Lady Allaun s'était arrêtée en criant : « Frederick, venez ici, immédiatement ! » Elle avait dû regarder par la fenêtre du salon, mais à une telle distance, qu'avait-elle vu – ou imaginé – qui puisse la plonger dans une telle fureur ? Son mari avait-il embrassé Mary, l'avait-il serrée un peu trop tendrement dans ses bras, ou avait-il outrepassé ses droits et posé la main un peu trop haut sur la cuisse de l'enfant ou dans la jambe de sa culotte ? Mme Gates ne pouvait croire à ces horreurs. A présent, elle reconnaissait avoir été naïve, ces situations se produisaient parfois, et cela pouvait même être pire, bien pire. Sir Frederick n'avait plus tous ses esprits et cherchait un réconfort – plût au ciel qu'il n'ait pas tenté de le trouver avec une enfant – mais elle restait persuadée que les choses n'avaient pas pu aller trop loin. Elle jeta un coup d'œil sur Mary qui lisait toujours. Elle n'avait pas l'air d'une fillette qui aimait les jeux vicieux avec un homme d'âge mûr, mais avec les filles, c'est souvent difficile à dire. Dès le plus jeune âge, elles ont des talents de dissimulation. Néanmoins, Mme Gates restait persuadée qu'il n'y avait pas eu grand mal, du moins, jusqu'à la crise d'Isabel Allaun. Quelle scène ! Elle s'était conduite comme une femme des rues. Mary était devenue pâle comme un linge, et Isabel hurlait tant et plus : « Frederick, sortez ! Sur-le-champ ! » Et, pour faire taire la terrible voix, Sir Frederick s'était avancé sur la pelouse, murmurant quelque chose que Mme Gates n'avait pas entendu. Pourtant, il paraissait abasourdi, très vieux, au moins vingt ans de plus que son âge.

A ce moment-là, Mme Gates avait quitté le potager par un trou de la haie, laissant son panier d'osier par terre, comme si elle venait de la maison, s'était approchée du pavillon d'été, où était restée Mary, stupéfaite et terrifiée, et lui avait dit, d'une voix aussi neutre que possible : « Mary, je te cherche partout. Tu m'as promis d'aller chercher des œufs chez les Twinning.

– Ah bon ? J'ai dû oublier. »

En fait, Mme Gates venait d'inventer cette histoire.

« Tu y vas maintenant, dépêche-toi, j'en ai besoin pour midi. »

Mary s'était mise à courir, jetant un regard inquiet à Lady Allaun et Sir Frederick qui chuchotaient sur la pelouse.

Il y avait eu des mots au salon. On entendait des éclats de voix jusque dans le couloir et dans la cuisine où Mme Gates préparait le déjeuner, si toutefois on pouvait parler de déjeuner ce jour-là. Après la dispute, Sir Frederick s'enferma dans sa chambre avec une bouteille de whisky. Isabel Allaun déclara qu'elle allait voir des amis. C'est à ce moment-là qu'elle dut écrire aux parents de Mary Waterhouse. Ensuite, il ne fut plus jamais question d'adoption. Et voilà pourquoi elles se retrouvaient toutes deux dans ce train étouffant qui approchait de Londres, si l'on en jugeait au défilé de maisons délabrées et de rues éventrées, telles des gencives édentées.

Mme Gates soupira. Tout était la faute de cette maudite guerre. Sans elle, Mary ne serait jamais venue à Allaun Towers. Sir Frederick serait resté le bon vivant égoïste qu'il était autrefois, Isabel Allaun, la grande bourgeoise de campagne un peu snob avec ses parties de bridge et ses après-midi de lèche-vitrines, mais dépourvue de méchanceté. A présent Mary devait retourner chez elle, un taudis probablement. Son père buvait sûrement, et sa mère n'était sans doute qu'une souillon, à en juger aux vêtements de l'enfant à son arrivée. La pauvreté ne justifiait pas la saleté. Mais, alors que le train approchait de Victoria, toutes ses rancœurs contre les Waterhouse inconnus ne consolaient plus guère Mme Gates. Si seulement cette scène sous la tonnelle ne s'était jamais produite ! Qu'avait donc vu Lady Allaun ? Et que savait exactement cette enfant qui lisait si tranquillement ?

Il faisait très chaud ce jour-là et l'air embaumait du parfum des fleurs. Je ne crois pas que je me serais souvenue de quelque chose, si ce n'avait eu de telles conséquences – Isabel à demi folle, toute raide sur la pelouse, des mèches éparses retombant de son chignon, les yeux exorbités. D'habitude, elle avait des yeux pâles et froids, des yeux de princesse des neiges, mais là, ils brûlaient véritablement. Finalement, je n'étais pas si surprise que cela. Je savais bien que Sir Frederick n'était pas normal. Même un enfant, peut-être surtout un enfant, se rend compte de ce genre de choses. Je l'avais déjà vu, lorsqu'il rentrait en permission, pour moi, c'était le Père Noël en personne, grand, costaud, avec une petite moustache en brosse. Il m'apportait toujours un cadeau. Il entrait dans la pièce, toujours en criant quelque chose, me prenait dans ses bras et me faisait tournoyer dans l'air. A cette époque, il essayait de se rendre utile, car cela faisait des années qu'on manquait de personnel. Il m'emmenait avec lui empêcher les vaches de Twinning de se sauver dans les champs, ou tuer les lapins qui proliféraient joyeusement, depuis que plus personne ne s'en occupait. Tom venait avec nous, et parfois son père l'autorisait à tirer sur un pigeon ou deux. Mais, à la fin de la guerre, on voyait bien que ce n'était plus le même. Il portait toujours un vieux cardigan gris. Il traînait les pieds, restait assis pendant des heures à la bibliothèque, à regarder dans le vide. Mme Gates disait que c'était le choc des bombardements. En fait, c'était une dépression. Il n'y avait guère de traitement à cette époque. « Cinglé, murmurait-il parfois quand il se croyait seul, je suis cinglé. » Un jour, je suis entrée avec un papillon dans les mains, un vulcain, je me souviens. Il fouillait dans un tiroir. J'ai fait semblant de ne pas savoir de quoi il s'agissait, mais ce n'était pas vrai. Je passais mon temps à fouiner partout, quand il n'y avait personne à la maison. J'avais toujours été fascinée par ce revolver, dans le premier tiroir du bureau. Bien sûr, il n'était pas chargé, je l'avais essayé. Mais ce jour-là, je crois qu'il l'était. Il voulait sans doute se suicider. Il aurait peut-être mieux fait. D'après ce que j'ai entendu dire, il ne s'est jamais vraiment remis. Isabel devenait de pire en pire. Elle n'avait sans doute jamais été très chaleureuse, mais elle était sûrement plus gentille quand elle menait la vie luxueuse qu'elle désirait.

Frederick Allaun était un homme fini, et j'étais sa seule consolation. Je représentais la vie, un espoir d'oubli. Il me semblait bien qu'il y avait quelque chose de bizarre, il avait toujours les mains sur moi, comme par hasard, mais il le faisait exprès. De grandes mains froides. Ce n'était pas une relation normale entre un enfant et un adulte. Il avait besoin de moi, mais il me mettait mal à l'aise. J'étais désolée pour lui, et les enfants n'aiment pas avoir à s'inquiéter pour les grands. Pourtant, je l'aimais bien. Je suppose que pas mal de gens diraient que je n'avais pas eu de père pendant longtemps, mais il n'y avait pas que ça. De toute façon, Frederick Allaun n'a jamais dépassé les bornes. Il y a une différence entre de grandes mains froides sur votre corps et de grandes mains froides entre les jambes ou je ne sais où. D'une certaine manière, nous savions tous les deux qu'il y avait quelque chose de mal dans ses sentiments et sa façon de me toucher. Parfois, je trouvais un prétexte pour m'éloigner, parfois, il laissait retomber sa main, qui était autour de ma taille, comme si on l'avait grondé. Si bien que je ne sais pas exactement ce qu'a vu Isabel Allaun sous la tonnelle, mais cela ne devait guère être plus qu'un baiser sur la joue. Le fait est qu'elle ne l'a pas supporté. Je crois qu'elle ne m'a jamais pardonnée, même quarante ans plus tard. Elle était comme ça, et ça a dû être terrible pour qu'elle se laisse aller ainsi. Son style, c'était plutôt le silence, le froid mortel, mon Dieu, c'est incroyable comme elle pouvait changer une pièce en véritable glacière. Elle devait être folle de rage pour hurler sans la moindre retenue. Après, elle se sentait sûrement tellement furieuse contre elle, qu'il fallait absolument qu'elle se débarrasse de moi, d'une manière ou d'une autre. Victoire à la Pyrrhus, sans doute, car si j'étais restée, Sir Frederick aurait peut-être retrouvé son état normal.

Et voilà, j'étais chassée d'Allaun Towers. Avec le recul du temps, je me rends compte qu'Isabel aurait sûrement trouvé le moyen de se débarrasser de moi. Elle ne supportait pas que je capte toute l'attention de Sir Frederick, aux dépens de Tom. Ce n'est pas que la situation se soit améliorée après mon départ, mais elle n'était pas censée le savoir. Et puis elle me voyait grandir et bientôt cela aurait été : « Miroir, miroir, dis-moi qui est la plus belle ? » avec elle dans le rôle de la marâtre, bien sûr. Elle n'a pas dû beaucoup connaître le bonheur dans sa misérable vie. Après mon départ, elle aurait mieux fait de se trouver quelqu'un. Cela aurait peut-être évité la déchéance de Tom. Elle ne trouvait sans doute personne à sa hauteur.

Enfin, Allaun Towers, c'était bien fini, et je me retrouvai à Victoria avant d'avoir eu le temps de souffler. Mon Dieu, quel choc !

Imaginez la scène, moi, avec mes airs de petite fille bien élevée, dans cette gare enfumée, crasseuse, qui empestait, après avoir passé des années à la campagne... Le quai grouillait de gens au visage grisâtre, des soldats, des marins, des vieux, et soudain, il y avait une femme aux cheveux décolorés, trop maquillée, qui visiblement m'attendait de l'autre côté de la barrière, tenant une fillette sale par la main – c'est du moins comme ça qu'elle m'apparut, avec mes yeux de bourgeoise campagnarde. La mioche me tendit une barre de chocolat, et moi, je me suis retrouvée dans les bras de cette femme qui me collait du rouge à lèvres partout, qui sentait la cigarette, tout ça, au beau milieu de cette gare puante. C'était ma mère... j'en suffoquais. Quelle horreur, les embrassades de cette souillon, les gens qui poussaient, le vacarme, la fumée, et cette affreuse gamine qui ne cessait de me répéter : « Mary, Mary, tu veux du cocolat ? Gard', j't'ai apoté cocolat ! » Des années plus tard, quand je vivais à South Molton Street avec Steven Greene, il me fit découvrir la mythologie grecque. Une nuit, très tard, je lisais l'histoire de Perséphone qui, après avoir été sauvée des enfers par sa mère, avait retrouvé la lumière et les champs, et sans cesse, je pensais : « Oh, là, là, ça me rappelle quelque chose. » Seulement, moi, c'était ma mère qui me conduisait en enfer. Je revoyais la gare aussi clairement que je l'avais vue en arrivant à Londres. Je la vois toujours.

Bien sûr, en réfléchissant, je me rends compte à quel point il aurait été horrible de devenir une petite Mary Allaun, et de grandir dans cette ambiance malsaine. Mme Gates n'aurait pas été toujours là. En peu de temps, je serais devenue la proie d'Isabel Allaun, de sa jalousie et de son snobisme, de Tom et surtout, de cet abominable Charlie Markham. Et puis, il y avait ce pauvre Sir Frederick... J'étais mieux avec Sid et Ivy, à long terme, mais à l'époque, je peux vous dire que j'ai été terrassée de stupeur. Le premier d'une longue série de chocs !

Au buffet bondé, des tasses de thé fumaient sur le comptoir derrière lequel une femme en tablier, les traits tirés, distribuait boissons et petits pains en bougonnant.

— J'espère que vous laisserez Mary venir nous voir pendant les vacances, dit Mme Gates en fixant obstinément les yeux trop maquillés.

Deux soldats ivres renversèrent une table en trébuchant vers la porte.

— Si c'est possible, répondit Ivy d'une voix neutre.

— Je suis sûre que Lady Allaun et Sir Frederick contribueront avec plaisir au prix du voyage. Après tout, vous serez une famille nombreuse quand Jackie de retour, ajouta-t-elle avec tact.

— Cela dépend, dit Ivy, froidement. Il vaudrait mieux que la petite s'installe d'abord, avant de faire des projets.

Fière comme elle l'était, Ivy n'aimait pas la façon dont Mme Gates la regardait. Elle la prenait sûrement pour une pauvresse peinturlurée, ou pire encore. Elle n'allait pas discuter du budget familial avec une femme qu'elle considérait comme une servante, position qui pour le moins manquait de dignité.

— Je serais trop heureuse de venir la chercher ici, insista Mme Gates, cela vous éviterait les fatigues du voyage.

En observant le visage figé et bien portant de Mme Gates, Ivy se rendit compe que c'était sans doute la femme qui avait pris soin de Mary pendant la guerre et détecta le désir de revoir l'enfant, sous les manières abruptes.

— Je vous remercie, madame.

Mme Gates, qui avait désormais eu le temps de regarder au-delà du maquillage outrancier et de l'apparence misérable d'Ivy – et de tous ceux qui fréquentaient le buffet –, dit sur le ton de la confidence :

— Je crois que ce serait une bonne chose pour elle de rester en contact avec cette famille.

— Pourtant, ils l'ont renvoyée assez vite ! Je ne voudrais pas que cela se reproduise. En lisant entre les lignes, j'ai cru comprendre qu'il y avait eu un problème. J'espère que Mary n'a rien fait de mal.

— Pas le moins du monde, répondit Mme Gates, un peu trop rapidement. La rançon de la guerre. Ils n'avaient pas le choix. Monsieur Frederick a insisté pour que je vous dise que Mary sera toujours la bienvenue.

— On verra ça le moment venu, alors. Shirley, arrête de jouer avec ce biscuit. Mange-le ou laisse-le. Je l'ai appelée comme ça à cause de Shirley Temple. Je n'ai pas eu de chance, regardez-moi ces cheveux, raides comme des baguettes de tambour.

Mary observait avec horreur la petite fille qui s'amusait avec son gâteau sec, aimablement offert par la serveuse. Elle faisait un petit tas de miettes sur la table, y trempait le doigt, puis le portait à sa bouche. Oui, vraiment, quels cheveux !

— Elle est très mignonne. Tous vos enfants sont très beaux, madame Waterhouse, dit Mme Gates en pensant à Jack et à Mary, ils ont une bonne nature.

— Merci, madame. Et j'aimerais vous remercier de vous être si bien occupée de Mary. Elle n'aurait pu tomber en meilleures mains.

— Ça a été un plaisir pour moi, répondit Mme Gates, sur le même ton poli.

A cet instant, Ivy, qui semblait avoir réfléchi depuis la remarque de Mme Gates sur ses enfants, se mordit les lèvres et se pencha un peu, comme sur le point de révéler une information importante. Puis elle soupira et recula. Elle avait changé d'avis. Mme Gates, qui avait saisi le sens de ce comportement, fit semblant de ne s'être rendu compte de rien. Cela se saurait de toute façon, tout finissait toujours par se savoir, pensa-t-elle.

— Je dois y aller maintenant, sinon je vais rater mon train. Et surtout, n'oubliez pas, vous pourrez toujours compter sur moi en cas de besoin, tant que je serai debout...

— Longtemps, j'espère. Merci encore, madame Gates, dit Ivy en se levant comme pour l'accompagner.

— Non, non, ne vous dérangez pas. Vous devez prendre le chemin de la maison.

Elle embrassa Mary sur la joue, et, d'un pas assuré, se dirigea vers la porte.

« Pauvre femme, se dit Ivy, la séparation doit être terrible pour elle. » Mary éclata en sanglots.

— Mange ton colat..., murmura la petite Shirley, offrant la seule consolation qu'elle connaissait. C'est pour toi...

Mary regarda par-dessus son épaule, à la recherche d'une Mme Gates invisible. Elle n'arrivait pas à y croire. Elle observa la petite Shirley lui tendre un Mars, tout ramolli et souillé.

— Tout d'un coup ? demanda Mary.

Seuls les enfants du village avaient le droit de manger toute leur ration de confiseries en une seule fois. Mme Gates ne lui en donnait qu'un petit morceau tous les soirs, avant qu'elle se lave les dents.

— Oui, c'est tout pour toi.

— Tiens, prends-en la moitié, dit Mary en cassant le Mars en deux. J'ai encore ma ration de la semaine dans la poche.

— Papa m'a donné six pence, pour que je vienne ici.

— Tu ne voulais pas ?

— Oh non, je voulais préparer la fête.

Shirley engloutit le Mars collant comme un animal affamé. Elle avait l'air gentille, mais qu'elle était sale ! Mary repensa à Mme Gates.

— Viens, Mary, on rentre à la maison, dit Ivy en écrasant son mégot.

Elles sortirent de la gare et montèrent dans un grand bus rouge. Peu à peu, les craintes de Mary s'évanouissaient, elle était même enthousiasmée par la grande ville aux immenses bâtiments noirs de suie. Elles passèrent devant les jardins de la reine, et Ivy lui promit qu'elle les emmènerait voir la façade du palais, un jour. Il y avait de grandes rues, avec des statues d'hommes à cheval, et des oiseaux sur le rebord des fenêtres. Dans le bus, deux soldats en curieux uniforme étaient tout noirs. Un autre portait un turban. Partout, entre les maisons, on voyait de grands espaces pleins de décombres.

— C'est pour ça qu'on a dû t'envoyer là-bas, expliqua Ivy.

« *London Bridge is falling down, falling down*[1] » chantonna Mary.

Magré sa frayeur, elle se sentait toute joyeuse en pensant à la fête dans les ruines.

Les grands bâtiments luxueux cédèrent la place à des ruelles étroites et à des maisons délabrées.

— Nous sommes presque arrivées, dit Ivy. C'est sûrement différent de ce à quoi tu es habituée, Mary. Il faudra que tu t'en accommodes.

Elles durent marcher longtemps, à travers les ruelles crasseuses aux chaussées défoncées et aux boutiques poussiéreuses. Elles longèrent une rue plus animée que les autres, avec un grand Woolworth[2] et des magasins de chaussures et de vêtements. Dans une vitrine, à côté d'un cinéma, elle vit un portrait du roi et du couple royal devant le palais. Mary n'avait vu que très peu de films. Puis elles arrivèrent dans Meakin Street.

— Voilà, nous y sommes, c'est joli, tu ne trouves pas ? demanda Ivy.

Aux yeux de Mary, les banderoles rouge, blanc, bleu, qui s'étendaient aux étages d'une fenêtre à l'autre n'avaient rien de beau.

1. Chanson d'enfant (« Le pont de Londres s'écroule, s'écroule. ») *(N.d.T.)*
2. Equivalent de nos Prisunic. *(N.d.T.)*

78

Pas plus que les drapeaux qui retombaient mollement des fenêtres ne réussissaient à égayer la quarantaine de maisons qui bordaient la rue. Bien au contraire, les couleurs chatoyantes attiraient l'attention sur les briques sales, les fenêtres étroites à la peinture craquelée et le manque de fraîcheur des maisons à deux étages, construites à la va-vite quatre-vingts ans auparavant, à l'époque victorienne, pour abriter les ouvriers. Mary se demandait dans laquelle elle allait habiter. « Bon, je tâcherai d'en prendre mon parti », se dit-elle amèrement.

Deux hommes, l'un en veste militaire kaki, l'autre en pantalon de velours côtelé, installaient une table à tréteaux dans la rue.

— Ça va, Ivy ? demanda l'homme en kaki. Mais tu dois être la petite Mary ? Dis donc, tu es devenue bien jolie. Alors, bienvenue à la maison. Oh, ce n'est pas grand-chose, mais c'est chez nous.

Un garçon un peu plus âgé que Mary courut vers eux.

— Papa, je peux t'aider ? cria-t-il, puis il s'arrêta et regarda Mary, visiblement impressionné par la robe amidonnée et le col immaculé. Papa vient de revenir du Moyen—Orient, lui annonça-t-il.

— C'est Jim, dit l'homme bronzé. Vous irez sans doute à l'école ensemble.

Mary observa le garçon qui, d'après l'enseignement de Mme Gates, devait être un villageois.

— Bon, dit Ivy, mieux vaut rentrer à la maison maintenant, pour nous préparer pour la fête. Au revoir, monsieur Flanders, bon travail. Quel brave homme, ce Flanders, remarqua-t-elle en chemin. On ne pourrait rêver meilleur voisin. Il est chauffeur de bus, comme ton père.

Le 19, Meakin Street ressemblait aux autres maisons. La porte, que Sid avait repeinte en 1938 dans un accès de bonne humeur, donnait directement sur le trottoir. La peinture, craquelée à présent, fut la première chose que Mary reconnut. « C'est notre vieille porte », songea-t-elle en voyant le heurtoir et la petite boîte aux lettres en fer. À l'intérieur, le salon donnait directement sur la rue, à l'arrière, la fenêtre de la cuisine ouvrait sur une petite cour, où du linge séchait pratiquement tous les jours, devant le cabinet, près de la réserve de charbon. En haut, les deux chambres à coucher étaient tapissées de papier peint à fleurs. Mary dormirait dans l'une, avec Jack, tandis que Shirley serait installée dans un petit lit près de la fenêtre dans la chambre des parents. Il n'y avait pas de salle de bains. La famille se lavait dans un grand baquet métallique suspendu à la porte de la cuisine, qui résonnait comme un gong chaque fois qu'on l'ouvrait. Ivy faisait chauffer l'eau des bains, ou plutôt du bain, car généralement tout le monde se lavait dans la même eau. Seul Sid ne participait pas à cette toilette hebdomadaire. Le vendredi, il allait aux bains publics, où l'eau chaude coulait en abondance et où les serviettes étaient plus douces. Comme le pub, ce privilège était réservé à celui qui gagnait le pain.

— Allez, entrez, toutes les deux. Je vais faire chauffer de l'eau, et nous allons grignoter un morceau avant la fête. J'ai préparé des toasts au saumon pour ce soir, mais nous pourrons en manger déjà quelques-uns. Va dans le salon, Shirley, et sois sage.

Mary suivit sa mère dans la cuisine et regarda la cour à travers l'étroite fenêtre.

— Je suis désolée, ma petite, tu passes du luxe aux haillons, j'en ai bien peur, mais pense à tous ceux qui n'ont même pas de toit. Tu devrais remercier le ciel.

— Il faudra que je m'en accommode.

— De toute façon, tu n'as guère le choix, ma pauvre Mary Waterhouse, dit Ivy en éclatant de rire.

Autour de la petite table du salon, dépourvu de meuble à part deux fauteuils et un divan recouverts de similicuir, Mary avait bien du mal à avaler son repas. Elle faillit s'étouffer avec les tartines de margarine et de saumon en conserve et se retint de faire la grimace en buvant son thé, à la fois trop fort et trop sucré. A Allaun Towers, on ne lui avait jamais offert de thé, et elle n'en avait jamais eu envie. Mais là, à Meakin Street, elle eut assez de bon sens pour ne pas demander de lait. « Il n'y a sûrement pas de vaches à des lieues à la ronde », se dit-elle. Lorsqu'elle alla dans la rue avec Ivy et Shirley pour aider à la préparation de la fête, installant les nappes sur les tables, bavardant avec les voisins, Mary avait l'impression de vivre dans un rêve. Le matin même, elle s'était réveillée à Allaun Towers, au chant des ramiers, et à présent, elle transportait des assiettes et dressait des tables dans une ruelle crasseuse de Londres.

Sous les banderoles, les tréteaux étaient couverts de gâteaux, de sandwiches et de biscuits. Il y avait de la limonade pour les enfants et deux bols au milieu de la table, contenant chacun une pomme et une orange pour tout le monde. Sous une lampe, on voyait un piano, contribution des Fainlight, qui habitaient au 21. C'était le symbole de leur supériorité, et ils n'avaient consenti à le sortir que parce qu'on les avait accusés de manquer de patriotisme en ce jour de réjouissance nationale. En chapeau noir, son sac à main posé sur le dessus du piano, Mme Fainlight jouait. Les portes commençaient à s'ouvrir et les gens sortaient les uns après les autres. A l'exception des bébés, des malades et des grabataires, tout le monde était prêt pour la fête. Mme Fainlight entonna un pot-pourri de Gilbert et Sullivan.

— C'est plutôt lugubre, elle ferait mieux de nous jouer des chansons à boire, dit malicieusement Harry Smith.

— Ne la ramène pas. C'est son piano, un mot de trop, et elle nous le fait rentrer chez elle, répondit Joe Flanders.

Pendant ce temps, le tonneau avait été mis en perce. Les hommes déambulaient et s'interpellaient, leur chope mousseuse à la main, tandis que les femmes leur demandaient de s'asseoir pour que la fête puisse commencer. En haut d'une échelle, un homme plutôt trapu fixait un drapeau à une lampe, tandis que son compagnon, en bas, un verre dans chaque main, lui disait en riant :

— Si tu tombes, arrange-toi pour que ce ne soit pas sur les bières.

Toujours perché, l'homme sourit, en désignant du doigt Mme Fainlight, indiquant par là, qu'en cas de chute, il avait choisi sa cible.

— Sid, s'exclama Ivy, qu'est-ce que tu fais là-haut, quand la petite Mary vient d'arriver ?

— Mon Dieu ! Je n'aurais jamais pensé... Mary, ma chérie, dit-il en dégringolant les échelons. Je ne pensais pas que tu étais déjà là. Quelle splendide gamine, ajouta-t-il en la soulevant de terre et en la tenant à bout de bras. Drôlement content de te revoir, ma belle.

Sans un mot, Mary le regarda. Une chope à la main, le visage rouge, il portait encore son uniforme de chauffeur. Il avait les yeux très bleus.

— Bonjour, papa.

Une voix pointue derrière eux cria :

— Mary, Mary !

C'était Cissie Messiter, maigre à faire peur, qui courait le plus vite possible, un bébé crasseux accroché à ses jupes.

— Ça fait un bail ! Où est Jack ?

— À Framlingham. Les Twinning avaient besoin de lui à la ferme.

— Dommage, il va rater la fête. Allez, avance. Comment veux-tu que je m'amuse s'il faut que je te traîne partout ?

— C'est ton frère ? demanda Mary.

— Oui, il s'appelle Arthur. Ma mère a le chic pour nous trouver des noms vieux jeu ! Moi, plus tard, je me ferai appeler Sandra. Quand es-tu arrivée ?

— Cet après-midi.

— Oh, cet après-midi, madame ! dit Cissie, imitant l'accent de Mary. Dis donc, il vaudrait mieux que tu te débarrasses de ces airs snob maintenant que tu es revenue, on va se fiche de toi. Oh, ça fait du bien de te revoir !

— Merci, dit Mary, émue. Si tu veux, je garde le bébé un moment, tu pourras t'amuser.

Cissie la regarda d'un air sceptique.

— Non, ce n'est pas la peine. De toute façon, je reste ici, je voudrais du thé. Quand vont-ils commencer ?

— On attend le pasteur.

— Pourquoi ?

— Il doit donner sa bénédiction. C'est Mme Fainlight et une autre femme qui ont insisté. A moi, cela ne me paraît pas vraiment indispensable.

– Tu n'es qu'une mécréante, c'est tout, dit Ivy.

– Je ne t'ai pas vue à l'église depuis le baptême de Shirley, dit Sid. On change de place, Arnold ? demanda-t-il à l'homme en face de lui. Que je puisse voir ma petite Mary, cela fait si longtemps...

Cissie commentait la scène pour Mary.

– Tiens, voilà la mère de Peg. Elle a un coup dans le nez, trois centimètres de rouge à lèvres. Elle ne tient plus debout ! Lui, c'est le G.I. qui lui donne des chewing-gums et des cigarettes. Ma mère dit que ce n'est pas la seule chose qu'il lui donnera si elle ne prend pas garde. Oh, et voilà Mme Flanders avec une robe neuve... Bonjour, madame Jones, dit-elle à une femme un peu ronde qui avait passé la trentaine, en talons hauts et robe écarlate moulante, suivie d'un sergent de l'armée américaine. Tu as vu ces bas ? Au fait, tu as entendu... Non, bien sûr... un matin de bonne heure, le vieux Tom est allé à l'écurie pour seller son cheval, et devine qui il a vu sortir de chez elle ? Un Noir, je te jure, je ne mens pas, noir comme du charbon, les mains et tout. Qu'est-ce que tu en penses ?

– Un Africain ? demanda Mary qui se souvenait des images de son livre à Framlingham.

– Tu parles, un Africain, mais d'où tu sors ? La moitié de ces Amerloques sont noirs. Ils les ont amenés il y a des centaines d'années pour en faire des esclaves et ils ne les ont jamais ramenés chez eux. Papa, Papa, cria-t-elle à un homme mince qui passait par là, tu m'as apporté des bonbons ? (L'homme passa son chemin sans répondre.) Ça vaut mieux comme ça, tu me croiras ou pas, mais il a déjà bu au moins six pintes de bière, dit Cissie d'un ton philosophe. Tiens, voilà Mannie.

Mannie Frankel s'approcha. Il était beaucoup plus grand que dans le souvenir de Mary.

– Mary est arrivée cet après-midi, expliqua Cissie.

– Eh bien, elle doit se sentir soulagée, après toutes ces vaches et ces champs. Quand est-ce qu'on mange ?

– On attend le pasteur.

– Tu nous as ramené des œufs ? demanda-t-il à Mary, détournant la conversation avec tact.

– Non, je n'y ai pas pensé.

Deux femmes apportèrent un gigantesque pot de thé tout fumant sur un landau et le posèrent sur la table. Le cousin de Cissie Messiter dansait sur le trottoir avec une fille au son du piano. Des enfants quittèrent la table pour jouer mais furent rappelés à l'ordre.

– Moi, je n'attends pas le pasteur une minute de plus, annonça Sid, le temps qu'il arrive, il n'y aura plus rien à bénir. Regardez-moi ces mouches sur les gâteaux.

– Le voilà, dit Cissie.

Le maître d'école, M. Burns, arrivait au coin de la rue, accompagné du pasteur, dans son costume noir à col blanc.

— J'espère qu'il sera bref, dit Sid à voix haute.

Le pasteur fit une courte homélie, remerciant Dieu de la victoire des Alliés sur les forces des ténèbres, et bénit l'assemblée des humbles et des moins humbles. Quelques « Amen » et un murmure d'assentiment montèrent de la table. Les enfants s'agitèrent et, dès que le pasteur eut tourné le coin de la rue, les hommes demandèrent de la bière.

— Madame Fainlight, venez prendre une tasse de thé avec nous, proposa Ivy.

— Préférerait pas une partie de jambes en l'air ? cria le père de Cissie.

— Ne faites pas attention, dit Ivy, il est ivre.

— C'est ce que je vois, répondit froidement Mme Fainlight, reprenant son sac et allant s'installer près de Lil Messiter et d'une amie qui remplissait les grandes tasses de porcelaine.

Arthur, le bébé, renversa sa limonade. Mary, qui avait faim à présent, mangea trois pains au lait avant qu'on puisse l'arrêter. Ce n'est pas que quelqu'un voulût l'empêcher de manger, bien au contraire, Sid la regardait d'un œil approbateur.

— C'est ma fille, disait-il.

— Une tasse de thé, madame Fainlight ? proposa Lil Messiter.

— Grâce à Dieu, c'est fini, dit Sid, en mordant un sandwich au fromage. Je crois que je n'avais pas encore eu le temps de m'en apercevoir, avant de m'asseoir à cette table.

— Plus de rationnement, commenta Ivy, émue.

— Plus de combats, ajouta Joe Flanders qui apparut derrière l'épaule de Sid, une chope à la main.

Toujours chancelante, Marge Jones vint s'installer au bout de la table avec son Américain. Cela jeta un froid. Personne n'aimait que les femmes anglaises fréquentent des Américains. C'était ressenti comme une forme atténuée de collaboration.

— Ecoutez, les amis, s'exclama Marge Jones, Marvin a son appareil, il voudrait prendre une photo de nous tous. Ça vous dit ?

Finalement, après moultes bousculades, changements de places, gifles aux enfants, nettoyage des débris pour que la table apparaisse propre et nette, Meakin Street prit la pose d'un côté des tréteaux.

Debout sur une chaise, le jeune Jim Flanders jouait solennellement le *God Save the Queen* ; en dessous de lui, la vieille mémé Smith, que la famille houleuse venait juste de sortir de la maison, assise dans son fauteuil roulant ; à côté, Tom Totteridge, homme assez âgé, en casquette et chemise ouverte, tenait fièrement les rênes de son cheval, Tony. Au centre, Ivy et Mme Messiter, comme un couple de jeunes mariés, avaient toutes deux la main posée sur le manche du couteau qui allait couper le gâteau de la victoire. Pendant un instant, le silence fut complet, ou presque, car Jim continuait à jouer de l'harmonica. Quand enfin on entendit le déclic, tous fredonnèrent en cœur la fin du *God Save the Queen*. Très vite, tout le monde regagna sa place et la fête, joyeuse et bien arrosée, reprit son cours. Malgré tout, la joie était entachée de tristes souvenirs, bien que personne n'y fasse allusion, les souvenirs des raids aériens, et des Jypp qui vivaient au n° 35, à côté de l'écurie du cheval du vieux Tom et dont la maison avait été soufflée lors d'un bombardement. Il y avait aussi un trou béant à la place des n°s 7 et 9. Par chance les deux familles étaient au Marquis de Zetland et seule la grand-mère avait été blessée. L'équipe de sauveteurs n'avait retrouvé qu'une masse d'os brisés, pourtant, la vieille s'obstinait à demander une tasse de thé pendant tout le trajet jusqu'à l'hôpital. Certaines familles avaient préféré ne pas participer. Mme Sinclair avait refusé de venir car son fils unique avait péri à Tobrouk. Deux hommes aussi étaient morts, l'un sur l'Atlantique, l'autre en Allemagne. Malgré la victoire, tout le monde était épuisé, et conscient des pertes générales.

Au fur et à mesure que la nuit tombait et que les lumières de la rue s'allumaient, les souvenirs semblaient s'évaporer. Les adultes avaient bu un verre ou deux, les enfants couraient comme des sauvages, criant à tue-tête. Mary, l'étrangère encore abasourdie, entrait et sortait des maisons avec eux, apercevant au passage une pièce bien tenue avec des bibelots de verre sur le manteau de la cheminée, une chambre où toute une famille vivait et dormait sous des couvertures crasseuses devant l'âtre couvert de vieilles cendres et un tas de linge sale. Ici, un bébé hurlait dans son berceau, là, trois éléphants de bois ramenés d'Inde par un ancien soldat, semblaient défiler sur la table de bois.

– On les pique ? suggéra Harry Smith, le rouquin téméraire, mais les autres l'en empêchèrent.

Dans l'écurie de Tom Totteridge, le vieux cheval s'ébrouait et trépignait sur sa litière. On entendait les murmures de Marge Jones et de son Marvin au premier étage. Agglutinés près de la porte, les enfants tournèrent les talons et déguerpirent.

Dans la rue, les tables croulaient sous les chopes vides. Les résidents âgés ou plus calmes que les autres avaient regagné leurs foyers avant que Joe Flanders ne réquisitionne le piano, bien que Mme Fainlight guettât constamment derrière ses rideaux proprets, pour s'assurer qu'il n'arrivait rien à son instrument. Joe martelait de vieilles rengaines, qui, au fur et à mesure que l'ivresse augmentait, passèrent des chansons à boire aux mélodies sentimentales que tout le monde reprenait en chœur.

En entendant *Le Temps des cerises*, Ivy eut les larmes aux yeux, et Joe Flanders, qui la désirait secrètement depuis longtemps, lui passa les mains sur les hanches, et, pour anéantir toute velléité de protestation, cria à la cantonnade :

– Et si on dansait la java ?

Tout le monde sembla conquis par ce signe de ralliement. Tandis que la porte du Marquis de Zetland s'ouvrait et se refermait, la rue s'emplissait de chants et de danses. Des couples se formaient, Sid et Ivy, la vieille Mme Messiter et Tom Totteridge. Marge Jones, qui avait réapparu, enseignait les pas à son Américain ahuri. Tout le monde entra dans la danse, se courbant et s'inclinant, au son d'une musique populaire, sans doute reprise du folklore paysan, qui était récemment devenue la coqueluche des Londoniens en liesse. Les enfants s'y étaient mis eux aussi, même la petite Shirley, toute seule sur le trottoir, le visage tendu de concentration, qui observait les autres et faisait attention de ne pas se tromper. Mary, dans sa petite robe amidonnée et ses chaussettes blanches passablement souillées à présent, prit la main de Harry Smith et se mit à danser.

– Encore ! s'écria Marvin, entraîné dans le mouvement.

La proposition fut acceptée, mais Mary, fatiguée et un peu effrayée par ce méchant garçon de Harry, s'éloigna de la musique et fut assez contente de se retrouver à l'angle de Meakin Street, se balançant sous la lumière du lampadaire, loin de l'agitation de la rue. Là, en face de l'écurie, elle se sentait plus calme, même si elle avait toujours un peu peur.

Mary s'approcha du coin de la rue pour regarder à quoi ressemblait le voisinage. Là, à sa gauche, sur Wattenblath, elle aperçut une silhouette masculine en costume sombre. L'homme se tenait sous un des lampadaires. Il restait parfaitement immobile. Effrayée, Mary recula et s'apprêtait à s'enfuir lorsqu'une voix appela son nom :

– Mary ?

Elle sursauta. Le cœur battant, se mordant la lèvre inférieure, elle fit un pas en avant et regarda, protégée par l'angle d'une maison, prête à déguerpir.

– C'est toi, Mary ? demanda la silhouette noire et immobile.

Sa voix, bien que plus ferme et plus rassurante, rappelait celle de Sir Frederick. Il avait l'air gentil. Un rayon de lumière éclairait son visage long et doux.

– Oui, c'est moi, dit-elle de loin.

– Approche-toi un instant. Je promets que je ne te ferai pas de mal.

Hésitante, elle obéit. Il lui passa le pouce sous le menton et leva le visage de la fillette vers lui. Mary vit ses yeux bleus. Il paraissait amical et fiable, le genre d'homme qui sait toujours vous aider lorsqu'on a des ennuis.

– Es-tu contente d'être rentrée chez toi ? demanda-t-il doucement.

– Je ne sais pas. Je crois que je me plaisais mieux à la campagne, dit-elle hâtivement.

– Tâche d'être heureuse quand même, dit-il après une pause. Et sois sage.

Ces encouragements renforcèrent la résolution de Mary, mais lui confirmèrent que son retour à Meakin Street n'était guère de bon augure.

– Oui, j'essaierai, répondit-elle d'une voix dont la fermeté la surprit elle-même.

– Tu es une brave petite, je le savais.

– Je dois y aller maintenant, dit Mary, soudain mal à l'aise.

Après tout, il faisait nuit, et bien que cet homme ne ressemblât guère à l'ogre qui entraîne les enfants au cœur de la forêt pour les avaler tout cru, elle ne savait pas qui il était.

– Oui, sans doute.

Il se pencha et lui déposa un rapide baiser sur la joue.

– Allez, dépêche-toi.

Mary se mit à courir et cria « au revoir » de loin. Quand elle parvint au coin de la rue, elle se retourna pour le regarder mais il avait disparu. Peut-être s'était-il tapi dans l'ombre, peut-être était-il simplement parti dans l'autre direction. Mary alla rejoindre la fête et retrouva Ivy qui chantait, appuyée contre le piano.

– Dis, je peux aller me coucher maintenant, s'il te plaît ? demanda Mary en tirant sa mère par la manche.

– Bien sûr, ma chérie. Cela fait longtemps que Shirley est rentrée.

Ivy la conduisit au 19 et, après une toilette rapide, Mary fouilla dans sa valise pour en sortir sa chemise de nuit à fleurs. Elle se coucha dans le petit lit de fer près de Shirley qui dormait profondément. Après le départ d'Ivy, les paupières lourdes, Mary se demandait vaguement comment l'homme au costume noir connaissait son nom, puis elle sombra peu à peu dans le sommeil. Tandis que les chants continuaient à monter de la rue, Mary Waterhouse s'endormit d'un sommeil paisible pour sa première nuit à Meakin Street depuis bien longtemps.

Ce ne fut que bien des années plus tard que mon père me parla de cette visite à Mary le soir de la fête de la victoire. Bien sûr il savait qu'il n'aurait pas dû chercher à la voir et encore moins se montrer ouvertement. Pourtant, il me dit que cette visite était sans doute passée inaperçue dans l'agitation de cette nuit, et que de toute façon, il n'avait pas eu l'intention de lui parler. Il voulait partir après l'avoir observée un moment du coin de la rue, mais lorsqu'il avait vu la petite tête pointer à l'angle de la maison, la tentation avait été trop forte. En fait, cette attitude ressemblait peu à mon père qui se montrait toujours correct, trop peut-être. Il me raconta que, d'une terrasse, il admirait un petit jardin bien entretenu, tout en entendant au loin les échos de la fête et les coups de klaxon, lorsqu'il eut soudain envie d'aller voir comment l'enfant qui était sous sa responsabilité s'adaptait à son nouvel environnement. Parfois, une bribe d'information directe valait mieux que la compilation de milliers de dossiers. Mais il me semble qu'en cette nuit d'émotion, mon père avait plutôt obéi à une impulsion. Apparemment, ce qu'il a vu ce jour-là l'a fort troublé. Il pressentait même partiellement ce qui allait se passer, bien que, comme il le disait lui-même, il aurait fallu le talent d'un romancier pour mesurer d'un coup toute l'étendue du désastre. Après cette rencontre, il dressa un tableau de la situation très précis à ces commanditaires pour les pousser à y remédier sans tarder. Une fillette douée d'une telle intelligence et d'un tel courage, qui de surcroît promettait de devenir fort jolie, devait quitter au plus tôt cette rue sordide. Il voyait clairement que dans ce contexte, l'intelligence et la beauté ne seraient que des handicaps supplémentaires, et que la fillette aurait sans doute mené une vie plus paisible si elle en avait été dépourvue. Pourtant, malgré son insistance, personne ne voulut intervenir. Il n'avait plus qu'à se soumettre. Bien sûr, la suite a prouvé qu'il ne se trompait pas et c'est peut-être un bien qu'il n'ait pas vécu assez longtemps pour voir à quel point il avait raison. De toute façon, le spectacle de cette fillette, avec sa robe soigneusement amidonnée par Mme Gates, dans une triste rue de Londres, une trace de saleté sur une joue et de confiture sur l'autre, était bouleversant. Il me confia même avoir eu envie de la kidnapper sur-le-champ.

Il connaissait la vie des travailleurs de son domaine, bien sûr, mais cela n'avait rien à voir. J'imagine facilement qu'il ait été impressionné par Meakin Street rassemblé au grand complet lors d'une fête. Voir Mary, élevée dans la petite noblesse campagnarde, soudain jetée aux fauves dut l'horrifier.

Je dois dire pourtant, que tout comme il ne savait pas ce qu'allait devenir la vie campagnarde, il n'avait aucune idée sur le type d'environnement qui favorise une bonne éducation. A son époque, les parents voyaient à peine leurs enfants, et les pères étaient tout particulièrement coupés de leur progéniture. Mon père pouvait parfaitement comprendre les conséquences sociales du passage de Mary de Framlingham à Meakin Street, mais il n'imaginait pas que Mary puisse se sentir mieux au sein d'une famille pauvre mais équilibrée, qu'emprisonnée entre les murs glacés d'Allaun Towers. Evidemment, tout cela relève de la spéculation. En décidant de ne pas intervenir, personne ne pouvait vraiment savoir quelles seraient les conséquences de ce laisser faire. En l'occurence, ce fut une grave erreur.

1952

A la mi-février, Wyckender Street est déserte. Sur près d'un kilomètre de ligne droite, les lampadaires déversent par intervalles leur flot de lumière sur le sol verglacé et les jardinets mal entretenus. Là, des sentiers inégaux conduisent vers de petites maisons aux vitres sombres. Par endroits, à la place des maisons d'antan, ce ne sont plus que tas de briques mêlés au chiendent. De l'autre côté de la rue, un haut mur dissimule les voies de garage où des wagons invisibles se décrochent et se raccrochent dans un vacarme métallique. Parfois, un sifflement étouffé et mélancolique se fait entendre derrière le mur. Un vent glacial balaye la sinistre rue, toujours marquée des vestiges de l'après-guerre.

Leurs talons hauts claquant sur le trottoir, trois filles avancent, emmitouflées dans leurs gros manteaux. De temps en temps, elles se retournent, ricanent ou lancent un mot ou deux aux trois garçons qui traînent derrière elles.

— Allez, viens donc, Jim ! crie la plus hardie d'un ton moqueur.

Elle s'arrête délibérément sous un lampadaire brisé, près de la ligne morne du mur de brique. La lumière dure de l'ampoule nue tombe sur ses cheveux blond clair. Les deux autres poursuivent leur chemin, d'un pas un peu plus rapide.

— C'est du propre ! dit l'une d'elles, regardant d'un air offusqué la silhouette baignée de lumière.

— Elle commence à avoir mauvaise réputation dans le quartier, ajoute l'autre. Elle reste dehors jusqu'à point d'heure avec ce Jim Flanders. Sa mère n'arrive pas à la tenir.

C'est Cissie Messiter qui parle. Les fards trop lourds, le mascara noir et le rouge à lèvres écarlate ne suffisent pas à masquer son visage de crève-la-faim. Elle avance d'un pas traînant sur ses petites jambes d'hirondelle légèrement arquées, afin de retenir ses chausssures achetées au marché, trop grandes pour ses pieds étroits.

Derrière, les deux autres garçons passent devant le couple enlacé qui s'embrasse sous le lampadaire.

– Ah, ah..., disent-ils, et ils commencent à siffler.

Jim Flanders relâche la fille.

– Jim, ne fais pas attention à eux, dit la fille, le manteau ouvert sur une jupe noire moulante et un pull-over rouge.

Des boucles blondes encadrent la petite tête rejetée en arrière. Le visage trop poudré paraît très pâle sous la lumière crue et de longs cils bruns bordent les yeux immenses. Les lèvres tendres et douces s'entrouvrent de plaisir. Il n'y a pas d'avenir au laboratoire ni aux aciéries pour des filles comme elles. Tous ces endroits sont dirigés par des hommes, et aucun ne les traiterait correctement. Serrée contre Jim Flanders, grelottant dans son pull trop étroit et sa jupe de chez C & A sous son manteau de drap mince mais volumineux, elle ne comprend pas très bien que ce visage et cette silhouette détermineront tout son avenir. Pourtant...

– Jim, je t'aime, dit Mary Waterhouse.

– Moi aussi, je t'aime, répond Jim.

Les hauts talons ont cessé de résonner sur le trottoir. Jim et Mary sont seuls dans la rue.

– Viens, dit Jim en indiquant l'autre côté de la rue.

– D'accord, répond Mary sans hésiter.

D'autres auraient discuté, il aurait pratiquement fallu les traîner de force de l'autre côté, mais pas elle. Main dans la main, ils traversent, Jim, grand et plutôt joli garçon avec ses cheveux luisants de brillantine, et Mary, énergique, élancée malgré ses formes féminines. Ils s'engouffrent dans un trou béant entre deux maisons. Malgré la froideur de la nuit, des frissons printaniers leur parcourent le corps.

Contre le mur du jardin de l'ancienne maison, ils sont étendus dans un trou de bombe. Il aperçoit toujours vaguement son visage grâce à l'éclairage de la rue. Elle clôt à demi ses yeux humides de plaisir et sa bouche tendre sourit. Même couchée sur la terre et l'herbe gelées, elle mériterait sa place à l'écran, dans le rôle d'une beauté du XIXᵉ siècle.

– Oh, Jim, murmure-t-elle dans un souffle.

Ils ne savent pas qu'ils s'enlacent au-dessus du corps de Mme Thompson, enterrée pour l'éternité dans son abri antibombes, un collier de graines autour de son cou de squelette. L'équipe de sauveteurs la croyaient à Bournemouth, si bien qu'ils ne se sont pas donné la peine de la chercher.

Jim glisse la main sous le sweater de Mary et lui effleure la poitrine, prisonnière dans un soutien-gorge serré. Ils s'embrassent, leurs bouches se mêlent. D'une main, Mary s'accroche à la chevelure de Jim, alors que de l'autre, elle plonge sous la chemise et lui caresse le dos. Rivés l'un à l'autre, épuisés par leur combat, essoufflés, les yeux dans les yeux, ils ressemblent à deux animaux engagés dans une lutte à mort. Jim glisse la main de Mary sur son pantalon et gémit de plaisir :

92

– Mary, Mary...

Il lui passe les mains le long des bas et se repose dans la douceur humide des cuisses. Mary le déboutonne, et, ainsi plongés dans l'intimité de l'autre, légèrement effrayés, ils s'écartent un peu, puis s'embrassent de nouveau les lèvres, les joues, les paupières, mêlant leurs souffles et leurs sanglots. Ils n'ont plus froid maintenant. De l'autre côté de la rue, des wagons s'accrochent bruyamment. A un étage, une lumière s'allume. Mais Jim et Mary n'entendent et ne voient plus rien.

– Je t'aime tant, dit Mary.

« C'est à elle de m'arrêter, pense Jim. Un homme ne peut pas se retenir. » Mary ne l'arrête pas et bientôt, ils luttent avec leurs vêtements. La jupe de Mary n'arrive pas à passer au-dessus des hanches, tant elle est étroite, et le pantalon de Jim se montre peu coopératif. Si bien qu'avec de nombreuses pauses, murmures et baisers, la scène se prolonge. A chaque pause, Mary devrait faire un choix, c'est un intervalle dont elle pourrait profiter pour marquer un arrêt, mais après tant de caresses dans le fond de la salle de bal, dans les couloirs et tout le long du chemin, elle ne veut plus s'arrêter. Elle est lasse des satisfactions partielles, des rencontres qui les laissent pantelants et frustrés. Sans prendre consciemment de décision, elle continue.

Finalement, Jim est en elle. Suffoquant de plaisir et de douleur, elle ouvre les yeux et voit une image qu'elle n'oubliera jamais : le mur de brique, les joints de ciment, les crevasses qui le fissurent de haut en bas. Jim la possède, étendue, sanglotante.

Ils restent allongés, immobiles, et peu à peu sentent le froid les saisir. Mary prend conscience de la dureté du sol et du gros cailloux qui lui blesse le dos.

Ils s'observent dans la demi-obscurité.

– C'était bien, Mary, c'était très bien, murmure Jim en lui souriant. Oh, on n'aurait pas dû.

– Cela n'a pas d'importance, c'était bien.

C'était à Mary, et non à lui d'exprimer des regrets, il le savait.

– On n'aurait pas dû, répéta-t-il. Ça t'a fait mal ?

– Presque pas, mais maintenant, j'ai mal. C'est trop dur par terre.

Démentant ses propres paroles, elle glisse de nouveau la main vers le sexe de Jim.

– Il vaudrait mieux y aller, dit-il.

– Comme tu veux.

Ils se bagarrent encore avec leurs vêtements et s'éloignent du site du bombardement, main dans la main, en silence. Ils sont presque des étrangers l'un pour l'autre à présent. Leurs différences sont plus visibles que jamais, et, de plus, ils doivent se séparer. Jim va rentrer chez lui, et elle, chez elle. Ils parviennent à l'extrémité de Wyckender Street.

– Mieux vaut remettre un peu d'ordre dans ma tenue, Ivy va m'assassiner si elle me voit comme ça.

Elle redresse la couture de ses bas et arrange ses cheveux. Elle se sent mal soudain. Elle voudrait que Jim lui dise des mots doux, mais il ne le fera pas ou ne le pourra pas.

– Ils seront couchés, non ?

– Sans doute, répond Mary. Mais il y a la télévision maintenant.

– Ils se couchent tard, alors.

– C'est encore tout nouveau.

En silence toujours, ils remontent Meakin Street.

– Oh, Mary, je t'aime, tu sais, dit Jim sur le pas de la porte.

– Moi aussi, je t'aime.

– Je viens te chercher après le travail ?

– Oui.

Ils s'enlacent une dernière fois et Jim s'enfonce dans la rue déserte. Au carrefour, il se retourne et lui fait un signe de la main.

Tout est noir quand Mary pénètre dans la maison. A travers la porte ouverte, elle remarque que Jack n'est pas encore rentré. Il dort sur le divan du salon car il n'y a plus de place pour lui dans les chambres au premier. En arrivant sur le palier, Mary entend la voix ensommeillée d'Ivy lui parler de la chambre.

– C'est toi, Mary ?

– Oui, maman.

Mary se déshabille dans le froid, enfile sa chemise de nuit et se couche. Dans le petit lit juste à côté du sien, Shirley n'a pas bougé. Très fatiguée, Mary reste allongée, sentant encore l'humidité de ses cuisses. A travers la petite fenêtre elle regarde les pâles étoiles du ciel de Londres. Si seulement Jim était à côté d'elle pour la réchauffer ! Pourtant, elle est heureuse, malgré son absence.

« Alors, c'est ça, pense-t-elle, languide. C'est bien, vraiment bien. Facile, naturel. C'est donc de ça que tout le monde parle. Mieux vaut ne rien dire à Ivy. J'aime Jim. Pour de vrai. » Satisfaite, contente, en sécurité, Mary Waterhouse s'endort.

– Elle a détesté le jour de ses noces, confie Ivy, sur le coin du trottoir, un panier à la main, à son amie Lil Messiter. La veille, elle s'était déjà saoulée au sherry.

– Moi, j'ai adoré ça, je me prenais pour la reine d'Angleterre. Je me suis vite aperçue qu'il n'en était rien, répond Lil Messiter en jetant un coup d'œil sur la rondeur de son ventre.

Les deux femmes se taisent. Un cinquième enfant à l'âge de trente-huit ans, ce n'est gai pour personne, et surtout pas pour une femme à la santé précaire, comme Lil. En fait, la situation est si dramatique qu'il n'y a plus rien à dire. Même en 1952, avec les progrès et la gratuité de la médecine, une femme épuisée et sous-alimentée peut encore beaucoup souffrir, voire mourir en couches. A la place de Lil, Ivy se serait sûrement débarrassée de l'enfant, comme elle l'avait fait juste après Jack et avant Shirley. D'ailleurs, elle se serait arrangée pour ne pas tomber enceinte. Aujourd'hui, on donne gratuitement des conseils sur la contraception et Ivy prend ses précautions. Elle vient de trouver du travail dans une boulangerie et d'acheter une télévision à crédit. Mais ce n'est ni le lieu ni l'endroit pour se vanter de sa situation plus florissante.

— Ce n'est pas drôle d'être une femme, se contente-t-elle de dire.

— Non, répond Lil Messiter, passant son panier d'une main dans l'autre pour soulager son bras. Au moins, tout devrait bien se passer pour Mary, à son âge. Qu'en pensent-ils à l'hôpital ?

— Il n'y a pas à se plaindre, elle est en bonne santé. Encore une chance ! Quelle idiote ! je lui avais pourtant dit de cesser de traîner avec Jim Flanders. Un bébé, à seize ans !

— Les gosses ne veulent jamais rien entendre, commente Lil. Oh, mon Dieu, ils vont rentrer de l'école, il faut que je prépare le goûter.

Ivy regarde son amie s'éloigner le long de la rue, maigre et décharnée dans sa vieille jupe froncée et son chemisier passé. Ivy, elle, porte un tailleur vert bouteille, avec une jupe d'une longueur à la mode. Ses cheveux sont toujours blonds et ses lèvres n'ont pas encore perdu leur couleur. Elle se dirige vers le 3, Meakin Street, juste à côté du pub et frappe à la porte. Après un instant, des pas résonnent dans l'escalier et Mary vient ouvrir. Elle porte une jupe noire étroite et une blouse ample décorée de roses rouges. Elle a toujours les cheveux courts, mais les boucles aguicheuses commencent à s'allonger. Le visage un peu gonflé, elle paraît très pâle, fleur à peine éclose qui baisse déjà la tête.

— Entre, je t'offre une tasse de thé, propose Mary, heureuse de cette distraction.

— Je pensais que tu aurais envie d'oranges, c'est bon pour ta santé en ce moment, répond Ivy en la suivant dans le deux pièces où elle vit désormais avec son mari, Jim Flanders.

Dans le salon, il n'y a qu'un divan prune, deux fauteuils, une petite table, et c'est tout. La fenêtre minuscule donne sur l'arrière d'autres maisons. Mary prépare le thé à la cuisine et l'apporte sur la table. Sa mère se lève pour aller chercher les tasses, le lait et le sucre. La cuisine, avec sa vieille gazinière, son évier et son placard d'occasion, est aussi aseptisée qu'une chambre d'hôpital. L'appartement est nu, sans une décoration, sans un tricot qui traîne, sans la moindre paire de chaussures pour convaincre un étranger que quelqu'un habite dans ces lieux. Rien ne semble naturel.

La chambre qu'Ivy aperçoit en revenant de la cuisine est encore plus déprimante. Un lit aux couvertures grises impeccablement tirées, les deux oreillers l'un à côté de l'autre, une garde-robe à la porte fermée, une commode sans un grain de poussière. Ivy fait la moue. « Je l'aurais parié », pense-t-elle.

— Maman, qu'est-ce que tu fais ? crie Mary, un peu irritée.

— Rien, j'arrive, répond Ivy en entrant dans la pièce. Et toi ? Tu vas bien ?

— Ça va. Tout ça me déprime un peu quand même.

Il ne reste plus rien de mademoiselle Mary d'Allaun Towers, plus rien non plus de la vilaine petite Mary, terreur de la voie de chemin de fer. Il n'y a plus que Mary Flanders, seize ans, enceinte.

« Elle aurait pu faire tout ce qu'elle voulait, pense Ivy. Au lieu de ça, elle gâche sa vie avec Jim Flanders, mécanicien auto, et un bébé en chemin. » Seize ans. Pauvre Mary. C'était fini pour elle, sauf si elle avait de la chance. Quelle idiote !

L'après-guerre avait radicalement changé la façon de penser d'Ivy Waterhouse. D'une certaine manière, la Seconde Guerre mondiale avait élargi son horizon. Nombre des amis et des membres de la famille d'Ivy avaient voyagé à l'étranger, aux frais de l'Etat. Tout le monde avait eu l'occasion de regarder les maisons des autres, éventrées par les bombes allemandes. Pendant cinq ans, seule l'égalité avait compté : même combat pour tous, mêmes angoisses, mêmes tickets de rationnement. A Meakin Street, il était facile de faire la différence entre les enfants d'aujourd'hui, élevés grâce au lait, au jus d'orange et aux œufs alloués par le gouvernement et ceux d'hier, qui vivaient du chômage, de maigres salaires et de désespoir. A la fin de la guerre, le gouvernement socialiste l'avait emporté à une majorité écrasante. Un grand programme social se mettait en place, et, associé à l'explosion industrielle et commerciale, en grande partie due à l'effort de reconstruction, cela se traduisait par un enrichissement des classes laborieuses qui commençaient à revendiquer leurs droits. Quant aux Waterhouse, pour eux, l'augmentation des salaires signifiait surtout un meilleur niveau de vie.

Les nouveaux droits, c'était de pouvoir appeler un médecin, gratuitement, lorsque quelqu'un était malade ; la petite Shirley, si intelligente, pourrait aller à l'école publique et apprendre le latin si elle le désirait. Et même Lil Messiter, d'une santé si fragile, avec une maison déjà pleine de gosses, recevrait une allocation pour son nouveau-né, quel que soit l'usage que son mari ferait de son salaire. Le moment de l'accouchement venu, elle bénéficierait des meilleurs soins médicaux.

Dans ces conditions, rien d'étonnant à ce qu'Ivy regardât sa fille d'un œil morose. Les choses allaient mieux. Les filles n'étaient plus obligées de se marier à défaut d'autres possibilités. D'après ce qu'elle voyait, Mary n'était même pas heureuse dans sa folie. Elle aurait mieux fait d'aller faire la foire en ville, comme elle-même autrefois. Elle aurait encore été mieux en prison, elle avait trouvé le meilleur moyen de se condamner à perpétuité ! S'enfermer avec un mari et un enfant à seize ans ! Ivy, elle, avait au moins un peu vécu avant d'en arriver là : quelques voyages à Brighton toute seule dans une pension, avec une alliance de pacotille pour faire croire qu'elle était mariée. Ah, les moules et les coquillages, les bals sur la plage de galets, les foires d'attractions... ! Et puis elle était vraiment amoureuse de Sid. D'après ce qu'elle en savait, ce n'était pas le cas pour Mary et Jim, pire encore, elle ne l'avait sans doute jamais aimé. Ivy oubliait le souvenir de Mary sanglotant dans la cuisine, un soir que toutes deux venaient de rentrer du travail. Elle ne se rappelait plus ses cris : « Petite garce, sale idiote ! » ni sa visite impromptue chez Joe et Elizabeth Flanders. Elle s'était précipitée dans la rue et avait tambouriné à la porte fraîchement repeinte avec le heurtoir en forme de galion. D'un coup, tous les rideaux s'étaient soulevés. Les fils Smith, qui rentraient nonchalamment chez eux, s'étaient arrêtés pour regarder Ivy Waterhouse courir, le manteau ouvert, le long de la rue.

— Ça y est, je crois bien que Mary a un polichinelle dans le tiroir, avait dit Harry Smith à son frère.

— On dirait. Bien fait pour cette petite garce.

Entre-temps, Joe Flanders qui avait ouvert la porte demandait à Ivy :

— Ivy, que se passe-t-il ? Rien de grave ?

— Non, si tu considères que mettre ma fille enceinte c'est pas grave ! cria-t-elle. Où est la mère de ton fils, je veux la voir !

Sur ce, elle bouscula Joe dans le couloir et fit une entrée tonitruante dans le salon où Elizabeth Flanders tricotait en regardant les informations à la télévision. Surprise, Elisabeth oublia les petites silhouettes grises vacillant sur l'écran tandis que son mari arrivait déjà derrière Ivy en demandant :

— Ivy, qu'est-ce que tu racontes ?

— Mary va avoir un bébé, et c'est Jim le père ! hurla Ivy, les mains sur les hanches. Alors ? Qu'est-ce que vous comptez faire ? Les marier, j'espère.

Terrorisée, Elizabeth, une petite femme triste et qui paraissait dix ans de plus que ses quarante ans, la fixait toujours. Elle aspirait à une vie tranquille, sans histoires, et pour être sûre de ne jamais faire d'erreur, elle ne s'occupait jamais des autres, et ne voulait pas que l'on mette son nez dans ses affaires. Son père, un sergent dans la police, qui vivait désormais à Deal et houspillait ses roses comme sa famille autrefois, l'avait élevée de telle façon qu'elle ne commette jamais une action répréhensible. C'était pour cela que Joe Flanders posait à présent la main sur l'épaule d'Ivy en disant :

— Assieds-toi, Ivy, on peut peut-être en parler plus calmement.

— Calmement ! Je voudrais vous y voir si votre fille était enceinte ! Ce n'est pas de calme que nous avons besoin, mais d'action. Où est-il, lui ? Vous ne croyez pas qu'il devrait être là, lui aussi ?

— Il va rentrer du travail d'un moment à l'autre, répondit Liz, mais si Mary attend un bébé, comme tu dis, qu'est-ce qui me prouve que mon Jim y soit pour quelque chose ?

— Qu'est-ce qui me prouve, qu'est-ce qui me prouve... ? répéta Ivy. C'est son petit ami, non ? Qu'est-ce que tu veux insinuer ?

— Cela ne veut pas dire que..., dit Liz d'une voix étranglée.

— Ah, je vois, vous êtes en train de me raconter que Mary est une menteuse, et une petite garce par-dessus le marché, et qu'elle fricote avec Pierre, Paul ou Jacques ! Alors, écoute-moi bien, Elizabeth Flanders, encore un mot et tu le regretteras, ça, je peux te l'assurer.

— Joe, viens près de moi, elle va me frapper, dit Elizabeth d'une voix enfantine.

— Mais non, elle ne va pas te frapper. Ivy est venue pour bien faire...

— Mon Jim est un bon garçon, je ne peux pas croire..., dit la mère.

— Comment oses-tu le défendre ? Et où est-il, cet animal ? C'est lui qui aurait dû venir me voir avec ma fille pour m'annoncer la nouvelle, et non pas me laisser tirer les vers du nez à Mary. Un beau trouillard ! Il fait ce qu'il veut, mais pas question d'assumer les conséquences. Oh, bien sûr, il a de la chance, avec une mère qui le protège, et qui pense qu'il n'est pas un garçon comme les autres. C'est ça, son fils est un ange envoyé du ciel qui ne connaît même pas la différence entre une fille et un garçon. Ma pauvre fille, dit Ivy sur un ton théâtral, puis, se souvenant soudain de la pâleur de Mary, qui parvenait à peine à comprendre ce qui lui arrivait, elle éclata en sanglots, des larmes versées pour elle, pour sa fille et pour toutes les femmes.

— Calme-toi, Ivy, nous avons tous besoin d'un verre et d'une bonne discussion.

— Garde donc ton verre, va plutôt me chercher ce vaurien, dit Ivy en reniflant.

— Si Sid était là, tu n'oserais sûrement pas te mettre dans des états pareils, dit Elizabeth.

— Toi, tu n'as pas à me faire la morale.

— Je vais le chercher, dit Joe en quittant la pièce.

— Pourquoi Sid n'est-il pas venu ? dit Liz de sa petite voix, nous aurions bien besoin de lui.

— Oh, oh, dit Ivy, les dents serrées, je vais tout casser si tu ne veux pas être un peu plus raisonnable.

A ces mots, elle se retourna et saisit l'horloge posée sur le manteau de la cheminée.

– C'est un cadeau de mariage ! s'exclama Liz, son visage blême soudain rosi de colère.

– Ah, un cadeau de mariage ! Eh bien, justement, c'est de ça que nous parlons, n'est-ce pas ? Toi, tu l'as eu, ton maudit cadeau, et il trône toujours sur ta cheminée. Ma fille, elle, elle vomit tous les matins parce que ton fils lui a fait un enfant, et elle n'aurait pas droit à un joli présent pour mettre sur sa cheminée ?

– Assieds-toi, Ivy. J'ai les nerfs à bout. Je suis trop remuée pour supporter ce genre de conversation.

– Bon, d'accord. Alors, demanda-t-elle après une pause, tu n'as rien à dire ?

– Elle ne peut pas s'en débarrasser ? demanda Liz sur un ton hésitant. Cela serait peut-être mieux si...

– Jolie façon de parler de ton petit-fils ! S'en débarrasser, charmant ! Eh bien, non, justement. C'est trop tard. Je ne veux pas qu'elle coure ce risque à ce stade, ni pour toi, ni pour personne d'autre. Elle aura ce bébé, un point c'est tout.

– Elle ne t'a pas avertie à temps, alors ?

– Deux personnes ne m'ont pas prévenue à temps. Ma fille et ton fils.

– Si c'est lui le père, dit Liz.

Ivy se leva, prête à fracasser l'horloge dans la cheminée lorsque Liz se ravisa :

– Excuse-moi, Ivy, ce n'est encore qu'un enfant. Ne fais pas de dégâts.

– Je ne pourrais jamais faire autant de dégâts ici en une semaine que ton fils en cinq minutes. Et puis, cet enfant, comme tu dis, il a quand même presque vingt et un ans. Mary, elle, n'a que seize ans. Je veux que tu me promettes qu'ils se marieront, et tout de suite, sinon, je balance ton horloge dans ta jolie télévision...

Liz se leva pour reprendre l'horloge, mais Ivy recula. Liz lui attrapa une poignée de cheveux, Ivy se retourna brusquement, faisant tomber une chaise. A cet instant, Joe Flanders arriva. Derrière lui, Jim et Mary se donnaient la main. Mary portait toujours sur le visage la marque de la gifle de sa mère.

– Mon Dieu, s'exclama Joe, que se passe-t-il ? Elizabeth, assieds-toi. Madame Waterhouse, remettez cette horloge à sa place. Cela ne servirait à rien de transformer cette maison en champ de bataille.

– Je garde l'horloge, jusqu'à ce que j'aie obtenu gain de cause.

– Comme vous voulez. Allez, entrez tous les deux qu'on entende ce que vous avez à dire.

– Il n'y a rien à dire, nous sommes là pour fixer la date du mariage, c'est tout.

— Qui parle de mariage ? répliqua Liz Flanders. Je ne suis pas sûre que ce soit la meilleure solution.

— Eh bien alors, c'est quoi, ta meilleure solution ? J'aimerais le savoir.

— Joe, vas-tu laisser cette femme nous menacer et tout casser chez nous sans rien faire ? Où est Sid Waterhouse ? Vous ne croyez pas qu'il devrait être ici ?

— Sid est collé devant sa télé, comme d'habitude, répondit calmement Ivy. Mais qu'il soit ici ou pas, cela ne change rien. Ton fils a mis ma fille enceinte, et ils doivent se marier, voilà tout. Tu peux aller chercher le député si cela t'amuse, je ne vois pas ce qu'il pourra y faire.

— Joe ! s'écria Liz Flanders.

— Je ne vois pas d'autre solution moi non plus, dit Joe Flanders. J'ai parlé à Jim en chemin. Il ne dit pas que ce bébé n'est pas de lui. Il veut épouser Mary.

— Bien vrai ? demanda Liz Flanders.

— Oui, maman, répondit le jeune homme. Mary et moi, nous avons mis la charrue avant les bœufs, mais nous nous aimons et nous voulons nous marier.

— Je suis heureuse de l'entendre, dit Ivy en reposant l'horloge à sa place. Il n'y a plus grand-chose à ajouter. C'est bien dommage, mais ce qui est fait est fait, on n'y changera plus rien. Mary et Jim peuvent faire publier les bans immédiatement. Nous ferons un mariage dans l'intimité, et j'inviterai quelques personnes à la maison après la cérémonie. Il y en a qui en profiteront pour faire le cirque, mais je suis trop épuisée pour organiser un grand mariage.

— A moi, cela me convient, dit le père de Jim. Et à toi, Liz ?

— Ma foi..., répondit-elle en se tournant vers la télévision où un comique racontait des histoires avec l'accent américain.

Le silence tomba sur la pièce.

— Bien, dit Ivy sèchement, je vais annoncer la nouvelle à Sid.

— Tu ne veux pas boire un verre avant de t'en aller ? demanda Joe sans grande conviction.

— Non, merci. Il vaut mieux que nous partions tout de suite, dit-elle, comme si Mary et elle devaient traverser tout Londres à pied.

Sur le pas de la porte, Jim murmura à Mary :

— A ce soir, au même endroit que d'habitude.

Mary fit un simple signe de tête. Arrivée dans la rue, elle confia à sa mère :

— Maman, je n'ai pas envie de me marier.

— Il aurait fallu y penser plus tôt, ma petite.

— De toute façon, je me sauverai.

— Tu ne te sauveras pas seule, c'est ça le problème.

Ivy se sentait vaincue. Elle avait nourri des espoirs pour sa

Mary, si jolie, si intelligente. Elle aurait pu faire un bon mariage, mener une vie heureuse. A présent, elle était obligée de se marier prématurément avec Jim Flanders, un gentil garçon, mais qui n'avait pas inventé la poudre. Vous faites de votre mieux, vous vous sacrifiez pour vos enfants, et voilà le résultat. Si Mary était venue lui parler plus tôt, il y aurait encore eu une chance, mais cette idiote était déjà enceinte de cinq mois lorsqu'elle avait fini par avouer la vérité. Il n'y avait plus rien à faire, et Sid n'était toujours pas au courant. Il allait hurler avant de disparaître pour se saouler au Marquis de Zetland. Inutile de lui demander son aide. Se sentant très vieille, Ivy conduisit Mary au 19, Meakin Street.

– Monte dans ta chambre. Je vais annoncer la nouvelle à ton père.

Assise sur le lit dans la chaleur d'été, Mary fixait la fenêtre, épuisée et abattue. Elle n'arrivait pas à croire qu'elle allait avoir un enfant et qu'elle épouserait Jim Flanders. Ce genre de choses ne devait pas lui arriver. Son estomac se nouait. Finalement, peut être que tout se passait ainsi, à l'insu des gens, sans qu'ils aient eu le temps de faire des projets.

S'occuper de Jim, lui préparer à manger, soigner le bébé ne lui apparaissaient guère comme une perspective réjouissante. Pour les autres filles, cela semblait normal, mais elle ne s'était jamais considérée de cette façon. Il devait bien y avoir un moyen de sortir de cet ennui, de cette pauvreté et de ce désespoir. Elle se demanda si elle aimait Jim, mais décida que de toute façon c'était une question stupide, surtout à présent. Elle ne l'aimait plus autant qu'avant de s'être rendu compte de sa grossesse, ou plutôt, moins qu'avant de tomber enceinte. C'était sans doute son état qui l'empêchait d'être amoureuse, peut être qu'après, tout redeviendrait comme avant. De toute façon, Ivy avait dit qu'elle devait se marier, et elle se marierait. Que faire d'autre ? A présent, son père allait être tout le temps sur son dos, peut-être même qu'il se battrait avec Joe Flanders, et elle était si fatiguée, fatiguée...

Cela avait dû se passer la nuit du faux cambriolage. Ils avaient tous un peu bu et fait beaucoup de bruit dans ce pub en ville. Ce soir-là, Jim Flanders s'était montré moins poltron, bien moins que lorsqu'elle l'avait mis au courant pour le bébé. Cela l'avait terrorisé et rendu furieux, et il avait dit que s'ils ignoraient la chose, elle passerait toute seule. Au fond d'elle-même, elle savait bien qu'il n'en était rien, mais avait accepté cette idée, car Jim était plus vieux. Quelle idiotie ! Peu importait l'âge, l'important, c'était que quelque chose se développait dans votre corps... ou dans celui d'un autre. Jim pensait que le problème se résoudrait tout seul, elle croyait que miraculeusement tout allait se transformer en rêve et que rien ne lui arriverait. Une amie d'une amie de Cissie Messiter avait accouché dans les toilettes de la gare de Charing Cross, car elle ignorait totalement ce qu'était une grossesse. « Enfin, elle ne voulait surtout rien savoir, avait dit Cissie qui s'était aperçue la première de l'état de Mary. Elle refusait de voir la réalité en face. » C'était Cissie aussi qui lui avait formellement recommandé d'en parler à Ivy. « Dans ce genre de situation, ta mère, c'est ta meilleure amie. Elle obligera Jim à t'épouser. Tu n'as plus le choix, il n'y a rien d'autre à faire. Tu ne dois t'en prendre qu'à toi-même. »

Oui, c'était sûrement cette nuit-là, quand toute la bande avait marché dans les ruelles pavées où l'on transformait d'anciennes écuries en maisonnettes de luxe.

— C'est ravissant ! s'était écriée Cissie. Qu'est-ce que j'aimerais habiter là-dedans !

De l'autre bout de la rue, Harry Smith lui avait répondu :

— Tu crois au Père Noël, ma belle ! Tiens, ils ne sont vraiment pas prudents ici. Des échelles et des échafaudages partout et pas une lumière à part cette ampoule minable de l'autre côté. Ils cherchent vraiment à s'attirer des ennuis.

— Il n'y a aucune lumière nulle part, avait ajouté Jim, déjà un peu plus loin.

— Une occasion en or, dit Harry en le suivant.

— Je ne pensais pas que ça t'intéressait, dit Cissie, pour ce que cela a réussi à ton père.

Effectivement, le père de Harry, à peine sorti de son camp de prisonniers allemand, avait été surpris en train d'ouvrir un coffre et se trouvait de nouveau à l'ombre, dans une prison britannique cette fois.

— La ferme, Cissie ! répondit le garçon aux cheveux roux qui apparemment n'avait pas tiré la leçon des ennuis de son père.

— Moi, je m'en vais, dit Cissie, allez, venez avec moi. Ces idiots vont s'attirer des ennuis. Viens, Mary, ne reste pas là.

— Oh, je reste cinq minutes, répondit Mary d'un ton léger.

— Il n'y a pas de mal à regarder, dit Harry.

— Oh, tu as vu ? demanda Mary au garçon roux. Il y a une fenêtre ouverte à l'étage. On peut grimper facilement par le tuyau.

— Mary, viens, on rentre, cria Cissie qui s'éloignait déjà. Inutile de venir me faire des reproches s'il t'arrive quelque chose.

— Mais non, dit Mary, moqueuse, par-dessus son épaule.

— Ecoutez, Cissie a raison, dit Jim Flanders arrivé aux côtés de Mary et Harry. On s'en va.

— Non, dit Mary d'une voix songeuse. On jette un coup d'œil, on ne volera rien.

— Et si on nous voit ? demanda Jim.

— Qui pourrait nous voir ? T'as rien dans le ventre, mon pauvre gars.

— Mieux vaut partir, dit Cissie. Et toi, Mary, je le dirai à ta mère.

– Que tu m'as vue en train de visiter une maison ? Elle sera sûrement choquée. Je crois même qu'elle me donnera du martinet !

Cissie et les autres s'en allèrent en grommelant qu'il ne sortirait rien de bon de cette aventure.

– Ouf, c'est pas dommage, commenta Harry.

Ils regardaient tous la fenêtre ouverte. Soudain, comme si on avait ouvert une trappe dans le ciel, il s'emplit de flocons de neige qui recouvraient les pavés d'une pellicule blanche.

– Oh, comme c'est beau ! s'écria Mary, ravie, et elle passa le bras autour de la taille de Jim et l'embrassa avant de lui prendre la main pour esquisser un pas de danse.

– Où est passé Harry ? demanda Jim.

– Là-haut, répondit Mary en montrant un échafaudage sur la droite. Il est parti chercher une échelle. Quel idiot ! On ne peut pas laisser une échelle sous une fenêtre, les flics vont frapper à la porte dans cinq minutes. Attends, tiens mes chaussures.

– Mary ! protesta Jim.

Mais elle lui avait déjà fourré ses talons dans les mains et marchait en haut du mur à quelques centimètres du sol. Sur une jambe, elle attrapa la gouttière à un endroit où deux tuyaux se croisaient et se hissa sur le rebord d'une fenêtre du premier. Puis elle se déplaça lentement le long du tuyau qui longeait le mur à un angle. Quelques secondes plus tard, elle s'agenouillait sur le rebord d'une fenêtre ouverte et se glissait à l'intérieur. Elle sentit une moquette épaisse sous ses pieds et entendit les autres murmurer en bas.

– Remets cette échelle à sa place, Mary est à l'intérieur.

– Quoi ?

– Attendez un instant, je vais vous ouvrir la porte, leur dit Mary de la fenêtre.

Le cœur battant, elle s'avança sur la moquette. Et s'il y avait quelqu'un à l'intérieur qui dormait dans la pièce à côté ? Que faire si elle se trouvait nez à nez avec un ancien policier, pistolet à la main, comme c'était arrivé au père de Harry ? L'homme était si furieux qu'il avait failli le tuer ! En ouvrant la porte, elle pensa : « Et alors, la belle affaire ! »

Il n'y avait pas de lumière dans le couloir. Mary se dirigea vers l'escalier. La porte de l'autre chambre était ouverte. Personne. Aucun rai de lumière ne filtrait sous les portes des autres pièces. Elle ouvrit la porte d'entrée et tendit la main vers ses chaussures que Jim lui rendit mécaniquement. La neige tourbillonnait autour de la tête des deux garçons et s'amoncelait dans leurs cheveux. Tout était tranquille. Même les bruits de circulation étaient étouffés.

– Tu es folle, à quoi tu joues ? lui demanda Jim.

– Il y a quelqu'un ? murmura Harry.

– Je ne crois pas.

– Alors, autant aller se réchauffer à l'intérieur. On pourra toujours dire qu'on a vu la porte grande ouverte et qu'on est entrés pour vérifier que tout allait bien.

– Imbécile, grommela Jim.

– Entre, froussard, dit Mary.

Elle se retourna dans son manteau cintré à la taille, ses chaussures à la main, et les conduisit à l'intérieur. Harry ouvrit toutes les portes.

– Non, il n'y a personne. Oh ! là, là, regardez-moi cette cuisine ! Tiens, jolie porte de service. J'ouvre les verrous, comme ça nous pourrons disparaître rapidement si quelqu'un arrive.

– On dirait que ce n'est pas ta première expérience, dit Jim.

– Possible, répondit Harry.

– Mary, j'aimerais que tu rentres à la maison.

Mais Mary entra au salon et alluma la lumière.

– Oh, regardez-moi ça ! s'exclama-t-elle en s'enfonçant dans un divan confortable. Des épées partout aux murs !

– Une télévision gigantesque et une jolie boîte à musique, dit Harry en soulevant le couvercle d'un coffret posé sur une table de marqueterie.

– Ferme-ça, dit Mary, alors que les notes emplissaient la pièce. Je me sens toute drôle.

– Tu es malade ? demanda Jim.

– Non, répondit-elle, évacuant son sentiment de malaise. Et là ! s'exclama-t-elle en se levant pour décrocher une canne et un chapeau melon qu'elle mit en chantonnant.

– Ne fais pas tant de bruit, ordonna Harry.

Elle tira l'extrémité de la canne et fit sortir une épée. A l'époque, il était fort à la mode pour les hommes en chapeau melon et redingote de porter l'épée qui avait dû orner la taille de leurs ancêtres.

– Je ne sais pas qui est le propriétaire, dit Harry, mais c'est sûrement un rupin.

– Si nous buvions quelque chose puisque nous sommes ici, dit Jim en indiquant un flacon sur la table.

– Et tu peux enlever ton butin de ta poche, dit Mary en servant le whisky.

– Ouais, tu as sans doute raison, répondit Jim en reposant sur la table une blague à tabac en argent.

Ils montèrent à l'étage et ouvrirent la garde-robe de la grande chambre au papier peint rayé style Régence. Elle regorgeait de costumes en tweed et prince-de-galles. Il y avait aussi des robes, une longue tenue de soirée et un élégant manteau bordeau à brandebourgs noirs.

– Ils n'ont pas l'air de s'ennuyer, commenta Harry en terminant son verre.

– C'est ça la vraie vie, dit Mary, allongée sur le lit. Des draps de

104

satin, le paradis. Mon Dieu ! s'écria-t-elle en apercevant la photographie dans un cadre d'argent sur la table de nuit.

C'était la photo d'un couple, lui en nœud papillon noir et smoking, elle en robe du soir, les lèvres carmin, le menton levé, les sourcils épilés.

— C'est sûrement un mannequin, murmura Mary qui avait ·d'abord remarqué la fille. Mais c'est Charlie Markham ! Je le jurerais, dit-elle en regardant le garçon de plus près.

Il n'avait pas beaucoup changé. Ses cheveux pâles s'étaient un peu assombris, mais il avait toujours le visage lourd, le même teint rougeâtre et les mêmes grands yeux bleus. De plus, Mary ne pouvait pas ne pas reconnaître cet épi en forme de V au milieu du front. C'était un homme maintenant, même s'il avait conservé ses traits de joyeux collégien.

— Qui est-ce ? demanda Jim.

— Un membre de la famille des gens chez qui j'ai été évacuée, expliqua Mary. Si c'est chez lui, je m'en vais tout de suite. C'était une brute quand il était gosse. Pas étonnant qu'il ait une canne-épée !

— Ne t'inquiète pas, dit Harry.

— Autant y aller, de toute façon, dit Jim. Qu'est-ce que c'est ? ajouta-t-il tout bas.

On entendait des bruits de voix.

— ...laissé la porte ouverte, dit une voix d'homme.

— Bien sûr que non, répondit une autre

— Mon Dieu, qu'allons-nous faire ? demanda Jim.

Harry regarda autour de lui. Bien que la fenêtre de la chambre ne soit pas très haute, elle l'était encore trop pour risquer de ·sauter.

— Quelqu'un est entré, regarde, mon chapeau et ma canne.

— On a volé quelque chose ?

— Je ne crois pas.

— Pourquoi n'as-tu pas voulu que nous laissions l'échelle, murmura Jim.

— Oh, tais-toi. Il faudra partir par une autre fenêtre.

En bas dans le couloir, une voix nerveuse disait :

— Ne monte pas maintenant, Adrian, surtout pas sans le joli joujou qui est en-dessous de l'escalier.

— Tu ne ferais pas ça, Charlie Markham ? murmura Mary, redevenue l'enfant martyrisée d'Allaun Towers.

— Quoi ? demanda Jim.

— Il monte avec un fusil. Dépêchez-vous, il faut essayer par l'autre chambre.

Ils se faufilèrent sur le palier, alors qu'en dessous d'eux, les deux hommes sortaient un objet lourd du placard.

— Quelle idée de mettre une malle là-dessous ! dit celui qui n'était pas Charlie.

105

Les bruits du rez-de-chaussée masquèrent ceux de l'étage. Dans l'autre chambre, la lumière claire de la neige dessinait les formes d'un lit, d'une armoire et d'une coiffeuse. Rapidement, Mary ouvrit la fenêtre.

— Il y a un toit en dessous.

— Bien, Charlie, dit un des deux hommes en bas d'un ton déterminé.

— On y va, dit Charlie d'une voix que Mary reconnut immédiatement.

En un éclair, elle se trouva sur le rebord de la fenêtre et sur le toit. Les deux garçons la suivirent. Ils s'accroupirent pour qu'on ne puisse plus les voir de la fenêtre.

— Il faut passer sur le parapet et rejoindre l'autre toit, dit Harry Smith.

A l'intérieur, ils entendirent la porte de la grande chambre s'ouvrir.

— Les lumières sont allumées, dit Adrian, étonné. Tu as oublié d'éteindre, Charlie ?

— Non, je n'ai pas laissé l'armoire ouverte non plus.

— Essaie l'autre chambre.

— Un instant, je veux vérifier quelque chose.

On entendit un tiroir s'ouvrir.

— Allez, viens, le pressa Adrian.

Mary, Jim et Harry avaient atteint le toit de l'autre côté du parapet.

— Il faut passer par l'échafaudage, dit Mary.

— Il est trop loin, répondit Harry.

Les lumières s'allumèrent dans la petite chambre qu'ils venaient de quitter.

— Dépêchez-vous, dit Mary, ils vont voir nos empreintes de pas.

En se penchant en avant pour attraper l'une des barres de l'échafaudage et s'y accrocher pour glisser sur le sol, elle se souvint clairement de Sir Frederick tirant sur un lapin.

Elle revoyait l'animal sauter et s'immobiliser sur le sol, mou et flasque. Elle était furieuse contre Jim et Harry — Jim avait été exempté du service militaire car il avait des rhumatismes et un souffle au cœur depuis l'enfance ; Harry Smith s'était arrangé pour ne pas faire le sien, par un moyen connu de sa seule famille, en effet les enfants n'accomplissaient jamais leur devoir. Elle seule savait ce qu'était un fusil de chasse et en plus, elle connaissait Charlie Markham. Elle se projeta sur l'échafaudage et entama la descente.

— Dépêchez-vous, il va vous tuer, murmura-t-elle, se dandinant sur le sol, car elle avait perdu une de ses chaussures.

Elle la retrouva dans la neige et la renfilait lorsque Jim sauta à côté d'elle. Il tomba et se releva. Mary l'attira dans l'ombre du petit bâtiment encore en construction. Il recommençait à neiger. Mary entendit Harry descendre de l'échafaudage et l'entraîna près d'eux. Elle vit deux têtes se pencher par la fenêtre ouverte.

— Ils sont passés par le toit, dit le plus blond des deux.

L'autre tête se pencha. C'était bien Charlie. Plus vieux, mais avec le même menton belliqueux.

— Je ne les vois pas. Ils ont dû filer.

— On fait un tour pour voir ? suggéra Adrian.

— Non, pas la peine, rien n'a disparu, laissons tomber et prenons un verre, répondit Charlie.

— Attendons un moment, ils vont peut-être changer d'avis et revenir.

Mary commençait à avoir froid et se mit à trembler.

— Quelle idée stupide ! lui dit Jim.

— Cela nous apprendra à écouter une drôlesse. Le meilleur moyen d'avoir des ennuis.

— Moi, je me suis amusée, dit Mary. De toute façon, je vous ai sortis de là, non ?

— Tu ne pourrais pas la bâillonner ? demanda Harry à Jim.

— Ah, bravo, répondit Mary.

— On s'en va, dit Jim.

D'un pas décontracté, ils traversèrent l'allée enneigée.

— Quelle rigolade, dit Mary en souriant dans le taxi qui les ramenait à la maison. Et dire que c'était chez Charlie Markham ! J'aurais dû lui laisser un mot.

— Et puis, il a un bon whisky, ton copain, commenta Harry.

— Oh, toi, dit Mary en lui donnant un coup de coude dans les côtes.

Elle savait que Harry aurait bien aimé qu'elle devienne sa petite amie, mais elle n'en avait pas envie. D'ailleurs, elle n'avait guère envie non plus d'être celle de Jim, pas maintenant du moins, elle avait trop soif de vivre. Elle se demandait comment elle pourrait bien échapper à Meakin Street, à Sid et Ivy, et à son morne travail de vendeuse. Que faire pour mener une vie intéressante, sans privations et pleine de distractions ? Elle essaierait, elle essaierait...

Hélas, elle n'en eut pas l'occasion. En rentrant, elle entendit Jack ronfler sur le divan. Sid, Ivy et Shirley n'étaient pas là. Mary se souvint qu'ils devaient aller à Wapping, chez le frère d'Ivy. Cela devait donc être ce jour-là qu'elle avait passé la nuit avec Jim dans le lit étroit, à murmurer pour ne pas réveiller Jack. Sa grossesse remontait sûrement à cette soirée. Le lendemain, le roi George .V était mort. Ivy avait pleuré, mais Mary n'y avait pas prêté garde. Elle vivait dans une sorte de brouillard.

Un jour de l'été suivant l'incursion dans l'appartement de Charlie Markham, un mois après son mariage, Mary se trouvait seule dans son deux pièces du 3, Meakin Street. Le souvenir de ce soir de tempête de neige la hantait. Il ne restait plus rien de la jeune fille aventureuse et enjouée qui s'était amusée à escalader les murs. A présent, encombrée par sa silhouette alourdie, elle se sentait fatiguée et maladroite, comme si on lui avait planté dans le corps un énorme paquet dont elle ne pouvait se débarrasser. Souvent, elle se redressait et essayait frénétiquement de se tenir comme si de rien n'était, pour s'apercevoir qu'elle marchait encore plus lentement et plus lourdement. Et même si elle arrivait parfois à oublier son état, il y avait toujours quelqu'un pour le lui rappeler : Jim, Ivy, un inconnu dans l'autobus. « Asseyez-vous, ma petite dame, vous devez être fatiguée. » « Non, Mary, n'essaie pas de changer les ampoules, tu vas étrangler le bébé avec le cordon. » Bien sûr, on l'avait forcée à démissionner de son travail : « Les clients n'ont pas envie d'être servis par une femme dans votre état, excusez-nous, c'est le règlement de la société. » Mary n'avait pas d'idées précises sur sa grossesse, mais elle se laissait envahir pas des sensations et des sentiments divers. Comme un animal, elle avait peur, se sentait traquée et malheureuse. Comme un animal, elle cherchait une échappatoire. Hélas, il n'y en avait pas.

« Mieux vaut s'occuper du dîner de Jim », pensa-t-elle. Elle prit son panier à provisions accroché à la porte de la cuisine, y déposa ses clés et son porte-monnaie et sortit. Dans la boutique de Mme Hamilton, elle rencontra une Ivy très énervée.

— Je préparais un ragoût pour ton père — il est de nuit ce soir — et je me suis aperçue que je n'avais plus de sel ! Et toi ? Quel est le menu aujourd'hui ?

— Pâté en croûte et frites, dit Mary, morose.

— Tiens, je t'offre des pêches au sirop, proposa généreusement Ivy. Une boîte de pêches, s'il vous plaît, Mme Hamilton.

— Faut bien le nourrir, ce petit, dit Mme Hamilton en se retournant pour atteindre les conserves.

Mary regarda d'un œil austère les biscuits brisés dans le bocal de verre en face d'elle.

— Tu as envie de biscuits ? demanda Ivy d'un ton encourageant.

— Non, répondit sa fille.

— Moi, j'avais toujours envie d'oignons au vinaigre, dit la marchande.

— Et moi, c'était de fruits au sirop. J'aurais dévalisé une boutique pour m'en procurer, c'est bizarre, non ? Il y a sûrement une raison...

Mary désespérait d'avoir son pâté à présent que les deux femmes s'étaient embarquées dans des anecdotes de grossesse.

— Alors, et ce pâté, Mme Hamilton, je n'ai pas envie d'accoucher ici.

— Dis donc, tu as été plutôt malpolie, dit Ivy à sa fille, une fois à l'extérieur. Enfin, cela doit être à cause de ton état. Et puis, il serait temps que tu choisisses ton landau. Ton père et moi sommes d'accord pour te l'offrir. Je suis sûre que tu en veux un beau.

Mary regarda sa mère. Une fois de plus, on lui demandait de prendre ses responsabilités. Ivy aurait envie d'un joli landau pour promener son premier petit-enfant. Mary, elle, préférait une nouvelle robe. Elle avait vu des filles à peu près de son âge porter de vieilles mules, de vieux manteaux, parce qu'il n'y avait pas assez d'argent pour le superflu, mais elles poussaient malgré tout des landaux luxueux le long de la rue. Elles étaient pâles et exténuées comme si plus personne ne s'occupait d'elles, comme si elles n'avaient plus le droit de prendre soin d'elles, depuis qu'elles avaient un bébé.

Mary regardait les petites maisons autour d'elle, écrasées sous le soleil d'après-midi. Le trottoir brillait.

— Mary ! s'exclama Ivy pour que sa fille l'écoute.

— Je ne veux pas de landau, dit Mary d'un ton morne.

— Et tu vas le promener dans quoi, ton bébé ? Une brouette ? Puis, en regardant le visage triste de sa fille, elle ajouta : Mon Dieu, j'ai fait de mon mieux. Mary, si tu n'arrives pas à te ressaisir, ce n'est pas ma faute. Tu as un bon mari et tu vas avoir un enfant, tu devrais être contente. Cela pourrait être pire.

— Je sais, dit Mary en se préparant à traverser la rue.

— Attends, dit Ivy en fouillant dans son sac à main. Tiens, voilà dix shillings, vous n'avez qu'à aller au cinéma ce soir, toi et Jim. Ça vous changera.

— J'y vais tout de suite, répondit Mary en prenant le billet.

— Et Jim ? Qui lui fera son dîner ? cria sa mère derrière elle.

— Qu'il aille se faire cuire un œuf ! lança-t-elle, joyeuse pour la première fois depuis des mois.

C'était le défi d'une bête prisonnière. Ivy était déprimée. Quel genre de mère allait devenir sa fille si elle continuait comme ça ? Et quel genre d'épouse ? Elle essaya de se consoler en pensant que les femmes enceintes perdaient parfois la raison. Tout s'arrangerait peut-être à la naissance du bébé.

Cette nuit-là, il y eut une grave dispute au 3, Meakin Street. Jim trouva une maison et une assiette vides. En rentrant, de bonne humeur après avoir vu *Moulin rouge,* Mary se mit à danser le french cancan dans le salon. Jim lui dit que dans son affolement il s'était précipité chez Ivy pour apprendre que sa propre femme était allée au cinéma sans se soucier du dîner. Ivy lui avait préparé des œufs au bacon. Et non contente d'avoir abandonné son foyer, il fallait qu'elle sautille comme une folle, au risque de faire une fausse-couche. Mary hurla qu'elle s'en moquait, qu'elle en avait assez de vivre dans cet appartement, assez de lui, assez de ne jamais avoir d'argent pour s'amuser. Et même quand ils en avaient, elle ne pouvait jamais rien faire, tant il était radin. Elle sortit brutalement, et revint immédiatement, criant de plus belle.

– Oh, Mary, murmura Jim, la tête dans les mains. Qu'est-ce qui te prend ? Je sais que tu en as assez, moi aussi. Mais maintenant, c'est trop tard, alors autant s'accommoder de la situation.

– Ah, c'est facile à dire. Toi, tu as ton travail, ton argent, et tu peux profiter de ton corps pour toi tout seul. Et moi, qu'est-ce que j'ai ? Rien, rien du tout.

Une fois couchée, elle repensa au french cancan, aux robes chatoyantes et aux portraits de femmes de ce drôle de petit bonhomme infirme. Lorsque Jim s'approcha pour tenter une réconciliation, elle se tourna furieusement et fit semblant d'avoir sommeil pour continuer à rêver au Paris de la fin du xixe siècle. Quelques heures plus tard, en revenant du pub, Jim tenta de la réveiller pour faire l'amour avec elle.

– Va-t'en, Jim, laisse-moi tranquille.

– Tout le monde me dit que ça ira mieux quand le bébé sera là, mais je te préviens, tu as intérêt à ce que cela s'arrange avant, car je ne le supporterai pas plus longtemps.

En fait, rien ne s'arrangea à la naissance. Bien au contraire, la situation empira. Jim Flanders mourut, ce qui provoqua beaucoup de chagrin dans les bas-fonds, et une grande consternation en haut lieu. Jim n'était pas simplement mort, il avait été pendu pour meurtre.

A huit heures moins le quart, en ce 1er décembre 1952, Mary Flanders, frigorifiée, était étendue dans le lit de fer étroit de la maison de ses parents, au 19, Meakin Street. La tête sur l'oreiller, elle regardait de ses yeux bleus, vides, aussi pâles qu'un ciel de mars délavé, la fenêtre voilée par un épais brouillard. Tout était tranquille. Dans la rue, les voitures circulaient en silence dans la brume qui absorbait et étouffait les sons.

Dans la cuisine, le visage figé, Ivy donnait le biberon à la petite Joséphine, le bébé de Mary. Aussi discrètement que possible, Shirley mangeait ses flocons de maïs. Sid buvait une tasse de thé. On avait laissé la porte du four ouverte pour obtenir un peu de chaleur. La lumière était allumée et les rideaux tirés. Sid se leva et les ouvrit. Ivy le regarda durement.

– Je vais ouvrir les rideaux sur la rue aussi, dit-il.

– Comme tu voudras.

Un homme qui passait devant la maison pour se rendre à son travail aperçut Sid et lui fit un signe de tête. Les rares personnes qui longèrent la maison ce matin-là marchaient calmement en prenant bien garde de ne pas parler à voix haute et de ne pas siffler.

Ivy termina de donner le biberon et le remit sur la table.

L'enfant reposant dans le creux de son bras, elle regardait dans le vide.

– Tu devrais lui apporter du thé, dit-elle à Shirley sans la regarder.

Shirley versa du lait et du thé dans une tasse fleurie et y mélangea du sucre.

– Est-ce que je dois quand même aller à l'école ? demanda-t-elle devant la porte.

– Fais ce que ton père t'a dit. Il veut que nous nous conduisions normalement.

Shirley monta le petit escalier qui conduisait aux chambres. Elle avait peur. Le visage de sa mère s'était soudain creusé de rides profondes. Elle ne l'avait jamais vue si vieille.

Craintivement, elle ouvrit la porte. Sa sœur, blanche comme la craie, fixait toujours la fenêtre.

– Je t'apporte du thé, Mary.

– Quelle heure est-il ?

– Huit heures moins dix.

Mon père reposa le *Times* sur la table quelques minutes avant huit heures ce jour-là, regardant instinctivement l'immense pendule de près de deux mètres qui ornait le mur de la salle à manger. A travers le panneau de verre central, on voyait le mouvement du balancier bombé. Pendant un instant, il fixa les aiguilles sur le cadran. Ensuite, il se leva, alla chercher la théière à l'autre extrémité de la table et se servit une seconde tasse de thé. Même à l'époque, à seize ans, devant mes œufs au bacon, attendant avec impatience les réjouissances de la journée, d'autant plus que je n'allais pas à l'école car j'étais en convalescence après une pneumonie, je ne pus m'empêcher de voir à quel point il était soucieux. Soudain, je pris conscience du lourd tic-tac de l'horloge. En levant les yeux de mon assiette, je surpris mon père la tête dans les mains. Peut-être essayait-il de se boucher les oreilles pour ne pas entendre les minutes s'écouler. Inquiet, j'allai lui demander s'il se sentait bien lorsque huit heures sonnèrent bruyamment. « Nom d'un chien, nom d'un chien ! » s'écria-til. « Et puis, zut ! » Il était très pâle. Comme je l'avais rarement vu si en colère et qu'il ne jurait jamais devant moi, je le regardai, abasourdi. Il se leva et sortit de la pièce. Il dut marcher pendant quelques heures dans les rues. Quoi qu'il en soit, je n'entendis rien d'autre, à part les protestations de ma mère, beaucoup plus tard dans la journée. Plus tard, mon père insista pour que nous allions tous passer les vacances de Noël dans notre maison de campagne. Pire encore, il ne prévoyait pas de date de retour. Troublée par cette situation, ma mère essayait de le faire changer d'avis. En fin de compte, nous partîmes le lendemain et nous restâmes à la campagne pendant un long moment, si bien que mon frère et moi, nous retournâmes directement au lycée sans savoir si nous irions à Londres ou à la campagne pour les vacances de printemps.

On a dû finir par le convaincre de revenir, mais après cet événement, l'attitude de mon père changea. C'était un homme de la vieille école, quelque peu rigide, sans doute dépourvu d'imagination, d'une honnêteté à toute épreuve, parfois sarcastique ou cynique, mais ne doutant jamais de sa propre intégrité ni de celle de ceux qu'il servait. Après ce jour-là, d'une manière imperceptible, il perdit la foi.

A Meakin Street, peu avant huit heures, le brouillard s'agita soudain. Une camionnette s'approcha. On entendit des pas résonner sur le trottoir, on frappa lourdement à la porte. Dans la cuisine, ni Sid, ni Ivy ne bougèrent, ce fut Shirley qui descendit l'escalier, la tasse vide à la main, et ouvrit.

— On peut entrer ? demanda une voix enjouée. Nous sommes venus terminer la salle de bains.

— Je... je ne sais pas, disait Shirley quand Jackie sortit du salon, en tenue de travail.

— Je m'en occupe, Shirley. Vous pouvez sortir avec moi un instant ? demanda-t-il à l'ouvrier.

Dans la cuisine, Sid, Ivy et Shirley n'entendirent plus rien jusqu'à ce qu'une voix bouleversée ne bafouille :

— Excusez-moi, je ne savais pas, sinon, je ne me serais pas permis de vous déranger à un moment pareil. Nous reviendrons dans quelques jours. Présentez mes condoléances à la famille, ajouta-t-il après une pause.

La porte de la camionnette claqua et la voiture s'éloigna.

— Finalement, les gens sont gentils, remarqua Ivy en regardant l'horloge.

Il était huit heures moins deux.

Peu avant huit heures, Albert Pierrepoint, le bourreau, le médecin, le pasteur et quelques autres pénétrèrent dans la cellule du condamné à la prison de Wormwood Scrubs. Jim vida le grand verre de cognac que lui avait offert un gardien et le lui rendit.

— Les mains derrière le dos, dit un homme en uniforme.

Jim obéit. On lui lia les poignets et on le conduisit dans la chambre d'exécution.

Sur l'échafaud, on lui attacha les chevilles. Le bourreau le regarda dans les yeux et lui passa une cagoule blanche sur la tête. Il ajusta la corde, le pasteur récita le Notre Père. Pierrepoint alla derrière Jim, abaissa le levier dans une grande secousse. Jim Flanders, les pieds se balançant dans le vide, venait d'être exécuté par ordre de justice.

112

Les parents de Jim, Joe et Elizabeth Flanders, ne s'en remirent jamais vraiment. C'était leur fils unique, un garçon naïf et gai, celui pour lequel Joe avait tenté de survivre à cinq années de service actif pendant la guerre. Le couple n'avait jamais été heureux et, Jim disparu, rien n'avait plus de sens. Bien sûr, la condamnation avait empiré les choses. Si Jim était mort de maladie ou d'un accident, les Flanders auraient enduré leur peine, soutenus par la sympathie de leurs amis et voisins. Puis, le chagrin se serait estompé, et la vie aurait repris son cours. Désormais, leur deuil s'entachait de leurs propres doutes. Avaient-ils mal élevé leur fils ? Sinon, qui était responsable ? La réaction des autres aggravait encore la situation. Il n'y avait pas de formule pour exprimer sa sympathie à la mère ou au père d'un meurtrier. Et certains n'avaient pas la moindre envie de compatir. Les Flanders étaient en disgrâce. D'une certaine manière, ils partageaient la culpabilité avec leur fils. D'autres étaient si indignés, au nom du gardien de nuit assassiné, qu'ils n'éprouvaient pas la moindre pitié pour le meurtrier et ses parents. Ce fut à Elizabeth d'organiser la vie du couple après la mort de Jim. Joe était trop accablé pour réagir d'une quelconque manière, et Elizabeth, toujours très fière, estimait qu'on les rejetait et qu'on les méprisait, et qu'il valait donc mieux rompre toute relation avec les autres. Joe dut retourner travailler à l'entrepôt d'autobus où il menait une vie relativement normale, mais après son service, le couple se réfugiait derrière des portes fermées et refusait toute visite et toute invitation. Mois après mois, ils restèrent derrière leurs rideaux tirés sans voir personne. Le matin, Elizabeth allait faire ses courses dans un quartier éloigné, et revenait avec ses provisions, rasant les murs, juste après que les gens furent partis pour leur travail, et juste avant que les ménagères n'aillent faire leurs courses.

Souvent, Sid invitait Joe Flanders à boire un verre après le travail, mais celui-ci refusait toujours, prétextant qu'il devait rester avec sa femme. Ivy, une fois le premier choc surmonté, devint littéralement enragée. Pour elle, les deux familles devaient s'unir face au malheur. Les voisins avaient été gentils. A l'hôpital après la naissance, Mary avait eu plus de fleurs que la plupart des autres jeunes mamans. La rue était consciente qu'elle pourrait passer un mauvais quart d'heure si jamais la salle apprenait qu'elle était la veuve de Jim Flanders.

Ils avaient envoyé des fleurs pour montrer qu'ils étaient de son côté. Pourtant, ceux qui s'étaient manifestés pendant la crise retournèrent vite à une vie normale, en revanche, les autres s'étaient réservés pour plus tard. La vie d'Ivy n'était pas facile. On la saluait beaucoup moins lorsqu'elle sortait. La respectable Mme Fainlight faisait semblant de ne pas la voir lorsqu'elles accrochaient toutes deux leur lessive dans leurs cours adjacentes, à deux mètres l'une de l'autre. Ivy devait tenir haut la tête lorsqu'elle poussait le landau à vingt guinées[1] avec ses roues blanches dans le petit parc. En plus, elle avait dû renoncer à son travail pour s'occuper du bébé, sa seule compagnie dans la rue désormais. Avec Mary qui restait couchée toute la journée, Elizabeth qui lui claquait pratiquement la porte au nez quand elle allait la voir, Ivy était désespérée. En fait, elle avait un peu compté sur Elizabeth pour s'occuper de l'enfant, ce qui lui aurait permis de travailler encore à mi-temps. Parfois, Ivy croyait devenir folle et soupçonnait sa fille de l'être déjà. Mary, qui avait donné naissance à Joséphine en quatre heures, ne s'était pas levée de toute la semaine suivante et refusait d'accorder à l'enfant autre chose qu'une attention purement mécanique. Les infirmières avaient mis cette attitude sur le compte du procès en cours. Depuis, Mary était revenue chez ses parents, mais la situation n'avait fait qu'empirer. Toute la journée, elle restait couchée ou assise dans un fauteuil. Elle ne sortait pas et négligeait le bébé à tel point qu'Ivy, prise de pitié, avait pris la relève. Sid était passé inspecteur. Au dépôt, ses collègues, après avoir exprimé leur amitié et organisé une collecte pour acheter un berceau fort onéreux, avaient préféré enterrer toute l'affaire, du moins, semblait-il. C'était Ivy qui avait dû abandonner son travail, Ivy qui était épuisée par les exigences permanentes, de jour comme de nuit, d'un jeune bébé, Ivy encore qui se retrouvait avec une fille déprimée sur les bras. Elle ne pouvait pas même compter sur le soutien moral de Lil Messiter, qui, après une longue vie de travail harassant, ressemblait à un zombie et n'était plus guère capable d'aligner deux mots cohérents.

Durant les premiers mois de 1953, la vie au 19, Meakin Street fut un véritable enfer. Le bébé pleurait, Ivy s'énervait. Shirley, Jack et Sid, dans la mesure du possible, essayaient de passer inaperçus. Pourtant, Ivy avait beau clamer à longueur de journée que sa fille n'était qu'une pauvre gosse qui avait fait un mariage malheureux et qu'il n'y avait aucune raison pour qu'un enfant innocent fût méprisé pour autant, le reste de la famille savait bien que ce n'était que des mots. Ils respectaient le combat qu'elle menait pour préserver l'honneur de sa fille et présenter Joséphine sous un jour favorable au reste du monde, mais ils n'en reconnaissaient pas moins que cette démarche masquait deux graves erreurs. Celle d'Ivy d'abord qui avait forcé sa fille à se marier, et celle de Mary qui n'avait pas su affronter cette situation. Même Shirley en était consciente. Tous compatissaient au sort d'Ivy mais auraient préféré qu'elle renonce à ce combat contre des moulins à vent.

1. Une livre plus un shilling. (N.d.T.)

114

Un soir, tandis qu'Ivy, furieuse, racontait à Sid comment Elizabeth Flanders lui avait encore claqué la porte au nez alors qu'elle venait gentiment lui offrir des chocolats suisses de la confiserie Froebel, Sid exprima enfin le fond de sa pensée :

— Je ne comprends pas pourquoi tu t'obstines à aller chez eux. Les Flanders ne veulent plus avoir affaire à personne et à nous encore moins qu'aux autres. C'est leur choix, tant pis pour eux. Ils ont le droit de vivre comme ils l'entendent. Pourquoi ne leur fiches-tu pas la paix ?

— Tu devrais parler à Joe, d'homme à homme. Je ne cesse de te le répéter. C'est malsain, cette attitude.

— La tienne aussi. Laisse-les donc résoudre leurs problèmes comme ils en ont envie. Tu as bien assez à faire ici.

— Les gens font des ragots, dit Ivy.

— Eh bien, tant que durera ce cinéma, ils continueront à jaser. Reste plutôt à la maison, et mêle-toi de ce qui te regarde. Tu refuses de tenir compte de ce qui s'est passé, c'est pour cela que les gens font autant de bruit. Mais la réalité est la réalité. Jim est mort, le bébé a besoin de soin et de protection et Mary d'un bon médecin. Tu ne peux pas continuer à dépenser une petite fortune en chichis pour la gosse, simplement pour prouver qu'elle vaut autant qu'une autre et pour narguer les Flanders. Même Shirley s'en rend malade. Elle ose à peine bouger, tant elle a peur de se faire gronder et de recevoir des coups. Ivy, si tu veux arranger les choses, occupe-toi d'abord de l'essentiel. Trouve un médecin pour notre Mary qui en a bien besoin...

— Ah, parce qu'il faut que je fasse tout moi-même ? Pourquoi je ne trouverai pas un remède pour le cancer à mes heures perdues, par-dessus le marché. Et toi ? Qu'est-ce que tu feras pendant ce temps-là ? Tu resteras collé à ta chaise, comme d'habitude. Tu ne manques pas de culot, pour oser me faire la morale. J'imagine qu'en plus tout est de ma faute !

Sid ne répondit pas. Ivy l'observa et se mit à pâlir.

— C'est bien ça ! Il te faut un coupable. C'est toujours pareil. Quand les choses vont mal, c'est à cause de la femme, alors qu'elle se débrouille toute seule. Bien entendu, quand les gosses réussissent, c'est à l'homme de se vanter auprès de ses copains de bistrot.

Sid restait toujours muet.

— Oh, je sais ce que tu penses. Mais toi aussi, tu étais pour ce mariage. Mon Dieu, vous les hommes, vous n'êtes que des lâches et des traîtres, tous autant que vous êtes. Vous laissez les femmes prendre les responsabilités, et si ça va bien, c'est grâce à vous. Si ça va mal, c'est de leur faute à elles.

— Mon rôle, c'est de ramener le pain à la maison. Je l'ai toujours fait, et je le fais encore.

— La belle affaire ! Tu t'occupes de quelques bus, et moi du reste du monde ! Je saurais quoi choisir, si je pouvais tout recommencer.

– Nous n'avons le choix ni l'un ni l'autre.

Sur ces mots, Sid se leva pour préparer du thé. Il en apporta une tasse à Ivy, et ne s'installa pas immédiatement devant la télévision avec la sienne. Elle entendit son pas dans l'escalier. Il montait dans la chambre de Mary.

A bout de nerfs, Ivy pensa qu'il n'allait que la perturber davantage en avançant avec ses gros sabots, comme un éléphant dans un magasin de porcelaine. Elle alluma une cigarette et tenta de se détendre, jusqu'à ce que le bébé crie de nouveau, que Sid lui demande de décrocher la lune ou que Mary apparaisse, silencieuse et livide dans sa chemise de nuit, et s'intalle devant la télévision.

« Très bien, tu l'auras, ta télévision, hurlait la voix déformée de Jim dans la tête de Mary. Ta machine à laver aussi, et nous irons au cinéma tous les soirs... »

La tête reposant sur l'oreiller, les yeux rivés à la fenêtre, elle entendit encore la porte claquer, comme une explosion. Là, allongée, rigide, elle revoyait se dérouler le film de sa vie avec Jim.

Ses cheveux étaient plus longs et plus ternes. Dans son visage dépourvu d'expression, son regard paraissait pâle et vide tandis que les images lui traversaient l'esprit – le jeune homme quittant Meakin Street dans une rage folle, le claquement des talons sur le trottoir. Puis elle vit un corps, pantin désarticulé, se balancer au bout d'une corde. Elle revit Jim, nu, se pencher sur le lit pour l'embrasser, ou encore, dans son costume du dimanche, avec ses chaussures bien cirées, pendu, le visage tout bleu et la langue dehors. Cela ne s'était sans doute pas passé comme ça, elle le savait, mais c'était ce qu'elle imaginait. Elle se revit aussi dans le prétoire, en train de regarder Jim vaciller sur le banc des accusés pendant le procès.

« ...Mieux quand le bébé sera là. Il y a intérêt. Tu l'auras, ta fichue télé... J'aurais mieux fait de me casser la jambe le jour où je t'ai rencontrée ! »

Des larmes coulèrent sur ses joues. Pauvre Jim. Mort. Pauvre gradien de nuit, mort lui aussi. Battu par Jim, qui avait reporté son agressivité sur lui au lieu de la tourner vers sa femme qui ne cessait de récriminer pour un oui ou pour un non. Le juge avait dit que la société ne saurait tolérer une telle violence, ne pouvait supporter ces jeunes gens qui avaient manqué d'une autorité salvatrice pendant leur enfance et qui se conduisaient comme des bêtes sauvages dans la jungle, volaient sans réfléchir, assassinaient sans merci. Le verdict du jury dirait si la nation était prête à canaliser enfin la vague de violence qui ravageait le pays. Pauvre Jim. Pauvre gardien. Finalement, les jurés avaient déclaré Jim coupable, mais avaient demandé l'indulgence, en raison de son jeune âge et de son passé irréprochable. Le juge leur avait répondu qu'ils n'étaient pas habilités à faire de telles recommandations et condamna Jim à la peine de mort. Trop tard, les jurés se rendirent compte qu'ils avaient envoyé à l'échafaud un jeune homme que personne ne voulait voir mourir. Ce n'est pas qu'il y ait eu un doute quelconque sur sa culpabilité. Deux témoins l'avaient vu se sauver de l'entrepôt ; quelques minutes plus tard, un policier avait découvert le gardien de nuit inconscient, la tête fracassée par un lourd crochet à viande qui portait les empreintes de Jim.

A trois heures du matin, la police avait frappé à la porte d'une Mary au visage et au corps gonflé par la grossesse. Une femme policier lui annonça brutalement la nouvelle. Mary fut incapable de répondre, car elle n'arrivait pas à croire ce qu'on lui disait. Quand on finit par lui faire comprendre que son mari avait été arrêté, elle dit immédiatement : « Allez chercher Harry Smith. » Elle savait pertinemment que seul, Jim n'aurait jamais pensé à organiser le cambriolage de l'entrepôt. Un peu plus tard, quand l'inspecteur avait commencé à la presser de questions, elle s'aperçut qu'elle avait commis une erreur et ne voulut pas en dire plus. Si Harry Smith était coupable, de toute façon, il n'avouerait jamais, et même dans ce cas, cela n'arrangerait rien pour Jim. Elle ne fut guère étonnée d'apprendre que toute la famille Smith avait décampé dès le lendemain pour une destination inconnue. Seule Mary était au courant de cette caravane dans l'Essex qui s'était révélée si utile comme lieu de villégiature et comme cachette lorsque les créanciers se bousculaient à la porte. Dépassée par l'horreur des événements, Mary ne vit pas l'utilité d'envoyer la police sur les traces des Smith. En fait, elle ne réagit plus du tout jusqu'à la mort de Jim, ni après, d'ailleurs. Après le procès, une femme d'âge mûr était venue lui souhaiter un avenir plus heureux, pour elle et l'enfant. Alors que la femme bafouillait des phrases préparées à l'avance : « Inutile de garder du ressentiment, ce qui est fait est fait, nous devons continuer à vivre », Mary murmura un simple « merci » et ce fut à Ivy d'exprimer sa gratitude à la fille du gardien qui se montrait si compatissante.

L'attitude de Mary déçut beaucoup le voisinage. Au début, tout le monde s'apitoyait sur le sort de la pauvre fille, et était prêt à lui donner plus qu'elle ne le méritait car elle était devenue l'héroïne d'un drame magnifié par le procès en cour d'assises. Mais très vite, les voisins se détournèrent car Mary, qui refusait de répondre aux journalistes et aux bonnes âmes, sans doute un peu trop curieuses, laissait son auditoire sur sa faim. Elle ne faisait pas appel à leur sentimentalisme, en tant que jeune veuve éplorée et enceinte d'un condamné à mort. Elle refusait de flatter leur esprit bien-pensant en n'accordant aucune réponse aux remarques désobligeantes sur l'étrange disparition des Smith, le lendemain de l'arrestation. Ce fut peut-être le comportement de Mary qui engendra la rumeur selon laquelle Jim s'était laissé entraîné par sa femme, et que c'était elle, une diablesse notoire, qui avait organisé le cambriolage.

Pendant ce temps, jour après jour, Mary gardait la chambre, vivant dans un brouillard de désespoir tout en entendant son bébé pleurer et Shirley venir se coucher. La voix d'Elizabeth Flanders au sortir du procès, appuyée au bras de Sid, lui résonnait encore aux oreilles : « C'est toi, qui as tué mon fils ! »

Des larmes dégringolaient de ses yeux grands ouverts qui regardaient dans le noir.

Elle sursauta en entendant Sid lui dire du seuil de sa chambre :

— Mary, voilà une tasse de thé. Je veux que tu te lèves, Mary.

— Je ne peux pas, papa, pas maintenant.

— Bien sûr que si, dit-il, prêt pour une longue bataille.

Mary soupira profondément et se tourna dans son lit pour le regarder.

— Bon, je boirai mon thé en bas.

— A tout de suite alors.

Dans la cuisine, Ivy dit à Sid :

— Guette les bruits de pas dans l'escalier, j'ai peur qu'elle fasse une bêtise.

— Si ce n'est pas elle, ce sera moi, si ça continue comme ça. De toute façon, elle en est sortie, maintenant.

— J'espère que tu as raison, répondit Ivy, presque convaincue.

Mary se lava le visage et les dents et descendit tandis que Sid et Ivy l'attendaient nerveusement. Sid était résolu à mettre fin à la situation, quelles que soient les conséquences. Et Mary, bien qu'elle ne le sût pas encore, était guérie. Durant les longs mois de sa dépression, en se rejouant incessamment le film du départ de Jim, de l'arrivée de la police, des horreurs du procès, en chancelant comme un enfant devant l'image du corps de Jim rongé par les vers dans la tombe blanchie à la chaux d'une prison, elle avait sans le savoir réfléchi à sa nouvelle situation de veuve d'un meurtrier et de mère d'un jeune enfant. La suite n'était pas difficile à imaginer.

Elle ne pouvait pas continuer à vivre avec Sid et Ivy. Il n'y avait pas de place pour elle ni pour son enfant. C'était un fardeau pour tous. Elle jouait le rôle de l'enfant prodigue qui retourne chez lui pour se faire pardonner. Si elle avait de la chance, dans quelques années, elle aurait un travail et la municipalité lui trouverait un appartement. Si elle avait encore plus de chance, un homme viendrait l'épouser et effacer les stigmates du passé. Ils déménageraient et auraient un autre enfant.

Mary ne se sentit pas capable d'affronter ses parents. Il fallait qu'elle sorte. Une fois qu'elle eut refermé la porte d'entrée derrière elle, Jack dit :

— Je croyais qu'elle venait nous rejoindre.

— Cela fait du bien de la voir habillée, pour une fois, remarqua Sid.

— J'ai l'impression d'avoir une bombe prête à exploser au beau milieu de la pièce, dit Ivy. Je n'ose même pas ouvrir la bouche.

Jack était plus confiant que ses parents. S'il en avait l'occasion, il était sûr de pouvoir régler le problème de Mary.

— Laissez-la tranquille, leur dit-il, et cessez de la considérer comme un oiseau tombé du nid. Elle fait de son mieux. Vous ne pouvez guère espérer plus. Regardez-la, elle est maigre comme un clou. Elle n'est pas loin de tomber malade. Alors ? Et ce thé ? Quelqu'un va se décider à le servir ?

En revenant, Mary ne paraissait plus malade.

— Maman, papa, j'ai tout arrangé avec le propriétaire. Je reprends la maison des Smith au numéro 4. Il paiera la moitié des travaux. Vous pourrez m'aider à nettoyer ?

— Et le loyer ? demanda Sid.

— J'ai une pension de veuve, répondit Mary. Je trouverai un petit travail. Soyez raisonnables, je ne peux pas continuer à vivre ici. Il n'y a pas de place. Maman, tu pourras reprendre ton travail.

— Tu vivras seule ? Dans cette grande maison ? demanda Ivy.

— Oui. Jack, tu pourras venir plus tard, mais j'ai besoin de rester seule quelque temps.

— D'accord, répondit de mauvaise grâce Jack, bien qu'il ait immédiatement compris qu'il vivrait de manière plus confortable avec Mary.

— Tu pourras venir pour étudier... et garder Joséphine, le soir de temps en temps, quand je travaillerai.

— D'accord.

Sid et Ivy restaient pleins d'appréhension devant cette fille à peine adulte qui organisait sa vie avec une telle détermination.

— Je ne vois pas comment tu arriveras à joindre les deux bouts..., finit par dire Sid.

— Ne vous en faites pas, je déménage lundi.

Jack la regarda d'un air soupçonneux. Il se doutait que Mary manigançait quelque chose.

— Je te donnerai un coup de main, dit-il.

Le lendemain donc, Ivy et Mary descendirent Meakin Street, avec le landau rutilant auquel elles avaient accroché un balai tout neuf, comme pour avertir la population. Avec leurs brosses et leurs seaux à la main, elles frappèrent chez la voisine pour demander les clés. Elles mirent immédiatement une bouilloire sur la gazinière pour avoir l'eau chaude nécessaire.

— Pouah, s'exclama bruyamment Ivy en ouvrant la fenêtre, tu as vu cet évier ? Quelle puanteur ! Ils ne savaient pas à quoi servent les éponges ! Regarde-moi ce linoléum, on n'en voit plus la couleur, tant il est couvert de crasse. Allez, donne-moi un seau d'eau, Mary. Il nous en faudra des quintaux ! Je sens les toilettes d'ici.

Un pâle soleil éclairait la courette où les mauvaises herbes poussaient entre les fentes de l'asphalte. Un sureau sortait d'une craquelure du mur. Les deux femmes ôtèrent la couche de graisse qui recouvrait la gazinière, frottèrent le sol, arrachèrent les rideaux crasseux des fenêtres. Alors qu'elles jetaient du désinfectant dans les cabinets de la cour, de la neige fondue se mit à tomber.

– Il y en a pour des jours ! s'exclama Ivy, enfin dans son élément, triomphante et pleine d'énergie.

Elle descendit fièrement un matelas taché en bas de l'escalier pour le confier aux soins des éboueurs. Voilà, sa fille détruite par les événements s'installait dans ses meubles, à deux cents mètres à peine de chez elle. Cela aurait été encore mieux si son frère avait emménagé avec elle, mais on ne pouvait pas trop en demander.

– Jack et ton père viendront nous aider ce week-end. Ils pourront commencer à décorer, dit-elle. Il y a du papier peint pas très cher au marché...

– Ne t'inquiète pas, je m'en occuperai.

– Tu es chez toi, dit Ivy, mécontente.

Ivy n'apprécia pas du tout le papier peint aux rayures légères, ni les couleurs pastel partout sur les murs. Elle faillit exploser lorsqu'elle vit une camionnette livrer le lit orné de pommeaux de cuivre.

– Tout le monde va penser que tu t'installes ici avec un homme.

Néanmoins elle dut admettre que, dans le soleil matinal, la maison paraissait agréable et gaie. Et à cette époque, Ivy avait bien besoin de voir des signes d'amélioration dans l'état de Mary.

Pleins d'inquiétude, Sid et Ivy se demandaient d'où provenait l'argent de Mary. Finalement, Sid l'accusa d'aller voir des usuriers, qui la poursuivraient si elle ne remboursait pas. Mary, enfant de la jeune génération qui ne connaissait pas le pouvoir des bailleurs de fonds dans les quartiers pauvres, lui rit au nez.

– Si tu veux absolument savoir, j'ai téléphoné au pub du village où les Smith se cachent et j'ai dit au vieux Smith que s'il ne m'envoyait pas cent livres, je dirai à la police que Harry était avec Jim la nuit du cambriolage. Je le sais, parce que j'ai regardé par la fenêtre après le départ de Jim et je les ai vus bavarder ensemble au coin de la rue. De toute façon, Harry avait parlé à Jim du stock de cigarettes et lui avait demandé de faire le coup avec lui, mais Jim avait refusé. La police savait qu'il y avait deux hommes cette nuit-là et ils ont relevé des empreintes. Ce serait gênant pour Harry si je parlais... Sur le coup, on n'a pas vraiment osé me questionner.

– Mary ! Mais c'est du chantage ! s'exclama Sid.

– Les Smith n'en sont pas à cent livres près, répondit-elle calmement. De toute façon, c'est Harry qui a entraîné Jim. Maintenant, ils peuvent bien apporter une petite contribution à l'appartement de sa veuve et de sa fille, c'est ce que je leur ai dit.

Sid était outré bien plus par la froideur et le calme de sa fille que par ce qu'elle avait fait, il continua pourtant à réparer l'éclairage du couloir en disant :

— J'espère bien que tu ne vas pas t'habituer à faire du chantage, ma fille.

Lorsque Ivy revint de courses, il lui raconta la scène.

— Eh bien, tant mieux pour elle. J'aurais fait la même chose à sa place, enfin j'espère.

— Vous les femmes, vous êtes toutes des criminelles en puissance !

— Il faut bien, fut la seule réponse d'Ivy.

Jack arriva pour aider Mary à poser la moquette bleu marine dans le salon. En poussant les bords contre la fenêtre, il dit :

— Ça ne me plaît pas du tout d'installer une moquette extorquée. Qu'est-ce que tu espères en prenant de l'argent à des voleurs ?

— Tu préférerais que je le prenne à des honnêtes gens, peut-être ? demanda-t-elle en poussant une extrémité dans un coin et en commençant à clouer.

— Ne la fixe pas maintenant, elle fait des plis, dit son frère.

— Elle n'en ferait pas si tu m'aidais au lieu de me faire la morale. Et puis, si tu es si choqué, tu n'as qu'à t'en aller, je me débrouillerai toute seule.

— Je n'aime pas le chantage.

A ce moment, le bébé se mit à pleurer dans son landau. Mary alla chercher Joséphine et la prit dans ses bras devant la porte.

— Que veux-tu que je fasse, Jack ? Rester chez papa-maman et attendre le prince charmant ? J'ai demandé cent livres à une bande de voleurs qui les ont prises à quelqu'un d'autre, c'est tout. Qu'est-ce que tu veux faire ? Aller le raconter à monsieur le curé ?

— Tu vas mal tourner, Mary.

— C'est ça ou sombrer dans la misère.

— Il ne s'agit pas de ça. Tu as la vie devant toi, Mary. Tu es jolie, tu pourras te trouver quelqu'un qui t'épousera quand même, malgré Jim.

— Oh, oui. Je n'ai plus qu'à attendre qu'un prince charmant vienne me sauver de ma pauvreté. Avec un peu de chance, il ne me dira pas trop souvent que j'ai eu de la chance qu'il me prenne, moi veuve d'un meurtrier, avec un enfant par-dessus le marché. Non, seulement quand on se disputera. Si je suis bien sage et bien tranquille, je pourrais au moins espérer ça. Tu ferais la même chose à ma place, Jack.

— Ne deviens pas amère, Mary.

Mary reposa le bébé endormi dans son landau.

– Merci du conseil. Mais si c'est le prix à payer pour que tu me poses ma moquette, laisse tomber. Je ne t'en veux pas, Jack, mais autant que tu rentres à la maison.

– Occupe-toi de ce coin qui gondole et tais-toi.

Ils mirent le tapis en place et commencèrent à donner des coups de marteau le long des murs.

– Pour toi, le problème avec moi, c'est que je ne rentre pas dans les catégories que tu apprends au cours du soir. Je ne fais pas partie de la classe ouvrière, et je ne suis ni une bourgeoise ni une capitaliste.

– Je ne sais pas. Pour le moment, je te définirais comme une aventurière sans scrupules.

– Ça me va, répondit Mary, légèrement flattée.

Après avoir installé sa maison, Mary mena une vie paisible. Elle s'occupait du ménage et du bébé, se couchait de bonne heure mais dormait d'un sommeil agité, plein de cauchemars à propos de Jim et d'images d'incendies, d'explosions et de tristesse. Elle prenait soin de l'enfant, mais si Joséphine avait envie de chatouillis, de sourires et voulait sautiller dans son landau, c'étaient Sid, Ivy, tonton Jack ou tante Shirley qui répondaient à ces besoins.

On admettait généralement que la sombre Mary Flanders, presque encore une enfant, souffrait d'un chagrin parfaitement naturel. Cela aurait pu être le cas, mais Mary ressentait plutôt la fatigue d'un combat. Souvent, elle avait des crises de frisssons, et sombrait dans un silence impénétrable. La plupart du temps, elle était à peine consciente de ce qui se passait.

En juillet, elle apprit que la serveuse du Marquis de Zetland était partie pour se lancer dans une carrière de danseuse aux Etats-Unis. Ginger Hargreaves avait beaucoup de mal à lui trouver une remplaçante.

Mary qui vit là un bon moyen de se débarrasser de Joséphine pendant les soirées tout en améliorant la situation alla se présenter.

A défaut d'autres candidates, Ginger accepta de l'employer.

– Je prends un risque, remarque bien, tu es bien trop jeune pour servir dans un pub. Si on te pose des questions, dis que tu as dix-huit ans. Et s'il arrive quelqu'un qui ressemble vaguement à un personnage officiel, quitte le bar immédiatement.

Pour compenser cette générosité, Ginger ne la paya que deux livres par semaine, beaucoup moins que la précédente serveuse. Dès lors, tous les jours, sauf le lundi, Mary servait des pintes de bière de six à dix heures du soir. Elle comptait rapidement, ne détournait jamais un sou pour son propre compte et ne buvait pas. Son attitude consciencieuse et son maigre salaire faisaient passer plus facilement ses tenues austères et ses cheveux tirés attachés sur la nuque par un ruban. Elle ne se maquillait jamais jusqu'à ce que Ginger lui dise un jour :

— Pour l'amour du ciel, mets-toi quelque chose sur le visage, tu parais douze ans. Je vais avoir la police sur le dos, moi !

Mary n'admettait pas non plus les conversations du genre : « Je vous offre un verre ? Une cigarette, alors ? Vous ne buvez pas, vous ne fumez pas, vous faites sûrement quelque chose, il faudra me montrer ça un jour. » Pourtant, malgré ses robes peu attrayantes et son attitude guindée, Mary s'en sortait bien. Les voisins commençaient même à l'admirer — enfin jusqu'à ce maudit samedi soir où Johnnie Bridges franchit le seuil du Marquis de Zetland.

On avait laissé les portes du pub bondé et enfumé ouvertes, car la soirée était très douce. Quelqu'un jouait un air à la mode sur le piano désaccordé. Mary n'avait pas vu les trois hommes entrer, elle ne les avait pas non plus entendu se passer commande jusqu'à ce que, tandis qu'elle tournait le dos pour prendre une bouteille de whisky, une voix derrière elle dise :

— Dépêche-toi, Mary, on meurt de soif ici.

En se retournant, elle vit une paire d'yeux, noirs et perçants, plonger dans les siens.

— Belle gosse ! dit l'homme. Mais pourquoi tirer toutes ces boucles ?

Il tendit le bras par-dessus le comptoir et ramena d'autorité des mèches vers l'avant.

— C'est mieux comme ça, dit-il, comme s'il la connaissait depuis des années.

Toujours un verre à la main, Mary sentit tout son sang la quitter. Elle allait sûrement s'évanouir. L'homme à côté de cet inconnu lui prit le verre des mains et lui mit un billet dans la paume en lui caressant les doigts avec un regard qui en disait long. Ensuite il s'éloigna du bar et déclara :

— Salut, Sid, tu as vu ? Il y a un type qui vient d'arriver avec Marty Malone et qui a l'air d'en pincer pour ta Mary.

— J'espère bien que non. D'après toi, que va donner Villa cette saison ?

— Il va envoyer Armstrong sur le tapis en trois rounds.

— Vous pourriez nous apporter un double gin et deux whiskies ? demanda l'étranger.

Mary réfléchit rapidement. Le gin, c'était un alcool de femmes. L'inconnu lui sourit en dévoilant des dents blanches et régulières et ajouta :

— Mon pote est venu avec sa femme, elle adore le gin. Moi, je suis tout seul... Je cherche l'âme sœur. Je peux peut-être vous offrir un gin ?

— Non, merci, répondit Mary.

Les mains tremblantes, elle se retourna pour servir les boissons et posa les verres sur le comptoir. L'homme vida son verre d'un trait.

— Finalement, ce n'est peut-être pas d'un verre que vous avez besoin. Que diriez-vous d'une petite promenade ? On dirait que vous manquez d'air frais. Pourquoi n'irions-nous pas faire un tour près du canal ? C'est un endroit fantastique à cette époque de l'année.

Mary qui ne supportait plus le vacarme du pub et ne sentait plus ses pieds hocha la tête.

— Alors, on y va.

Elle fit le tour du bar, se débarrassa de son tablier et prit le bras que lui offrait le jeune homme.

— Hé ! Où vas-tu, Mary ? cria Ginger Hargreaves qui revenait de la cave, une bouteille de whisky dans chaque main.

— Je reviens tout de suite, répondit Mary sans réfléchir.

Sur ces mots, elle franchit la porte du pub avec Johnnie Bridges.

— Quoi ? fit Ginger, stupéfait.

— Je te l'avais bien dit, Sid. Ta fille vient juste de sortir avec le copain de Marty Malone, lui dit son ami, les yeux pétillants.

— Qui c'est, ce Malone ? demanda Sid.

— Un type qui travaille pour les frères Rose, répondit l'autre homme à voix basse.

— Je connais les Rose depuis qu'ils sont en âge d'avoir une fessée.

— Ce n'est plus le cas maintenant, dit son ami.

— A quoi joue ta fille ? demanda Ginger qui s'approchait. Elle quitte le bar en plein coup de feu ! Qui c'était ce mec ?

— Ce n'est pas son petit ami, elle n'en a pas.

Le jeune homme en costume élégant qui était allé chercher son verre sur le comptoir se pencha et murmura :

— Il s'appelle Johnnie Bridges.

— Johnnie Bridges !

— En personne, dit l'homme en retournant vers sa femme.

— Et alors ? demanda Sid.

Le tenancier du bar et l'ami de Sid lui confièrent ce qu'ils savaient sur ce Johnnie Bridges.

— Je le tuerai si jamais il ose toucher à ma petite Mary, leur dit Sid.

Cependant, Mary et Johnnie se promenaient main dans la main le long du canal. En marchant au bord des eaux lentes et paisibles, ils croisèrent d'autres couples qui chuchotaient dans la demi-obscurité.

— C'est chouette, dit Mary.

124

– Viens, je t'emmène dîner.

– Au restaurant ?

– Bien sûr. Tu ne crois tout de même pas que je plaisante. Tu es une brave fille. J'ai eu de la chance de rentrer dans ce pub et de te rencontrer.

– C'est moi qui ai eu de la chance.

Lorsqu'ils étaient sortis du pub, Mary avait demandé :

– Vous voulez vraiment aller près du canal ?

– Il faut que j'apprenne à mieux te connaître.

– Il est un peu tard.

– Juste assez tard.

A présent, il la regardait. Il lui prit la tête entre les mains et l'embrassa. Mary lui passa les bras autour du cou et lui rendit son baiser. Il l'écarta de lui, la regarda étrangement, puis l'embrassa encore. Mary sentait ses genoux flageoler. Elle désirait cet inconnu plus que tout au monde et décida qu'elle l'aurait, comme une personne sûre de son bon droit.

– Et ce dîner, on y va ? dit-il.

Ils firent demi-tour. Mary l'observa en cachette pendant tout le chemin. C'était un homme grand, bien fait, aux cheveux et aux yeux noirs, d'environ vingt-sept ans. Il avançait de la démarche légère et souple d'un félin toujours prêt à bondir. Il portait un élégant costume sombre qui semblait fait sur mesures, une chemise impeccablement blanche et une mince cravate de soie. Il s'exprimait avec un accent londonien, mais depuis qu'ils étaient seuls, sa voix semblait plus précise que dans le pub.

– Il faut que tu me parles de toi, lui dit-il.

– Ce que j'ai à vous dire ne vous plaira guère.

– Laisse-moi en juger moi-même.

Le mur du cimetière recouvert de lierre et de plantes grimpantes se dressait de l'autre côté du canal. Sur leur gauche, se trouvaient la voie ferrée et ses nombreux aiguillages. Au-dessus d'eux, le ciel ouvert et limpide s'illuminait encore des dernières lueurs rouges du couchant.

– C'est joli, dit Mary.

– On dirait une vision. Tu as vu la lune ?

Le croissant argenté scintillait juste au-dessus de leurs têtes. Mary leva les yeux, gardant désormais son visage éloigné de celui de l'étranger. Elle ne se souvenait plus avoir senti son corps vivre depuis le début de sa grossesse, si l'on exceptait les souffrances lors de la naissance de Joséphine. Elle avait oublié ce que signifiait se sentir totalement bien. Elle avait oublié qu'on pouvait désirer être embrassée. A présent, tout lui revenait en mémoire, comme si elle avait été ressuscitée des morts.

Sur la petite pente qui conduisait à la route, ils s'embrassèrent encore. Elle sentait son corps se presser contre le sien. Elle avait l'impression de fondre, de disparaître dans la chaleur des baisers, la force de son corps. Il lui caressa les seins, et Mary s'entendit gémir.

— Il faut que je te dise quelque chose, dit-elle, prenant soudain conscience que cet homme ne savait rien d'elle.

Que penserait-il quand il apprendrait qu'elle était déjà mère et veuve d'un assassin. Elle craignait qu'il lui réponde par une plaisanterie, prétextant que ce n'était pas le moment de bavarder, et la serre plus fort pour obtenir ce qu'il voulait. Elle sous-estimait la prudence et le bon sens de Johnnie.

— Eh bien, autant en parler devant un bon petit plat, lui dit-il en s'écartant. Inutile d'affronter des confidences avec l'estomac vide.

Il avança sur la route, héla un taxi et lui fit signe de monter. Curieusement, elle regarda soudain son costume et lui demanda :

— Qu'est-ce que tu fais dans la vie ?

— Des trucs par-ci, par-là.

Elle comprit immédiatement qu'elle avait affaire à un truand. Cela ne l'inquiétait pas, bien au contraire, cela l'amusait. Il serait sûrement moins choqué par ses révélations, si lui aussi était un hors-la-loi. Sauf s'il pensait que comme elle n'avait pas de chance, elle risquait de lui porter malheur. Ce genre d'homme était superstitieux.

— Je ne peux pas entrer comme ça ! s'exclama Mary en voyant le restaurant chic du centre de la ville.

— Tu n'as qu'à faire semblant d'être Cendrillon après le dernier coup de minuit ! dit-il en retirant le ruban qui retenait ses cheveux dont quelques mèches s'étaient déjà échappées.

Ils entrèrent donc, et s'installèrent à une table.

« Cela ne peut être qu'un truand, sinon, d'où lui viendrait tout cet argent ? » pensa de nouveau Mary Flanders.

— Bon, alors, ces confidences ? demanda-t-il après avoir commandé deux gin-fizz. Je parie que ton père est flic et qu'il tire sur tous ceux qui t'approchent d'un peu trop près, que tu es enceinte ou que tu as une maladie vénérienne. Pour moi, tout cela n'a pas d'importance, tant que tu aimeras porter des robes de dame. J'ai déjà tout vu de toute façon, je ne crois pas que tu puisses m'étonner beaucoup.

Mary but une gorgée de gin, puis une autre, espérant que cela lui donnerait du courage.

— Je crois que si. J'ai seize ans et je suis la veuve d'un meurtrier. Il a été pendu en décembre dernier. Et j'ai un bébé.

— Ah, dit-il en réfléchissant. Jim Flanders.

Il y eut un instant de silence. Il ne la regardait plus. Mary observa son profil régulier, et sa joie commença à s'évanouir. Il allait partir, cet homme qu'elle désirait tant. Elle se retrouverait comme avant, pauvre petit oiseau tombé du nid, pauvre fleur trop vite fanée.

126

Il se retourna vers elle et demanda d'un ton naturel :

— Tu as eu un petit ami depuis que ton mari est mort ?

— Non, répondit-elle, surprise par cette question.

— Bon, alors le seul problème, c'est de choisir ton menu. Et moi, je n'ai plus qu'à mettre la main sur ce fichu serveur pour qu'il prenne la commande.

Leurs genoux se rencontrèrent sous la table et il serra ceux de Mary entre les siens.

— Qu'est-ce que tu veux manger ?

— Est-ce que je peux prendre du faisan ? répondit Mary, qui avait vu ce mot sur les menus de Framlingham et se souvenait encore du goût de ce plat.

— Eh bien dis donc, tu reviens cher ! dit Johnnie Bridges.

Mary se mordit la lèvre inférieure et se mit à rire.

Nous devions être en 1955 et je ne savais rien d'autre sur Mary que son nom lorsque je trouvai une photographie sur le bureau de mon père. Elle montrait un groupe de gens, trois hommes et deux femmes autour d'une table couverte de bouteilles dans ce qui était de toute évidence une boîte de nuit. Tous les visages de ces personnages en tenue de soirée regardaient l'objectif. Les hommes paraissaient plutôt ivres. Deux d'entre eux, assez trapus, avaient l'air stupides. Visiblement, la boisson et l'orchestre, qui devait jouer « C'était à Hambourg » ou une quelconque chanson de cabaret, ne les avaient pas arrangés. Ils encadraient une fille brune, qui souriait en dévoilant toutes ses dents, sourire qu'elle avait dû apprendre en regardant les films de Hollywood. Très maquillée, elle portait une robe au décolleté profond et de longues boucles d'oreilles. Je crains qu'à l'époque, on l'ait définie comme une « Marie-couche-toi-là ». Les deux hommes trapus avaient un bras passé sur son épaule, tandis qu'elle adressait son sourire étudié au photographe du club. A côté, une jolie blonde regardait un bel homme. Elle aussi souriait devant l'objectif. Sa robe arborait un décolleté provocant et elle portait les mêmes longues boucles d'oreilles que la brune. Ses mèches blondes entouraient un visage trop maquillé. Pourquoi paraissait-elle moins vulgaire que les autres, je ne saurais le dire. Peut-être était-ce sa jeunesse, elle ne devait guère avoir plus de dix-huit ou dix-neuf ans. Peut-être était-ce son regard amoureux, ou simplement parce que, en levant les yeux vers le jeune homme, son visage exprimait un charmant sourire innocent, un peu comme celui qu'on voit sur les portraits de Fragonard. Quoi qu'il en soit, elle était très belle, et c'est surtout ça qui avait attiré mon attention. Les deux « durs » avaient l'air trop méchant pour moi, et je connaissais depuis le lycée le genre d'homme qui suscitait l'admiration de la blonde. C'était sûrement le spécialiste des prouesses sexuelles pendant les vacances, celui qui avait marqué trois buts au cours d'un même match de foot et qui essayait toujours de copier pendant les examens. Néanmoins, j'étais jaloux de son influence sur la jeune fille. Quand mon père entra dans la pièce, j'avais toujours la photographie sous les yeux et me sentis soudain coupable. Je la reposai immédiatement sur le bureau.

— Drôle de photographie. Tu les connais ?

— Des truands, répondit-il sèchement.

— Qu'est-ce qu'elle fait là ?

— Ça fait partie du travail... partie du travail, dit-il, quelque peu irrité.

De nouveau, mes yeux se tournèrent vers la belle blonde.

— Celle-ci a un joli sourire, dis-je en la montrant du doigt.

Il se pencha sur mon épaule et la regarda.

— Sur cette photo, mais pas sur l'autre, me dit-il.

Il souleva l'image pour en révéler une autre qui avait été prise juste avant ou juste après la première. Là, le photographe s'était arrangé pour attirer l'attention de tout le groupe. Les deux durs offraient un sourire grimaçant à l'objectif. Les deux filles, les yeux écarquillés, montraient leurs dents en souriant de manière figée. Seul le bellâtre sur la droite avait toujours le même sourire égal et calme d'un homme sûr de lui. Un intrus, un barbu en chemise rayée avait passé son bras sur les épaules de la blonde et lui disait quelque chose à l'oreille. Aussi déplacée que fût cette confidence — et il me semblait bien qu'il s'agissait de propos déplacés —, cela la faisait rire, bouche grande ouverte, la tête légèrement rejetée en arrière, dans le plus pur style hollywoodien.

— Effectivement, elle n'est pas aussi mignonne sur celle-là.

— Je suis content que tu le reconnaisses.

— Ce sont des photos de Scotland Yard ?

— Peu importe, répondit mon père, visiblement troublé par cette affaire. (Il alla vers la fenêtre et regarda le parc.) Je me demande parfois, ajouta-t-il comme s'il se parlait à lui-même, comment tu aurais tourné si tu n'avais pas bénéficié de tant de privilèges. Si tu étais né dans une des fermes du domaine, par exemple. Tu y as déjà pensé ?

Bien sûr que non. A dix-huit ans, l'idée qu'on puisse « tourner » d'une façon ou d'une autre ne vous effleure même pas l'esprit. Je prenais la vie très au sérieux, évidemment, mais pour moi, ma condition sociale allait de soi.

— J'aurais sans doute été cantonnier, conducteur d'engin, ou quelque chose comme ça. Il n'y a guère de choix pour les gens de la campagne. Je suppose qu'on fait la même chose que son père. Après tout, les paysans sont très conservateurs. Et toi, tu as fait ce que ton père faisait, et j'en ferai sans doute autant, à moins que... les Rouges ne reviennent et nous fassent une véritable révolution, cette fois. Dans ce cas, ils pendront sûrement tous les membres de la famille royale, et ils m'enverront quelque part dans une mine de charbon.

J'avais fait ces dernières remarques pour plaisanter, mais cela n'amusa guère mon père.

— Eh bien, essaie donc d'y penser, cela ne te fera sûrement pas de mal.

— Papa, je plaisantais, voyons.

— Oh, je sais. Mais cela ne suffit pas, cela ne suffit pas. Je ne suis plus qu'un vieux grincheux, dit-il en soupirant, et nous devrions avoir une conversation sérieuse avant que tu retournes à l'université...

A ce moment-là, un téléphone salvateur se mit à sonner, coupant court à ces réflexions troublantes. Mon père répondit et je profitai de l'occasion pour faire une sortie embarrassée.

Nous n'eûmes pas la conversation promise, du moins pas avant un an et demi et, à cette époque, j'avais obtenu mon diplôme. Il m'expliqua la signification de cette photographie un soir d'été, tandis que les étourneaux tournoyaient sur les parcs de Londres et que le cours de ma vie était déjà bien planifié, exactement, quand on y songe, comme la vie d'un fils de paysan qui apprend à conduire le tracteur de son père sur le même domaine...

Johnnie et sa bande avaient mis au point le casse de la banque. Ils s'en tirèrent sans encombres, mais c'est à ce moment-là que j'ai dit que c'était trop pour moi, que je ne supportais plus de vivre dans l'angoisse et la terreur. C'est le lendemain qu'il est allé trouver les frères Rose qui ont bien voulu marcher avec lui. Ils ont donc monté un casino, le Frames, sur South Molton Street. Johnnie possédait un tiers des parts, et les Rose, les deux autres. Johnnie serait rémunéré en tant que directeur, en plus de sa part de bénéfices. J'ai tout de suite proposé de servir d'hôtesse et de remplacer les croupiers de temps à autre. J'ai fini par tout faire, avec le ménage en plus, mais c'est une autre histoire...

Je n'oublierai jamais le Frames. Je jubilais, comme quelqu'un qui entre dans sa première maison. Tout était merveilleux. C'était une maison du XVIIIe ou du début du XIXe siècle dans le centre de Londres. Avant, c'était le salon d'un grand coiffeur pour hommes, où l'on vous rasait avec une lame à vous trancher la gorge et où l'on vous cirait vos souliers. Quoi qu'il en soit, le propriétaire voulait se retirer des affaires et les Rose l'avaient acheté en leasing pour une bouchée de pain. C'était Johnnie qui avait traité l'affaire. Il avait de la classe, vous savez. Il pouvait se conduire comme un gentleman, s'il le voulait. C'est pour cela que Norman et Arnie

Rose lui avaient confié la direction. S'ils s'étaient occupé eux-mêmes de la décoration, l'endroit aurait vite ressemblé à un tripot mal famé. Johnnie fit repeindre la maison en vert sombre, avec une porte de bois à l'entrée surmontée d'une enseigne dorée, « Frames ». Les grandes fenêtes étaient ornées de rideaux de macramé. Le soir, on tirait de lourds doubles rideaux de velours vert. Au sous-sol, on trouvait le bar et la salle de roulette pour les petits joueurs. Les deux autres étages étaient occupés de tables recouvertes de tapis verts sur une moquette épaisse. Là, on jouait gros, poker, chemin de fer ou roulette dans une lumière subtile, pas assez faible pour qu'on ne puisse pas voir ce que l'on faisait ou ce que faisait le partenaire, mais pas de néons outrageusement éblouissants. Certains soirs, on voyait à peine à travers la fumée de cigares et de cigarettes, et l'on entendait rien à part quelques voix étouffées, le tintement d'un verre ou le claquement d'une carte sur le tapis. Si l'on fermait les yeux, on pouvait se croire à un goûter chez le curé de la paroisse, mais si on les ouvrait, on se retrouvait parmi une foule d'hommes et de femmes élégamment vêtus, penchés sur les tables, s'offrant des cigarettes dans des étuis d'or ou d'argent. Ils misaient gros, très gros, des milliers ou même des dizaines de milliers de livres. Certains auraient joué leur femme ou leurs enfants, si cela avait pu leur rapporter quelque chose. Je ne comprends guère cet attrait pour le jeu, mais je dois avouer que certains en sont littéralement possédés. Peu après l'ouverture, Frames devint un endroit à la mode fort fréquenté. Pour moi, c'était le paradis. Je portais des robes longues, Johnnie des smokings d'une élégance raffinée et un nœud papillon. C'était tous les jours fête, j'avais cinq ou six robes longues, la noire, avec des broderies de perles sur le décolleté et les poignets, la rouge, avec sa jupe ample formée de toute une série de jupons de mousseline, la verte, en soie, que je portais avec le collier de pétales que Johnnie m'avait offert avec le butin. Imaginez un peu ce que je devais ressentir, amoureuse du beau Johnnie, en paradant toutes les nuits dans mes vêtements luxueux, après ce que j'avais dû endurer à Meakin Street avec Jim Flanders.

Dans l'appartement du haut, nous avions un grand lit couvert de fourrure blanche, une moquette de la même couleur et des tapis chatoyants. Le bar regorgeait d'alcools, bourbon, cognac... il ne manquait rien. Sans parler de la baignoire encastrée et des robinets dorés. En y repensant aujourd'hui, cela devait être horrible, mais pour moi à l'époque, c'était le rêve devenu réalité. Même Ivy, malgré elle, ne pouvait s'empêcher d'être impressionnée. Sid, lui, refusait de mettre les pieds dans le club, même pour regarder. Comme la plupart des hommes, souvent par envie, il détestait Johnnie. Ivy s'était laissé séduire par ses bonnes manières, et appréciait qu'il couvre sa fille de présents. Elle en oubliait presque qu'à cause de lui, elle avait la charge de sa petite-fille à temps complet. Je ne pouvais pas prendre Joséphine avec moi dans un club de jeux où je travaillais jour et nuit. Elle était mieux avec Ivy, d'autant plus que je pouvais payer une pension confortable. Mais, comme je l'ai déjà dit, Sid ne supportait pas cette situation, et que les frères Rose fussent derrière cette affaire n'arrangeait pas les choses.

Les Rose ne se montraient jamais au club, car ils savaient qu'ils auraient été déplacés dans la haute société. Aucun smoking, aucune manucure, aucune cravate n'aurait pu dissimuler leur véritable nature : de simples truands. Ils suffisaient qu'ils restent en coulisses. Comme légalement rien n'oblige à régler des dettes de jeu, les clients devaient savoir qu'il y avait quelqu'un pour les forcer à payer. Les Rose avaient un talent tout particulier pour les accidents, défenestrations, collisions avec délit de fuite, attaques surprises dans une ruelle obscure... Ils disposaient d'une bonne soixantaine de tueurs à gages sur la liste officieuse des employés. Ils n'arrêtaient jamais. Ils menaçaient les commerçants qui n'avaient pas payé leur protection ; s'arrangeaient pour qu'il arrive des ennuis à leurs rivaux ; versaient des pensions aux malheureuses épouses dont le mari était tombé en travaillant pour eux ; réglaient leur compte aux chauffeurs de camion dont le chargement n'était finalement pas tombé sur la route après accord ; battaient les pauvres idiotes qui avaient donné leur part de butin à leur vieille mère, plutôt qu'à leur souteneur... Ils avaient aussi des avocats, des comptables, des médecins et des policiers à leur service. Mais à cette époque, ils investissaient dans le crime, sans jamais se salir les mains. Ils finançaient, inventaient, mais si la police ouvrait une enquête, ils avaient toujours un alibi en béton. Cela n'avait pas toujours été le cas, bien sûr. Sid et Ivy se souvenaient bien des deux gosses de Wattenblath Street qui piquaient un shilling par-ci par-là, collectaient les paris et allaient jouer chez le bookmaker du coin (à l'époque, les paris étaient interdits) avant de rapporter l'argent à leur sorcière de mère. C'est la guerre qui les avait lancés, évidemment. Norman avait quelque chose qui n'allait pas, ou du moins il en convainquit l'armée, et ne fut jamais obligé de partir. Arnie déserta et on ne le retrouva jamais, si bien que tous deux profitèrent du marché noir et vendirent du whisky, des bas nylon, des conserves et tout ce qui pouvait leur tomber sous la main. Ils firent fortune. La pègre londonienne avait été pratiquement démantelée pendant la guerre à cause de la confusion qui régnait et les Rose arrivaient, jeunes et malins, prêts à relever le défi. Ils gagnèrent. Officiellement, ils se présentaient, comme deux garçons d'un milieu modeste qui avaient fait fortune à l'étranger. Ils offrirent à leur mère veuve une maisonnette à Sunningdales et parlaient toujours d'elle avec le plus grand respect, bien que pendant toute leur enfance elle eût cherché l'aventure sous le pont de Waterloo et frappé ses enfants plutôt vigoureusement. Leur mère les terrifiait. Personne ne souhaiterait un tel début dans la vie. Rien d'étonnant à ce qu'ils fussent pourris jusqu'à la moelle, malgré leurs tapes dans le dos, leurs tournées générales, et leur horrible sourire soi-disant amical, qui vous figeait le sang si vous ne détourniez pas le regard.

Et pourtant, si corrompus fussent-ils, j'étais dans le même trafic qu'eux, et je m'en réjouissais à chaque seconde. Tant qu'ils restaient à l'arrière-plan, les joueurs les oubliaient, ou considéraient que ce n'étaient que deux mauvais garçons, un peu comme les cow-boys des westerns et qu'ils n'étaient pas véritablement dangereux. Ce n'était que lorsqu'on avait des dettes envers le Frames, que l'on commençait à recevoir des messages fort peu agréables. Pendant ce temps-là, Johnnie, moi et Simon, que l'on avait engagé comme sous-directeur, nous restions en façade. Johnnie avait une Jaguar blanche, moi, de nouvelles robes, des bijoux, quinze paires de chaussures. J'avais de la chance, du moins le croyais-je. Comme tous les jeunes, je suppose, il me semblait que cela durerait toujours. Et puis, il y avait Johnnie...

— Tu es vraiment une fille pas comme les autres, lui dit-il, lors de cette première nuit à Meakin Street.

Allongé sur le dos, il fumait une Players dans le grand lit aux pommeaux de cuivre. Mary lui sourit. Elle n'avait jamais été aussi heureuse, pourtant, ils ne s'étaient rencontrés que la veille.

Après la promenade le long du canal et le dîner au restaurant chic, il l'avait quittée devant sa porte. Plus tard, il lui confia :

— Je savais que j'aurais pu rester, cette nuit-là, et même te prendre sur le pas de la porte si j'avais voulu. Mais je préférais te manifester mon respect.

Quelque temps après cette confidence, Mary se rendit compte qu'il devait également rompre avec son ancienne petite amie. Le soir de la rencontre, Mary alla se coucher, abasourdie, joyeuse, et pleine de craintes tout à la fois. S'il ne revenait pas ? S'il n'appréciait pas l'existence de Joséphine, s'il la trouvait trop jeune ou simplement pas à son goût ? Mais Johnnie, le romantique, était sur son palier le lendemain matin à huit heures, un bouquet de roses à la main. Mary l'invita à entrer, mais il refusa car il avait à faire et lui donna rendez-vous pour le soir même. Mary, qui avait à peine dormi la nuit précédente, passa la journée dans une rêverie tourmentée. Pourtant, elle trouva l'énergie d'aller chez le coiffeur, s'acheta une nouvelle paire de chaussures, et confia hâtivement Joséphine à sa mère à l'heure à laquelle elle devait travailler au pub. Si elle avait parlé de son rendez-vous avec Johnnie, Ivy n'aurait pas manqué de la presser de questions, lui aurait ordonné de se rendre au pub et aurait peut-être même refusé de garder

Joséphine. Une fois sa fille partie, Ivy ne pouvait plus rien y faire. Avant l'arrivée de Johnnie, Mary se rongea les ongles pendant une heure et demie, redoutant qu'Ivy s'aperçoive qu'elle n'était pas au Marquis de Zetland. Puis, en un éclair, elle fut dehors, assise à côté de lui dans la voiture qui se dirigeait vers le centre. Il la conduisit dans un bar en sous-sol du quartier de Soho, où, dans la lumière faible, elle but du champagne et rencontra ses amis. Il y en avait beaucoup, qui se présentaient tous par leur surnom, Timmy, Lilly, Tic-Tac. Tous le saluaient avec un certain respect, lui offraient un verre, s'informaient de sa santé, lui parlaient de manière indirecte de choses auxquelles elle ne comprenait rien. Elle aperçut même le frère de Harry Smith qui buvait de la bière dans un coin. Il lui fit un signe et replongea le nez dans son verre. Malgré son ignorance, Mary était douée d'un instinct très sûr et, en fille de la classe ouvrière, avait une connaissance diffuse du monde des truands. « Ce doit être un perceur de coffre, pensa-t-elle, ce sont des seigneurs dans ce milieu. C'est un travail de spécialiste, généralement propre et peu violent. »

— La pauvre biche avait l'air terrifiée dans sa petite chemise de nuit, dit Johnnie à un ami. « Ne me faites pas de mal ! » qu'elle criait, toute tremblante. « Allez, retourne au lit, la môme, je n'ai pas fini, mais je ne porterais pas la main sur une mignonne comme toi pour un empire. » Alors, elle est repartie, et j'ai continué à ouvrir le coffre. Avant de m'en aller, je lui ai crié : « Ça y est, j'ai fini, tu peux appeler la police. » Et la vieille m'a répondu : « Merci, je n'y manquerai pas. »

Les autres hommes se mirent à rire. Leurs filles se penchaient vers eux en souriant.

— Je ne sais pas où étaient passés les domestiques, ajouta Johnnie. Ils devaient être cachés, la tête sous les couvertures. Ah, vous auriez dû la voir, avec sa chemise de nuit. Je me suis mordu les lèvres, le nez dans le coffre, pour ne pas éclater de rire.

— Un jour, tu vas t'attirer des ennuis, dit un gros homme à côté de lui.

Tout en parlant, il observait sévèrement Mary, qui avait été beaucoup examinée au cours de la soirée. Les femmes avaient apprécié, les hommes s'étaient contentés de la regarder. Johnnie lui passa le bras autour des épaules.

— Euh, Ted, Mary Flanders, Mary, Ted Saunders.

— Enchantée, murmura Mary.

— Flanders, Flanders... Etes-vous de la famille de Jim Flanders ? demanda-t-il.

— Je suis sa veuve.

— Oh, mon Dieu ! Ma pauvre petite !

Mais ni lui ni les autres ne regardèrent plus Mary d'un air étrange. Enfin un endroit où les gens ne faisaient pas semblant de s'apitoyer quand ils apprenaient cette nouvelle. « Un bon point pour la mauvaise compagnie », pensa Mary.

Plus tard, alors qu'au bar les hommes devenaient plus bruyants, une fille s'approcha d'elle et lui toucha l'épaule.

— Je m'appelle Susie, viens donc t'asseoir avec nous, et laisse les hommes à leurs affaires, dit-elle.

Mary la suivit jusqu'à une fille brune en robe de dentelle qui était assise dans un coin.

— Mary, Jeanne, Jeanne, Mary, dit Susie. Ils deviennent ennuyeux, nous serons mieux entre femmes.

— C'est drôle, ils vous invitent à une soirée et passent tout leur temps à bavarder entre eux, dit Mary.

— C'est aussi bien comme ça, répondit Jeanne. Qui voudrait entendre leurs histoires ?

— Tu as un bébé, je crois, qu'est-ce que c'est ? Un garçon ou une fille ? demanda Susie.

— Une petite fille, Joséphine.

— C'est un joli nom. J'aimerais bien la voir, un jour.

— Oui, un jour, si tu passes dans le coin.

Ted, le plus grand des hommes, arriva avec trois verres.

— Deux gin, pour les dames, et une coupe de champagne pour l'amie de M. Bridges. Et voilà, mesdemoiselles, et souvenez-vous que vous êtes des dames.

— Du champagne ! dit la brune en levant son verre et en souriant à Johnnie. Où l'as-tu rencontré ? demanda-t-elle à Mary, soudain plus sombre.

— Au pub où je travaille.

— Il y a longtemps ? insista la fille.

— Hier.

— Le coup de foudre, alors ?

— Euh, oui, je crois.

— Eh bien, méfie-toi, conseilla Jeanne.

— Laisse-la tranquille, dit Susie, elle est heureuse.

— Pour le moment, commenta Jeanne. C'est une brave fille, mais elle a eu assez d'ennuis comme ça. Elle n'en a pas besoin d'autres. Tu connais Johnnie, pas d'attaches, c'est sa formule.

— Tu le connais mieux que moi.

— C'est peut-être moi qui ne m'attacherai pas, dit Mary.

— Ce n'est pas aussi simple, ma petite, répondit la brune.

Elle se leva et marcha souplement vers le bar. Elle parla aux hommes qui ne firent pas très attention à elle. Certains lui sourirent. Furieuse de se voir ignorer, elle attrapa le veston de Johnnie qui haussa les épaules. Ted la prit par le coude et la conduisit à la porte. Avant de sortir, elle cria à Mary :

— Il va t'emmener chez sa couturière française, c'est un habitué, on lui fait des prix. Profites-en pendant qu'il est temps, ma chérie.

134

— Pauvre fille, dit Susie. Ne fais pas attention, elle est ivre.

En voyant le regard trouble de Susie, Mary pensa qu'elle non plus ne devait pas être à jeun.

— Cette fille, Jeanne, c'était la petite amie de Johnnie ?

— Oui, mais il y a longtemps, dit Susie avec tact. Il l'a laissée tomber et elle ne lui a pas encore pardonné. Mais ce n'est pas le seul problème avec Jeanne. Elle n'a vraiment pas de chance. Elle s'attire toujours la poisse.

— Qu'est-ce qui lui est arrivé ?

— Des tas de choses, des problèmes de femmes, dit Susie vaguement. Ecoute-moi, ajouta-t-elle en posant la main sur celle de Mary, Johnnie est généreux et gentil, c'est un brave type et il présente bien. Il ne sera peut-être pas toujours là, mais on ne peut pas trop demander. Tu te paieras du bon temps avec lui. Mais tu es jeune, alors ne te laisse pas embarquer trop loin. Un jour il est là, et le lendemain, il a disparu. Souviens-t'en. Ne rêves pas trop et tout ira pour le mieux.

— Je sais tout ça, dit Mary, se surprenant elle-même.

Néanmoins, Mary tourna les yeux vers la porte, puis vers la salle et le bar où les hommes riaient et plaisantaient toujours. Les femmes étaient très élégantes. Elles étaient toutes très jeunes et trop maquillées.

Johnnie arriva, lui passa la main sous le menton et lui dit :

— Tu ne te sens pas trop seule, ma chérie ? Viens, on va s'amuser quelque part.

Hésitante, elle regarda la foule en tenue d'apparat, les visages joviaux des hommes, et enfin Johnnie, si tendrement penché sur elle.

— Eh bien, on y va, dit Mary.

— On rentre chez toi ? suggéra Johnnie dans la voiture.

Mary asquiesça.

— Je ne voudrais pas que tu croies..., commença-t-il à un feu rouge, la main sur un genoux de Mary. Non, ce n'est pas ça. Est-ce que Jeanne t'a parlé de moi ?

— Elle est jalouse, ça se voit.

— Ne crois pas trop ce qu'elles te racontent.

— Je sais faire la part des choses, répondit Mary.

C'était un mensonge. Elle les croyait, mais peu lui importait.

— Je t'aime, Johnnie, dit-elle d'une voix tremblante.

En cette fin d'été, les lumières du parc dans les arbres, alors qu'ils longeaient Bayswater, lui firent penser à un paysage de rêve.

— Tu veux monter, demanda-t-elle, une fois à Meakin Street.

Il fit un signe de tête et Mary ouvrit la porte. A l'intérieur, ils tombèrent dans les bras l'un de l'autre. Johnnie la porta dans l'escalier et la déshabilla résolument dans la chambre, s'attendant plus ou moins à des protestations. Allongée sur le lit, nue, elle le regarda ôter ses propres vêtements et se pencher sur elle en disant :

— Je ne peux plus attendre, Mary, je ne peux plus attendre.

Mary, sûre d'elle, lui caressa le dos, l'appela par son nom, le sentit pénétrer en elle avec une joie triomphante, heureuse de l'avoir à elle. Elle ne ressentit que plaisir et bonheur jusqu'à ce qu'elle fût soulevée par une grande vague de plaisir et qu'elle perçût, confusément, un cri, celui de sa propre voix.

— Oh, mon amour ! dit Johnnie en lui embrassant le visage. Tu m'as fait peur, murmura-t-il en voyant son sourire. Tu as sûrement réveillé tous les voisins.

— Je me suis fait peur à moi aussi.

— Cela ne t'était jamais arrivé avant ? demanda-t-il, un peu surpris.

— Non.

— C'est bizarre, c'est souvent comme ça. Alors, je suis le premier...

— On dirait bien. Oh, Johnnie, je t'aime, tu sais.

— Tu n'es vraiment pas banale, ma chérie. Une sacrée nana.

Le lendemain matin, après que Johnnie fut parti chercher quelques vêtements chez sa mère, Ivy cognait furieusement à la porte. Mary lui ouvrit, un manteau passé sur sa chemise de nuit.

— Nom d'un chien, j'aurais laissé ta mioche devant ta porte, que tu sois là ou non.

— Tu veux entrer, maman ? demanda Mary.

— Non, mais j'entrerai quand même. Qu'est-ce que tu as fichu la nuit dernière ? J'ai couru partout à onze heures du soir quand je me suis aperçue que tu n'étais pas rentrée. D'abord, j'ai découvert que tu ne t'étais pas présentée à ton travail. Et bien sûr, il a fallu que ce soit Elizabeth Flanders qui m'apprenne qu'elle t'avait vue en revenant de l'église monter en voiture à huit heures avec un homme. Non mais, imagine un peu ! Tu ferais bien de réfléchir, Mary. Je n'ai pas dormi de la nuit, tant je me faisais du mauvais sang. Et ta gosse ?

Tout en lançant ses récriminations, Ivy regarda dans la cuisine et dans le salon.

— Une tasse de thé, maman ?

— Pourquoi pas, répondit Ivy, satisfaite de voir qu'il n'y avait pas d'homme sur les lieux. Il n'y a personne avec toi ?

— Non.

— Tu ferais bien de donner un œuf à cette gosse, je ne lui ai encore rien fait manger de solide. Et puis, autant que je te le dise tout de suite, ajouta-t-elle dans la cuisine où Mary faisait chauffer de l'eau, ce Johnnie Bridges est un voyou. Où crois-tu qu'il trouve tout cet argent ? Qu'est-ce que tu fabriques avec lui ?

– Il m'a invitée et j'ai accepté, dit Mary en se souvenant de la chaleur des caresses de Johnnie sur son corps.

Elle en tremblait encore en surveillant l'eau, dans la lumière matinale, au son de la cuillère que sa fille frappait contre le bois de sa petite chaise.

– J'espère que cela ne se reproduira plus. Ecoute, Mary. Ce n'est pas seulement un mauvais garçon qui travaille et qui fauche de temps en temps des marchandises qui tombent d'un camion. Lui, c'est un professionnel. Il est lié à Norman et Arnie Rose, et tu sais ce que ça signifie. Tu ferais bien de te débarrasser de lui maintenant, sinon tu risques de le regretter plus tard. Quant à me mentir et me faire croire que tu vas travailler pour pouvoir sortir avec lui... J'ose à peine y croire. Mary, je ne te pensais pas capable d'une chose pareille. Tu vas mal tourner, ma fille. Tu ferais mieux de te ressaisir, sinon, je me demande ce qui va encore t'arriver.

– Je le revois ce soir, tu veux bien te charger de Joséphine ?

– Tu es sourde ou quoi ? s'exclama Ivy en déposant l'œuf dans l'eau bouillante. Tu n'as pas entendu ce que je t'ai dit ? Il faut que je le répète ? Si tu t'imagines que je vais garder ta gosse pour que tu puisses fréquenter ce Johnnie Bridges, tu te mets le doigt dans l'œil.

– Maman, s'il te plaît. Je t'assure que ce n'est pas un mauvais bougre. Il veut se ranger, je te jure qu'il est sincère.

Ivy sembla s'effondrer.

– Ils le sont tous, à un moment ou un autre. Et puis, un autre coup se présente, une nouvelle chance de faire fortune. Et ils sautent dessus. Je comprends bien ce qui se passe, tu te sens seule, c'est normal.

– Eh bien, je demanderai à Lil Messiter, elle ne refusera sûrement pas quelques shillings vite gagnés.

– Alors, il te faut un type à tout prix, pourvu qu'il ne soit pas trop mal physiquement et qu'il ait un peu d'argent pour t'en mettre plein la vue, tu ne te poses pas de questions. Espèce d'idiote ! Tu vas mal finir. Lui d'abord, et après un autre... Mon Dieu, on te retrouvera noyée dans la Tamise dans dix ans, et encore, si tu as de la chance. Elles ne durent pas longtemps les filles, à ce petit jeu-là, je peux te l'assurer. Elles finissent toutes sur le trottoir. Il n'y a plus d'autres solutions pour elles. Tu les as vues toi-même, dehors par tous les temps. Ce Johnnie Bridges ne t'épousera jamais, et après, plus personne ne voudra de toi. Les restes d'un gangster ! Et ta petite Joséphine, tu y penses ?

Mary, un peu frissonnante en s'imaginant au coin d'une rue en hiver, répondit :

– Je l'aime bien.

– Tu l'aimes bien ! Mon Dieu, ce qui ne faut pas entendre ! J'aurais dû comprendre tout de suite ce qui te trottait par la tête

quand tu as pris ce maudit appartement. J'aurais dû t'en empêcher.

– Ça suffit, maman, dit Mary en prenant l'œuf dans une cuillère
et en le plaçant dans un coquetier. Tu n'as aucun droit sur moi. Je
suis veuve, rappelle-toi. Tu ne peux pas venir ici comme si j'étais
une petite fille qui s'était enfuie du couvent avec un mauvais garçon. Et je verrai les gens que j'ai envie de voir quand j'en ai envie,
c'est tout.

Ivy regarda sa fille droit dans les yeux.

– Bon, eh bien je m'en vais. Et ce n'est pas la peine de venir me
trouver si tu as des ennuis, cela ne servirait à rien.

Joséphine se mit à pleurer quand elle entendit sa grand-mère
claquer la porte derrière elle. Mary resta immobile un instant, un
peu plus calme. C'était la première fois qu'Ivy la menaçait de ne
plus l'aider. Elle se reprit néanmoins et ouvrit l'œuf à la coque.

Pour Mary, l'été n'en finissait pas, comme si les feuilles vert
sombre n'allaient jamais jaunir et que l'air dût rester baigné d'une
lumière dorée, dans une éternité suspendue entre l'été et
l'automne. Avec Johnnie, elle emmena Joséphine au bord de la
mer et lui fit faire trempette. Criant de ravissement, la petite fille
se débattit pour explorer ce nouvel univers. Ils dépensèrent sans
compter, firent des achats, dînèrent au restaurant, allèrent danser
et firent l'amour pendant de longues nuits dans le grand lit de
Mary à Meakin Street.

Pendant ce temps, Johnnie avait toujours une sorte de foyer
quelque part. Mary était intriguée par cette adresse inconnue et
soupçonnait plus ou moins qu'il avait une femme légitime. Sinon,
comment aurait-il toujours eu des chemises immaculées, parfaitement amidonnées, des costumes toujours impeccables et des
chaussures cirées ? Parfois, elle imaginait un appartement dans le
centre, luxueusement meublé, où régnait une blonde platinée trop
parfumée. Mais ce genre de personnage était peu enclin à avoir les
mains dans la lessive. Parfois, elle voyait plutôt une épouse passive dans une banlieue reculée. Mais Johnnie ne donnait pas
l'impression d'aimer les esclaves. Pourtant, elle ne s'inquiétait pas.
Elle vivait comme dans un rêve. Peu importait l'endroit où il
faisait faire sa lessive et suspendait parfois son chapeau, du
moment qu'il l'aimait, il n'y avait que cela qui comptait. Elle était
si heureuse, qu'il ne pouvait rien se passer de grave. Elle s'accommodait de le voir disparaître pour quelques jours, puisqu'il revenait toujours.

A Meakin Street, pourtant, tout le monde la détestait, les femmes surtout. La femme du pauvre Jim Flanders, injustement
condamné à mort, paradant dans une voiture blanche avec un
truand : cette conduite les déshonorait. Pourtant, elle avait l'air si

heureuse que les voisins ne pouvaient s'empêcher de comparer leur situation à la sienne. Mary ne payait pas le prix de ses péchés, bien au contraire, elle semblait en être récompensée. En chuchotant, les femmes la suivaient des yeux lorsqu'elle promenait son landau.

— Fille de rien, c'est une honte. C'est elle qui aurait dû être pendue !

Curieusement, l'attitude d'Ivy s'assouplit. Elle comprenait que sa fille était heureuse. Elle entendait le bébé crier de joie en voyant Johnnie sur le pas de la porte avec un gigantesque ours en peluche. Un jour, elle surprit même l'infâme truand, les manches relevées, en train de déboucher l'évier de la cuisine.

— Il est gentil avec toi, il faut le reconnaître, avoua-t-elle à contrecœur à Mary qui lui montrait un nouveau manteau.

Seul, Sid conservait toute son hostilité. Un jour, il annonça brutalement à sa fille qu'il refusait de le voir et que si jamais il le rencontrait dans la rue, il lui dirait sa façon de penser, d'homme à homme.

— Tu te laisses avoir, dit-il à sa femme. Bien sûr qu'elle est heureuse maintenant. Mais plus tard ? La lune de miel, ça ne durera pas toujours. Suppose qu'il ait déjà un gosse ? Ce genre de type ne reste jamais longtemps dans les parages, même si on leur en laisse l'occasion. En général, ils finissent en prison. Alors, notre petite Mary se retrouvera toute seule, avec un autre enfant peut-être, en attendant qu'il soit libéré. Je ne veux plus que tu t'occupes de Joséphine pendant que Mary traîne avec lui.

Effectivement, malgré ses affirmations, Ivy avait vite cédé à sa fille sur ce point.

— Voyons, que veux-tu qu'elle fasse d'autre, seule avec son enfant ? Il faut bien qu'elle sorte de temps en temps.

— Pas avec lui. Qu'elle s'occupe de sa gosse. Ça lui mettra du plomb dans la cervelle. Elle n'a qu'à vivre tranquille, se trouver un petit travail, et attendre qu'un gentil garçon se présente. Ça lui fera sans doute plus de bien que de se transformer en fille de rien sous nos yeux. Si elle ne le comprend pas maintenant, elle risque d'en tirer la leçon à ses frais plus tard. Je dis tout cela pour son bien autant que pour le nôtre. Si ça continue, c'est nous qui devrons ramasser les morceaux. S'il y a un autre gosse et si cet abruti se fait prendre, qui s'occupera des trois autres ? Nous, bien sûr !

Ivy choisit un moment où Johnnie était absent pour aller voir sa fille et la trouva assise devant la cheminée, en larmes, Joséphine sur les bras.

— Ce n'est pas juste, maman, pourquoi faut-il toujours que je reste coincée à la maison ?

— C'est le sort de toutes les femmes, répondit impitoyablement Ivy. De toute façon, je ne peux rien pour toi. Si je m'oppose à la volonté de ton père, il me fera mener une vie d'enfer. Et puis, c'est peut-être mieux ainsi. Ça te laisse le temps de réfléchir. En fait, ce n'est qu'un escroc quand on y pense. Et puis, où est-ce qu'il disparaît comme ça ?

– Ça m'est égal. Tout ce que je sais c'est que Joséphine me gâche la vie.

– Ne parle pas comme ça devant ton bébé. Mon Dieu, ta propre fille, la pauvre petite n'a même pas un an.

– Ma fille, ah oui, et Jim Flanders ? Où est-il passé, le père ? Il est mort, le père. Pendu ! Oh, maman, tu ne peux pas garder Joséphine une heure, pendant que je vais chercher Johnnie ?

– S'il avait pour deux sous de bon sens, il serait ici avec toi.

– Ouais, en train de regarder la télé.

De grosses larmes roulaient sur les joues de Mary qui imaginait Johnnie avec Jeanne ou Suzie depuis trois jours. Il ne reviendrait jamais, ou du moins, il ne resterait pas avec elle, si elle avait Joséphine sur les bras jour et nuit. Elle ne pouvait pas se permettre de payer quelqu'un pour la garder à longueur de temps, et puis, le plus souvent, leurs sorties étaient trop spontanées pour organiser quoi que ce soit. Et à présent, Ivy était contre elle. Elle ne pouvait quand même pas renoncer à la vie, simplement parce qu'elle avait un enfant. On voulait qu'elle vive comme une nonne sacrifiée à Dieu. Et son Dieu, c'était Joséphine. Ce n'était pas juste, vraiment pas juste.

– Ce n'est pas juste, dit-elle à voix haute.

– La vie est toujours injuste, répondit sa mère.

– Je ne peux plus le supporter.

– Il faudra bien que tu fasses comme tout le monde.

– Non, non ! cria Mary entre deux sanglots. Je me tuerai, je me tuerai...

Ivy lui prit Joséphine et dit sévèrement :

– Il faudrait commencer à surveiller ce que tu dis devant cette gosse. Elle est intelligente, elle en comprend beaucoup plus que tu crois. Et puis, il est temps de la mettre au lit.

Tandis qu'Ivy couchait Joséphine à l'étage, Mary songea à enfiler son manteau en vitesse pour aller voir si Johnnie n'était pas au pub. Mais elle redouta la dispute qui ne manquerait pas de s'ensuivre.

Dix jours plus tard, Johnnie n'était toujours pas revenu. Mary, qui avait beaucoup maigri, était pâle comme la mort. Elle ne dormait que quelques heures par nuit d'un sommeil agité de cauchemars terrifiants. Elle avait souvent fait ce même rêve pendant l'enfance, mais les images n'étaient pas si puissantes, si effrayantes. Elle voyait des maisons en flammes s'écrouler, et souvent, une voix de femme chantait en langue étrangère dans ce vacarme destructeur, une voix désespérée, pleine de solitude et de tristesse.

Elle était étendue, éveillée dans son lit, lorsqu'on cogna à la porte avec insistance. Il était une heure du matin. Mary, le cœur battant, dégringola l'escalier en chemise de nuit. Sur le pas de la porte, elle trouva Johnnie Bridges, les yeux rouges, le costume froissé, la chemise ouverte.

— Tu ferais mieux d'entrer.

Une fois que la porte fut refermée, il la prit dans ses bras et commença à l'embrasser.

— Allez, viens, j'ai envie de toi.

— Hé, pas si vite, cela fait quinze jours que je ne t'ai pas vu.

Il la poussa irrésistiblement vers l'escalier et lui fit l'amour comme un homme affamé.

— Tu m'as manqué, tu sais.

D'un coup, tout fut pardonné. Josie se mit à pleurer puis on entendit un bruit sourd. Mary se précipita dans la chambre adjacente. La fillette était debout sur le sol, en pyjama. Elle fit quelques pas vers sa mère qui la regardait. Mary l'attrapa avant qu'elle tombe.

— Elle est sortie de son lit. Elle marche ! s'exclama Mary.

— Mieux vaut la prendre avec nous, elle risquerait de recommencer et de se faire mal, dit Johnnie.

Cette nuit-là, ils dormirent confortablement tous les trois, mais le lendemain, de bonne heure, Johnnie s'en alla.

— Non, tu ne peux pas faire ça, s'exclama Mary, ce n'est pas juste !

— Il faut que tu me fasses confiance, lui répondit-il en se penchant pour l'embrasser. On se voit ce soir, je passe te prendre à sept heures.

Toujours au lit, Mary versa une larme sur les boucles noires de la fillette. Puis elle s'allongea voluptueusement. La douleur et les cauchemars s'étaient évanouis. De nouveau, elle connaissait l'espoir.

Quand elle sortit avec Johnnie, ce soir-là, ils croisèrent Sid dans son uniforme d'inspecteur. Johnnie portait une chemise immaculée et un costume neuf qui sortait de chez le tailleur, et Mary une robe rouge avec une ceinture et une cape de fourrure blanche. Sid détourna le regard et passa son chemin.

— Il faudra bien qu'il me parle le jour de la noce, remarqua Johnnie en ouvrant la porte de la voiture.

Mary monta, sans rien dire, son bébé dans les bras. Il y avait des moments où elle avait follement envie d'épouser Johnnie. Mais elle connaissait aussi le sort des femmes mariées. Tout le monde s'attendait à ce que vous vous extirpiez du lit avec une double pneumonie pour chercher les chaussettes de votre mari ou lui préparer son repas. Une fois qu'il y avait un enfant, la femme entrait en religion. A Meakin Street, on parlait des hommes comme si c'étaient des dieux, le genre de dieux courroucés pour une pécadille et qui exigeaient de nombreux sacrifices humains pour apaiser leur colère saugrenue. « Je dois rentrer préparer son thé maintenant. J'aimerais bien, mais il va me faire une scène »... On entendait ça tous les jours. Il fallait tout supporter et vieillir prématurément. Regardez Lil Messiter par exemple, épuisée par les grossesses et battue par son mari quand il avait un verre dans le nez. La vie conjugale n'avait rien de drôle, même quand le couple s'aimait, comme Sid et Ivy. Dans le milieu de Johnnie, l'histoire variait un peu, mais ce n'était pas mieux pour autant. Les femmes étaient reléguées dans de coquettes maisons de banlieue avec les enfants, alors que les hommes allaient au pub et aux courses, de jolies filles à leur bras. Elle n'aurait vraiment pas aimé être à la place des épouses légitimes, mais des filles comme Jeanne ou Suzie n'avaient guère un sort plus enviable à long terme. Plus elles vieillissaient, plus les cadeaux se rarifiaient, et plus elles changeaient souvent de protecteur. Une fois leur fraîcheur fanée, et généralement cela ne prenait pas longtemps, elles disparaissaient de la circulation. Pourtant, les épouses avaient l'air fatiguées dans leurs robes élégantes à paillettes avec leur épais maquillage qui masquait des visages auparavant aussi attrayants que ceux de Jeanne ou Suzie. Non, les choix qui se présentaient n'avaient rien de mirobolant. Elle soupira avant d'écarter ses pensées. Elle était heureuse, cela suffisait. Tandis qu'ils traversaient Trafalgar Square, elle serra le bras de Johnnie et revit soudain le paysage du Kent où elle avait vécu enfant. Elle se souvint d'Allaun Towers et de Mme Gates ; elle revoyait les roseaux au bord du lac, les murs de brique rouge du potager, la vieille chaise de brocart vert de sa chambre, les champs et les ajoncs écrasés de chaleur. Elle revoyait chaque feuille des ormes de l'allée, les graviers devant la maison, parsemés de touffes d'herbe, les deux ramiers qui avaient fait leur nid dans la cheminée et qui roucoulaient au-dessus de sa mansarde. Elle revoyait le ruisseau, et le cresson qui poussait au bord de l'eau. Soudain, elle se rendit compte qu'ils traversaient le pont de Lambeth.

– Où allons-nous ? demanda-t-elle.

– Ah, eh bien, je voulais satisfaire ta curiosité à propos de ma tanière secrète, cet endroit horrible où je me cache quand je ne suis pas avec toi.

– Ah !

– Cela n'a pas été très gai pour toi pendant mon absence ?

– C'était affreux, Johnnie, je croyais que tu n'allais jamais revenir. Je devenais folle, je faisais des **cauchemars**...

– Ça va mieux maintenant ?

– Oui, je t'aime, Johnnie.

– Je t'aime, Mary.

Soudain elle se sentit vide et, confusément, le souvenir de ses rêves d'incendies et de catastrophes, hantés par le chant d'une femme, lui revint à l'esprit. En fait, cette promenade dans la cam-

142

pagne ressemblait à un autre rêve. Ils filaient à travers les rues, le bébé dormait sur ses genoux. Où allaient-ils ?

– C'est encore loin ?

– Non, moins de dix kilomètres. Ecoute-moi, Molly, j'ai des projets, tout va changer. Je vais me ranger.

– Qu'est-ce que tu vas faire ?

– Tu sais ce qu'on dit ? Ne dites jamais rien à une femme.

– Pourquoi ?

– C'est une devise en affaires. La plupart du temps, il vaut mieux ne rien savoir d'ailleurs. Enfin, quand je n'étais pas là, je me suis débrouillé pour rassembler un petit capital. Alors je vais l'investir dans une affaire légale.

– Oh, Johnnie, je suis soulagée ! Tu ne sais pas ce que c'est de ne jamais savoir ce qui se passe.

Pourtant, elle devait reconnaître que ce n'était pas une éventuelle arrestation de Johnnie qui l'avait tant inquiétée mais la peur d'être abandonnée.

Cependant, en arrivant dans la banlieue de villas du XIXe siècle, elle comprit qu'il devait y avoir un rapport entre ce voyage et les nouveaux projets de Johnnie. Il s'arrêta devant une maison au jardin bien entretenu. Les rosiers étaient toujours en fleurs.

– Nous y sommes, voici la cachette du tristement célèbre Johnnie Bridges.

– Je n'y crois pas, dit Mary, prête à éclater de rire, tu te moques de moi.

Un gros chat tigré s'approcha d'eux et commença à se frotter contre la jambe de Johnnie.

– C'est ton chat ?

– Bien sûr.

– Oh ! là, là ! s'écria-t-elle, écroulée de rire avec son bébé sur le ventre comme un gros sac de linge sale.

– Allez, relève-toi, tu te fais remarquer.

Mary se redressa, mais en revoyant le chat ouvrir insolemment la voie vers la porte, elle éclata de rire une nouvelle fois.

– C'est là que vivent mes parents, dit Johnnie avec une certaine dignité.

Mary le regarda marcher devant elle. Il était vraiment très beau. Il lui sourit, et Mary désira être avec lui à Meakin Street. Elle n'avait pas très envie de voir ses parents, elle le voulait pour elle toute seule. Mais une femme de la quarantaine en robe de laine rose se tenait déjà sur le seuil pour les accueillir.

– Johnnie !

– Bonjour, maman, dit-il en l'embrassant. Ah, bonjour, papa ! lança-t-il à une personne invisible par-dessus l'épaule de sa mère. Je vous présente Mary.

– Entrez, dit Mme Bridges. J'étais justement en train de préparer des petits pains au lait. Venez donc à la cuisine avec le bébé.

Petite, brune, elle avait les mêmes yeux noirs que son fils.

La grande cuisine très propre sentait bon le pain chaud. Mme Bridges enfila un tablier et ouvrit le four.

— Juste à point, remarqua-t-elle.

Mary s'assit sur une chaise et prit Joséphine sur ses genoux. La fillette se débattait pour descendre.

— Elle vient d'apprendre à marcher, ça l'amuse tant qu'elle ne s'arrêterait plus.

— Oh, la chérie, dit Mme Bridges. Elle a de beaux cheveux. Mettez-la donc par terre, nous serons deux pour la surveiller, ajouta-t-elle en déposant les pains sur une grille. Je vais préparer du thé, vous voulez quelque chose pour la fillette ?

— Je lui donnerai du jus d'orange dans son biberon un peu plus tard. J'en ai apporté. Je peux vous aider à beurrer les petits pains au lait ?

— Le beurre est là. Je vais m'occuper des sandwiches.

Joséphine trottina dans la cuisine tandis que les deux femmes s'affairaient.

— Cela fait plaisir de revoir un bébé à la maison, dit Mme Bridges. Nous n'en avons pas eu depuis Noël, quand ma nièce était là.

D'une certaine manière, Mary retrouvait la cuisine d'Allaun Towers. Tout était tranquille. Le tic-tac de l'horloge marquait paisiblement les secondes. Rien ne ressemblait à l'agitation permanente d'Ivy dans la cuisine exiguë de Meakin Street. Pourtant, elle se sentait mal à l'aise. Que faisait-elle là ? En tant que quoi ? Et surtout, savaient-ils comment leur fils gagnait sa vie ? Comment était-ce possible ?

— C'est la première fois que Johnnie nous présente une de ses amies, dit Mme Bridges, du moins depuis qu'il a dépassé dix-huit ans.

Mary cherchait une réponse quand un homme grand et mince passa la tête par l'entrebâillement de la porte.

— Alors, ce thé, où en est-il ? Les fauves sont affamés.

— Va donc te laver les mains, Edward, répondit placidement Mme Bridges, comme ça, tu pourras nous aider.

Quand elles passèrent au salon, Johnnie sommeillait devant la cheminée, jambes étendues.

— Oh, ne faites pas attention, Johnnie ne vient ici que pour dormir devant la cheminée. Il se prend pour le chat.

— Le chat a bien plus d'énergie, remarqua M. Bridges, qui arrivait, la théière dans une main et un pare-feu dans l'autre. Autant éviter les accidents, n'est-ce pas, John ? Ta mère pense que tu as envie d'un pain au lait.

— Oui, merci, dit John qui se réveillait.

Mary se demandait toujours si ses parents savaient que leur fils était un escroc. Comment pouvait-on mal tourner en sortant d'une telle famille ? Les fils de ce genre de foyer devenaient directeur de banque ou magistrat, pas perceur de coffres !

Ils prirent donc le thé dans le salon bien rangé et très conventionnel avec un divan recouvert de cretonne rose. M. Briges parla de son jardin :

— Pas grand-chose à faire en cette saison, à part se préparer au printemps prochain et s'arranger pour qu'il y ait des légumes dans la soupe. Sinon, on ne me le pardonnerait pas.

Mary et Mme Bridges parlèrent bébé.

— Il faut bien qu'ils tombent de temps en temps, on ne peut pas toujours les garder dans du coton, disait Mme Bridges.

Johnnie resta silencieux, à part une dispute avec son père sur le football :

— Tu diras ce que tu voudras, mais ces salaires mirifiques ne valent rien pour le sport, mon garçon.

Ensuite, on confia le bébé aux deux hommes pendant que les femmes allaient faire la vaisselle à la cuisine. Mary se tenait à côté de Mme Bridges qui lui tendait les assiettes de porcelaine fine une par une. Et, comme grâce à Mme Gates, elle n'avait jamais rien cassé, elle se chargea de sa tâche avec le soin approprié.

— Je n'ai su qu'hier soir que vous alliez venir. Mon fils m'a annoncé la nouvelle par téléphone, comme ça.

— Vous avez de la chance, je ne l'ai su que tout à l'heure. En fait, il ne m'a même pas dit où nous allions. C'était une promenade mystère.

Mary se sentait très embarrassée. Elle reposa une assiette sur la table.

— Où dois-je les ranger ?

— Laissez, ma petite, je vais m'en charger. Puis, en lui tendant une tasse, Mme Bridges ajouta : Vous savez ce que Johnnie fait dans la vie ?

— Euh, répondit Mary qui ne savait trop que dire. Il m'a raconté un truc ou deux...

— C'est un voleur, dit Mme Bridges à brûle-pourpoint.

— Je sais, répondit Mary en prenant une autre tasse.

— Et qu'est-ce que vos parents en pensent ?

— Ils n'apprécient guère, mon père surtout.

— Ça ne m'étonne pas.

Mary qui pensait qu'il valait mieux jouer tout de suite la franchise demanda :

— Au fait, Johnnie vous a-t-il dit ce qui était arrivé à mon mari ?

— Oui, effectivement. Quel idiot, avec un bébé en route ! Bien sûr, à l'époque, je pensais qu'il n'aurait jamais dû être pendu, comme bien d'autres d'ailleurs. Pour moi, ils en ont fait un exemple.

Mary, qui ne trouvait plus ses mots, se contenta de continuer à essuyer soigneusement.

— Vous savez, nous n'acceptons jamais un sou de l'argent de Johnnie, sauf des petits cadeaux à Noël, pour lui faire plaisir, autrement rien. C'est sûrement à cause de la guerre que Johnnie a commencé. Comme mon mari était ingénieur, il s'est tout de suite engagé dans l'aviation et on ne l'a pratiquement pas vu pendant tout ce temps. John avait douze ans quand son père est parti, un mauvais âge pour voir son père disparaître. Il travaillait bien en classe, mais il n'a pas su en tirer profit. Il avait de mauvaises fréquentations, vous savez ce que c'est. Je ne pouvais rien faire de lui. Ses copains venaient le chercher à une heure du matin, des filles aussi, et pas ce qu'il y a de mieux, je peux vous l'assurer. Quand son père est rentré, c'était trop tard. Je n'arrivais même pas à y croire. J'espérais que la présence de son père allait tout arranger, mais hélas... C'était dispute sur dispute. Nous l'avons même fichu à la porte quand la police a trouvé des boîtes de montres sous son lit. Il a bénéficié d'un sursis... premier délit...

Elle marqua une pause, regardant désespérément Mary comme pour solliciter son aide.

— Vous auriez peut-être dû le reprendre avec vous après le procès.

— C'est ce que nous avons fait, mais il a recommencé.

Pour la première fois, Mary était fâchée contre Johnnie. Pourquoi avait-il ainsi semé le trouble dans un foyer si paisible ? Mme Bridges ne l'avait pas dit, mais ils avaient sûrement fait des projets pour leur fils, le voir devenir médecin ou avocat...

— Nous avons fini par l'accepter comme il était, dit Mme Bridges d'un ton plus ferme. Nous lui avons dit qu'il aurait toujours un foyer quand il le voudrait, mais pas pour ses mauvais coups. Nous ne voulions pas lui servir de base et nous ne voulions pas non plus voir ses amies ici, pas ce genre de filles du moins. J'espère que vous n'êtes pas choquée par ce que je vous dis, vous êtes si jeune...

— J'ai déjà entendu pire.

— C'est affreux lorsque votre enfant fait des choses pareilles, surtout si c'est votre fils unique. En quatre ans, mes cheveux sont devenus tout blancs. Ce n'est pas ma vraie couleur que vous voyez. Johnnie avait un frère, mais il est mort avant la guerre. Poliomyélite.

— Oh, mon Dieu, c'est épouvantable.

— C'est la vie. Malheureusement...

— Je peux vous préparer une tasse de thé, madame Bridges, vous avez l'air toute retournée.

— Oui, cela ne me fera pas de mal.

Mme Bridges s'assit à la table et sortit un paquet de Gold Flake

146

de sa poche. Elle en offrit une à Mary qui accepta car elle avait appris à fumer avec les autres filles du club.

– Il fallait que vous sachiez.

– Je ne sais pas si je dois vous le dire, annonça Mary en posant la théière sur la table, mais Johnnie a l'intention de se ranger.

– Si seulement ! Si seulement... Je me suis fait tant de souci. Je crois que c'est lui qui a fait le coup de la banque Putney. Il ne vous en a pas parlé ?

– Non. Ils ne font jamais confiance aux femmes. Quand il est revenu hier, on aurait dit qu'il avait traversé des buissons d'épines. Quand était-ce, ce cambriolage ?

– Mercredi soir ou jeudi matin. Ils ont dû se cacher un moment pour s'assurer qu'ils n'avaient pas la police aux trousses. Après, il est revenu chez vous. De toute façon, je suis sûre que c'est lui. Je le sais toujours lorsqu'il est en danger. Je passe une nuit blanche. L'instinct sûrement. Alors, je prie. Mon Dieu ! Prier pour que son fils se sorte d'un mauvais coup... ! Il doit avoir de l'argent maintenant, ce serait bien s'il l'investissait dans une affaire. Vous croyez que c'est ce qu'il a en tête ?

– Je ne sais pas, madame Bridges.

– Vous ne voudriez tout de même pas qu'il continue à voler ?

Mary essaya de répondre avec franchise :

– Je ne suis pas sa femme. Mais je n'ai envie de voir personne persévérer dans cette voie, pas après ce qui est arrivé à mon mari.

Elle marqua une pause devant la pauvreté apparente de cet argument. En fait, elle voulait simplement dire qu'elle n'avait sans doute aucune influence sur Johnnie Bridges.

– Et puis, il n'a pas de métier dans les mains. Ce n'est pas facile, une fois que vous avez toujours eu ce que vous vouliez sans vous faire prendre, d'aller travailler pour un salaire de misère. Il y en a beaucoup qui préfèrent continuer comme avant...

– Et finir derrière des barreaux, dit amèrement Mme Bridges.

Mary n'était pas celle qu'elle espérait pour son fils, celle qui se consacrerait corps et âme à lui faire retrouver le droit chemin.

– Il aurait pu faire ce qu'il voulait. Il était intelligent en classe.

– C'est pour cela qu'il ne s'est jamais fait prendre, répondit brutalement Mary.

Elle avait remarqué que sous son insouciance apparente, son amant cachait une efficacité incontestable.

– Ecoutez-moi, je ne sais pas trop comment vous dire ça, mais je n'ai guère d'influence sur Johnnie et je ne crois pas que je réussirai à le faire changer d'avis. Et puis, même si je n'aime pas plus que vous, ce qu'il fait, je ne vois pas comment je lui demanderais de travailler à la sueur de son front pour le restant de ses jours, comme mon père par exemple.

– Tous les jeunes pensent comme vous, hélas, c'est la faute au gouvernement travailliste. Vous avez des idées de grandeur. De mon temps, on était bien heureux d'avoir un emploi, n'importe lequel, et de pouvoir le garder. Enfin, j'espère que tout ira bien pour vous.

La porte s'ouvrit et Johnnie entra.

– Alors, on fume ?

De son pas malhabile, Joséphine trottinait derrière lui en poussant de petits cris. Johnnie la prit dans ses bras et la tendit à Mary.

– Voilà, ma chérie. Maman, nous devons partir maintenant.

En sortant, Mary se retourna dans l'allée du jardin et fit un signe à M. et Mme Bridges qui se tenaient sur le pas de la porte. Sans doute espéraient-ils que l'image parfaite, fils, jeune femme et enfant, qu'ils avaient vue devant eux deviendrait un jour réalité.

– Alors, qu'est-ce ma mère t'a raconté dans la cuisine ? Je parie qu'elle t'a demandé de me remettre sur le droit chemin.

– Exact.

– Et tu lui as promis d'essayer ?

– Non. Je lui ai dit que je ne comprenais pas comment on pouvait travailler à la sueur de son front pendant quarante ans pour la même société et finir avec une montre en or comme cadeau d'adieu.

– Je savais qu'on pouvait compter sur toi, Molly.

– Je n'ai pas non plus envie de te voir en prison.

– Ça ne risque pas.

– Je sais.

Elle l'aimait.

Je suppose que si vous réfléchissez à ce que tout ceci signifiait, ce n'était pas exactement le genre de propos qu'on attendait d'une jeune fille de la classe ouvrière. La formule normale aurait dû être : « Ou tu te ranges, ou je ne veux plus entendre parler de toi. » J'étais incapable de réagir ainsi. J'étais si amoureuse de Johnnie que je n'aurais jamais pu le quitter, quoi qu'il arrive. J'imagine malgré tout que si j'avais découvert qu'il torturait de jeunes enfants ou s'attaquait aux vieilles dames, je me serais débarrassée de lui. Mais si cela avait été ce genre de personnage, je ne crois pas que je me serais intéressée à lui. C'était un escroc, mais il n'était pas violent. Johnnie était un mélange de cupidité extraordinaire et de bonne humeur. Mais la vérité, c'est que je l'aimais tel qu'il était, et que je devins ce qu'Ivy redoutait, une femme de gangster, une *Molly*, et comme Johnnie m'appelait presque toujours par mon diminutif, Molly, cela devint vite mon nom. Même Sid et Ivy l'adoptèrent. A cette époque, je n'avais plus rien d'une petite Mary. C'était un nom trop banal. Les Mary étaient de bonnes petites filles bien sages, qui ne vivaient pas de sales besognes. Molly m'allait sûrement mieux.

Mais Mary, ou Molly, comme nous ferions mieux de l'appeler désormais, espérait secrètement que les vagues remarques de Johnnie n'étaient pas que paroles en l'air. Il devait bien avoir placé à gauche cinq ou six mille livres. Même avec cinq mille, on pouvait déjà faire quelque chose, disons monter une agence de presse ou acheter un petit café. Si c'était plus, eh bien tant mieux. Mais pendant les semaines qui suivirent, ses espoirs furent réduits à néant. L'argent lui filait entre les doigts, quelques centaines de livres perdues au poker par-ci, un nouveau manteau de fourrure par-là. Molly accepta le manteau car elle savait que de toute façon il finirait au mont de piété et que l'argent serait gaspillé aux courses. « Je pourrai toujours le revendre », se dit-elle. Johnnie et Mary se payaient du bon temps sur les champs de courses et dans les boîtes de nuit. Ils buvaient du champagne à toute heure de la journée. Mary désirait toujours autant Johnnie et la chaleur de son corps. « Ça ne dure pas, méfie-toi, » lui dit un jour Suzie. Mais Mary était certaine que l'amour romantique, le désir, la passion, la satisfaction qu'ils se donnaient tous les jours ne perdraient jamais leur magie.

Avec l'arrivée de l'hiver, Mary se mit à comprendre les implications de sa vie avec Johnnie. Au début de novembre, les amis qu'elle avait rencontrés avec lui, des hommes cordiaux et enjoués, commencèrent à venir à Meakin Street. Souvent, ils restaient très tard. Parfois même, Molly allait se coucher avant leur départ. Après tout, elle devait se lever de bonne heure pour s'occuper de sa fille. Bientôt elle se rendit compte que Jimmy Carr, Allan Lane et Fred Jones n'étaient pas là par hasard. Ils essayaient de convaincre Johnnie de participer à un nouveau coup, ce qui fut fait dès la fin du mois. Molly avait du mal à dormir en entendant les éclats de voix des hommes qui avaient sans doute déplié leurs plans sur la table bien cirée dès qu'elle avait tourné les talons. Ils mangeaient les sandwiches qu'elle avait préparés, et le lendemain matin, elle retrouvait les miettes, les cendriers pleins à craquer et la vaisselle sale. Et elle, Molly, faisait le service pour une opération qui risquait de la priver de son amant. Pourtant, elle n'avait pas le droit de savoir ce qui se passait.

Elle le découvrit bientôt. Elle disposait effectivement de plusieurs atouts. Johnnie l'aimait et lui parlait souvent imprudemment. Un jour, elle regarda le plan oublié et vit une marque de crayon imperceptible. De plus, personne ne s'attendait à ce qu'elle veuille savoir. Des quatre hommes, Allan Lane serait le chauffeur, et Fred Jones ferait le guet. Jimmy Carr était tombé amoureux de la secrétaire d'un avocat dont le cabinet était situé à côté d'une petite banque. Un soir, fatigué de vouloir en vain l'entraîner au lit avant que les parents reviennent du cinéma – cela faisait trois mois qu'il perdait son temps car elle voulait rester vierge pour le mariage et il refusait de lui faire des propositions sérieuses –, il prit une empreinte des clés du bureau qu'elle avait toujours dans son sac. Quand elle fut enfin prête à céder, Jimmy s'était lassé et préparait déjà le cambriolage. Cela devait se passer le jour de Noël quand on aurait déposé toute les recettes dans les coffres. Lui et Johnnie entreraient par le cabinet, feraient un trou dans le mur à la dynamite et n'auraient plus qu'à descendre percer les coffres. Fred Jones avait loué une chambre au-dessus de la pharmacie face à la banque. De là, il pourrait prévenir en cas d'arrivée de la police. Le seul danger était en fait le bruit de l'explosion qui risquait d'attirer l'attention.

– On choisira l'heure du dîner, c'est la dernière chose à laquelle penseront les gens avec la dinde prête à brûler et les gosses qui s'agitent. Ils s'imagineront tout simplement que les voisins ont acheté des cadeaux drôlement bruyants cette année.

– Ça ne me plaît pas, dit Jimmy Carr.

– Ecoute, il n'y a plus moyen de faire exploser un mur sans se faire remarquer depuis les derniers bombardements. Alors, à moins que tu fasses appel à la *Wehrmacht* pour aller faire du bruit ailleurs, il n'y a que cela à faire.

– A la chance alors !

Johnnie Bridges leva son verre.

Tout le monde partit peu après. Molly ne dormait pas encore quand son amant monta. Quand il s'allongea à côté d'elle, elle garda le silence.

– Cette fois, ce sera la dernière, pour de bon.

Elle connaissait la règle. Ne jamais se quereller avant un coup, c'est le meilleur moyen de faire craquer les nerfs d'un homme.

– Qu'est-ce que tu feras après ?

– Avec vingt-cinq mille livres en poche, je n'ai pas besoin de faire de projets précis.

– Avec vingt-cinq mille livres, tu seras fauché en moins d'un an, vu la façon dont tu dépenses ton argent.

– Mais c'est pour toi, dit Johnnie brusquement. Tu as vu ton nouveau manteau ?

– Je me fiche du manteau, je me fiche de l'argent, c'est trop dangereux, Johnnie.

– Ne t'en fais pas pour Johnnie Bridges. Tout ira bien, n'aie crainte.

Sur ce, il s'endormit. Molly resta éveillée dans le noir. Ils ont l'habitude... Les femmes les supplient de rester tranquilles, et puis leur demandent un nouveau bijou, ou des vacances en Espagne et une bicyclette pour le gosse. Combien d'autres lui avaient déjà dit « C'est trop dangereux, Johnnie ! » ? Et puis, fallait-il que ce soit toujours comme ça, les femmes à la cuisine et les hommes penchés sur les plans ? Il s'écartait d'elle depuis que tout avait recommencé. À présent, il dormait comme un porc alors que l'angoisse la rongeait. Depuis combien de temps n'avaient-ils pas fait l'amour ? Quatre ? cinq jours ? Pour Molly, cela semblait déjà une éternité, mais elle n'osait pas le réveiller avec un baiser de peur qu'il ne ronchonne.

Quinze jours avant Noël, Johnnie était à bout de nerfs. Lui et Jimmy n'étaient d'accord sur rien. Jimmy, qui se voyait comme un brigand de grand chemin ne comptant que sur son audace et sa bravoure, se plaignait de la méticulosité de Johnnie. Johnnie les obligea même à aller un jour chez l'avocat pour s'assurer que la clé fonctionnait bien, vérifier l'épaisseur du mur entre le bureau et la banque et trouver tout autre indice utile. Pire encore, il demanda à Molly de faire le guet dans la rue.

— Je ne veux pas voir une flopée de types à cette heure-ci dans la rue. Moll pourra faire semblant de rentrer chez elle après une soirée. Robe longue, talons hauts, seule dans la rue, qui la soupçonnera ?

— Une femme, et puis quoi encore ? On a vraiment besoin de ça ! Tu racontes tout à une frangine et t'es sûr de te faire prendre. Je ne voudrais pas manquer de respect, John, Molly est une gentille fille, mais combien de temps elle tiendra avec la lumière dans les yeux ?

— Personne ne l'interrogera, répondit Johnnie.

Finalement, ils s'introduisirent un matin à l'aube dans le cabinet. Molly en robe longue à bustier qui ne cessait de glisser, et talons trop hauts, longeait le trottoir. En approchant du bureau, elle fit semblant d'avoir un talon cassé, enleva sa chaussure pour l'examiner, la remit et continua son chemin en boitant.

Au coin de la rue où ils se retrouvèrent, Johnnie demanda :

— Tu as entendu quelque chose, Moll ?

— Vous avez tapé contre les murs, j'ai entendu des coups.

— Merde ! s'exclama Jimmy. J'ai déjà été pris sur le fait, mais on ne m'a encore jamais arrêté avant ! J'ai bien cru que cela allait arriver cette fois.

— Ça vaut toujours mieux que de venir avec tout le matériel et de s'apercevoir que la clé ne marche pas ou qu'il faut déplacer six armoires pleines de dossiers pour dégager le mur. Vous ne savez donc pas ce que c'est qu'un repérage !

Jimmy faillit répliquer, mais il se tut. Il faisait preuve de beaucoup de patience avec Johnnie car on ne pouvait pas se passer de ses talents, mais il fallait bien reconnaître qu'il poussait tout le monde à bout de nerfs.

Ils se disputèrent ce même soir lorsque Jimmy s'aperçut que Johnnie avait acheté une camionnette gonflée pour la fuite.

— Pourquoi pas la voiture d'Allan ? Elle marche bien et il y est habitué.

— Parce qu'elle est immatriculée au nom de son beau-frère, voilà pourquoi ! hurla Johnnie. On serait facile à retrouver si quelqu'un relevait le numéro.

Il avait raison, bien sûr, mais Jimmy le regarda avec des yeux meurtriers.

— Bon, d'accord, mais c'est toi qui paies les frais. Et je te conseille d'emmener Allan à la campagne pour qu'il s'habitue à ta guimbarde avant de lui mettre nos vies entre les mains.

— Tu crois que je n'y avais pas pensé ?

— Oh, toi, tu penses à tout. Moi, je rentre chez moi, maintenant, dit Jimmy.

— Qu'est-ce que ça veut dire ?

— Je rentre chez moi, c'est tout, on se revoit dans un jour ou deux.

Lorsqu'il tourna les talons, Johnnie était fou de rage.

— Allez, laissez-moi me reposer pendant un jour ou deux ! Ah, c'est bien le moment de prendre des vacances ! Charmant ! Il me laisse tout sur les bras. Quelle andouille ! A quoi il joue ? Aux cow-boys et aux Indiens ?

— C'est ta façon de conduire les choses, Johnnie, qui les énerve, dit Mary en s'asseyant lourdemenent sur une chaise. La plupart du temps, ils savent que tu as raison. Mais tu te comportes comme un dictateur, ils ne le supportent pas.

— C'est comme ça qu'on doit parler quand on s'adresse à des mômes de la maternelle, répondit Johnnie.

— Je serai contente quand tout cela sera fini, je peux te le dire.

— Eh bien merci, merci beaucoup de ton aide, répliqua-t-il sur un ton vindicatif. Je suppose que tu seras assez heureuse de dépenser l'argent.

— Mais je m'en fiche de ton argent ! cria Molly. J'en ai marre de voir toujours Jimmy, Fred et Allan boire toute la nuit à la maison. Après tout, c'est moi qui fais le ménage. J'essaie d'élever un enfant, et tous ces types restent assis à ne rien faire. Il y en a pas un qui se lèverait pour aller chercher un seau de charbon. Et tu as vu dans quel état tu te mets ?

— Cela n'a rien à voir avec moi.

— Tu gigotes toute la nuit comme un forcené.

— Tais-toi ! hurla Johnnie Bridges, et souviens-toi que la façon dont on dort dépend surtout de la personne avec qui on dort.

— A ce que je sache, c'est toujours chez moi ici, et je dirais ce que je voudrais, dit Mary en se levant.

— Sale garce, tu ne comprends pas que j'ai besoin de calme. J'en ai assez de t'entendre rouspéter.

— Ecoute-moi, j'ai fait tout ce que j'ai pu pour t'aider, alors maintenant, va-t'en et laisse-moi tranquille. A quoi tu sers de toute façon ? Tu seras à l'ombre avant la nouvelle année.

— Ne dis pas des choses pareilles ! vociféra Johnnie.

152

Il se leva du divan, traversa la pièce en deux enjambées et de toutes ses forces la frappa au visage.

Mary vacilla sous le coup sans même ressentir la douleur.

– Fiche le camp, Johnnie, fiche le camp, sinon, je te tuerai. Je te tuerai, je te le jure.

Puis elle s'écroula sur une chaise et, la main sur sa joue brûlante, se mit à sangloter. Elle l'entendit monter à l'étage, et commencer à claquer toutes les portes des armoires pour préparer ses valises. Quand il descendit, Molly espérait encore qu'il allait venir s'excuser. Mais il n'en fit rien. L'enfant se mit à crier. La porte claqua. Mary pleurait toujours. Elle monta l'escalier, courbée comme une vieille femme, des larmes plein les yeux. Elle s'essuya les joues du revers de la main et entra dans la chambre de Joséphine pour la calmer. Elle finit par l'emmener dans sa propre chambre et s'allongea sur le lit, son bébé dans les bras, essayant de ne pas voir les tiroirs ouverts et ses chaussures dispersées dans la pièce.

Joséphine finit par se rendormir. « Juste avant Noël, murmurait Mary, juste avant Noël. » Elle se sentait coupable d'avoir parlé de prison. Pour lui, c'était comme si on lui avait jeté un sort. Elle le savait. Lui et ses pairs ressemblaient à des peuplades primitives terrifiées par le pouvoir des femmes. Et à présent qu'elle savait tout, il redouterait qu'elle aille tout raconter à la police.

Leur histoire d'amour était terminée. Il n'y avait plus de raison de continuer une fois qu'un homme avait porté la main sur vous. Cela ne s'arrangeait jamais, bien au contraire. Cela finissait avec des yeux au beurre noir, des côtes bandées, et encore, si on vous laissait aller à l'hôpital ! Molly savait tout ça. Elle se leva, remit Joséphine dans son lit et retourna se coucher. « C'est fini, c'est fini », ne cessa-t-elle de gémir pendant cette longue nuit sans sommeil.

Le lendemain matin, Ivy vint demander si elle pouvait emmener Joséphine se promener.

– Tu t'es fait un bleu à la joue, remarqua-t-elle.

– Je suis tombée dans l'escalier. Encore heureux que je n'avais pas Joséphine dans les bras, dit Mary brièvement.

Ivy comprit ce qui s'était passé et n'insista pas, contrairement à son habitude.

– Je t'achèterai du fond de teint clair pour cacher les marques quand je passerai devant la pharmacie.

– Merci, Ivy.

Dans le couloir, en installant Joséphine dans le landau, Ivy ajouta :

– Ah, j'oubliais, j'ai reçu une carte de Framlingham. Enfin, une lettre cette fois.

– J'espère qu'il n'est rien arrivé à Mme Gates, dit Molly d'un ton morne, la scène de la veille la submergeant toujours, telle une énorme vague.

– J'espère que non, tiens, ouvre-la tout de suite.

Mary lut à voix haute :

– Chère Mary, ce n'est que récemment que nous avons appris le malheur qui vous a frappée en même temps que la naissance de votre enfant. Vous devez trouver cette lettre bien stupide, si longtemps après cette tragédie. Nous n'avions pas compris à temps que vous étiez désormais madame Mary Flanders, mais nous compatissons à votre sort, et, en bref, je vous écris pour vous inviter à passer les fêtes de Noël avec nous. Je serais très heureuse de vous revoir et Mme Gates meurt d'impatience de connaître votre petite fille. Ce sera des vacances calmes car monsieur Frederick n'est pas en très bonne santé. Tom s'est arrangé pour avoir une permission de quinze jours car hélas son régiment est en service actif à Chypre. Je suis sûre que vous vous souvenez de lui enfant – comment pourrais-je l'avoir oublié ? grommela Mary – et vous serez sans doute surprise de voir qu'il porte une longue moustache. Excusez-moi de vous inviter si tard, mais venez si vous le pouvez. Mme Gates attend à côté de moi, pour pouvoir poster cette lettre immédiatement. Si vous aviez un empêchement, envoyez-nous un mot pour nous donner de vos nouvelles. Je vous embrasse, Isabel Allaun. » Je me demande bien ce qui nous vaut cette lettre.

– Ce qu'elle dit sans doute, ils se sont aperçus que tu étais Mary Flanders et ils se font du souci. C'est normal, même de leur part. Et puis, Mme Gates a peut-être poussé à la roue.

– Ils espèrent sans doute que je donnerai un coup de main à la cuisine.

– Eh bien, pourquoi pas ? L'air de la campagne ne te ferait pas de mal et à Joséphine non plus. C'est gentil de leur part de t'inviter, tu devrais accepter. Ecris donc maintenant, je posterai la lettre.

Finalement, Mary rédigea deux lettres. La première disait qu'elle serait ravie de présenter Joséphine à Framlingham. La seconde, destinée à Johnnie, lui prit plus de temps. « Cher Johnnie, je suis désolée que cela doive finir de cette façon. Je n'arrive pas à te pardonner, mais j'espère qu'avec le temps, les blessures se cicatriseront, écrivit-elle en reniflant et en sanglotant de nouveau. Je te souhaite toute la chance possible et je promets que je ne te ferai jamais aucun mal. » Elle n'osait pas s'exprimer ouvertement au cas où la lettre tomberait en de mauvaises mains, mais elle était certaine que Johnnie comprendrait. « Je ne t'oublierai jamais, Johnnie, poursuivit-elle. Merci pour les bons moments que nous avons passés ensemble et tâchons d'oublier les mauvais. Amitié, Mary. » Elle adressa la lettre chez les parents de Johnnie et alla immédiatement poster son courrier. Quand elle revint, la maison vide lui sembla plongée dans un immense néant.

154

Durant la semaine qui suivit, malheureuse, elle prépara ses affaires et celles de sa fille comme un automate. Elle acheta une paire de chaussures pour l'enfant et une robe pour elle. Soudain, elle comprit qu'elle devrait bientôt affronter les problèmes financiers, mais à présent que Johnnie était parti, plus rien n'avait d'importance. « Je préférerais être morte », se dit-elle. Cependant, Ivy, la mine réjouie, l'observait boucler ses valises soigneusement. D'une façon ou d'une autre sa fille se retrouverait bientôt dans le train. Johnnie Bridges était parti, tant mieux, mais Mary avait chassé le fantôme de son mari mort, s'était sortie de sa solitude et, malgré le départ de son amant, tenait encore sur ses jambes, à peine tremblantes. Elle était forte, grâce à Dieu, et elle en aurait besoin. Mary ne comprenait pas très bien le sens du regard approbateur de sa mère. Où voulait-elle en venir ?

Une semaine après le départ de Johnnie, Mary se trouvait dans le train de Framlingham.

Finalement, je finis par rencontrer Mary Waterhouse. Par pur hasard en fait, en passant les vacances avec la famille de mon meilleur ami de Cambridge, Sebastian Hodges, qui connaissait bien les Allaun. C'était le seul garçon du voisinage que les Allaun estimaient digne de fréquenter leur fils Tom, si bien qu'il était souvent invité. Pourtant, il avait deux ans de moins que Tom et de nombreux camarades qu'il appréciait beaucoup, et il haïssait Tom et encore plus son cousin Charlie, qui le tourmentaient à tel point qu'il en faisait des cauchemars.

Un jour, juste avant l'une de ces invitations, ses parents le surprirent dans une crise de somnambulisme. Il fut incapable d'expliquer ce qui lui arrivait, de toute façon ses parents savaient qu'il n'allait pas à Allaun Towers de gaieté de cœur, et souvent ils inventaient des excuses. Pourtant, ils ne pouvaient pas en abuser, de peur de se brouiller avec l'un de leurs rares voisins.

Si bien qu'en cette veille de Noël, Sebastian et moi, tous deux âgés d'une vingtaine d'années, acceptâmes à contrecœur l'invitation à Allaun Towers, trop vieux pour s'amuser comme des gosses, trop jeunes pour se réjouir de l'enthousiasme des enfants. En arrivant, nous fûmes surpris de ne pas voir la moindre lumière. Ce fut Sebastian qui le premier fit la relation entre la lueur vacillante qu'on apercevait derrière la maison et le célèbre feu de joie des Allaun lors du réveillon de Noël. Au début, nous avions cru à un incendie.

– Ah, oui, le feu de joie ! C'est une vieille coutume des métayers d'ici. Un feu pour le réveillon. Apparemment, les Allaun n'y ont pas renoncé. On les considérait comme des parvenus, lorsqu'ils sont arrivés ici, c'est sans doute pourquoi ils s'accrochent désespérément à la tradition.

155

La mère de Sebastian, qui possédait quelques talents d'historienne, m'expliqua plus tard que les Allaun s'étaient installés dans la région vers la fin du xixe siècle, grâce à un titre de petit baron, qui n'était pas sans relation avec Disraeli et une petite fortune amassée dans le Lancashire. Ils rejoignirent donc la petite noblesse locale, plus nombreuse à l'époque qu'aujourd'hui, et firent installer des salles de bains et construire des dépendances, luxe impossible pour les précédents propriétaires au bord de la faillite. Apparemment, leur ardeur novatrice mina profondément les fragiles fondations du xviie siècle. Les deux tours qui flanquaient le bâtiment principal commencèrent à s'enfoncer et à pencher dangereusement. Par mesure de sécurité, il fallut les abattre, mais les Allaun ne voulaient pas se priver de ce qui faisait l'originalité de la demeure, si bien qu'ils en firent bâtir deux autres au niveau du toit, moins hautes mais de la même largeur. Selon la mère de Sebastian, elles étaient envahies par l'humidité, et toutes les pièces restaient inoccupées. Elle me raconta tout ceci d'un ton entendu, et je n'avais plus qu'à tirer mes conclusions, entachées de mon propre snobisme. Quoi qu'il en soit, le vieux feu de joie médiéval brûlait toujours à Allaun Towers, comme au temps de leurs prédécesseurs. En frappant vainement à la porte, nous entendîmes la musique de l'orchestre et comprîmes que nous n'avions aucune chance de nous faire ouvrir. Nous allâmes donc dans le jardin où Lady Allaun, en manteau de mouton, servait du punch aux villageois d'un grand seau fumant disposé sur un trépied au-dessus de petites flammes. La table à tréteaux était couverte de canapés et de gâteaux. La lumière des flammes se projetait sur la pelouse et le petit bois à l'arrière-plan, et éclairait les visages. Des enfants couraient ici et là.

Isabel nous salua et nous donna un verre de punch. Elle manifestait une gaieté consciencieuse, mais donnait malgré tout l'impression qu'elle aurait préféré se réchauffer devant la cheminée du salon.

— Je ne sais pas où sont passés Tom et son père, dit-elle à Sebastian, si vous les voyez, demandez leur de venir m'aider. Joyeux Noël, madame Twinning, j'espère que vous vous êtes remise de votre accident, dit-elle à une femme massive près de la table. Laissez-moi vous servir du punch, c'est exactement ce qu'il faut par une nuit glacée.

Pendant ce temps, la gouvernante, Mme Gates, et un homme qui devait être le jardinier approchaient avec une autre jarre de punch fumant.

— Mon Dieu, je croyais que c'était terminé.

— Je prends le relais, si vous voulez, proposa Sebastian, nous serons ravis de vous aider, Bert et moi, n'est ce pas, Bert ?

— Il me semble que les gens ont déjà assez bu, observa l'hôtesse.

L'orchestre jouait un fox-trot, et les enfants sautillaient et dansaient au rythme de la musique. Des rires rauques retentissaient dans l'obscurité du petit bois.

— Raison de plus pour que ce soit deux jeunes gens qui s'occupent des invités, dit Mme Gates, allez vous réchauffer à l'intérieur, Lady Allaun, et laissez-les faire.

Elle avait l'air gentille et digne de confiance, le style de servante modèle de la bonne société d'autrefois.

— Eh bien, la journée a été longue. Si vous n'y voyez pas d'inconvénients, dit-elle en se tournant vers nous.

Nous lui répondîmes que ce serait un plaisir et elle diparut à travers la porte-fenêtre qu'elle ferma derrière elle.

J'en profitai pour quitter Sebastian qui prétendait être un grand habitué du feu des Allaun et du service. Je bavardai oisivement avec le garde-chasse des Hodges qui était venu à la fête, comme c'était son droit, puisque celle-ci était destinée aux métayers, aux serviteurs et à tous ceux qui travaillaient sur le fief des Allaun. Il me raconta, d'une manière fort traditionnelle, qu'il n'y avait pratiquement plus de gibier, à cause du mauvais temps, d'une mauvaise saison, des braconniers, des renards, des faucons, et ajouta la négligence des Allaun à sa liste exhausive des raisons expliquant pourquoi il ne valait plus la peine de sortir un fusil. Ce fut à ce moment-là que je vis de l'autre côté du feu l'une des plus jolies filles que j'eusse jamais vues. C'était Mary Waterhouse, Molly.

Il est difficile d'expliquer pourquoi elle me fit une telle impression. Ce n'est peut-être pas tant ses traits ni la couleur de ses cheveux que l'expression de tranquille gaieté d'un enfant qui regardait le feu qui me frappa ainsi. En la regardant admirer les flammes et regarder le bébé qu'elle tenait dans les bras, je restai totalement abasourdi. En y repensant, il me semble que je fus surtout frappé par sa bonne humeur, et sa beauté aussi, une beauté exceptionnelle. Elle avait les yeux et la bouche d'un ange d'une peinture italienne. Elle portait une jupe écossaise, un pull-over, et au-dessus de ces vêtements plutôt ordinaires, un manteau de fourrure blanche tape-à-l'œil. Elle croisa mon regard et me sourit. Rien d'étonnant à ce qu'un jeune homme de vingt ans, aussi inexpérimenté et impressionnable que moi, soit allé à sa rencontre. Ce n'est pas que j'espérais une aventure, de toute évidence elle était déjà maman, ce qui la mettait immédiatement hors compétition pour des jeunes hommes conventionnels dans mon genre.

— Bonjour, dis-je. J'allais chercher du punch, je peux vous en rapporter un verre ?

Quand elle me répondit, sa voix me surprit. Je m'attendais à un accent campagnard ou à celui d'une personne de la même classe que moi. En fait, Molly avait l'accent des bas-quartiers londoniens.

— Non, merci. Il faut que je reste sur mes pieds, si je veux pouvoir m'occuper de l'enfant. Il vaut mieux que je cesse de boire.

En entendant ce mot, le bébé réagit immédiatement.

– Boir', boir'.

– Voulez-vous que je lui apporte quelque chose, du lait ou de l'eau ?

– Si cela ne vous dérange pas. Elle cherche un prétexte pour ne pas aller au lit. C'est une petite maligne et Mme Gates l'a trop gâtée.

Quand je rapportai le verre d'eau, le bébé avait disparu.

– Mme Gates l'a encore kidnappée.

Du ton de la plaisanterie, je l'invitai à danser.

– J'en serais ravie.

Nous valsâmes donc sur la pelouse inégale au son d'un *Danube bleu* au rythme incertain.

– Excusez-moi, dis-je après lui avoir marché sur les pieds.

– Ce n'est pas votre faute, les musiciens sont saouls. Oh, mon Dieu ! le chef d'orchestre est tombé.

Effectivement, le pauvre bougre avait planté les boutons dorés de son uniforme dans l'herbe. L'orchestre se tut après un grincement de cordes anarchique.

– Je crois que la fête est finie, dit la jeune femme avec un sourire déçu. Ah, voilà un remplaçant qui arrive.

Tandis que deux trombones emmenaient le chef, un petit maigrichon apparut. Il posa son instrument et reprit la direction de l'orchestre. La valse recommença. Nous nous remîmes à danser.

– J'ai connu de meilleurs sols, me dit-elle. Il faudrait des bottes de caoutchouc pour danser ici.

Elle s'écarta de moi pour faire quelques pas seule puis revint dans mes bras. J'avais l'impression d'être amoureux. Mon coeur battait très fort. J'espérais que la musique ne s'arrêterait jamais. Et pourtant, j'avais perdu mes illusions. Ce n'était pas la madone blonde que j'avais aperçue à travers les flammes. Elle était drôle, intelligente, mais pour dire la vérité, assez vulgaire. Elle sortait des rues londoniennes, elle était mariée, et malgré tout, j'aurais voulu danser avec elle jusqu'à l'aube, si cela avait été possible. L'orchestre s'arrêta. Je tentai d'engager la conversation jusqu'à ce qu'il recommence à jouer pour l'inviter à la prochaine danse.

Ce n'était pas facile d'imaginer ce qu'elle faisait à Allaun Towers, et j'en conclus qu'elle devait être une parente de la gouvernante. La musique reprit et nous dansâmes de nouveau. Lady Allaun, qui avait dû avoir vent de l'incident du chef d'orchestre et qui devait être irritée par la musique, traversa la pelouse et dit quelques mots à l'oreille du remplaçant qui hocha la tête. Ils se mirent à jouer *Sainte nuit*, ce qui était largement au-dessus de leurs capacités à cette heure de la nuit. Molly et moi restâmes avec quelques autres jusqu'à ce qu'ils rangent leurs instruments. C'était fini. Il me semblait que depuis que nous avions cessé de danser, le joli visage s'assombrissait dans la nuit grandissante. Elle se mit à trembler et s'approcha du feu.

– Voulez-vous du punch, à présent ? Ça se rafraîchit.

– Oui.

J'allai rejoindre Sebastian, toujours fidèle à son poste près des boissons.

– Ah, Bert, je te remercie de ton aide ! Un vrai plaisir de faire le larbin pendant que tu dansais avec cette charmante petite blonde.

Il me servit deux verres et j'en apportai un à Molly. Sebastian vint nous rejoindre aussitôt en annonçant :

– En fait, Bert, ce truc est complètement froid, et le vieux Benson s'est proposé pour tout ranger. Pourquoi n'irions-nous pas prendre quelque chose à l'intérieur au coin du feu. Jetez ça dans l'herbe, c'est tout juste bon à faire du désherbant.

Les musiciens s'en allaient et seuls quelques couples continuaient à bavarder sur la pelouse

– C'est Sebastian Hodges, dis-je en prenant le chemin de la maison. Moi, je m'appelle Herbert Precious. J'aurais dû vous le dire plus tôt...

– Ça ne fait rien. Moi, c'est Mary Flanders. Je passe les vacances de Noël ici. J'étais réfugiée ici pendant la guerre.

– Je me souviens de vous, dit Sebastian. Vous m'avez frappé avec votre corde à sauter. Elle était sur l'étagère et j'ai eu le malheur de passer par là.

– Excusez-moi, je ne me le rappelle pas.

– Vous m'aviez pris pour Tom. Il vous poursuivait.

– Ça, c'est bien possible.

Nous nous installâmes dans le grand salon, tout près de la cheminée.

– J'espère qu'il ne vont pas massacrer les pelouses, dit Isabel en entendant les invités partir. Benson va être en rage s'il voit des marques de roues, comme l'an dernier.

– Le problème, dit Sir Frederick, c'est que cette merveilleuse coutume date d'une époque où il y avait des dizaines de serviteurs pour nettoyer et réparer les dégâts le lendemain.

Il paraissait las et voûté. En l'observant, alors que nous bavardions un peu plus tôt, j'avais déjà compris que mes espoirs de chasser sur le domaine étaient condamnés. Je ne pouvais imaginer une joviale invitation dans la bouche d'un tel homme. En fait, les Allaun n'avaient pas l'air d'être dans une bonne situation financière. C'est ce que m'avait fait comprendre Sebastian. « Ils entretiennent l'endroit grâce au revenu des investissements de Sir Frederick au Kenya et en Rhodésie. D'après mon père, les Allaun manquent de capital. Ils devraient vendre, mais ils ne veulent pas. Et puis, Sir Frederick n'est plus ce qu'il était. Avant, c'était une sorte de bon vivant, dans le style d'Henri VIII. Hospitalier, toujours jovial, assez énergique, du moins en tant que propriétaire, bon cavalier, panier percé et j'en passe. Mais moi, je ne me souviens pas l'avoir vu autrement qu'aujourd'hui. »

Quoi qu'il en fût, Sir Frederick était visiblement nerveux et épuisé. On aurait dit un homme battu, et, comme un enfant, il suivait sa femme des yeux quand elle se déplaçait dans la pièce.

Pendant un moment, nous parlâmes des affaires de la campagne. Molly, pratiquement silencieuse, buvait du whisky, son regard passant d'un visage à l'autre.

— Je dois aller me coucher. Excusez-moi, mais ma fille me réveille de bonne heure.

— J'espère que nous aurons l'occasion de nous rencontrer avant la fin des vacances, répondis-je.

Tandis que nous roulions tranquillement dans l'allée obscure, Sebastian me dit :

— Dis donc, elle a l'air de t'intéresser beaucoup. Je ne te le reproche pas, elle est charmante. Mais à ta place, je n'essaierai même pas de l'approcher. C'est ce qu'a fait Tom, et apparemment, cela ne lui a guère réussi. Il l'aurait coincée dans un placard où elle rangeait des draps, il a voulu jouer au chevalier empressé et il a été drôlement récompensé de sa peine ! D'après lui, cela tient du miracle s'il ne se retrouve pas aujourd'hui avec une belle voix de soprano ! Bien fait pour lui. En fait, cela m'étonne qu'il ait eu le courage de me raconter une anecdote aussi sordide.

— Cela m'étonne qu'il ait eu le courage de tenter une telle aventure.

— C'est peut-être elle qui l'a provoqué. Mais vrai ou faux, Tom est un drôle de type. Il y a des tas de ragots à son sujet.

— Lesquels ?

— Des histoires que je suis trop bien élevé pour répéter. Bien sûr, on ne peut pas toujours croire la rumeur publique.

Il se tut, ne voulant visiblement pas en dire plus.

— Elle est mariée ? insistai-je.

— Veuve. Du moins, c'est ce que dit Isabel. Il y a une drôle d'histoire aussi là-dessous.

— Pauvre fille. Quel abruti, ce Tom.

— Ce n'est pas ça qui manque dans le coin, remarqua Sebastian, philosophe. Chut !

Il s'arrêta brusquement et je gardai le silence.

— Ouh, ouh, un renard !

Puis il lança un son de cor de chasse. Nous poursuivîmes le renard sur une centaine de mètres avant qu'il ne s'enfonce dans une haie et ne courre à travers champs. Nous fîmes le reste du chemin en riant. Je me souviens encore de l'air glacé de cette nuit de décembre tandis que nous traversions l'allée éclairée du bois. La lumière scintillait dans les branches et les feuilles givrées. Tout était immobile. Je repensais à Mary quand nous entendîmes les cloches de Framlingham tinter dans le lointain.

– Minuit, joyeux Noël !

– Joyeux Noël ! répétai-je, revoyant encore le joli visage dans la lumière des flammes.

Allongé dans le lit de la chambre du premier étage qu'elle avait occupée enfant, Molly observait le ciel à travers les vitres noires. Un croissant de lune et quelques étoiles scintillaient par-delà les collines dans la nuit claire. Elle entendait la respiration légère de Joséphine dans le petit lit à côté du sien. Pas un son. Pas un souffle de vent ne bruissait dans les feuilles. Les moutons dormaient dans les champs. Les chouettes restaient muettes en cette veille de Noël silencieuse. A un moment donné, Molly perçut des rires dans le lointain qui s'éteignirent bientôt. Elle restait éveillée dans l'obscurité, soucieuse, mais plongée malgré tout dans un demi-sommeil, comme apaisée par le calme de la campagne. Elle aurait pu croire que le monde avait cessé de tourner, pourtant, elle savait qu'à Londres, les rues s'animaient toujours, que les klaxons retentiraient à minuit, tandis que des hommes et des femmes chancelants sortiraient des pubs. A Meakin Street, il y aurait des bruits de pas, le cri d'un homme heurtant un lampadaire, des bribes de chansons. Vraisemblablement, chez Jimmy Carr, Johnnie vérifierait le matériel derrière les rideaux tirés tandis que l'épouse de Jimmy servirait bières et sandwiches, en s'efforçant de paraître calme et en pensant à ses deux enfants endormis à l'étage. Elle passerait seule la soirée, qui serait interrompue par des policiers frappant à la porte pour lui demander où était son mari, ou par Jimmy, revenant les poches pleines de billets. « Je t'avais bien dit qu'on y arriverait. » Mme Carr se mordrait sûrement les lèvres devant la perspective de passer dix ans seule à élever ses enfants, tandis que Jimmy serait en prison, ou au contraire, d'être couverte de fourrure, et de cadeaux. Tout cela pendant que la petite bande plaisantait tout en vérifiant la pioche dont la partie tranchante avait été emballée dans du tissu pour amortir les bruits, et comptait les détonateurs. Tant pis pour elle ! Mary était bien contente de s'être échappée. Pourtant, Johnnie lui manquait. Elle regrettait de ne pas être restée à Londres où elle aurait pu se laisser aller à son chagrin plutôt que de se forcer à faire bonne figure ici. Mais elle en serait sûrement devenue folle. A l'aube du jour de Noël, elle finit par s'endormir.

Elle se réveilla d'humeur morose et refusa la proposition de Mme Gates qui lui offrit de garder Joséphine pour lui permettre d'aller à l'église avec les autres. Mary s'occupa du déjeuner qui mijotait sur le gaz. Elle retourna la dinde et les pommes de terre rôties, ajouta de l'eau dans le pudding préparé presque un an plus tôt, et qui, au fil des saisons, avait gagné en parfum et en fruité. Elle alimenta le feu de la cheminée et évita Joséphine, qui, ravie, promenait une poupée dans une petite voiture. Elle embrassa Souriceau, le chaton qu'elle avait quitté les larmes aux yeux, et qui était devenu un gros matou, malin comme le diable et vorace comme un lion.

Soudain, elle entendit la sonnerie du téléphone retentir. Elle posa le jambon qu'elle venait de sortir du cellier et alla répondre.

C'était Johnnie.

— Ça y est, nous avons réussi ! Et sans bavure !

— Johnnie, je n'ai pas envie de parler avec toi. Je suis contente que tout se soit bien passé, mais je ne veux plus rien avoir affaire avec toi.

Elle se sentait si malheureuse que sa voix se brisa et que Johnnie reprit confiance en lui.

— Molly, j'ai vingt-cinq mille livres ! Je suis désolé de t'avoir frappée, je n'aurais pas dû. J'étais énervé, tu dois comprendre.

— Ce n'est pas ça, Johnnie, répondit-elle, désespérée. Je ne supporte pas ton genre de vie. Je dois m'en sortir, et puis, il y a Joséphine.

— Mais je te l'ai déjà dit, je me range ! J'ai tout prévu. Je t'en prie, reviens, je t'aime.

— Non, je ne peux pas.

— Je t'aime, Molly, ne me laisse pas...

— Je t'aime, Johnnie ! s'écria-t-elle en percevant les accents de désespoir de sa propre voix.

Elle raccrocha et se précipita à la cuisine. Le vilain chat avait réussi à ouvrir la porte du cellier. De chaque côté de l'énorme jambon, lui et Joséphine mordillaient consciencieusement. Molly, qui s'entendait toujours dire « Je t'aime » sur le même ton que « Ne me tue pas » cria : « Non ! » à Joséphine et au chat qui prirent peur tous les deux. Molly se mit à rire, les écarta du jambon, et, à l'aide d'un couteau, fit disparaître les traces de dents. Une fois encore, elle ajouta de l'eau dans le pudding, remit une bûche dans la cheminée, alla chercher le vin dans la cave, le déboucha, et lava le visage de Joséphine. Elle commençait à se sentir exceptionnellement bien. Johnnie l'aimait, il allait se ranger, c'était merveilleux. Quand Mme Gates rentra, Mary chantonnait.

— Eh bien, tu es de bonne humeur, ça fait plaisir. Pourquoi n'irais-tu pas prendre un verre avec les autres au salon pendant que je prends la suite ?

— Non, non, je reste avec vous. Mais je vais chiper un verre de porto, nos maîtres nous doivent bien ça. Ça se fait, je suppose ?

— De temps en temps, je dois le reconnaître.

— Ils en sont encore au Moyen Age, ici, remarqua la Londonienne en servant les deux verres de porto. Joyeux Noël, madame Gates, dit-elle en levant son verre.

— Joyeux Noël, ma petite Mary, répondit Mme Gates en la regardant étrangement.

Puis, elle baissa les yeux sur le chat qui se frottait contre sa jambe et la regardait avec des yeux pleins d'amour, ajouta :

— Je parie que ce chat a quelque chose à se faire pardonner.

Le repas fut calme et copieux. Le pudding flamba à merveille et Joséphine parut si impressionnée que l'on recommença l'opération pour elle. Le soir, après dîner, Sir Frederick, Tom, les Hardcastle et leur fils se retirèrent au salon, laissant Mary, qui aidait Mme Gates à débarrasser, avec Lady Allaun.

— Mary, venez donc vous asseoir un moment, j'ai quelque chose à vous demander.

— Oui ? Quoi ? demanda Mary en s'asseyant tandis que Mme Gates les regardait toutes deux.

— Vous savez que nous vous aimons bien, dit Isabel sans perdre la froideur de son expression habituelle et sans bouger ses longues mains qui reposaient sur la table. Cela a été un véritable plaisir de vous avoir de nouveau avec nous. Mme Gates est enchantée elle aussi, je le sais. Et Joséphine est adorable... Bon, pour en venir aux faits, nous nous demandions si vous n'aimeriez pas rester. Cette maison a été votre foyer pendant longtemps, et en vous revoyant, j'ai compris à quel point vous faisiez partie de la famille. Comme vous allez le voir, ce n'est pas par simple gentillesse. Vous avez sans doute remarqué que Sir Frederick n'est pas en grande forme. Je suis submergée de travail, et personne ne rajeunit ici. Si vous pouviez rester et nous aider, Mme Gates et moi en serions ravies. Nous pourrions vous offrir un petit salaire. Vous garderiez Joséphine avec vous. Ce serait peut-être une bonne solution pour tout le monde, dit-elle avec une sorte de timidité, très étange chez une femme aussi sûre d'elle.

— C'est très gentil de votre part, répondit Molly, abasourdie. Mais c'est tellement inattendu que je ne sais pas quoi répondre. Pourriez-vous me laisser quelques jours pour y réfléchir ?

— Bien sûr, répondit Isabel, je n'espérais pas que vous vous décideriez à la seconde. Si vous voulez, vous pourrez travailler à mi-temps. Mme Gates sera ravie de s'occuper de Joséphine.

— Oui, acquiesça Mme Gates. J'aurai l'impression de te revoir enfant, Mary.

— Eh bien, je ne sais vraiment que dire, répondit Molly.

— Alors, ne dites rien, dit Isabel. Je dois aller au salon maintenant, venez nous rejoindre quand vous serez prête. Cela me fait plaisir de savoir qu'au moins vous y réfléchirez.

— Ce serait bien pour toi, Mary, dit Mme Gates après le départ d'Isabel. Cela te permettrait de recommencer à zéro. La vie ne doit pas être toute rose à Londres avec tous ces gens qui savent ce qui est arrivé à ton mari.

– Oui, ce serait bien, répondit Mary.

Pourtant, elle savait déjà qu'elle reprendrait la route de Meakin Street. Elle devait choisir entre une vie de dur labeur à la campagne et les défis et les aventures de la grande ville, entre une vie dans une famille qui les aimerait, elle et sa fille, et son beau gangster, soi-disant sur le point de se ranger. Finalement, elle n'avait pas le choix. Le surlendemain, elle avait décliné l'offre d'Isabel Allaun et hissait Joséphine dans le train.

Trois heures plus tard, elle était dans les bras de Johnnie sur le divan de Meakin Street tandis que Joséphine tambourinait à la porte pour entrer. Johnnie avait tiré les rideaux et l'avait prise dans ses bras. En riant, Mary l'avait laissé la renverser sur le divan et s'était mise à lui déchirer ses vêtements tandis qu'il arrachait les siens.

– Johnnie, Johnnie, Johnnie! avait-elle murmuré, tandis qu'il la prenait.

– Mary, je suis là, je ne te quitterai plus jamais.

– Oh, Johnnie, je suis heureuse, je ne veux plus que tu t'en ailles.

Puis elle alla ouvrir la porte pour laisser entrer Joséphine.

– On ne peut pas laisser la gosse voir ça trop souvent, remarqua Johnnie en enfilant son pantalon.

Ce soir-là, au club enfumé, Jimmy, Allan et Johnnie dépensèrent sans compter leurs billets de cinq livres – l'argent des boutiques était pour l'essentiel en petites coupures usagées. Molly, quelque peu éméchée, une bretelle lui tombant sur l'épaule, plaisantait et riait avec les autres, y compris Arnie Rose que d'habitude elle ignorait le plus possible tant elle avait peur de lui. En smoking et cravate noir, il faisait une apparition, un peu comme le patron d'une entreprise le jour de l'arbre de Noël. De toute évidence, les Rose avaient commandité le casse de la banque. Arnie posa la main sur son épaule nue, et plongea dans son décolleté en disant :

– C'est bien joli, tout ça, et bien agréable.

– S'il vous plaît, monsieur Rose, inutile de me tordre l'épaule sans que je vous y autorise, répondit Mary en essayant de se dégager de la grosse main moite.

Dans un instant, pensa-t-elle, elle s'arracherait ostensiblement des mains de l'homme décrit la semaine précédente dans *The People* comme le roi du crime londonien.

– Il faut bien tâter la marchandise avant de l'acheter, dit Arnie Rose en agitant son gros cigare. Mais d'après ce que l'on peut en voir, tu m'as l'air de toute première qualité.

Le silence s'installa autour de la table. Susie et Jimmy Carr regardèrent instinctivement vers le bar où Johnnie était allé chercher les boissons. Il se faufila à travers la foule, vit la main d'Arnie sur l'épaule de Molly et posa les verres sur la table.

— Dis donc, j'espère bien que tu n'es pas en train de l'engager pour ton compte personnel. C'est chasse gardée.

— Voyons, Johnnie, répondit Arnie d'un ton doux, je n'oserais même pas y songer. Une si belle fille, et amoureuse de toi en plus. Remarque, mon garçon, je dois avouer que si tu n'étais pas dans les parages, je lui ferais volontiers la cour.

Johnnie ne tint pas compte de cette remarque ni de la menace sous-jacente.

— Enlève ta main de là, Arnie, et regarde ce que je viens d'apporter.

Johnnie prit un verre vide des mains d'Allan qui arrivait avec une bouteille de champagne et des verres.

Arnie retira sa main et accepta le verre qu'Allan remplit.

— Et maintenant, dit-il à Johnnie, je suggère que nous allions discuter affaires.

— Bonne idée, répondit Johnnie.

Les hommes se levèrent et quittèrent la salle.

— Qu'est-ce que cela veut dire ? demanda Susie.

— Je ne sais pas, répondit Molly, déprimée.

Si Johnnie voulait se ranger, de quoi avait-il à parler avec Arnie ?

— Tu as de la chance, dit la fille. Il te prend pour le soleil en personne, ça se voit rien qu'à sa façon de te regarder. Mais on dirait qu'Arnie a l'air intéressé. C'est une crapule, et il ne renonce pas facilement, murmura-t-elle à l'oreille de Molly.

— Ma mère le connaissait quand il était petit.

— Surtout, ne le répète jamais. Arnie ne supporte pas qu'on dise des choses sur lui, à moins qu'il n'en parle le premier. Regarde, dit-elle en enlevant un long gant. C'est de l'or. Tu as vu ces pierres ? Des rubis, des vrais. Mille livres au moins, si ce n'est plus.

Elle enleva son bracelet et le montra à Molly. Molly l'enviait. Elle aurait aimé que Johnnie lui en offre un. Pourtant, Susie lui faisait penser à sa petite sœur Shirley, très fière elle aussi de ses nouveaux trophées — sauf que les siens venaient de Woolworth's — et qui voulait sans cesse les montrer et vous faire deviner qui les lui avait offerts. Susie se conduisait comme une petite fille à trembler ainsi devant Arnie Rose. Qui était-il, après tout ? Un vulgaire maquereau, toujours sous le coup de la loi et qui ne cessait de regarder par-dessus son épaule de peur qu'un policier ne montre son nez au coin de la rue. Pourtant, elle exprima son admiration et écouta Susie raconter comment elle l'avait obtenu.

— Ne regarde pas maintenant, mais si tu voyais ce regard noir ·

lança Susie. Jeanne n'arrive toujours pas à oublier Johnnie, quelle pauvre idiote !

Effectivement, collée au bar, Jeanne observait Mary. Quand Molly la regarda, elle baissa les yeux. Molly passa la pièce en revue. Les femmes, élégamment vêtues, couvertes de bijoux, bien maquillées s'observaient les unes les autres. Avant qu'elle ne pût comprendre ce qui se passait, Johnnie et Arnie étaient de retour, souriant, fumant de gros cigares, et se tenant par le bras tout en parlant. Ce déploiement public de camaraderie la mit encore plus mal à l'aise. Comment Johnnie pourrait-il se ranger avec Arnie dans les parages ? Ni elle ni Johnnie ne seraient tranquilles si Arnie avait quoi que ce soit à leur reprocher. A ce moment, elle en voulait même à Johnnie de se montrer si satisfait de l'approbation d'Arnie.

— Je suis sûr que ces dames n'auront rien contre une autre coupe de champagne, dit Arnie en faisant signe au serveur qui approchait.

— Vous nous remettrez une bouteille ! s'exclama Johnnie en brandissant deux billets de cinq livres.

Les bouchons sautaient. Le champagne pétillait dans les verres, les filles gloussaient, les hommes riaient de leurs rires gras. Un peu plus tard, la petite compagnie suggéra d'aller dans un autre bar, mais Molly persuada Johnnie de la raccompagner à la maison.

— Cet Arnie est une ordure, dit-elle.

— Oui, c'est un sale type, répondit Johnnie, étendu sur le lit, une cigarette à la main. Il n'y a aucun doute là-dessus.

Visiblement, Johnnie se sentait flatté par l'attention d'Arnie et par le gros cigare qu'il lui avait offert.

— Une ordure, je te dis ! Une véritable ordure, et tu ferais mieux de t'en souvenir si tu continues à trafiquer avec lui.

— Je sais, mais il m'a fait une proposition intéressante et j'y réfléchis. Nous avons réglé quelques détails ce soir.

— Quel genre de proposition ?

— Ecoute, ma chérie, ça ne te regarde pas. Moi, je m'occupe des affaires avec Arnie, mais toi, c'est de moi que tu dois t'occuper.

En fait, il s'avéra que cette affaire la concernait. Elle faisait partie du contrat entre les frères Rose et Johnnie. Au début, Johnnie avait refusé, mais apparemment il n'aurait pas le soutien des Rose si Molly ne travaillait pas pour eux. C'est ainsi que le Frames, le club de jeux, fut ouvert pour la première fois. Des débutantes, qui dissimulaient leur visage d'écolière sous un épais maquillage de mannequin, et leur escorte presque aussi jeune de joueurs, la bouche fine et le regard froid. Petits aristocrates, acteurs, députés, metteurs en scène de théâtre, jockeys, propriétaires et escrocs se pressèrent donc dans les salles le jour de l'inauguration, buvant du champagne aux frais de la princesse. Molly en robe de satin ivoire, les cheveux relevés au sommet de la tête, jouait les hôtesses parfaites. Pour l'occasion, elle cacha sa bonne humeur et sa satisfaction et tâcha de s'exprimer comme une Lady Allaun en plus jeune. Même les Rose se laissèrent impressionner.

— J'arrive à peine à y croire, dit Norman. Arnie dit toujours que tu as de la classe, mais ce n'est rien de le dire. Qu'est-ce que tu en penses, Simon ? On croirait ta propre sœur, pas vrai ?

Simon Tate, qui avait fait ses études à Oxford et venait d'être engagé comme directeur répondit galamment :

— Je n'ai pas de sœur, mais si j'en avais une, je suis sûre qu'à côté de Molly elle ferait figure de marchande de poissons.

— J'en fais trop ? demanda Molly.

— Pas du tout, vous êtes parfaite. Votre petit ami est un peu trop voyant, malgré tout. Je lui en toucherai un mot.

Molly rougit en entendant critiquer Johnnie.

— N'en prenez pas ombrage, je suis ici pour régler ce genre de détails.

Les Rose, qui avaient la tête sur les épaules, l'avaient engagé pour qu'il leur donne des conseils sur la meilleure façon d'attirer les riches, pour garder le ton et pour éviter la canaille.

— Je ne veux pas voir de types dans mon genre ici, lui avait dit Norman Rose d'un ton cordial, sinon, vous êtes viré.

Simon ne manquait pas d'énergie. Le lendemain de l'inauguration, il annonça à Molly :

— Vous feriez bien de vous débarrasser de la personne qui tient les toilettes pour dames. Il nous faut quelqu'un d'autre, une gouvernante à la retraite par exemple. Il faut qu'elle ait l'air très respectable, tout en ne se laissant jamais choquer. Elle doit être capable de fournir de l'aspirine ou du parfum si on le lui demande, ou même un verre de cognac ou de gin. Elle doit avoir une liste de numéros de téléphone, médecins, avocats, et même députés à la chambre des Lords. Il faut absolument prendre garde aux toilettes, sinon cet endroit ressemblera bientôt à un repaire de bandits.

— Et où suis-je censée trouver cette perle rare ? D'ailleurs, ce n'est pas mon travail.

— Eh bien, contactez les meilleures agences de placement. Et si vous pensez que votre travail se borne à vous ballader en robe décolletée, vous feriez mieux d'y réfléchir à deux fois. Vous êtes la seule personne, à part moi, qui puisse faire quelque chose ici. Combien vous paient-ils ?

— Quinze livres par semaine.

— Alors, mettez-vous au boulot, et quand on vous considérera comme quelqu'un, demandez vingt livres.

Ce conseil ne lui parut pas très réaliste, pas plus que tout ce qu'elle voyait au Frames. Nuit après nuit, les clients arrivaient

167

pour voir, être vus ou jouer. Le petit noyau de joueurs l'effrayait un peu.

— Ils se laissent prendre par leur propre frénésie, lui dit un soir Arnie Rose alors qu'ils observaient les salles par la petite fenêtre du bureau à l'étage.

Un jeune courtier en banque regardait les dés rouler sur le tapis vert, le visage blême et dépourvu d'expression. Les dés s'immobilisèrent. Il dit quelques mots au croupier et s'éloigna.

— C'est fini pour lui. Il a une ardoise du quart de tout ce que son cher papa possède. C'est toute cette excitation qui les attire. Ils feraient n'importe quoi pour se donner des émotions. La drogue, l'alcool, les femmes ou l'exploration de l'Amazonie. Donnez-moi un homme qui s'ennuie, et je vous en fais un joueur.

— Je t'offre un gin ? proposa Arnie en s'éloignant de la fenêtre.

— Oui, mais il vaudrait mieux que je descende rapidement, dit-elle.

— Ça c'est une bonne petite, dit-il en lui tendant un verre. Et toi ? Qu'est-ce que tu cherches ?

— Ce que je cherche ?

— Oui, bien sûr, tout le monde cherche quelque chose, c'est normal. Prends un employé de banque, par exemple. Il veut la sécurité. Si tu lui demandes de cambrioler la banque, il refusera. Il préfère toucher sa retraite. Mais si tu menaces sa retraite, il fera n'importe quoi. N'importe quoi. Il n'y a pas de gens honnêtes, quand on y pense, poursuivit-il en regardant durement Molly. Alors, on peut chercher le pouvoir, l'argent, la sécurité, l'aventure... Qu'est-ce que tu veux, toi ? Pour quoi serais-tu capable de faire n'importe quoi ?

— C'est un peu triste de raisonner comme ça.

— Bien sûr, tu n'es qu'une femme. Les femmes ne sont pas faites pour penser.

Soudain, Molly se rendit compte qu'il était saoul et se mit à avoir peur. Il titubait et la regardait intensément. Il s'approcha et lui passa le bras autour de la taille.

— Peut-être que pour toi, c'est la sécurité et les enfants. Tu en as vu des vertes et des pas mûres, ma pauvre petite Molly.

— Je dois vraiment descendre maintenant. J'ai promis de prendre la relève au baccara.

— Brave petite Molly, toujours courageuse. Pense quand même à ce que je viens de te dire. Tout le monde court après quelque chose, même toi.

Molly dévala l'escalier sur ses talons aiguilles. Que signifiait tout ceci ? La conversation l'avait perturbée. Arnie avait sans doute raison. Au Frames les clients étaient bien capables de se battre pour de stupides morceaux de carton. Mais son vrai problème, c'était Johnnie qui sortait toujours pour des raisons mystérieuses et qui semblait ne plus l'aimer autant qu'elle l'aimait. Et elle s'appuyait sur n'importe quel discours, n'importe quelle remarque entendue par hasard, pour tenter de trouver la clé du mystère. Reprenant son sourire, elle s'approcha de la table de baccara, salua les personnes qu'elle connaissait et prit les cartes.

Peu après, Simon Tate arriva et reprit la table.

— Allez aux toilettes des dames, vite.

Dans l'atmosphère rose et parfumée, elle trouva une femme d'une trentaine d'années en robe rouge affalée sur le divan en dessous du miroir.

— Oh, mon Dieu ! s'écria Molly en voyant le visage livide. Que se passe-t-il ? Mais c'est la femme d'Alexander Fraser ! Que lui arrive-t-il ?

— Ce n'est pas Mme Fraser, dit Mme Brown dans son uniforme rose. C'est la femme de Perry Elmond, le fils de Lord Antony. Je crois que M. Fraser l'a plaquée ce soir, ajouta-t-elle en baissant la voix. Elle a pris des pilules pour se calmer, des barbituriques sans doute.

— Il faut appeler une ambulance.

— Non, pas de scandale, allez plutôt chercher M. Fraser.

Molly avait vu la femme plus tôt dans la soirée, penchée contre l'épaule de Fraser.

— Je ne sais pas où il est, il est parti en laissant un paquet. Et son mari ou sa mère ?

— Sa mère ne quitte jamais l'Ecosse. Nous allons l'envoyer dans une clinique privée. Restez ici et je les appelle du bureau.

— Dépêchez-vous, s'il faut attendre, je l'envoie à l'hôpital.

— Ne vous affolez pas, j'ai déjà vu pire.

— Beattie, Beattie, murmurait la femme, le visage ruisselant de sueur.

Molly lui lava le visage tout en se demandant si elle ne devait pas la faire marcher comme on le voyait dans les films. Pourvu qu'elle ne meure pas et que personne n'essaie d'entrer dans les toilettes. Le Frames n'avait pas besoin du genre de scandales dont se délectait Sid en lisant son journal du dimanche après le déjeuner.

— Venez, aidez-moi à la conduire près de la porte, dit l'ancienne gouvernante qui revenait. Souriez, faites comme si elle était saoule.

Les deux femmes entraînèrent la malade à demi consciente dans l'escalier. Molly arborait un sourire, variation sur le thème « après tout, personne n'est parfait »...

— Pourtant, elle a tout ce qu'elle veut, murmura Mme Brown tandis qu'elles la soutenaient sur le trottoir en attendant l'ambulance.

— Les gens veulent toujours plus. Sinon, nous serions au chômage.

Elles aidèrent la femme à monter dans la voiture et rentrè-rent.

– Il faudrait pourtant prévenir quelqu'un, mais je ne sais pas qui, dit Molly.

– Demandez à M. Tate.

– Oh, quelle idiote ! s'exclama Simon Tate au bar lorsque Molly lui eut raconté ce qui s'était passé. Je vais essayer de retrouver Fraser. Et le père aussi. Tu peux rester un moment pour t'assurer que tout va bien ? Johnnie devrait être arrivé, mais il ne s'est pas encore montré.

A quatre heures et demie, le club enfin désert, Molly et Simon comptaient l'argent dans le bureau. La porte du coffre était ouverte, prête à accueillir la recette. Molly avait jeté ses chaussures dans un coin de la pièce. Elle tordait ses orteils douloureux sous la table tout en vérifiant une liasse de billets.

– Toujours pas de nouvelles de Johnnie ? demanda Simon.

Molly hocha la tête.

En bas, tels des acteurs après le spectacle, les croupiers ran-geaient les dés et les cartes dans la salle enfumée. Les lumières s'éteignaient une à une. Tout était tranquille. Simon attachait ensemble une liasse de notes signées par les joueurs endettés. Il les rangea dans le coffre, le ferma et remit la combinaison.

– Une tasse de thé ? demanda Molly qui avait encore besoin de compagnie malgré sa fatigue.

– Oui, j'aimerais bien. C'est la deuxième fois que Johnnie s'absente cette semaine. Cela s'est déjà produit une fois la semaine dernière ainsi que la semaine précédente. Ça ne me dérange pas de le remplacer de temps en temps, mais j'aimerais qu'il me pré-vienne et que cela se produise moins souvent.

– Je lui en parlerai, dit Molly.

Mais elle l'avait déjà fait, et il avait promis de téléphoner en cas d'empêchement. Si elle lui demandait où il était allé, il lui répon-dait « au cinéma » ou « avec des amis ». Elle n'osait pas insister, de peur qu'il se mette en colère.

– Il y a quelque chose qui ne tourne pas rond ? demanda genti-ment Simon.

De nouveau, elle hocha la tête en posant le plateau sur la table.

– Je ne me trompe pas ? Et ce n'est pas simplement une femme ?

– Il y en a sûrement une. Un jour, j'ai appelé sa mère, mais il n'y était pas. Elle avait l'air bizarre, comme si elle était embêtée pour moi.

– Ecoute, il faut que je sache, dit Simon en s'adossant à sa chaise. J'espère que Johnnie n'a pas d'autres relations en ce moment, mais il ne s'agit pas seulement de ça. Tu as falsifié les livres. J'ai examiné les relevés de compte, et j'ai comparé les recet-

170

tes avec les sommes qui étaient enregistrées le lendemain matin. Parfois, tu mets plus d'argent que ce que nous avons en caisse, parfois moins. Je me suis même demandé si tu n'en profitais pas, si tu n'avais pas un parent malade ou je ne sais quelle raison pour laquelle prendre un risque pareil. Mais quand j'ai fait le total de ce qui rentrait sur une période d'une semaine, il n'y avait aucune différence. Qu'est-ce que tu fabriques ? Tu empruntes et tu remets l'argent ensuite ? Si tu veux être augmentée, pourquoi ne pas le dire ? Je sais que tu es honnête, mais que se passera-t-il quand les Rose nous enverront ce petit bonhomme qu'ils disent comptable et qu'il découvrira la vérité ? Tu le connais pourtant, tu sais bien que s'il voit quelque chose de louche, il fourrera son nez partout jusqu'à ce qu'il trouve d'où ça vient.

— Je ne recommencerai plus, dit Molly.

— Tu devrais quand même m'expliquer pourquoi tu as commencé. Je peux peut-être t'aider.

Mince, élancé, les yeux bleus, Simon se leva et alla chercher un paquet de biscuits au chocolat dans la cuisine. Il revint en grignotant et en offrit un à Mary qui ne disait toujours rien. Elle refusa d'un hochement de tête.

— Johnnie ! s'exclama-t-il soudain. Johnnie ! Tout cela, c'est à cause de Johnnie ! Je me trompe ? Il joue. Enfin, il joue ailleurs, les courses peut-être, tu couvres ses pertes et ensuite tu remets l'argent. Non, personne n'a jamais entendu parler d'un joueur qui pouvait rembourser ses dettes systématiquement un ou deux jours plus tard. Alors ? De quoi s'agit-il ? (Il alla vers la fenêtre, regarda dehors, et vint reprendre un autre gâteau.) Voyons, Molly, tu dois me dire la vérité, nous sommes tous compromis dans cette affaire. Oh, ça y est !, dit-il, en colère à présent, je crois comprendre et ce n'est pas drôle du tout. Et puis, les sommes deviennent de plus en plus importantes, tu n'es pas sans le savoir.

Il ouvrit le coffre et sortit le livre rouge sur lequel on inscrivait les recettes de la soirée ainsi que le paquet de relevés de compte et apporta l'ensemble vers le tableau signalant quel était le personnel de service. Quand Molly eut compris où il voulait en venir, elle dit d'un ton las :

— Bon, tu as gagné. Je vais t'épargner la peine de rechercher les montants.

— Tu as cherché à égaliser les recettes, pour que personne ne remarque que les gains étaient inférieurs quand Johnnie était de service, c'est ça ? s'exclama-t-il en se tournant vers elle.

— Hum hum. Il monte toujours lui-même la recette lorsque nous travaillons ensemble, une nuit sur deux à peu près. Mais j'ai remarqué que lorsqu'il était là, nous étions toujours en déficit. Je lui ai posé des questions et il a reconnu les faits. Il m'a dit qu'il était associé et qu'il avait besoin de couvrir ses frais. Alors, je lui ai dit que je m'arrangerai pour que cela ne se voie pas. Je n'avais qu'à mettre de côté une petite partie des bénéfices lorsque je travaillais avec vous ou quelqu'un d'autre. Quand Johnnie était de service, je mettais la somme à la banque le lendemain matin.

— Mon Dieu, qu'est-ce qu'une femme ne ferait pas pour l'homme qu'elle aime ! Ecoute, tu es intelligente, et tu as été loyale envers Johnnie. Mais tu mets tout le monde en danger. Si les Rose s'imaginent que nous avons été complices ou simplement que nous étions au courant, ils ne se contenteront pas de nous virer, nous finirons tous dans la Tamise. Comme je t'aime bien, je ne vais pas décrocher le téléphone pour appeler Arnie ou Norman, ils seraient capables de me rejeter la responsabilité sur le dos. Et j'ai de la chance, Molly, car le club rapporte et j'ai des relations, les Rose le savent. Mais toi, tu n'es pas dans une situation brillante. Ils pourraient vraiment t'envoyer quelque part avec un aller simple.

— Ils ne feraient pas ça.

— Et pourquoi se gêneraient-ils ?

— D'abord, je suis une femme, expliqua Mary, et je l'ai fait pour un homme. C'est le genre d'attitude à laquelle ils s'attendent. Et puis, Arnie me veut, et ma mère était avec eux à l'école, conclut-elle, triomphante.

— La belle affaire, félicitations. J'ai bien besoin d'un verre, dit-il, visiblement nerveux. Molly, je crois que nous devrions parler de tout ça en haut, et si Johnnie arrive, eh bien, tant mieux, j'ai deux mots à lui dire.

Assis sur le divan du luxueux appartement, un verre de cognac à la main, Simon poursuivit :

— Tout ce qu'il te reste à faire, c'est de cesser de couvrir Johnnie. Si tu verses les recettes telles qu'elles sont, tu n'aura pas d'ennuis. Si Johnnie se fait repérer par le comptable, ça le regarde. Et puis, préviens Johnnie des risques qu'il court. Je ferai la même chose.

— C'est son argent, il est associé.

— Pour un tiers seulement. Il a droit au tiers des bénéfices. Il n'est pas habilité à se servir tout seul.

— Le problème, c'est qu'il en prend plus à chaque fois.

— Oui, pour le moment, il s'agit de centaines de livres et bientôt ce sera des milliers.

Il était plus de cinq heures du matin. Molly restait assise en silence.

— Il n'a jamais passé la nuit dehors, finit-elle par dire.

— Cela m'ennuie pour toi, Molly, si tu lui en parlais, peut-être... Quelle nuit ! Fraser ruiné. Judy à moitié morte dans les toilettes. Johnnie qui n'est pas là, et toi qui trafiques les livres. Est-ce que cela en vaut vraiment la peine ? Tu ne crois pas qu'il s'est déjà fait la malle ? Et si les Rose avaient découvert la vérité ?

— Je vais voir les armoires, s'écria Molly.

Elle espérait que Johnnie avait déjà pris la fuite, surtout si c'était par crainte des Rose et non parce qu'il ne l'aimait plus. Mais il ne manquait pas un costume, pas une chemise dans les tiroirs et les armoires bien rangées. En voyant une pile d'une vingtaine de chemises de toutes les couleurs, la colère la prit soudain. Les larmes aux yeux, elle retourna vers Simon.

— Tout est là.

— Ça a l'air d'aller un peu mieux, dit-il en se versant un autre cognac. Essaie de réfléchir maintenant. Il passe son temps à boire du champagne avec des gamines pendant que tu fais les comptes et que tu ramasses des cadavres dans les toilettes. Et, en bonne fille des bas-fonds, tu le laisses te faire des yeux aux beurre noir le samedi soir et tu racontes que tu es tombée dans l'escalier. Tu le couvres. Et tu l'aides à berner les deux hommes les plus terrifiants de tout Londres. Je sais ce que je dois faire. Peu importe que tu acceptes de ne plus le couvrir. C'est trop tard, et je ne suis pas sûr que tu tiendras ta promesse. Des types comme Johnnie peuvent pousser les femmes à faire des tas de choses dont elles n'ont pas envie et je ne peux pas courir ce risque. Si les Rose s'aperçoivent de quelque chose, je me retrouverai dans le pétrin. Je suis désolé, Molly, mais je dois absolument les prévenir.

— Non ! cria Molly, mais il poursuivit :

— Il le faut. Bien sûr, je leur dirai que ce n'était pas pour toi. Et tu as raison, ils te pardonneront parce que tu es une femme, et que tu penses avec tes fesses au lieu de faire travailler ta matière grise. Excuse-moi, Molly, mais c'est la vérité. Ensuite, j'irai rejoindre mon frère au Kenya le plus vite possible. Les Rose mettront sûrement la main sur Johnnie. Et je te conseille de disparaître, toi aussi. Retourne chez toi et esssaie de ne pas te faire remarquer.

— Pourquoi, puisque tu dis qu'ils ne te feront rien ? dit Molly en lui lançant un regard de mépris.

— Ecoute, Molly, dit-il honnêtement. Je suis homosexuel, un déviant, pédé comme un phoque, comme tu dirais. Si les Rose ont quoi que ce soit à me reprocher, ils n'auront pas besoin de poser un doigt sur moi, il leur suffira de me faire prendre en flagrant délit, pour parler poliment. Peu importe que je sois chez moi, dans mon propre lit, je commets un délit, et je peux prendre deux ans. Tu comprends pourquoi je suis si inquiet maintenant ?

— Oh, mon Dieu, je ne savais pas.

— Je ne fais pas de publicité. Mais tu vois bien que je n'ai pas le choix. Je n'ai pas envie de jouer les martyrs pour la cause de Johnnie Bridges.

— Il faut que je le prévienne, dit Molly.

— Bon, je leur téléphonerai demain matin. Ça te laisse un peu de temps, alors tu ferais mieux de lui annoncer ça tout de suite, sinon, à midi, les Rose seront déjà en train d'amocher sa jolie frimousse

— Mais comment le prévenir... ?

— Essaie Armanda Walton, 21, Bruton Mews, ça fait un moment que ça dure. C'est une espèce de grande asperge méprisante qui...

Molly qui avait déjà enfilé son manteau se tenait près de la porte.

— Au revoir, dit-elle, bonne chance.

— A toi aussi, ma pauvre petite, répondit Simon Tate derrière elle.

Le manteau jeté sur les épaules, Mary martelait les rues de ses talons hauts. Elle croisa un policier qu'elle regarda d'un air furieux. Bien sûr, elle avait vu des femmes frotter leur épaule contre sa veste, l'embrasser sur la joue en disant « Johnnie » d'un air malicieux. Il se moquait d'elles, considérait ces jeunes bourgeoises comme des allumeuses et semblait même les mépriser. À présent, il était parti avec l'une d'entre elles. « Je la tuerai ! » criait Molly intérieurement en pleurant dans les rues étroites. Elle ne s'était aperçue de rien, et pourtant, Simon savait, et qui d'autre encore ? Pendant ce temps-là, elle travaillait comme une esclave, pour quinze livres par semaine, tandis que lui avait une main dans le tiroir et l'autre sous les jupes de cette péronnelle. Elle l'attendait toute la nuit pendant qu'il couvrait de baisers le corps d'une autre femme. Et il lui mentait ensuite à propos de prétendus amis.

En sanglots, elle arriva devant l'entrée de la résidence et courut sous les lampadaires qui commençaient à pâlir avec l'aube. Elle martela la porte avec le heurtoir de cuivre, frappa et frappa, incapable de supporter l'idée que son amant dormait avec une autre alors qu'elle restait dehors dans la nuit glacée.

Une fenêtre de la maison voisine s'ouvrit.

— Qu'est-ce que c'est que ce tintamarre ? Vous voyez bien qu'il n'y a personne. Ce n'est pas fini ce vacarme ! cria une voix de femme.

Mary, sans prendre la peine de lever les yeux, continua à cogner.

— Ouvrez, ouvrez, je sais que vous êtes là ! Ouvrez, bande de salauds !

— Ça suffit, sinon, j'appelle la police, dit une voix d'homme.

— Johnnie, ouvre-moi, Johnnie !

Elle criait hystériquement et cognait toujours quand la porte finit par s'ouvrir.

— Qu'est-ce que vous faites ici ? demanda une voix de femme.

Molly la bouscula pour entrer. Amanda Walton, qui s'était

réfugiée dans le petit couloir, était une grande fille aux cheveux noirs qui lui tombaient sur les épaules. Elle portait une chemise de nuit de dentelle sous un kimono.

— Qu'est-ce que vous voulez ? demanda la fille, à peine plus âgée que Mary.

— Je veux Johnnie.

— Il n'est pas là.

— Je vais voir, dit Molly en grimpant l'escalier.

— Dites donc, vous êtes chez moi, ne l'oubliez pas, dit la fille en la rattrapant par le bras.

— Fichez-moi la paix, cria Molly en se dégageant.

— Johnnie ! appela Amanda en galopant dans l'escalier derrière elle.

Johnnie apparut sur le palier en robe de chambre de soie à impression cashemire. A côté de ce tissu féminin, son visage paraissait lourd et vide. Visiblement, il venait de se réveiller. Il fixa Molly, d'un regard dépourvu d'expression.

— Que se passe-t-il, les filles ? Molly, que fiches-tu ici ?

Soudain elle se rendit compte qu'il était habitué à ce genre de scène alors que pour elle, comme pour Amanda apparemment, c'était la première fois.

— Fumier, salaud !

— Fais-la partir, dit Amanda. Ça fait une demi-heure qu'elle cogne à la porte. Elle a réveillé tout le quartier. Qu'elle s'en aille.

— Toi, tu viens avec moi, j'ai à te parler, commença Molly.

— Ecoute, Molly, je dormais et...

— Dans *son* lit hurla Molly.

Pourtant, à côté d'un Johnnie épuisé et d'une Amanda dorlotée, elle se trouvait basse, mesquine, et surtout exténuée.

— Je crois que ça le regarde, dit Amanda, et maintenant que vous avez vu ce que vous vouliez voir, voudriez-vous nous laisser en paix. Vous n'avez rien à faire ici.

— Je me suis tuée au travail pour lui, dit doucement Molly, se sentant de plus en plus à son désavantage.

Que savait cette fille du travail, du loyer à payer, des enfants à élever ? Une vague d'horreur la submergea. Elle regarda le beau Johnnie qui ne lui appartenait plus, et des larmes lui emplirent les yeux.

— Johnnie ? dit-elle d'une voix tremblante, attendant toujours tendresse et réconfort.

— Rentre à la maison, Molly. Je t'en prie, je te verrai plus tard.

Soudain, elle se souvint de la raison pour laquelle elle était venue.

— Je dois te parler... du club, dit-elle à voix basse.

— Du club ? A cette heure-ci ? Ça ne peut pas attendre ?

– Je vais dans la chambre, et je veux que cette femme parte immédiatement, dit Amanda. Tout ceci est absolument ridicule.

Amanda se retourna comme pour sortir.

– Ça sent le roussi, dit Molly.

Johnnie, prêt à protester, resserra sa robe de chambre autour de lui et commença à descendre.

– Est-ce que cela t'ennuie si je vais discuter cinq minutes avec Molly dans la cuisine ?

– Oui, dit Amanda sans bouger.

– Je ne crois pas que tu aies envie qu'elle soit au courant.

– Ne sois pas stupide. De quoi s'agit-il ?

– Eh bien, j'ai ajusté les versements à la banque pour qu'on ne voie pas que tu..., dit Molly rapidement puis elle regarda Amanda et ajouta : que tu opérais des déductions avant de recevoir ta part. Mais Simon s'en est aperçu. Il prétend qu'il doit le dire aux Rose, pour se disculper, parce que sinon, euh... ils s'en prendraient à lui. Je suis venu te prévenir.

– Me prévenir ? cria Johnnie. Je suis propriétaire, que je sache.

Mais cette revendication présomptueuse, surtout destinée à Amanda, désormais appuyée contre le mur les bras croisés, ne trompa personne. Les deux femmes savaient que Johnnie tremblait de peur.

– Qu'est-ce que tu vas faire ? demanda Molly.

– Rentre à la maison, dit-il d'un ton compatissant. Dors un peu, je te vois à neuf heures.

C'était de l'esbroufe. Il était terrifié, et à neuf heures, il serait déjà loin. Molly grelotta pendant tout le chemin du retour. Toujours en sanglots, elle marcha à travers les tables couvertes de mégots. Elle observait les lambris et les tableaux dont elle était si fière. Elle se traîna dans l'escalier qui conduisait à l'appartement et s'étendit sur le grand lit au montant en forme de gigantesque coquille. Elle repensait à leurs jours de bonheur à Meakin Street et s'endormit tout habillée.

Le lendemain matin lui apporta un mal de tête et des souvenirs des premiers moments passés avec son amant. Ils riaient, faisaient l'amour. Johnnie était un homme, pas un pantin en smoking qui souriait comme un idiot à des petites pimbêches bourrées de fric. Il s'était rangé, mais pour si peu de temps ! Au moins, quand il dévalisait les banques, il risquait la prison, ça l'obligeait à réfléchir. Au club, tout était trop facile. Il n'y avait qu'à se servir dans la caisse ; et hop, la belle vie !

Le téléphone sonna. C'était le marchand de vin qui exigeait son réglement. Le travail de Johnnie. Lasse, Mary leur conseilla d'envoyer une nouvelle facture aux Rose. Il sonna à nouveau. Cette fois, c'était Simon qui la prévenait qu'il avait averti Arnie Rose une heure plus tôt.

– Il t'a pardonnée. Il t'a traitée de garce, mais c'est tout. Bien sûr, il est furieux contre Johnnie. Tu l'as trouvé hier ?

– Oui, où tu m'as dit.

– Je suis désolé. De toute façon Norman m'a demandé si tu avais prévenu Johnnie et je lui ai dit que c'était possible. Il n'a pas semblé surpris outre mesure.

– Qu'est-ce qu'il a dit ?

– Qu'ils le retrouveraient, tôt ou tard.

– Evidemment, qu'ils le retrouveront, dit Molly amèrement. Il faut bien s'ils veulent prouver qu'ils sont toujours les plus forts. Sinon, les gens commenceraient à prendre des libertés.

– Je n'aimerais pas être à la place de Johnnie. Mais, c'est bien fait pour lui. Va-t'en, oublie-le, oublie les Rose. Moi, je pars pour le Kenya. Je viendrai te voir à mon retour. Où pourra-t-on te trouver ?

– Essaie le 19, Meakin Street. Je crois que je vais aller chez papa, maman et ma fille.

– Finalement, ce n'est peut-être pas plus mal, dit Simon d'une voix épuisée.

Après avoir fait ses adieux au reste de l'équipe, Molly Flanders, née Mary Waterhouse, reprit le bus pour Meakin Street.

Ivy, tout à la fois déprimée et heureuse de revoir sa fille avec sa valise à la main, l'accueillit sur le palier.

– Maman, je rentre à la maison.

Ivy qui avait toujours su qu'il ne sortirait pas grand-chose de cette relation avec un bon à rien dit simplement :

– Entre.

La petite Josie, qui avait deux ans à présent, courut embrasser sa mère.

– Ça fait du bien de te voir à la maison, dit Ivy. Tu veux une tasse de thé, comme ça tu pourras tout m'expliquer.

Bien sûr, je dois raconter un autre aspect de la situation, peu reluisant, je dois dire, car Johnnie avait à peine disparu que je m'aperçus que j'étais enceinte. Quelle idiote, j'espérais qu'il allait m'aider. C'est drôle comme on continue à faire confiance à certains hommes, quoi qu'ils fassent. On devient esclave, on se laisse conditionner comme sous l'effet de la torture. L'amour et le plaisir sont capables de provoquer le même résultat. On ne parvient pas à admettre que les choses ont changé. Comme je me sentais au plus mal et ne savais que faire, je n'ai rien trouvé de mieux que de prendre contact avec Johnnie, par l'intermédiaire de ses parents. Je lui ai écrit un mot, disant que c'était urgent. Je l'ai regretté. Il a envoyé un type louche chez Ivy avec un message et je me suis rendue au rendez-vous dans un café sur le marché de Brixton. L'endroit enfumé empestait l'huile rance et brûlée, ce qui n'arrangeait rien dans mon état. Johnnie aussi avait triste mine, enfin par comparaison avec ce que j'avais connu. Des souliers éculés, une chemise pas très nette... il ne pouvait pas rester longtemps chez ses parents de peur que les Rose ne fassent une descente. Ils ne se seraient sûrement pas montrés tendres avec Johnnie et en auraient peut-être profité pour saccager la maison.

Johnnie m'offrit donc une tasse de thé dans ce bar sordide. Tout autour de nous, les marchands ambulants avalaient leurs sandwiches et je me souviens encore de la grosse femme derrière le comptoir qui ne cessait de nous dévisager. Johnnie aussi regardait tout autour de lui et observait par la fenêtre les ménagères avec leurs paniers à provisions.

— Je ne peux pas rester ici longtemps, fut la première chose qu'il m'ait dite.

— Je m'en doutais. Que se passe-t-il ?

— Ils vont sûrement m'envoyer faire un séjour à l'hosto, ou pire. Des rasoirs, paraît-il, et il toucha sa joue de sa main.

On voyait souvent des personnes au visage balafré. Si on avait un peu de bon sens, on détournait la tête. J'imaginais le visage de Johnnie avec une cicatrice courant de l'œil à la commissure des lèvres, et encore, s'il avait de la chance ! Ces vieux rasoirs pouvaient facilement vous arracher le nez. Johnnie était horrifiée à la simple pensée de perdre son joli minois. Et puis, une balafre, c'était une étiquette. Tout le monde savait que vous aviez trempé dans de sales histoires.

— Combien as-tu pris ? demandai-je.

Il me répondit deux mille. Pas mal en quelques mois. Ensuite, il me les demanda, ces deux mille livres ! À moi.

— Je sais que c'est beaucoup exiger, je ne t'ai jamais rapporté grand-chose de bon, mais je t'aime, Molly. Je n'ai jamais aimé cette petite péronnelle. Je m'ennuyais avec elle. Et je ne sais pas combien de temps je vais tenir sans argent. Je n'ai aucun endroit pour me cacher.

Il me regarda droit dans les yeux et m'adressa un de ses célèbres sourires. Il croyait encore s'adresser à Molly Flanders, la gamine romantique folle amoureuse de lui. Mais voilà, il parlait à une fille enceinte dans un café crasseux de Brixton. Je lui rendis son regard et son sourire se figea comme celui du chat d'*Alice au pays des Merveilles*. C'était dur pour lui. D'abord l'amour et le bon temps, mais quand vous attendez un enfant, tout ce que vous voulez, c'est un bon garçon qui vous prépare votre thé quand vous le demandez et ramène son salaire à la maison. Comme ce n'était pas le genre de Johnnie, et que cela ne le serait jamais, son numéro de charme tomba à plat. De toute façon, j'étais loin d'avoir ces deux mille livres. Je devais reconnaître que j'avais envoyé beaucoup d'argent pour Josie car Arnie avait en fait augmenté mon salaire quand je le lui avais demandé, sur les conseils de Simon, et je me faisais des gros pourboires avec les gagnants, parfois dix ou vingt livres. Mais il ne restait plus rien, à part quelques sous que Sid avait placés à la banque pour moi. Mais ça, je ne voulais pas le dire à Johnnie, d'autant plus que j'allais sûrement en avoir besoin.

— Johnnie, je n'ai pas d'argent, tu le sais bien. Je ne peux rien faire pour toi. Et puis, il y a quelque chose d'autre...

Il me fusilla du regard, comme s'il me haïssait. J'avais peur, bien que je fusse consciente que ce n'était que le regard d'un enfant en colère sur un visage d'homme.

Josie me regardait de la même façon lorsque je lui refusais quelque chose parce qu'elle croyait que si je le voulais vraiment, je pouvais lui donner tout ce qu'elle désirait. Sur un visage d'homme, cette expression est simplement terrifiante.

— Tu as sûrement mis un peu d'argent de côté...

— Johnnie, je suis enceinte.

Il explosa littéralement :

— Idiote, imbécile ! Ah, j'avais vraiment besoin de ça en ce moment. Mais tu n'as donc rien dans la cervelle !

— Johnnie, qu'est-ce que je vais faire ? lui dis-je, les larmes aux yeux.

C'était désespéré ! Il ne ferait rien, de toute façon, il ne pouvait rien pour moi. Il aurait simplement pu être gentil, mais ça aussi, c'était trop demander !

— Qu'est-ce que tu veux ? Que je t'épouse et que je t'offre une maison ? Débarrasse-t'en, c'est la seule solution. Que veux-tu que j'y fasse, Moll ? J'arrive à peine à me débrouiller, alors avec toi, imagine. Mais nom d'une pipe, quelle idée t'a prise ?

J'ai souvent remarqué que la paternité n'était qu'une option, du moins dans le langage courant. Un type peut dire : « Nous allons avoir un enfant », ou bien : « Elle va avoir un enfant », au choix. Mais on ne peut jamais dire « Il attend un enfant », sans que cela soit une sorte de plaisanterie. Cela n'a pas changé. Pourtant, à l'époque, dans ce café puant le graillon qui me donnait des hauts le cœur, je n'avais guère le sens de l'humour.

— Je ne l'ai pas fait toute seule.

J'avais parlé à voix basse, mais la femme à la table d'à côté, une marchande des quatre saisons sans doute, m'entendit. Elle portait un grand tablier avec une poche devant pour la monnaie et me lança un regard qui signifiait clairement : « Ma pauvre petite, tu n'as pas grand-chose à attendre de lui. »

Je me levai et dis simplement :

— Eh bien, je te remercie de ton aide. J'espère que je pourrais te rendre la pareille un jour.

Il me regardait d'un air désespéré. J'allais partir quand il me vint une idée :

— Pourquoi tes parents ne te tirent pas de ce mauvais pas ?

– Mon père refuse. Ne t'inquiète pas, Moll, j'emprunterai à Nedermann.

– Félicitations, dis-je, plus furieuse que je ne l'avais jamais été dans toute ma vie.

Finalement, il avait une solution, et il avait quand même essayé de m'extorquer de l'argent ! Bien sûr, il savait que Nedermann exigerait d'être remboursé. Mieux valait emprunter à une femme, les dettes envers une femme ne comptent pas. Personne ne vous fait de misères si elles ne le revoient jamais. Ma colère passée, je me sentis vide, lasse, finie. Après tout, il n'avait pas grand choix. Emprunter l'argent à Nedermann ou laisser les Rose le défigurer, ou pire. Nedermann lui accorderait sûrement ce qu'il voulait. A l'époque, il montait rapidement. Juste après la guerre, il avait investi dans les taudis qu'il relouait à des sans-logis. Les nouvelles constructions suffisaient à peine à remplacer les maisons détruites par les bombardements, et avec le *baby-boom* de l'après-guerre, le besoin de logements se faisait durement sentir. On pouvait gagner des centaines voire des milliers de livres en fournissant un appartement, et à présent que les immigrants des Antilles commençaient à arriver en nombre, les affaires de Nedermann prospéraient de plus belle. Personne ne voulait de locataires noirs, si bien qu'il exigeait des sommes exorbitantes pour entasser des familles dans une pièce unique.

D'ailleurs, la façon dont il se débarrassait des anciens locataires n'était guère plus élégante. Mais une chose était sûre, si Johnnie obtenait quelque chose de Nedermann, il n'y aurait rien pour moi. Je ne sais pas vraiment ce que j'espérais en le contactant, le voir tomber à genoux et me demander en mariage ou simplement obtenir quelques livres pour les frais de l'avortement ? Peut-être qu'un mot gentil m'aurait suffi. Je n'eus droit à rien, pas même à un vague « désolé... ». Je m'en allai donc et marchai dans les rues, avec l'impression d'avoir les pieds en plomb et les jambes en coton, jusqu'à ce que je me rende compte que je ferais mieux de prendre un taxi.

Sur le chemin du retour, nous traversâmes Soho, et, comme il faisait déjà sombre, toutes les filles déambulaient sous la petite pluie fine, de leur démarche lente sous leur lampadaire, devant les regards des hommes bien habillés qui observaient à une distance respectable. Et là, j'aperçus Peggy Jones devant un restaurant. Elle était très maquillée et je compris immédiatement ce qu'elle faisait là. Un homme s'approcha et lui dit quelques mots, puis elle tourna au coin de la rue avec lui. Je m'adossai sur le siège du taxi, malade comme un chien. Je me souvenais d'elle à Framlingham, chez la folle, la femme du vicaire. Je me souvenais d'elle à Meakin Street. Un jour, on avait condamné la vieille étable de Tom Totteridge comme impropre à l'habitation et les Jones, mère et fille, avaient disparu. Mon Dieu, elle était à peine plus âgée que moi. Et toi, Mary, regarde-toi un peu, pensai-je. Un enfant à seize ans, un mari pendu, et à nouveau enceinte d'un Johnnie Bridges. Tu ferais mieux de te ressaisir, sinon je ne vois pas ce qui t'empêchera de finir sur le trottoir à côté de Peggy. Il n'y a pas grande différence entre toi et une fille de Soho.

C'est donc comme ça que je finis dans l'arrière-boutique de Mme Galton. Je dus m'étendre par terre, sur l'habituelle couche de vieux journaux tandis qu'elle m'injectait de l'eau savonneuse ou je ne sais quoi dans le vagin. Et ensuite, je dus me traîner à la maison. Pendant que je me laissais charcuter, je pensais : Voilà, tu es au lit, les jambes en l'air, ne songeant qu'à ton plaisir, et tu te retrouves dans la même position, par terre, sur des papiers journaux. » Etrange similitude, vous ne trouvez-pas ? Et l'aventurière meurtrie retournait chez maman. Après, bien sûr, on attend que « ça » arrive. Ivy a été très gentille avec moi, et Sid n'a pas dit un mot, pourtant, j'étais sûre qu'il était au courant. Ce que je ne savais pas, c'est que quelques mois plus tôt, une fille avait failli mourir d'une hémorragie dans le bus où il se trouvait. Elle aussi revenait de chez une faiseuse d'ange d'arrière-cour. Par chance, le chauffeur était une femme, qui avait immédiatement compris ce qui se passait et avait détourné sa route pour la conduire à l'hôpital le plus proche. Mais Sid avait vu la fille étendue par terre, livide, nageant dans son sang. Rien d'étonnant à ce qu'il soit devenu si pâle quand il apprit ce qui m'arrivait. Il devait être terrifié.

Arnie Rose, qui avait l'art de tomber à pic, se pointa juste après mon deuxième rendez-vous chez Mme Galton. La seringue n'avait pas marché. « Il est bien accroché », avait-elle remarqué d'un ton philosophe. J'étais furieuse contre cet enfant, je voulais qu'il me fiche la paix. J'aurais préféré plonger dans le canal plutôt que de le mettre au monde.

Peu importe, Arnie était là, fumant un énorme cigare en disant :

« Alors ? Comment ça va ? » tandis que j'étais affalée sur le divan, horrifiée dans ma vieille robe de chambre.

— C'est gentil de venir nous voir, Arnie, dit Ivy, un plateau de thé à la main, mais ça tombe mal, Mary ne va pas très bien.

— Je vois, elle a l'air un peu pâlotte. Qu'en pense le docteur ?

Ivy brisa la règle d'or qui veut que tout ceci reste des histoires de femmes. Parfois, les maris ne savaient même pas que leur propre épouse s'était fait avorter, même si toutes les femmes de la rue étaient au courant.

— Il n'y a pas de médecin. C'est Mme Galton, le toubib dans cette histoire.

Arnie avait eu lui aussi affaire à elle dans le passé. Il parut sceptique, puis mal à l'aise.

— Oh, non...

– Je le tuerais, ce Bridges, si je pouvais, dit Ivy. Je ne serai pas tranquille tant qu'il n'aura pas ce qu'il mérite.

Je compris où elle voulait en venir quand Arnie lui répondit :

– Alors, tu seras bientôt en paix. Il y en a pas mal qui ont des comptes à régler avec lui. Bon, eh bien, je crois que je ferais mieux de vous quitter, dit-il en se tournant vers moi, toujours embarrassé. Tiens, Ivy, ajouta-t-il en sortant une liasse de billets de son portefeuille. C'est bien le moins que je puisse faire pour vous aider, et puis, cela ne me manquera pas.

Ivy était outrée. Il y a des règles qui déterminent celui qui doit payer un avortement. Arnie n'était pas le père et ne faisait pas partie de la famille. Bien sûr, il avait payé des tas d'avortements pour les filles qui travaillaient pour son compte. Et ce geste, qui m'incluait parmi elles, mit Ivy hors d'elle. Elle refusa en prétextant que Sid pouvait très bien s'occuper de moi. Arnie rangea ses billets et laissa cinq livres pour acheter un cadeau à Josie. Cette fois, Ivy accepta.

– Ah, bravo, des voyous qui viennent te voir à la maison, c'est vraiment charmant ! dit-elle après le départ d'Arnie en plaçant le billet sur le manteau de la cheminée. Qu'est-ce que les gens vont penser ?

– Ils auront le bec cloué quand tu leur diras qui a offert le joli landau de poupée à Josie. « Ah, tiens, malgré tout, ce type a du cœur quand il s'agit de gosses. Il est gentil avec sa vieille mère aussi », c'est tout ce qu'ils diront.

– J'aimerais bien être une petite souris pour voir ce qu'ils feront à Johnnie quand ils lui mettront la main dessus, dit-elle d'un ton vengeur.

J'étais trop abattue pour voir les choses sous cet angle. Les douleurs avaient commencé et, comme toute peine, elles étaient renforcées par mon moral. Je souffrais au moment où l'homme qui m'avait fait cet enfant m'abandonnait.

Cela se produisit cette nuit-là. Ivy essayait de me réconforter et glissait des journaux sous moi pour absorber le sang. Je n'oublierai jamais son regard quand tout fut terminé – mon Dieu, le regard d'une mère qui voit sa fille souffrir des conséquences de la condition féminine, il faut le voir pour le croire ! Des générations et des générations de mères ont eu ce regard et l'ont transmis à leurs filles qui l'ont retransmis aux leurs. Un regard plein de pitié qui tente de vous insuffler du courage, et vous dit : « C'est la vie, mais ne te laisse pas détruire pour si peu, ma fille. »

Bien sûr, Johnnie m'avait rejetée au moment où j'avais besoin d'aide, mais il revint quand tout alla bien. Il y a des gens comme ça, l'opposé exact de l'ami qui est toujours là quand on a besoin de lui. Comme par hasard, ils sont toujours ailleurs si vous tombez du bus, et toujours là si vous avez gagné au loto. Il montra sa tête ronde, comme celle d'un enfant qui vient de voler des bonbons dans un Prisunic, et vint me faire des promesses de mariage, d'amour, de vie meilleure dès qu'il aurait réglé son histoire avec les Rose.

— Va-t'en, Johnnie, laisse-moi tranquille, lui dis-je, car Ivy était dans la pièce, mais si elle n'avait pas été là, je lui serais tombée dans les bras, et j'aurais avalé toutes ses sornettes.

Comme je l'ai dit, tout cela ressemble beaucoup à une relation entre la victime et son bourreau. Et puis, on espère toujours pouvoir oublier le passé et recommencer à zéro. Mais Ivy ne voulait rien avoir à faire avec Johnnie et elle lui dit vertement que, puisqu'il avait vu que tout allait bien, il pouvait s'en aller. Il n'insista pas quand elle lui montra le billet de cinq livres de Josie toujours sur la cheminée et lui expliqua d'où il venait. C'était drôlement gentil de la part d'Arnie de venir demander de mes nouvelles ! Johnnie fila avec la vitesse de l'éclair et, même moi, je dus reconnaître le comique de la situation. Je fus prise d'un tel fou rire avec Ivy qu'il fallut que je lui demande de m'arrêter. J'allais sûrement me faire du mal, dans mon état !

1955

Nous étions en février. Molly poussait sa fille sur la balançoire du parc lorsqu'un homme trapu, de taille moyenne approcha et lui demanda très poliment :

— Madame Flanders ?

Elle regarda le visage ivoire aux yeux noirs légèrement bridés et répondit après un moment d'hésitation :

— Oui, c'est moi. Qui êtes-vous ?

Il regarda la petite Josie qui se penchait en avant et en arrière pour prolonger le mouvement car sa mère avait cessé de s'occuper d'elle.

— Nedermann, Ferenc Nedermann, dit-il, l'esprit ailleurs.

D'âge mûr, en manteau noir épais, plutôt timide, il ne donnait pas l'impression d'être le propriétaire tristement célèbre des taudis londoniens.

— Je me demandais si vous pourriez me dire où se trouve Johnnie Bridges.

— Non, je n'en ai pas la moindre idée. Je ne l'ai pas revu depuis avant Noël.

— Vous n'avez pas le moindre indice ? Il faut pourtant que je le retrouve. En fait, il m'a emprunté de l'argent et j'en ai terriblement besoin.

— Oh, mon Dieu !

Soudain, elle se sentit lasse, malade et déprimée. Elle ne voulait plus entendre parler de Johnnie et de ses histoires. Elle n'avait pas encore digéré qu'il ait refusé de l'aider. Nedermann continuait à observer les boucles brunes de Josie.

— Pousse, maman, pousse.

— Je lui ai prêté cinq mille livres, poursuivit Nedermann après une pause. Il avait juré de me les rendre pour la mi-janvier. À un autre moment, cela ne m'aurait pas gêné d'attendre un peu, mais là, j'ai besoin du dernier sou.

— Cinq mille ? Il m'avait dit deux.

— Deux pour rembourser les Rose, et ensuite il m'a emprunté encore trois mille livres.

187

— Pourquoi lui avoir donné tant ? A un homme qui avait déjà détourné l'argent des Rose ? Pourquoi avez-vous cru avoir un meilleur sort ?

Nedermann haussa les épaules puis s'approcha de la balançoire pour pousser la fillette, doucement, afin qu'elle ne tombe pas.

— Il m'a rendu un petit service. Et puis il avait un plan pour me rendre l'argent, qui paraissait intéressant.

— Vous voulez dire que vous lui avez prêté cette somme pour qu'il fasse un travail pour vous ? dit Molly amèrement. Il a échoué et disparu dans la nature, c'est ça ?

— Plus ou moins. On m'avait dit que Johnnie Bridges réussissait toujours tout.

— Autrefois, c'était la vérité. Vous avez essayé les commissariats ?

— Il n'est pas entre les mains de la justice.

Nedermann poussa Joséphine pour qu'elle continue à se balancer et s'approcha de Molly.

— Vraiment pas le moindre indice ?

— Je vous ai dit la vérité, je ne sais pas où il est.

Joséphine tomba et se mit à pleurer. Molly courut vers elle, la remit sur ses pieds et revint vers Nedermann.

— Elle s'est fait mal ?

— Une simple égratignure. Monsieur Nedermann, commença-t-elle à brûle-pourpoint, je ne veux plus rien avoir à faire avec Johnnie Bridges et les Rose. Je ne peux rien pour vous.

Elle pensait qu'elle ne voulait plus le revoir lui non plus, pourtant, elle avait pitié de lui. Il avait l'air solitaire et Johnnie lui avait joué un mauvais tour. Bien sûr, elle avait entendu parler des expulsions, des loyers exorbitants, des bordels qu'il installait dans les maisons, des incendies provoqués par le manque d'entretien du système électrique, de l'humidité, de sa pratique qui consistait à louer à des Antillais qui faisaient du tapage toute la nuit, si bien que les habitants âgés déménageaient. Et pourtant, elle le trouvait pathétique.

— Je dois y aller, dit-elle hâtivement.

Soulagée, elle se réfugia dans la petite maison mais la brève rencontre avec Nedermann avait réveillé des souvenirs. Elle repassa les chemises de Sid et de Jack et la blouse de Shirley. Elle mit un poulet au four et pendant tout ce temps se revit le long du canal, au club, et même à Allaun Towers lors des fêtes de Noël devant le grand feu. Et puis, de nouveau Johnnie, penché sur elle, lui souriant. Elle sentait encore son corps qu'elle essayait vainement d'oublier. Devant l'évier, une pomme de terre dans une main, un couteau dans l'autre, elle se mit à pleurer. Des larmes de misère et d'ennui roulaient sur son visage.

— Il est perdu, mon pantin, répéta quatre fois Joséphine, mais Molly ne l'entendit pas jusqu'à ce qu'elle baisse les yeux sur l'enfant et éclate en sanglots.

– Que vais-je devenir ?

– Va chercher pantin, demanda sa fille.

Molly resta assise à pleurer. Quand Shirley rentra de l'école, elle prétexta un malaise et monta dans sa chambre tandis que les bruits du reste de la famille commençaient à emplir la maison. Le 19, Meakin Street était surpeuplé. Bien que Jack vive désormais dans une famille près des docks où il travaillait, il n'y avait pas de place pour le lit de Joséphine, si bien que la fillette dormait à côté de sa mère dans le lit de Shirley, tandis que Shirley avait pris la place de Jack sur le divan. Le week-end, quand il revenait avec sa petite amie, il ne restait plus un pouce de libre dans la maison. Ivy, qui avait repris son travail à la boulangerie, était épuisée par toute cette agitation. Molly vivait toujours sur les économies que sa famille avait faites pour elle et savait que la situation ne pourrait pas durer. Elle devrait trouver un travail, assez bien payé pour couvrir le loyer et les frais de garde. Ce serait sûrement difficile, mais peut-être pas impossible. Le pire, c'est qu'elle avait besoin de mouvement, d'aventure, de vie et qu'elle n'avait rien à espérer à part un appartement de la municipalité et peut-être un petit emploi dans une boutique ou un bureau. Elle avait dix-neuf ans et demi, une fillette, et peu de possibilités devant elle. Elle descendit au salon tandis que la famille mangeait à la cuisine.

Ce même soir, Simon Tate vint à Meakin Street, la rue étroite et misérable. Un chien efflanqué aboya tandis qu'il marchait sous la petite bruine humide. Il frappa à la porte. Une femme proche de la quarantaine, avec des cheveux blonds mal décolorés retenus par un ruban de velours vert sur la nuque, vint lui ouvrir. Elle le regarda d'un œil vif, légèrement sceptique, qui ressemblait à celui de Molly Flanders. Derrière elle, une jolie petite fille aux boucles noires et aux yeux sombres trottinait, une poupée crasseuse dans les bras.

– Je suis un ami de Molly, c'est pour elle, dit-il en présentant un bouquet de roses.

– Entrez, elle est au salon.

Les pieds sur un tabouret, Molly fumait en regardant la télévision. Elle leva mornement les yeux, mais soudain son expression s'illumina.

– Simon ! J'espère que ça va mieux, maintenant.

– Excusez-moi, je vous laisse, nous sommes en train de manger, dit Ivy, satisfaite de voir que le visiteur était bienvenu. Je vous apporte une tasse de thé, tout à l'heure ?

– Avec plaisir. Voilà, Molly, je viens de rentrer du Kenya, alors je suis venu te voir. Voilà, j'ai une proposition des Rose. Ils m'ont rappelé, ils ont découvert où j'étais grâce au type avec qui je partageais un appartement. Ils m'ont offert une augmentation, et ils veulent que tu reviennes aussi. Ils ont essayé d'engager d'autres personnes, mais cela n'a pas marché. Qu'est-ce que tu en penses ?

— C'est bien pour toi, dit Molly. Ils savent que tu fais bien ton travail. Mais j'ai l'impression qu'Arnie me veut pour d'autres raisons. Ce boulot m'arrangerait bien, mais pas si je dois prendre Arnie en même temps.

— En fait, c'est Norman qui m'a demandé de te transmettre la proposition. Il m'a dit que tu étais jolie, efficace et honnête, et puis, tu connais le travail. D'après ce que je sais, Arnie n'a rien à voir là-dedans. Tu seras mieux payée.

— Mais qui gardera Joséphine ?

— Et ta mère ? suggéra Simon.

— Elle est gérante d'une boulangerie, et son travail lui plaît. Pourquoi devrait-elle y renoncer ?

— Pour l'argent des Rose. Ils ont offert vingt livres, demandes-en vingt-cinq, et avec les pourboires, cela devrait valoir la peine pour ta mère aussi.

— Elle a le droit de faire sa vie.

— Qui ? demanda Ivy qui venait avec le thé.

— Toi, si tu tiens à savoir.

— Je crois que c'est déjà fait, et plus qu'il le faut, même.

Simon regarda Ivy et se rendit compte que c'était le genre de personne qui savait ce qu'elle voulait. Il lui expliqua donc l'affaire. Ivy répondit qu'elle prendrait Joséphine pendant la semaine, qu'elle la mettrait à la crèche le matin et la garderait avec elle l'après-midi. Elle ajouta que Molly devrait venir chercher sa fille tous les vendredis soir et la ramener à une heure décente le dimanche soir. Elle dit également que tout ceci dépendait de l'accord de Sid, mais on sentait bien que ce n'était qu'une précaution oratoire.

— Alors, affaire conclue, dit Simon en se levant. Je serais content de retravailler avec toi, mais crois-tu que tu tiendras le coup ?

— J'irai au bout du monde. Est-ce que l'appartement est toujours libre ? Il faut que je trouve un endroit pour vivre. Ce n'est pas la peine que tu te libères de Joséphine pour le week-end, si nous sommes là toutes les deux, maman.

— Non, il n'est plus disponible. Arnie l'a loué à un certain Greene. C'est un médecin douteux, sans qualification, qui s'occupe du dos des gens de la bonne société entre autres choses. Il leur dessine aussi leurs animaux, chiens, chats et chevaux. C'est un peu le genre de personnage aux multiples talents qui avait sa place dans les cours d'Europe autrefois. On pouvait compter sur lui pour fournir un philtre d'amour, jouer de la guitare quand le roi se sentait nerveux et rendre d'autres services.

Mary pensait qu'il y avait sans doute autre chose dans la panoplie de ce Greene, que Simon ne voulait pas en dire plus devant

Ivy, mais à cet instant, elle restait surtout préoccupée par son propre sort.

— Il faudra que j'aille dans une agence immobilière.

— Je crois que Sid m'a dit que les Tomkinson quittaient le n° 4.

— Oh, maman, pas là !

Non, pas dans la maison où elle s'était morfondue après la mort de Jim, pas la maison où elle avait vécu avec Johnnie.

— Le loyer n'est pas très cher, si tu vas dans une agence, tu trouveras un trou à rats pour vingt livres par semaines. Et puis, comme ça, Josie sera moins perturbée.

— Bon, alors touches-en deux mots au propriétaire. Dis-lui que s'il paie la moitié des travaux pour une salle de bains, je paierai l'autre partie. Ça devrait le convaincre, ce vieux radin. Je ne peux pas continuer à venir ici chaque fois que je veux me laver, et Josie est trop grande pour être baignée dans l'évier.

— J'admire ta rapidité d'esprit, répondit Simon. Au revoir, madame Waterhouse. A lundi, Molly ? Huit heures et demie ?

— Gentil garçon, vraiment. C'est sur ce genre d'hommes que tu devrais porter les yeux à partir de maintenant.

Le lendemain, Molly enfila son vieux manteau de fourrure, des moufles et un chapeau de laine et conduisit au parc une Joséphine tout emmitouflée. Au-dessus de leurs têtes, un ciel bas et gris menaçait.

— Il va neiger, dit-elle à Joséphine.

— Neiger, neiger ! s'exclama la fillette en sautillant.

C'était vraiment une petite sauvage, il n'y avait aucun doute là-dessus. La moitié du temps, elle restait accrochée aux jupes d'Ivy sans dire mot, et une seconde plus tard elle se précipitait sur une vieille boîte de peinture et se mettait à badigeonner la maison en rouge, ou comptait sévèrement les bouteilles de lait sous le nez du laitier, comme si elle vérifiait la commande. Elle courait partout et déchirait tout ce qui lui tombait sous la main. Parfois Mary regardait les grands yeux noirs, pleine d'inquiétude pour la fillette à la personnalité déjà marquée.

Sous le regard émerveillé de Joséphine, les premiers flocons se mirent à virevolter sur l'herbe rare et les branches dépouillées. Elle courut sur le fin manteau, étudia ses traces de pas, et prit quelques cristaux dans les mains.

Légèrement tremblante, Molly la regardait. Alors, de nouveau le Frames ? Pourquoi pas ? De nouveau le 4, Meakin Street ? Eh bien, pourquoi pas ?

Dans le parc désert où Joséphine grattait la mince couche de neige pour faire un bonhomme, Molly remarque une présence masculine.

— C'est une bonne gosse, dit Nedermann.

Que faisait-il ici ?

— C'est la première fois qu'elle voit de la neige.

— Cela me rappelle les hivers dans mon pays, dit-il.

— Lequel ?

— La Pologne. Près de la frontière allemande.

— Ce devait être joli, dit Molly en s'éloignant. Josie, il n'y a pas assez de neige pour faire un bonhomme.

Mais l'enfant avait vu des dessins de bonhommes de neige avec une pipe et un chapeau et ne voulait pas renoncer.

— Un tout petit alors, un tout petit.

Molly s'accroupit pour l'aider.

— Si c'est Johnnie que vous cherchez, je ne peux rien pour vous, cria-t-elle à Nedermann.

— Je sais où il est, les Rose l'ont retrouvé.

— Oh, mon Dieu, dit Molly en formant le cou du minuscule bonhomme. Josie, va me chercher deux petits cailloux pour les yeux. Qu'est-ce qu'ils lui ont fait ?

— Ils ont récupéré leur argent et lui ont appris les bonnes manières.

— Et vous ?

— Je n'ai pas encore eu tout ce qu'il me devait.

— Oh, ils sont un peu trop gros, dit-elle à Joséphine qui ramenait les cailloux.

A côté d'elle, Nedermann lui tendit deux petits cailloux dans son gant de cuir.

— Merci, dit-elle, tandis qu'il s'accroupissait à côté d'elles.

Soigneusement, Molly plaça les yeux sur la tête du bonhomme. Joséphine riait. Ensuite, elle prit une brindille.

— Tiens, voilà la pipe.

— Alors, que voulez-vous ? dit-elle à Nedermann.

— Oh, répondit-il calmement, je passais dans le coin et je me demandais si vous étiez là. Je suis en voiture, vous voulez que je vous raccompagne ?

— Impossible, dit Molly, Voilà Sally qui arrive avec sa sœur. C'est son amie, elles vont vouloir rester là jusqu'à la nuit tombante.

— Il faut que les enfants s'amusent autant qu'ils peuvent. Ils ne seront jamais trop gâtés. L'enfance est si courte.

— Vous avez raison, dit Molly, mal à l'aise.

Elle ne comprenait pas où il voulait en venir et aurait voulu qu'il s'en aille. Son visage et sa voix étaient dépourvus d'expression. Il avait l'air d'un homme désespéré et Molly se demandait que faisaient les enfants de ses locataires en ce moment. Jouaient-ils avec un dangereux chauffage dans un appartement surpeuplé ? Restaient-ils allongés sur un matelas moisi sous les fuites du toit ?

— J'espère que nous aurons l'occasion de nous revoir, vous êtes peut-être joueur, je reprends mon ancien travail de croupier au Frames.

— Je viendrai vous voir, dit-il en la quittant poliment.

Tout en regardant les enfants jouer, elle se demandait si on avait abîmé le joli visage de Johnnie. Pour lui, une vilaine cicatrice compterait sans doute plus que tout le reste.

Quand je revis Molly, ce fut grâce à mon père. Au Frames. Cet épisode avait commencé d'une drôle de manière. Ma mère, en grande détresse, était venue me voir alors que j'arrivais pour passer le week-end à la maison avant de retourner à Oxford. Mais non, disait-elle, s'il le fallait, je resterais.

Il faut que je m'explique un peu. En fait, elle était bouleversée, car elle avait découvert une note du Frames dans la poche d'un costume de mon père avant de le donner à la teinturerie. Pire encore, c'était la deuxième fois. Un soir, il avait laissé un reçu sur la table de nuit qu'elle avait découvert le lendemain matin. Je suis sûr qu'elle n'aurait pas été si troublée par cet engouement tardif pour le jeu et la vie facile, si elle n'avait été la plus jeune fille du fameux Arthur Udall, le Flambeur, qui fréquentait la cour du roi Edouard VII et avait ruiné sa femme et ses cinq enfants avant la Première Guerre mondiale. Comme tout le monde, il était parvenu à ce résultat à cause des femmes et de l'alcool, mais surtout à cause de sa manie de parier sur tout, des courses de chevaux à la vitesse relative de deux mouches. Si bien que ma pauvre maman avait vu les larmes de sa mère quand la moitié de la propriété avait été vendue avant que son père meure dans le péché le jour du Derby au moment où son cheval franchissait en tête le poteau d'arrivée. Il avait laissé sa femme et ses cinq filles, dont quatre célibataires, sans le sou. Rien d'étonnant à ce que les petits Udall se soient vu interdire tous les jeux de cartes, même si l'enjeu n'était que de simples allumettes, de peur que le démon du jeu ne les pervertisse dès l'enfance. Rien d'étonnant non plus à ce que ma mère considérât le jeu comme la pire faiblesse humaine. Elle était d'autant plus perturbée que mon père lui avait tout dissimulé. Dans un état de grande agitation, elle me demanda, en tant que fils aîné, d'aborder ce problème avec lui. Et moi, tout en trouvant le procédé fort vieux jeu et passablement ridicule, j'acceptai.

La scène eut lieu dans le bureau, après dîner. Mon père éclata de rire mais se tempéra un peu quand je lui dis à quel point ma mère paraissait alarmée.

— Il y a plusieurs raisons pour lesquelles je n'ai rien dit. D'abord, je connais l'aversion de ta mère pour tout ce qui touche à ce sujet. Mais je t'assure que je ne suis pas saisi par la fièvre du jeu. J'ai passé deux soirées à m'ennuyer au Frames et je dois encore en passer une ce soir, en espérant bien que ce sera la dernière. En fait, un peu pour mon plaisir pendant que je serai là-bas, et un peu pour te montrer que le jeu est l'activité la plus fastidieuse et la moins lucrative qu'un homme puisse trouver, je t'invite à te joindre à moi. Personnellement, je préférerais encore aller regarder les trains aller et venir à la gare de King's Cross.

— Cela ne me dérangerait pas, dis-je, passablement troublé. J'ai toujours eu envie de voir un casino, mais que dirai-je à maman ? Elle pensera que je suis mordu par le jeu moi aussi et que nous nous précipitons tous deux en enfer. Et puis, pourquoi t'obstines-tu à retourner soir après soir dans un endroit que tu hais ?

— Le travail, mon garçon, le travail. D'ailleurs, je ferais mieux de ne pas t'en dire plus. Je parlerai à ta mère. Je peux au moins lui dire qu'après ce soir j'arrête pour de bon ! Et puis, je pourrai rejeter la faute sur Tubby Atkinson. Je l'emmène toujours avec moi, dit-il en riant.

Là-dessus, il quitta la pièce. Moi, qui vivais dans la même cage d'escalier que Tom Allaun, j'avais souvent entendu des ragots sur ses exploits et ceux de son cousin Charlie, et l'on m'avait parlé de fortunes gagnées ou perdues en un soir. J'étais donc très excité mais espérais tomber sur eux. Pourtant, tandis que nous franchissions la porte discrète de cette rue tranquille, je me demandais encore pourquoi diable mon père venait ici.

Nous pénétrâmes dans une sorte de vestibule faiblement éclairé. De l'autre côté, des hommes et des femmes buvaient au bar. Avec soulagement, mon père aperçut Tubby Atkinson qui nous offrit un whisky et dit d'un air déçu :

— Alors, c'est notre dernière nuit de plaisir ? C'est aussi bien comme ça. Je n'avais guère envie de risquer ma vie sur une carte.

— Bon, alors chemin de fer, ce soir, répondit mon père avec le même manque d'enthousiame.

Un rire retentit de l'autre côté du bar où la foule était plus dense à présent. Un des hommes se détacha et s'avança vers moi.

— Bert ! Tu as déchiré ta carte de l'Armée du Salut ?

— Bonjour, Charlie, répondis-je, embarrassé. Père, je te présente Charlie Markham, Charlie, mon père.

— Ah, répondit Charlie, gêné. Bonsoir, monsieur. Tiens, voilà Tom.

Nous poursuivîmes les présentations. Tom Allaun se montra assez poli, mais je sentis que mon père n'appréciait guère ces deux individus. Il y avait quelque chose dans le contraste entre la silhouette lourde et rougeaude de Charlie et la minceur et la pâleur de Tom qui accentuait les défauts de chacun — un peu comme l'ours met en évidence la malice du renard, alors que celui-ci souligne la brutalité du premier. Au collège, j'entendais de la musique de jazz venir de la chambre de Tom. Je rencontrais parfois ses amis dans l'escalier. Ils avaient tous tendance à lui ressembler, tourmentés, lointains, souvent plus âgés que l'étudiant moyen. Il avait une façon de me regarder, vide d'expression, comme s'il s'attendait à ce que je me ridiculise par quelque propos imbécile. Il se moquait sûrement de moi dès que j'avais le dos tourné. Je n'ai jamais compris pourquoi il me déplaisait tant, mais le fait était là. Vivant dans le même bâtiment, je savais qu'il se couchait et se levait tard, mais à part cela, je ne connaissais rien de ses habitudes. Charlie, lui, était un voyou notoire. Ce n'était guère plus encourageant. Il faisait des plaisanteries cyniques et cruelles. Ensemble, Tom et Charlie donnaient l'impression d'être les deux intellectuels nazis qui vous poussent dans vos derniers retranchements avant de vous livrer au bourreau qui n'hésite pas à se salir les mains.

Nous allâmes tous dans la grande salle, une pièce longue et tranquille, couverte de moquette rouge et tendue de rideaux de velours, sans oublier les célèbres tables au tapis vert. Et là, je vis ma princesse, celle que j'avais rencontrée à Noël, un an et demi auparavant. En fait, dans sa robe de satin clair, avec ses longs cheveux blonds, avec son râteau qui aurait très bien pu être un sceptre, elle ressemblait vraiment à une princesse. Il lui manquait simplement une couronne.

Elle leva les yeux et croisa mon regard.

– Mary ? C'est bien vous ?

– Oui, en personne.

Un grand jeune homme en tenue de soirée s'approcha d'elle. Elle lui dit quelques mots, il lui fit un signe de tête et lui reprit le râteau.

Je la présentai à mon père qui parut fort surpris, sans doute parce qu'il ne s'attendait pas à ce que je connaisse un croupier d'un casino de Londres.

Il l'observait intensément, et après que nous eûmes échangé quelques mots sur les circonstances de notre rencontre, il proposa d'aller boire un verre au bar.

– Normalement je ne suis pas censée... cela ne fait rien, ce sera avec plaisir.

Nous nous retrouvâmes donc tous au bar. Mon père portait toute son attention sur Mary et commença à lui poser des questions. Je le regardai, plein d'admiration. Tout d'abord, visiblement, Mary l'aimait bien et se sentait à l'aise avec lui à tel point que je me demandai si mon père n'était pas pris par quelque démon de midi et ne renonçait pas à une vie irréprochable pour se mettre à jouer et à fréquenter des jeunes filles. En dépit de ma répulsion pour cette éventualité, j'étais émerveillé par sa technique. S'il l'avait invitée à dîner, elle aurait sûrement accepté !

– Non, je ne vis pas ici, j'habite dans une petite maison dans la même rue que mes parents. J'ai une petite fille qui passe la semaine avec ma mère et le week-end avec moi.

– Une jeune femme respectable, dit Charlie Markham, qui paraissait soudain très saoul et avait posé la main sur le bras de Molly.

Un regard de colère dans les yeux, elle retira son bras.

– Pas vraiment, mais sûrement plus que toi.

– Non, non, j'insiste, persista Charlie en approchant son visage du sien. Tu as un cœur d'or, Molly, un cœur d'or. Est-ce que je ne l'ai pas toujours dit, Tom ?

– Oh si.

– Je suis sûr que les tables vous attendent, jeunes gens, dit mon père. Vous devriez peut-être monter et faire la première mise de la soirée. Tu y vas aussi ? demanda-t-il en se tournant vers moi.

Je n'avais pas d'autre choix que de suivre Tom et Charlie.

– Dis donc, ton père s'attaque aux petites jeunes, me dit Tom à voix basse en montant l'escalier.

– Seulement les nuits de la pleine lune, répondis-je, attendant avec impatience le moment où je pourrais me débarrasser d'eux.

Finalement, après avoir perdu cinquante livres, ce qui était largement au-dessus de mes moyens, sous l'œil de Tom et Charlie, qui espéraient me voir jouer frénétiquement sans me soucier des conséquences, je me frayai un chemin dans la foule et les laissai à leur table. A ce moment-là, d'un regard fixe, ils observaient les cartes, les dés et le râteau du croupier qui ramassait les plaques. Ils me dirent à peine au revoir lorsque j'annonçai que je partais.

– N'oublie pas d'aller chercher ton vieux dans le boudoir avant qu'il aille se coucher, dit Tom. Tu ferais bien de le sermonner un peu.

Je trouvai mon père seul au bar, tristement installé devant un verre de whisky. Il n'y avait plus trace de Molly.

– Tubby est rentré. Tu en as assez vu ?

– Trop.

– Ce sont des amis à toi, Allaun et Markham ? me demanda-t-il dans le taxi.

– Certainement pas. Tom vit dans la même cage d'escalier que moi et Charlie est son cousin. Je les ai rencontrés à Noël quand j'étais en vacances chez Sebastian. Ce sont des voisins, enfin, Tom plutôt. En fait, je ne les aime pas beaucoup.

– J'aime mieux ça, grommela mon père.

– Alors, tu as apprécié la conversation avec Mary.

Il saisit immédiatement mon ironie.

– Elle est très gentille, me rassura-t-il. Bien que je ne sache pas très bien pourquoi... ni combien de temps cela va durer, ajouta-t-il après une pause.

Pendant quelques mois, Molly alla travailler. Elle rentrait en taxi aux premières heures de l'aube, dormait tard, effectuait les corvées ménagères, et allait parfois chercher Joséphine à la boulangerie l'après-midi pour l'emmener au parc. Pendant un moment, elle se contenta de cette routine. Elle avait besoin de calme après les récents événements, mais au fur et à mesure que le printemps approchait et que les journées s'allongeaient, elle devint plus agitée. Elle n'avait aucun désir particulier, simplement, sa vie l'ennuyait, si bien que lorsque Ferenc Nedermann se montra un soir au club et l'invita à dîner, elle accepta simplement pour ne pas refuser une occasion de sortie. Elle était trop avisée pour se laisser aller à autre chose qu'un flirt superficiel avec les clients du Frames, et en fait, les hommes ne l'intéressaient plus guère. Après Johnnie, elle ne pouvait plus leur faire confiance. De plus, les clients ne voyaient en elle qu'une proie facile, une sorte d'hôtesse de l'air ou d'infirmière qu'on ne prenait pas au sérieux. Nedermann, lui, était un homme d'âge mûr, mélancolique. Il ne cherchait ni l'aventure ni la passion, ni simplement du bon temps à passer en compagnie d'une jolie fille, ce que de toute façon, elle n'était plus prête à donner. Il lui envoya une limousine qui devait la conduire au Savoy Grill. Le chauffeur expliqua à Molly que Nedermann avait été retardé, et, avec la joie d'un enfant, elle s'enfonça dans les sièges de cuir et profita de la promenade en voiture.

Nedermann l'attendait devant le restaurant.

— Vous êtes en beauté ce soir, lui dit-il une fois à l'intérieur. Je suis très fier d'être à vos côtés.

— Merci, répondit Molly en souriant, pensant déjà que si Nedermann voulait lui faire la cour, elle refuserait ses avances.

— Je sais que vous êtes encore sous le coup de votre aventure avec Johnnie Bridges, je voulais simplement vous dire que je vous trouvais jolie, dit Nedermann comme pour la rassurer. En général, les femmes n'y voient pas d'objection.

— C'est gentil. Excusez-moi si je ne suis pas une compagnie très amusante, je suis effectivement encore assez perturbée.

— Je ne vous en demande pas tant. Vous voulez de ses nouvelles ?

— Je crois que oui.

— Eh bien voilà. Je l'ai retrouvé, je n'avais plus besoin de mon argent, mais je suis têtu. Je suis un peu comme les Rose, je n'aime pas qu'on se fiche de moi. Alors, j'ai joué au petit détective. Si encore il était venu m'expliquer qu'il ne pouvait pas me rembourser tout de suite, j'aurais compris, mais se cacher comme un gosse, c'était trop.

— Je ne suis pas sûre de vouloir en entendre plus, dit Molly.

— Ecoutez quand même. Vous apprendrez des choses utiles. Je continue ?

— Allez-y. Donc, vous avez coiffé votre casquette...

— Ma casquette ?

197

– Oui, comme Sherlock Holmes.

Tout était tranquille dans le restaurant, on n'entendait pas même la rumeur de la circulation.

– Oui, c'est ça. Vous savez, ces gens-là ne vont jamais très loin finalement. Ils se cachent, mais ils ne peuvent pas s'empêcher de retourner au pub ou au club. Alors, j'y ai fait un tour, mais personne ne l'avait vu. Et puis j'ai pensé, où vont les enfants gâtés quand ils ont des ennuis et qu'ils veulent prendre un bain et mettre des vêtements frais ? Chez maman, bien sûr. Après une petite recherche, j'ai trouvé le grand criminel en train de manger des crêpes devant le feu, comme un coq en pâte. Et bien sûr, la grosse voiture blanche était garée devant la porte. Ce genre de héros ne se débarrassent jamais de leur voiture, même s'ils sont criblés de dettes. Sinon, comment impressionner les femmes ? Leur voiture, c'est leur peau, rapide, très chère et tapageuse. Cela leur brise le cœur de s'en séparer. Je l'ai éloigné du coin du feu en un rien de temps, il m'a donné l'argent en liquide, je n'ai pas tardé à le ranger dans ma poche. On aurait dit qu'il venait d'enterrer sa mère !

Molly éclata de rire. La sobriété de Nedermann, son accent étranger rendaient son récit encore plus drôle. En la voyant rire, Nedermann eut un large sourire enfantin.

– Il n'aurait pas dû s'attaquer à un vieux Polonais. Et pourtant, je l'enviais. Rien d'étonnant à ce que les femmes tombent amoureuses de ce genre de types. Ils ont gardé tout l'égoïsme et la naïveté des enfants. Pourtant, ce sont des hommes. Et ils sont irrésistibles. Plus tard, on s'aperçoit qu'ils refusent définitivement de grandir, comme Peter Pan. Ils perdent leur charme en vieillissant. Il faut bien devenir adulte un jour.

– A vous entendre, on dirait que c'est douloureux, remarqua Molly, intriguée par cette étrange conversation.

– Vous voyez, vous par exemple, vous êtes plus mûre que Johnnie, maintenant.

– Mangez donc, Ferenc, dit-elle en lui montrant son assiette. Je vais vous parler de sujets plus distrayants.

– Je n'ai guère d'appétit. Et en une pareille compagnie, la nourriture est bien loin de mes pensées.

– Il ne faut pas.

Elle lui raconta les dernières anecdotes du club, comment un Chinois avait pris dix mille livres à un homme pour les lui rendre le soir même sur le trottoir. Un jour, un nain avait joué toute la nuit à la roulette, debout sur une chaise, jusqu'à ce qu'on s'aperçoive qu'il se penchait légèrement pour aider la petite bille à tomber dans le bon trou ; un autre soir, un célèbre travesti avait essayé d'entrer dans les toilettes des femmes :

– « Je vous connais bien, Lord Brawn, et j'aimerais bien savoir ce que votre mère pense de tout ça », criait Mme Jones. A ce moment-là, Simon est arrivé et a tout de suite compris. Il a fait un pas en avant et a dit : « Laissez cette dame entrer pour cette fois, je vous prie, madame Jones. » Simon est toujours très sophistiqué. Mais, ajouta-t-elle en voyant que Nedermann avait mangé une partie de son plat, je ne comprends toujours pas pourquoi vous avez prêté cet argent à Johnnie. Vous n'êtes pas idiot, vous vous doutiez bien de ce qui allait se passer.

— A l'époque, cela n'avait pas beaucoup d'importance. Et puis, je ne voulais pas que les Rose lui tombent dessus. Ce sont de vrais sauvages.

— Je croyais que vous auriez essayé de l'obliger à vous vendre ses parts du club, dit-elle à brûle-pourpoint.

— Oh, non, le club ne m'intéresse pas. Je n'ai pas envie de me prêter aux exigences des riches. Pour un immigré comme moi, il est plus facile d'avoir affaire aux pauvres.

« Il est cinglé, pensa soudain Molly. Je mange et je m'en vais, c'est tout ce que j'ai à faire. »

— Et en plus, j'ai tout ce que je veux. Johnnie travaille pour moi maintenant. Comme ça, il peut me rembourser le reste de ses dettes.

— Quoi ? s'exclama Molly, beaucoup trop fort. Il est malhonnête, vous le savez, et vous lui confiez vos affaires ?

— Il est très doué, et j'ai besoin d'un assistant avec un peu de plomb dans la cervelle. Les autres, ce sont des voyous, des imbéciles, ils gâchent les affaires et ils me volent de toute façon. Johnnie est l'homme de la situation, il pourra me tirer d'embarras. Et puis s'il me vole, eh bien tant pis, il sera toujours temps de se débarrasser de lui.

Il resservit du vin à Molly qui se rendit compte qu'elle en était déjà à son quatrième verre alors qu'il avait à peine touché au sien.

— Est-ce que cela vous plaîrait ? demanda-t-il en sortant une petite boîte de sa poche.

Molly observa l'objet. Elle le prit sans rien dire, redoutant ce qu'elle allait trouver à l'intérieur. Elle comprit ce que Nedermann avait laissé entendre pendant tout le repas. Il la regardait, un peu comme Sid lorsqu'il sortait un cadeau de sa poche le vendredi soir. A l'intérieur du coffret, se trouvait une montre au cadran serti de petites pierres, des diamants probablement, et au bracelet de platine. D'instinct, Mary savait que si elle se contentait simplement de sortir la montre du coffret, l'affaire serait conclue.

— Non, je suis désolée, je ne peux pas accepter, dit-elle en hochant la tête.

— Vous en êtes sûre ? demanda-t-il en voyant qu'elle avait toujours les yeux fixés sur le bijou.

— Oui.

Il referma la boîte et la remit dans sa poche.

— J'espérais que vous et votre petite fille viendriez vivre chez moi. Parfois, j'ai horreur que ma maison soit pleine de monde, mais parfois je déteste la voir vide. Souvent, je me dis que j'étais plus riche avant la guerre, malgré ma pauvreté.

— Je... je n'ai pas envie de modifier ma situation pour le moment, répondit Molly, fort embarrassée. J'ai envie de gagner ma vie, d'élever mon enfant toute seule, vous comprenez ?

— Mieux que vous peut-être. Mais vous avez le menu entre les mains, et quelles que soient les sornettes qu'un homme d'âge mûr vous raconte au dîner, je suis sûr que vous apprécierez un dessert. Une mousse au chocolat ?

Molly, légèrement piquée par cette placidité, admit qu'elle avait fort envie de mousse au chocolat.

L'air un peu triste devant sa poire, il plaisanta à propos d'une entreprise de bâtiment qui travaillait pour lui. Molly riait, bien qu'elle sût que ces ouvriers étaient engagés pour colmater des maisons en ruines afin que Nedermann puisse exiger des loyers exorbitants de ceux qui n'avaient pas d'autre choix. Après dîner, il la réinstalla dans sa voiture, demanda au chauffeur de la raccompagner chez elle. Il s'éloigna le long du Strand, seul dans son manteau noir.

« Un bracelet de platine et des diamants », pensa Molly de retour à Meakin Street. On aurait dit Rabbity Jim avec ses poches pleines de babioles. Le plus étrange, ce fut qu'elle s'endormit comme un bébé et se réveilla fort joyeuse.

Les propositions de mariage, comme les ennuis, ne viennent jamais seules. Le samedi matin, Ivy arriva de bonne heure avec Joséphine. Ivy et Molly buvaient une tasse de thé quand on frappa à la porte.

— Le facteur, je vais ouvrir, dit Ivy qui revint dans la cuisine suivie de Johnnie Bridges.

Cela faisait six mois que Molly ne l'avait pas vu. Elle avait souvent pensé à lui, Pourtant, elle avait partiellement oublié à quoi il ressemblait. A présent, sa présence emplissait la pièce.

Pendant des mois, elle l'avait successivement aimé puis haï mais elle ne savait plus où elle en était.

— Bonjour, Molly. Je voulais avoir de tes nouvelles.

— Une tasse de thé ? offrit-elle.

— Non, ne lui donne rien, dit Ivy en se levant, très raide.

— Maman, voyons, dit Molly calmement.

— Fais ce que tu veux. Mais j'espère sincèrement ne plus vous voir lorsque je rentrerai du travail, Johnnie Bridges.

Après le départ d'Ivy, il reprit un peu d'assurance.

— Il fallait que je vous voie, toi et Joséphine. Ferenc m'a dit qu'il t'avait invitée à dîner, je m'inquiétais.

— Pas un mot pendant six mois, et ensuite tu frappes à ma porte à huit heures du matin. Bon, très bien, comment vas-tu ?

— Je travaille pour Ferenc. Je suis venu de bonne heure car je dois faire une course tout près d'ici. J'avais envie de te voir, Molly, mais j'avais peur...

Il sortit une boîte de sa poche et la lui présenta. Molly trouvait la situation quelque peu ridicule. Elle ouvrit le coffret et vit un bracelet en or avec une émeraude.

– Non, Johnnie, dit-elle en lui rendant la boîte. C'est vraiment trop cher. Une dame n'accepte que des fleurs ou des chocolats.

– Molly, je t'en prie. Je voudrais réparer tout le mal que je t'ai fait.

– Il n'y a rien à réparer. Et surtout pas avec des bracelets.

Elle regardait par la fenêtre de la cuisine. Les crocus fleurissaient déjà et les jonquilles étaient en boutons. Il s'approcha d'elle, lui passa le bras autour de la taille. Ce geste, qui avait toujours signifié qu'elle lui tomberait dans les bras, provoqua à nouveau son désir. Elle se sentait très faible, comme si elle allait s'évanouir dès que Johnnie cesserait de la soutenir. Pourtant, elle s'écarta.

– Non, Johnnie, ça ne sert à rien. C'est fini, laisse-moi.

Elle s'assit à la table, la tête entre ses mains.

– Fiche le camp, avec tes sourires et tes bracelets. J'ai assez souffert comme ça.

– Molly, Molly, ne pleure pas, je t'en prie. Rien ne sera plus comme avant. Je te le promets. C'est fini, les ennuis maintenant.

– Non, je ne veux pas retourner en arrière. Tu as eu ta chance, mais tu en voulais toujours plus, comme un gosse. Laisse-moi tranquille.

– Molly, regarde-moi, dit-il en lui passant le bras autour des épaules. J'ai changé...

– Oui, pour cinq minutes. Dès que tu auras ce que tu veux, tu redeviendras le même.

– Molly, je veux t'épouser.

Elle leva les yeux et dit d'une voix tremblante :

– Fiche le camp, Johnnie, fiche le camp.

J'ai l'impression que personne ne s'intéressera à mon histoire tant que je n'en serai pas aux passages scabreux. Peu importe, je raconte ça surtout pour moi. Mais quand j'en viendrai à la manière dont mon histoire personnelle s'est mêlée aux affaires publiques, ça va se corser. C'est pour ça que je suis restée si discrète sur ces Mémoires. Je n'ai pas envie d'entendre parler de pots-de-vin et de menaces de mort avant d'avoir fini. Il y a bien un moment où la loi sur le secret d'État entrera en jeu, mais ce bon vieux Bert Precious – qui finira par entrer en scène, lui aussi – peut dormir sur ses deux oreilles pendant un moment. J'en arrive maintenant à l'histoire de Steven Greene, de Wendy Valentine et de Carol Rogers, entourés de tout une troupe de comparses, acteurs shakespeariens, juges de la cour suprême et cardinaux, tous surpris pantalon baissé.

Je me souviens avoir rencontré Steven Greene pour la première fois en descendant Molton Street avec Simon Tate, un soir d'hiver assez froid, à moins que ce ne fût au début du printemps. Nous étions allés manger un morceau, avant que je ne reprenne mon premier service au Frames, et je me plaignais d'Ivy qui ne cessait de récriminer depuis que Pat, la fiancée de Jack, lui avait annoncé qu'ils faisaient des économies pour faire construire. J'étais certaine qu'elle prenait tout l'argent que je lui donnais pour Joséphine, et le déposait à la banque pour sa propre maison de banlieue, qu'elle nourrissait la gosse n'importe comment et mettait ses bottes au mont de piété. Je m'étais lancée dans cette diatribe typique de la classe ouvrière, en grande partie pour me dissimuler mon anxiété. Quand nous arrivâmes devant le club, j'étais justement en train de dire à Simon :

— Tout ce qu'elle craint, c'est de me voir avec un type qui me prenne tout mon fric. Ce n'est pas mon bonheur qui l'intéresse, ni la morale, mais l'argent, c'est tout. Pourtant, il n'y a pas la moindre chance pour que ça m'arrive, j'en ai terminé avec ça...

A ce moment, la voix d'Arnie Rose a crié derrière le bar :

— Désolé d'apprendre que tu as renoncé aux hommes, Moll. C'est une grande perte pour nous.

Et il approcha, une bouteille de champagne à la main, l'air affable. Les deux frères étaient là, avec leur gros ventre qui dépassait de leur costume trois-pièces. Il n'y avait qu'une seule autre personne au bar, un homme. Avant d'avoir compris ce qui m'arrivait, je me retrouvai à sabler le champagne avec les Rose, à la fois reconnaissante et méfiante car ces ostrogoths étaient plutôt lunatiques. Enfin, c'était gentil de leur part, même s'ils avaient l'air de me traiter comme quelqu'un qui avait passé un bon moment à l'ombre. Entre-temps, l'homme tranquille à l'autre bout du bar, en costume gris, chemise rayée et cravate de soie bleue, s'était avancé vers nous, sourire aux lèvres. Il était grand et mince, plutôt insignifiant. Il avait des cheveux châtains assez ternes, l'air timide et ce n'est que lorsqu'il se leva que je vis son regard. Surprenant ! De grands yeux verts avec des lueurs noisette, fascinants, vraiment. Dès que vous les voyiez, vous oubliiez la banalité du visage et le nez dépouvu de caractère. Je me demande si Greene a jamais compris l'importance de son regard. Mais attention, il savait en user.

— Viens, Steven, prends une coupe de champagne, je te présenterai Molly qui vient juste de revenir après une longue absence.

Je ne m'étais pas trompée en disant qu'ils me traitaient comme si je sortais de prison !

— Ce n'est pas ce que vous croyez, dis-je immédiatement pour mettre les choses au point.

202

– Vous m'avez l'air trop fraîche pour que je pense à des choses pareilles, répondit-il avec une voix de petit-bourgeois.

Que faisait cet individu en compagnie des Rose ? Un spécialiste des maladies vénériennes, sans doute.

– Je te présente Steven Greene, me dit Arnie. Un célèbre osteopathe, ah ah, artiste international aussi et diseur de bonne aventure à ses heures. Tu devrais lui faire un jour son thème astral. Et puis, c'est l'homme qui a sauvé Arnie de sa vilaine épaule. Et c'est lui que j'ai sauvé des mains de Randolph Turpin au Chat Noir.

Cet incident avec le boxeur noir était l'un des récits favoris d'Arnie. Plus tard, Steven me confia qu'Arnie souffrait tout simplement d'arthrose.

– Il vit dans l'appartement du haut, dit Arnie, comme par hasard.

– Enchanté, dit Steven Greene.

Oh ! mon Dieu, quel regard distant et envoûtant à la fois !

– J'ai repris votre ancien appartement, il faudra que vous veniez me voir un jour.

– Surtout, n'y va pas ! me conseilla gentiment Norman. C'est un vrai Raspoutine. Un danger pour les femmes, pas vrai ? dit-il en lui donnant un coup de coude.

– Ne faites pas attention à ce qu'il raconte. Mais si vous avez envie de venir boire une tasse de thé...

– J'en serais ravie.

Je répondis sur ce ton snob, car à l'époque, je pensais que c'était comme ça que les gens avaient envie de m'entendre parler. De toute façon, je n'aurais jamais pu travailler au club si j'avais juré comme un charretier. Ce n'est que bien plus tard, que je me suis dit : laisse tomber, parle comme tu en as envie. Arnie me resservit du champagne.

– Ne te laisse pas impressionner par cette Marie-Chantal. Elle vient de la même rue sordide que moi.

– Un quartier dont on est apparemment destiné à s'élever.

Je ne pus m'empêcher de me moquer de lui. C'était vraiment un sorcier avec les femmes, il le savait et savait que je le savais. Ce n'est pas que je fusse intéressée, comme je l'avais dit à Simon, la simple idée de l'amour me dégoûtait. J'avais retenu la leçon de Johnnie Bridges. C'était l'heure de l'ouverture du club. Le barman entra et les Rose se préparèrent à partir, mais Norman se tourna vers moi et dit :

– Que je ne voie jamais Johnnie Bridges ici, même mourant.

– Cela m'étonnerait qu'il vienne se réfugier ici, s'il était mourant. Il sait que vous ne l'appréciez guère.

– Jure-le moi, dit Norman. Je sais comment vous êtes, je n'ai rien contre toi, Moll, mais on ne peut pas faire confiance aux femmes quand elles ont un homme dans la peau. Elles retournent toujours avec lui, même s'il les bat, s'il boit et leur pique leur fric... Elles sont prêtes à faire n'importe quoi pour lui. Pire ils sont, plus elles les aiment. C'est la vérité, dit-il à Greene, elles ne sont pas faites comme nous.

— Je vous le promets, mais c'est inutile, tu ne risques rien. C'est ce que j'ai répondu, et je croyais bien dire la vérité.

— Il t'a fait du tort, Molly, dit Arnie qui devenait sentimental.

Je pris une expression niaise, comme si j'appréciais sa compassion, mais intérieurement, j'avais la chair de poule. La petite amie d'Arnie, Sallie, était morte d'une septicémie après un avortement qu'elle avait dû subir juste après qu'Arnie l'eut fichue à la porte. Il n'était même pas allé la voir à l'hôpital. Et pourquoi ? Parce que la nuit où il l'avait renvoyée, elle était saoule et que ce petit délicat ne supportait pas les femmes saoules ! Et pendant le même temps, les Rose amassaient des fortunes grâce à la prostitution. Et voilà qu'Arnie me prenait pour la Vierge Marie. C'était sinistre. Malgré toute leur brutalité, il fallait encore qu'ils croient aux femmes « pures ». Et moi, je faisais partie de cette catégorie, j'étais leur fétiche. Malheur à toi, Molly Flanders, si tu oses détruire leurs illusions ! Ils ne feront qu'une bouchée de toi au petit déjeuner si tu brises leur rêve en descendant de ton piédestal.

— Eh bien, allons-y, Steven, proposai-je. Est-ce que cela vous dirait de monter et de faire semblant de jouer au chemin de fer, pour encourager les vrais clients ?

Il accepta et nous montâmes, mais je me demandais toujours pourquoi les Rose tenaient tant à le voir dans les parages. Il y avait sans doute plus qu'une histoire d'épaule.

— Où habitez-vous ? me demanda-t-il dans la longue salle déserte.

Je lui racontai donc que je devais prendre un taxi tous les matins parce qu'il n'y avait plus de transports en commun à cette heure, et il m'offrit d'occuper la chambre d'amis pendant la semaine, ainsi, je n'aurais plus à me soucier des trajets.

— Je vous assure que je vous fais une proposition tout à fait platonique. Je ne suis pas du genre à dire ça tout en espérant que ce ne sera pas la vérité, ni que les choses finiront bien par changer naturellement un jour ou l'autre sans vouloir le reconnaître.

Je le crus. Les types comme Steven Greene se mentent à eux-mêmes, et n'ont pas besoin de mentir aux femmes. Je demandai simplement pourquoi il me faisait cette propostion.

— Oh, comme ça.

Plus tard, je compris qu'il ne voulait pas que Wendy et Carol essaient d'emménager chez lui, nuit après nuit, se prélassent au lit jusqu'à point d'heure et lui laissent un capharnaüm dans la cuisine. Il tenait à sa vie privée et ne voulait pas que tout le monde sache ce qui se passait chez lui. Tout devait rester dans des compartiments bien séparés les uns des autres et il pensait que quelqu'un ayant un autre foyer et un travail régulier, même avec des horaires bizarres, était le meilleur moyen de ne pas se retrouver seul tout en évitant les complications inutiles.

J'acceptai donc sa proposition, ce qui me procura quelques ennuis et me permit de découvrir le monde sous un autre aspect.

Ce même soir, Molly alla bavarder avec Mme Jones aux toilettes après la fermeture du club, comme elle le faisait souvent. Quel soulagement de pouvoir se reposer en buvant une tasse de thé ! Et puis, il se révélait souvent utile de savoir de quoi les femmes avaient parlé, cela permettait souvent de démasquer les mauvais payeurs. Là, elle était également à l'abri des exigences du reste du personnel, et de plus, elle ne risquait pas de voir Arnie Rose venir s'accrocher à ses basques.

— J'ai fait le ménage dans l'appartement après votre départ la dernière fois, dit Mme Jones, pleine de tact. J'ai retrouvé vos boucles d'oreilles, je les ai mises de côté pour vous, poursuivit-elle en lui donnant les bijoux d'or ornés d'une petite émeraude.

Johnnie était sans doute repassé en vitesse et avait profité de l'occasion pour vider son coffret à bijoux.

— Merci, madame Jones, dit-elle en les mettant immédiatement.

— Il est venu après votre départ et quand je lui ai dit que vous étiez partie avec une valise, il a dû s'appuyer sur le montant de la porte pour rester debout.

— Il avait une chance de se ranger, mais il n'a pas su en profiter.

— Intelligent, beaucoup de charme, il avait tout. Tout ce qui lui manquait, c'était un peu de volonté. Ce genre de types, il y en a des milliers de nos jours. Ce doit être la guerre, il leur a manqué la poigne d'un père.

— Il y en a pas mal comme ça parmi les clients, remarqua Molly.

— Et un autre à l'étage du dessus.

— Ah ? L'ostéo machin chose ?

— L'osteopathe. Il s'occupe des os et tout ça. Vous savez, comme pour les sportifs et les athlètes quand ils sont blessés. Mais en fait il y a un autre nom pour ce qu'il fait, lui.

— Lequel ? demanda Molly.

— Je ne tiens pas à le dire.

— Ah bon. Et comment a-t-il connu les Rose ?

— En fait, c'est lui qui les a introduits dans le beau monde. Les gens comme M. Arnold et M. Norman aiment bien fréquenter d'autres sphères de la société... et vice versa.

Effectivement, Arnie et Norman Rose devenaient célèbres dans les cercles intellectuels et bourgeois audacieux, qui adoraient avoir des gangsters à leurs soirées, ce qui flattait les Rose. Norman en particulier se vantait d'avoir des relations dans le monde du cinéma et l'aristocratie.

— Il rend des services à des tas de gens, poursuivit Mme Jones avant d'ajouter à voix basse : Si j'étais à votre place, je resterais en dehors de tout ça.

Pourtant, Molly en avait assez de rentrer dans sa maison vide en taxi aux premières heures de l'aube. Johnnie lui manquait trop, elle ne le supportait plus.

En entrant dans l'appartement, elle trouva Steven Greene dans une robe de chambre de soie marron, assis sur le sofa tapissé d'un tissu crème. Une fille se tenait à côté de lui.

— C'est moche. Mais je devrais pouvoir régler ça demain matin avec quelques coups de fil, lui disait-il en la regardant dans les yeux. Ah, bonsoir, Molly, viens donc prendre un verre avec nous.

L'appartement avait beaucoup changé avec ses murs désormais ivoire, sa moquette fauve et ses rideaux pastels. Des aquarelles ornaient les murs. Molly, bien qu'un peu irritée par ces transformations, devait bien l'admettre, l'appartement avait une allure plus reposante.

— Assieds-toi, enlève tes chaussures, je te présente Wendy. Molly, Wendy Valentine.

Molly s'effondra sur une chaise, jeta ses chaussures dans un coin, et observa la fille, plutôt jolie, avec ses longs cheveux noirs et ses dents légèrement en avant qui lui donnaient l'air vulnérable. Elle portait un pull-over et une jupe moulante noirs et des escarpins usagés. Un de ses bas avait filé.

Greene leur servit à boire et se réinstalla sur le divan.

— Alors, les filles, vous ne trouvez pas que c'est confortable ?

Une fois de plus, Molly se laissait envelopper par la chaleur des yeux verts. Ce Greene aimait les femmes, en bloc, plus il y en avait, mieux c'était. Pourtant, elle ne se sentait pas très à l'aise. L'atmosphère calme masquait une tension qu'elle ne parvenait pas à définir. Elle regarda Wendy qui lui faisait penser à un pauvre petit chat perdu et maigrichon, miaulant devant une porte fermée dans l'espoir de se faire adopter. Wendy ferma les yeux et sembla sombrer dans le brouillard.

— Wendy, rentre chez toi, tu verras bien si tu as un coup de fil. Et je parlerai à ton bonhomme demain matin. Ensuite je t'appellerai, et tu pourras me donner tous les détails.

— D'accord, Steven, dit la fille en se levant, mais tu n'oublieras pas ?

— Bien sûr que non, tu n'imagines tout de même pas que je vais te laisser tomber.

206

Il la raccompagna à la porte et Molly crut entendre le bruit de billets froissés qui changeaient de main.

— Merci, dit Wendy.

Greene chuchota quelques mots avant de refermer la porte.

Molly avait les paupières qui se fermaient.

— Je crois que je vais aller me coucher, dit-elle lorsque Steven fut de retour. La soirée a été longue.

— Je comprends. Ne t'en fais pas pour moi, je suis un oiseau de nuit. Je ne dors jamais beaucoup. J'aurais bien aimé avoir quelqu'un pour bavarder un peu. Un autre verre ?

Elle accepta car il était facile de se laisser aller au confort de la pièce.

— Déprimée ? Cafardeuse ? suggéra Greene. L'amour, comme d'habitude ? Comment se fait-il qu'une jolie fille comme toi ne soit pas entourée de toute une cour de prétendants et de cœurs brisés ? C'est contre nature.

— Bof, toujours la même histoire.

Greene lui posa des questions et Molly ne lui cacha rien.

— Je croyais sincèrement qu'avec le club il allait tout recommencer à zéro, mais pour lui, ce n'était qu'un épisode comme un autre. Une nouvelle tirelire, où on pourrait piocher tout ce qu'on voudrait. Il est malhonnête, c'est tout.

— Tu es une capitaliste dans l'âme. Et lui, un criminel. Il veut tout, tout de suite.

— Mon frère dit que je suis une petite-bourgeoise qui s'ignore.

— Communiste ? demanda Greene, soudain fort intéressé.

— Non, mais sa fiancée, oui. Jack est très à gauche, expliqua Molly. Il essaie d'entrer à l'université d'Oxford. Il travaillait sur les docks, c'est mon oncle qui lui avait trouvé la place. Maintenant, il va se marier avec Pat, qui a quatre frères sur les docks, tous des Rouges. A Noël, nous sommes allés jouer aux cartes chez eux et ils ne parlaient que dictature du prolétariat. De toute façon, qu'est-ce qu'un homme aussi cultivé que toi fiche dans un endroit pareil ? Qu'est-ce que tu fais ? demanda-t-elle à Greene qui griffonnait sur un bloc-notes.

— Je dessine ton portrait. J'aime bien les cernes sous tes grands yeux fatigués.

— C'est malin ! dit Molly. Mais Qu'est-ce que tu fabriques ici ?

— Tu as déjà entendu parler du marquis de Sade ?

— Non, dit-elle, un peu impressionnée. Ce n'est pas le genre de choses que je connais.

Pourtant, cela ne lui expliquait guère ce que Greene trafiquait à South Molton Street. Il lui montra son dessin.

— C'est fantastique. Tu es doué.

— Je le ferai encadrer.

Molly le laissa dans la grande pièce claire et alla se coucher. Elle dormit d'un sommeil agité et quand elle se leva, il lui fallut un moment pour se rendre compte que l'imperméable blanc de Wendy était de nouveau sur le divan. Quand elle passa devant la porte ouverte de la chambre de Steven, elle vit trois têtes sur les oreillers du grand lit qu'elle avait partagé avec Johnnie. Il y avait Greene, une tête dont elle ne voyait pas le visage, et une figure pâle encadrée de cheveux bruns, Wendy. Molly dégringola l'escalier qui menait à l'extérieur. « Ça, c'est un peu fort ! » se dit-elle.

Mme Jones était agenouillée dans l'escalier, une brosse de chiendent à la main.

— Il y a le feu ? demanda-t-elle.

— Non, il n'y a plus de lait.

Simon Tate, installé à son bureau, faisait les comptes.

— Eh, Molly, il faudra vérifier tout ça. Quand les chats ne sont pas là..., ajouta-t-il en levant les yeux. Mais que fais-tu ici dans cette tenue ? Tu ne peux pas te trimbaler à moitié nue ! Allez, va t'habiller.

— Pas avant d'avoir pris mon petit déjeuner, répondit fermement Molly en se dirigeant vers la cuisine.

— Qu'est-ce qui ne va pas ? demanda Simon.

— Je te le dirai quand j'aurai fini de déjeuner. Puis, passant la tête par l'entrebâillement de la porte, elle annonça : Tu sais qu'il y a deux femmes dans son lit, là-haut ? Deux !

— Il paraît que ça se fait, répondit Simon, guère surpris.

— Je sais, je ne suis pas née de la dernière pluie. Mais je ne m'attends pas à ça avec des personnes que je connais. Steven est si gentil...

— Je ne crois pas qu'il soit méchant avec elles, sinon, elles ne resteraient sûrement pas. Qu'est-ce que tu vas faire ? Déménager ?

— Je ne sais pas. Je vais bien voir comment cela va tourner. J'ai un logement gratuit, et c'est pratique quand on regarde les choses d'un point de vue rationnel. Finalement, quelle importance, il peut bien coucher avec un gorille... !

— Tant que tu n'es pas avec eux ! lui dit Simon.

Après cet incident, pendant un mois ou deux, il ne se passa plus rien. Steven Greene était souvent absent lorsque Molly rentrait, sinon, elle le trouvait seul ou en compagnie de Wendy ou de l'autre fille, Carol. Elle les entendait parler tard dans la nuit. Le téléphone sonnait sans arrêt ; les conversations étaient toujours excessivement courtes. Greene allait à des soirées, rencontrait des gens, rendait des services avec le plus grand naturel. Il lui semblait pourtant qu'il se tramait quelque chose, mais elle n'arrivait pas à savoir quoi. Les finances de Greene étaient fantaisistes. Parfois, elle trouvait un couple de faisans sur la paillasse de la cuisine, parfois une boîte de conserves entamée sur le réfrigérateur. Des factures traînaient sur la table pendant des semaines sans même avoir été ouvertes puis disparaissaient brusquement. Elle ne cherchait pas à en savoir plus. Elle appréciait leurs conversations tôt le matin, après la fermeture du club. Pour elle, il remplaçait un peu son frère Jack. Il voyait les choses d'un point de vue plus ouvert que le sien et tirait des conclusions qu'elle ne semblait pas capable de tirer seule. Il lui donnait des conseils. « Ton Johnnie, tu le reprendrais immédiatement s'il se pointait ici, j'en suis sûr », ou, un soir : « J'ai flairé les mauvaises dettes quand tu es rentrée ce soir. Vous avez dépassé la limite. Les clients sont au bord du gouffre, je sens l'odeur du désespoir. »

Molly songeait aux salles obscures où hommes et femmes se tenaient autour des tables. Souvent, ce n'était qu'une simple sortie, comme une séance de cinéma ou une soirée de gala, mais dans un club de jeu, la moitié des clients au moins étaient des joueurs invétérés, incapables de se maîtriser, un peu comme le chasseur à l'affût. Eux, ils opéraient tard dans la nuit ou tôt le matin, lorsque les enjeux étaient gros et que l'on pouvait perdre ou gagner une fortune en un éclair. La nuit suivante, elle observa les visages de ceux qui l'entouraient – John Farley, fils d'un baron de l'acier des Midlands ; Theo General, fils d'âge mûr d'un gros propriétaire du Wiltshire, qui jouait en bourse et attendait la mort de son père ; Sally Weiss, fille indigne d'un millionnaire suisse avec son amant, Lord Ceveney. Certains avaient bien triste mine. Ou ils jouaient trop gros, ou, comme le lui avait dit Greene, l'ambiance du club devenait désespérée.

Le lendemain matin, quand elle se réveilla, Johnnie lui manquait cruellement. « Trouve-toi donc un autre type, Mary Waterhouse ! » Mais l'affreux sentiment de vide la torturait toujours quand elle descendit. Elle prépara rapidement les salaires et se dirigea vers le coffre pour prendre l'argent qu'elle devait remettre à la banque quand elle changea soudain d'avis. Elle sortit les registres et les ardoises laissées par les joueurs dont la plupart avaient été signées et resignées pour des sommes de plus en plus importantes au cours des six dernières semaines. En tout, il y avait quarante-cinq mille livres de dettes. Elle se rendit soudain compte que ces derniers temps, elle avait souvent appelé Simon pour qu'il accepte l'ardoise d'un client, sans même se demander si elle n'aurait pas mieux fait d'inciter le perdant à la prudence. Si tous les croupiers avaient agi de même, la situation aurait frôlé la catastrophe. En regardant de plus près, elle s'aperçut qu'il n'y avait que dix mille livres à déposer à la banque ce jour-là. Avril n'était jamais une bonne saison, car beaucoup de gens étaient en vacances, mais même ainsi, les dettes correspondaient à près de cinq semaines de recettes. Il était indispensable d'accorder des crédits dans un club de jeu, mais là, c'était beaucoup trop. Simon arriva et regarda les papiers à côté d'elle.

– Oui, je voulais t'en parler aujourd'hui. Quelle est l'étendue des dégâts ?

Elle lui résuma la situation.

— Oh, mon Dieu ! Quel imbécile j'ai été ! Que vont dire les Rose ?

— Qu'est-il arrivé ? demanda Molly.

— Ma vie ! Ma fichue vie ! Voilà la cause ! s'exclama-t-il amèrement. C'est simple, je me suis laissé avoir par une petite crapule depuis mon retour d'Afrique. Mignon, nulle part où aller. Je l'ai pris sous mon aile. Geoffrey, enfin, mon ancien amant est parti quand il a compris ce qui se passait. Je suis tombé amoureux. Il m'a fait croire qu'il m'aimait. J'ai tout fichu au clou pour lui offrir des robes de chambre en soie et des montres en or. Peu à peu, je me suis rendu compte qu'il ne m'aimait pas, le début de la catastrophe. Ce matin en me réveillant, j'avais l'impression d'avoir tous les os brisés. Il n'est pas rentré cette nuit. Il s'est pointé à dix heures, bien sûr, je n'ai pas dormi. Il m'a raconté qu'il avait passé la nuit chez son frère, tu parles ! Je lui ai dit que je ne le croyais pas, alors il s'est mis à pleurnicher... « Oh, comment oses-tu douter de moi ? » mais il n'a pas suggéré que je téléphone à son frère. Et quand je lui ai signalé mon intention, ça a été de nouveau les grincements de dents : « Tu ne me fais pas confiance, c'est insultant, humiliant... »

Le téléphone sonna, et Molly répondit. Inquiète sur l'effet que produirait cet appel sur les nerfs ébranlés de Simon, elle lui passa le récepteur.

— Non, Bassie, je ne vois pas à quoi cela servirait. Je préférerais que tu t'en ailles. Cela ne peut pas continuer comme ça. Plus tard, peut-être, mais ça m'étonnerait... Eh bien, tu n'as qu'à aller chez ton frère, dit-il, furieux, avant de raccrocher brusquement.

Il se tourna vers Mary.

— Bien sûr, quand il est parti, je me suis dit que pour en avoir le cœur net, je devrais téléphoner à son frère, même si la démarche était plutôt humiliante. Mais il l'avait déjà sûrement prévenu pour qu'il me confirme qu'il avait bien passé la nuit là-bas, c'est pour ça que j'ai été forcé de le foutre à la porte. Sale histoire.

— Pourquoi ne téléphones-tu pas à Geoffrey ?

Simon n'écoutait pas.

— C'est bien fait pour moi. Ça m'apprendra à m'enticher de petites crapules. Il draguait devant l'école en bas de chez nous. Il se tenait sur la touche pendant les matches quand nous jouions et battait des cils. On l'appelait « la Grande Horizontale ».

— Qu'est-ce que ça veut dire ?

— Belle salope, c'est du français.

— Pourquoi n'appelles-tu pas Geoffrey ?

— Il n'y peut rien.

— Simon, Geoffrey est sûrement prêt à t'aider. Appelle-le, supplia Molly.

210

– C'est une ordure. Quand je rentrais tard, je le trouvais en train d'écouter du jazz en fumant des joints. Sale manie... mais il est tellement beau.

– Geoffrey, dit Molly au téléphone, Simon a eu une engueulade avec un petit sagouin. Pouvez-vous lui pardonner et venir le voir, et surtout le remettre sur ses pieds, parce que tout va très mal au club.

La voix à l'autre bout du fil dit quelques mots et Molly répondit.

– Oui, je suis de service. Il faut que je reste tant que Simon n'est pas de nouveau d'aplomb. Venez, Geoffrey, je vous en prie. Simon, écoute-moi, Geoffrey t'invite à déjeuner à une heure. Il faut faire quelque chose rapidement...

– Tout est de ma faute.

– Nous sommes responsables, tous autant que nous sommes.

Molly sortit et appela Mme Jones par-dessus la rampe d'escalier.

– Mme Jones, pouvez-vous envoyer quelqu'un chercher du café et des sandwiches au poulet ? Sinon, allez-y vous-même, ou, vous êtes virée !

– Ah, cette vulgarité populaire, ça donne un souffle d'air frais ! se murmurait Simon comme pour lui-même quand elle rentra dans la pièce.

– Oh, je t'en prie, n'en fais pas une histoire de classe ! Tu es sous le choc des émotions, et j'en suis désolée, mais ici, nous sommes dans un beau pétrin. Si ça continue...

La sonnerie du téléphone retentit de nouveau.

– Arnie ! s'exclama Molly. Heureuse de t'entendre. Oh, oui, bien sûr. Euh, est-ce que tu pourrais nous laisser quelques jours, pour nous assurer que les livres sont tenus de manière impeccable ? Tu sais, nous avons été débordés... Bon, d'accord, à bientôt, donc, dit-elle avant de reposer l'appareil. C'était Arnie. Il vient avec le comptable la semaine prochaine. Vérification de routine... On dirait qu'il a du flair pour dénicher les ennuis.

Mme Jones revint avec un plateau de café et les sandwiches. D'un air désapprobateur, elle jeta un coup d'œil sur la liasse de papier qui traînait sur la table. Elle sortait en silence quand Molly la rappela.

– Madame Jones ? Vous aviez essayé de me prévenir, n'est-ce pas ? Asseyez-vous donc, prenez le café avec nous, et dites-nous ce que valent ces ardoises.

Mme Jones feuilleta les papiers en donnant de brefs commentaires que Molly prenait en notes.

– Pas de problème avec celui-là, sa mère est américaine, l'héritière d'un boucher en gros de Chicago, fils unique... Avec celle-là non plus, c'est la fille aînée d'un évêque anglican, elle ne peut pas se permettre de scandale. Ces vingt mille livres là, par contre, vous ne les reverrez jamais, le type a filé à l'anglaise pour l'Argentine, endetté jusqu'au cou. Mais à quoi pensez-vous... ?

Quand elle eut terminé, Simon se leva silencieusement et lui tendit un billet de cinq livres qu'elle fourra dans la poche de son tablier.

— La moitié d'entre eux finiront bien par cracher, dit-elle avant de sortir.

— Ça, je n'y aurais jamais pensé ! Demander à la dame-pipi !

— Qu'est-ce qu'on fait, maintenant ? dit Molly.

— D'abord, une lettre polie, ensuite des coups de téléphone amicaux, puis d'autres un peu plus embarrassants, sur le lieu de travail ou chez papa-maman par exemple. On menace de le raconter partout mais ça en général, tout le monde s'en fiche. Le problème avec les dettes de jeu, c'est que c'est honorifique, comme une note chez le tailleur ou le négociant en vin. En dernier ressort, il faudrait en venir aux menaces et leur parler de MM. Arnold et Norman Rose. Je n'ai jamais fait ça, ça manque de classe, et je ne veux pas courir ce risque.

— Ça me semble un peu longuet. Ça va prendre au moins un mois.

— Plutôt trois.

— Il faut trouver un raccourci. On pourrait sauter l'étape des lettres polies par exemple. Il faut récupérer au moins la moitié de ces notes avant qu'Arnie Rose vienne mettre son nez dans les livres, dans moins d'une semaine.

— Bon, mais si on va trop vite, cet endroit va ressembler à une foire d'empoigne. On ne peut pas bousculer les gens de la bonne société quand il s'agit d'argent.

— Je vais monter et vérifier cette liste avec Steven. Il connaît tous les ragots. Comme ça, on saura peut-être comment faire pression en apprenant par exemple qui est fiancé et n'aimerait pas que la belle famille entende des vilains bruits avant la cérémonie ou ce genre de choses. Toi, tu vas déjeuner avec Geoffrey, si tu rentres pour trois heures, tu pourras commencer à téléphoner. Je te préparerai une sorte de dossier pour que tu puisses travailler. Je pourrais le faire moi-même, mais je n'aurais pas la manière, je suis trop vulgaire. Je ne sais pas comment faire pour que l'on comprenne que je suis une vraie dame, et que je ne parle pas dans le vide. De toute façon, ils ne tiendraient pas compte des paroles d'une femme.

Simon accepta.

— Bon, il faut que je me dépêche si je ne veux pas rater Steven. Et toi, pas de larmes sur ce crétin de Bassie et pas trop d'alcool.

Dans l'appartement, Steven sortait de la salle de bain, enroulé dans une serviette.

— Tu peux me consacrer une demi-heure ? demanda Molly.

— Pour tout ce que tu veux, ma belle.

– Oui, eh bien, garde ta serviette, parce que j'ai simplement besoin d'informations.

Tandis qu'ils discutaient des ardoises, un coup de sonnette tonitruant amena une belle blonde en tailleur noir, avec une écharpe de fourrure sur les épaules. Elle embrassa Steven, regarda Molly, la jugea inoffensive et dit :

– Tu as ce qu'il faut ?

– C'est là, répondit-il en indiquant la chambre.

La fille en sortit quelques secondes plus tard, l'air moins inquiète.

– Pauvre fille, dit Steven après son départ, elle ne pouvait pas payer son loyer, je lui ai prêté de l'argent.

– C'est triste, dit Molly qui ne l'avait pas cru.

Avant qu'ils n'en aient terminé avec la liste, le téléphone avait sonné deux fois. Comme à l'accoutumée, il avait répondu de manière brève et énigmatique. « S'il te dit ça, c'est qu'il ment... Il y a des limites à mon pouvoir, et à mes fonds... » Puis ils reprirent la liste :

– Tonia Thompson, même pas la peine d'essayer, elle est sur la Côte d'Azur avec Onassis. Dirk Frogett ? Jamais entendu parler de lui. Sûrement un faux nom. Ah, Joe Templeton, quinze mille livres. Dites-lui que vous allez tout raconter à sa mère, ça lui fera de la peine. Sir quoi ? Ah, Mulvaney, pas de problème, c'est un riche propriétaire de chevaux de courses. Pat Jameson, annoncez-lui que la prochaine fois vous lui téléphonerez à sa banque. Ça ficherait un coup à son avancement, il n'appréciera pas et il a les moyens de payer. Et puis, n'oublie pas, dit-il quand ils eurent terminé, je n'ai rien à voir là-dedans. Je n'aimerais pas qu'on me prenne pour une balance.

– Merci, Steven. Je te revaudrai ça.

– J'espère bien, mais essaie de ne pas t'exprimer comme les Rose.

Les coups de téléphone furent passés l'après-midi-même. Comme prévu, la soirée fut calme, la nouvelle avait couru vite et les clients étaient découragés.

– J'espère que cela ne fera pas définitivement péricliter le commerce. Après tout le mal que nous nous sommes donné ! dit Molly en rejetant ses chaussures.

– C'est sûrement un mauvais moment à passer, la rassura Steven. Tiens, sers-nous à boire, dans une minute je te ferai couler un bain.

Quand Molly entra dans la salle de bain, elle s'aperçut qu'il avait parfumé l'eau.

– C'est très gentil, lui dit-elle, une fois en peignoir après s'être lavée.

– Je gâte trop les gens, dit-il en levant le nez de son livre, je ne devrais pas. Qu'est-ce que je cherche ? A être aimé ?

– Tu aides les gens, pour qu'ils t'aident ensuite, c'est comme cela que tu fonctionnes.

– Bien vu. Tu devrais lire plus. Tu es trop intelligente pour être si peu cultivée.

– Oui, effectivement, je pourrais prendre un livre. Mais lequel ? Tu peux m'en conseiller un ?

– Regarde ce truc contre le mur, c'est ce qu'on appelle une étagère. Il n'y a que des livres. Le choix ne manque pas.

– Toujours aussi sarcastique, dit Molly en regardant les titres. Pouh, je suis hantée par ce Johnnie Bridges.

– Eh bien, laisse-le te hanter. Ça finira bien un jour. A moins que tu ne sois folle, ce qui n'est pas le cas. Et entre-temps, profites-en pour t'enrichir l'esprit.

– Ce n'est pas mon style. Je vais acheter une télévision et l'installer dans ma chambre.

– Molly Flanders, je vais te dire quelque chose pour ton bien. Continue comme ça, et tu finiras par t'ennuyer et par devenir une véritable enquiquineuse. Des scènes, des bagarres, et j'en passe, et pas la moindre réflexion, pas la moindre vie intérieure, rien, le néant. Tu sais ce que les femmes deviennent si ça dure trop longtemps ? De vieilles barbes acariâtres.

Sans doute disait-il la vérité, mais Molly sentait que, devant les exigences des femmes, il aspirait au calme et à la tranquillité.

– De toute façon, où est-il passé ? dit-elle, furieuse. Sans doute avec une nana !

– Je te conseille de te renseigner avant de le reprendre, ce qui ne manquera pas d'arriver. Mais essaie donc de faire quelque chose pour toi avant. Qu'est-ce que tu veux, Molly ?

– Je ne sais pas... Johnnie.

– Johnnie, ce n'est pas une réponse. Johnnie ne te suffira pas pour la vie, ni une dizaine de Johnnie non plus, d'ailleurs. Il faut que tu trouves ta propre voie, sinon, d'autres, des hommes surtout, la trouveront pour toi. Tu te laisseras embarquer jusqu'à ce que tu en aies marre, et puis tout recommencera. Tu ferais mieux d'y penser maintenant, sinon tu risques de comprendre plus tard à tes frais.

– Oh, c'est malin, et toi ? Qu'est-ce que tu fais ? Tu peux me dire quelle voie tu suis, peut-être ?

– Moi, je suis comme toi, ma chère Molly, je me laisse emporter par le vent, comme une fille. Mais j'ai l'impression que tu as plus de caractère que moi. Et maintenant, est-ce que tu veux coucher avec moi ?

– Oh, ne sois pas grossier ! dit Molly en regardant un titre et en reposant le livre à sa place.

– J'ai fait de mon mieux. Je t'ai proposé un esprit repu et un corps satisfait, et tu as rejeté les deux, répondit-il en se replongeant dans son livre. Je suis de ton côté, Molly. Je ne conseille pas de lire à toutes les jolies filles que je rencontre. Il me semble que ta vie sera compliquée, et il faudra que tu t'en tires toute seule. J'essaie de te faire gagner du temps et de t'éviter des souffrances.

— Tu devais me faire mon thème astral.

— Oui, mais ton horoscope est un vrai foutoir. Ça ne correspond à rien. Quelqu'un a dû trafiquer ton certificat de naissance, alors j'ai laissé tombé.

— Sympathique !

Steven continua à lire. La sonnette retentit. Un jeune homme que Molly reconnut comme l'un des clients du club apparut, une enveloppe à la main.

— Excusez-moi de vous déranger, j'ai fait aussi vite que j'ai pu. Simon Tate m'a dit que vous aimeriez vous faire rembourser. Une femme m'a laissé entrer, mais comme il n'y avait plus personne, elle m'a dit de monter ici.

Molly était à la fois surprise et reconnaissante. Elle s'était déjà imaginée que personne ne paierait sans des menaces plus sérieuses.

— Merci, dit-elle en prenant l'enveloppe. Vous avez été très rapide. Je vous offre un verre ?

— Je suis avec un ami, répondit-il d'une voix hésitante.

— Eh bien, faites-le monter.

— Merci beaucoup, dit le jeune homme qui s'appelait, elle s'en souvenait à présent, John Christian.

— Charlie, nous sommes invités à prendre un verre ! cria-t-il dans l'escalier. Tu veux venir ?

— Pour ça, je suis toujours prêt, dit une voix, et Charlie Markham grimpa les marches deux à deux.

Mary était horrifiée. Charlie ne venait pratiquement plus au club ces derniers temps, mais quand ça lui arrivait, il la collait généralement de trop près. Parfois, Simon Tate venait la délivrer, parfois, elle serrait les dents. Un jour qu'il avait porté la main sur son sein, elle lui avait sifflé à l'oreille : « Laisse-moi tranquille, Charlie.

— Excuse-moi, ce n'était qu'une mauvaise plaisanterie, je serai plus prudent à l'avenir, d'autant plus que tu es l'amie d'Arnie Rose. »

Charlie avait toujours été bien informé. A présent, il était trop tard pour reculer, elle ne pouvait revenir sur son invitation.

— Je savais bien que je te reverrais un jour, dit-il, déjà passablement saoul, en s'installant sur le divan. De toute façon, ce pauvre John ne voulait pas venir ici tout seul. De peur de rencontrer un des frères Rose, j'imagine.

— Voyons, Charlie, du calme, je n'ai jamais pensé une chose pareille.

— Eh bien moi, si. Leur intérêt pour le club est un véritable secret de Polichinelle. Et puis, je me suis dit que la belle Molly était peut-être là.

215

— Tu as des nouvelles d'Allaun Towers ? demanda-t-elle pour changer de sujet.

— Ah, tu te souviens de notre rencontre dans les buissons ? Toi, moi et ce cher cousin Tom ? Le rêve d'enfant deviendrait-il réalité ?

— J'espère qu'il y a eu autre chose dans ta vie que de baisser ma culotte quand j'avais quatre ans ! répondit Molly sans ménagement. Mais maintenant que je te vois, finalement, je me pose la question.

— Je crois que nous ferions mieux d'y aller maintenant, dit John Christian.

— Nous ne sommes pas pressés. Que demander de plus, une vieille amie, et son copain ? répondit Charlie en se tournant vers Steven Greene. Non, vraiment, nous ne pourrions pas trouver mieux. Je ne sais vraiment pas quoi que faire de ma vie, Molly, lui confia-t-il, j'ai quitté l'armée après une querelle, j'ai évité de justesse d'être envoyé à Chypre pour me faire tuer par un gentilhomme au teint sombre. Et maintenant, je n'ai que le vide devant moi. Je m'ennuie de la vie, comme dirait ce bon vieux Chateaubriand. Tu n'aurais pas quelques bons conseils ?

— Va donc piquer une tête dans la Tamise, ça te passera le temps, dit Molly sur un ton léger.

— Cet humour populaire est toujours aussi fascinant, dit Charlie à Greene. Ça ne m'étonne pas que vous ayez pris notre Molly chez vous. En fait, je crains d'être forcé d'entrer dans l'entreprise familiale. J'ai oublié de quoi il s'agissait exactement, mais du moment que ça a un rapport avec l'argent, peu importe. Au fait, ajouta-t-il en s'adressant de nouveau à Greene, il paraît que vous êtes la reine des gitans. Vous pourriez peut-être me lire l'avenir pendant que je suis là. Oh, finalement non, j'aime autant pas.

— Je crois que vous connaissez déjà votre destin.

— Que voulez-vous insinuer par là, reine des gitans et prince des ténèbres ? dit Charlie en se levant.

Greene se leva lui aussi.

— Il n'y a pas besoin d'être voyant pour vous dire qu'à long terme vous continuerez à écraser les femmes et tous ceux qui sont plus faibles que vous, et qu'à court terme, vous allez vous retrouver dehors dans moins de deux minutes, à moins que vous ne préféreriez rester étendu sur le carreau.

John Christian retint Charlie qui voulait se jeter sur Steven Greene.

— Il ne s'en sortira pas comme ça !

— Je n'ai pas la moindre envie de me battre.

— Viens, Charlie, dit John, fort embarrassé. Ne sois pas stupide.

— Oui, finalement, tu as raison, tu as toujours raison. Inutile de se battre avec un sale maquereau. C'est la règle numéro 1, ne jamais discuter avec des marchands, quel que soit leur commerce !

— Quel ignoble individu, ce Charlie ! s'exclama Molly après avoir claqué la porte derrière eux.

Greene se mit à rire.

— C'est vrai, cette histoire de buissons ?

— Oh, toi, tu es aussi dégoûtant que les autres. Ce Charlie me donne la chair de poule. Vraiment, j'ai envie de gerber quand je le vois.

— Pourquoi faut-il que tu sois si vulgaire ? demanda Greene, à demi allongé sur le sofa. Je t'aime bien, mais parfois, c'est pénible de t'entendre parler. Je crois que tu le fais exprès.

Il se leva et mit un disque.

Mary commença à hurler furieusement sur fond d'une sonate de Chopin.

— Et toi ? Pourquoi tu t'exprimes comme une grande folle ? Tu trouves peut-être que je suis vulgaire, mais toi, tu parles avec une patate dans la bouche ! Et puis, qu'est-ce que tu attends de moi ? Je n'ai pas vingt ans, je suis la veuve d'un condamné à mort, j'habite à Meakin Street, et je travaille dans un club tenu par des truands ! On n'est pas à Buckingham Palace ici ! Je suis comme je suis, c'est tout. Et de toute façon, de quel droit te permets-tu de me critiquer ? Je viens d'un milieu populaire, mais au moins, je suis honnête. Tu ne peux peut-être pas en dire autant. Bon, puis-je me retirer, Votre Excellence ?

— Non, Molly, excuse-moi. Reste encore un peu. Après tout, j'ai failli me battre à cause de toi, et ce voyou n'aurait pas hésité à me tuer, je peux te le dire.

— Fiche-moi la paix, snobinard ! cria Molly qui devait pourtant admettre qu'il disait la vérité. Vulgaire, je t'en fiche des vulgaires !

Soudain, une vague de tristesse et de solitude la submergea. Elle était épuisée, lasse et furieuse. Elle avait besoin de plus mais ne savait pas ce qu'elle voulait. Pleine de mélancholie, elle pensait à Johnnie malgré tout le mal qu'il lui avait fait. Elle songea à Charlie Markham et frissonna. Elle n'avait pas eu un seul vrai jour de vacances depuis le départ de Johnnie. Et maintenant, Greene se plaignait de sa vulgarité. Elle pleurait de désespoir et de fatigue quand Greene entra dans sa chambre en pyjama, se glissa dans son lit et lui passa le bras autour des épaules.

— Tu es une fille bien, Molly.

La plupart des gens pensent que si une fille tourne mal, comme on dit, c'est par vice et insouciance — une sorte de je-m'en-foutisme et d'amour du plaisir. Pourtant, le plus souvent, c'est simplement par pur désespoir, parce que l'on ne sait plus quoi faire de sa peau et qu'on cherche par là un moyen de se rassurer, où de trouver une solution à son avenir. C'est pour cela que je n'en ai jamais voulu à Greene de m'avoir pratiquement mise sur le trottoir. C'est sans doute plus ou moins ce que je voulais, à l'époque. De toute façon, Steven n'était pas exactement ce que Charlie croyait, pas de manière directe du moins. Je veux dire qu'il ne cherchait jamais à gagner un sou à ce jeu. La moitié du temps, il était fauché. Il se contentait de mettre des gens en relation les uns avec les autres : des millionnaires incultes qui voulaient acheter des tableaux et des négociants d'art ; de jeunes aristocrates qui avaient envie de rencontrer de vrais gangsters, comme les Rose, qui eux-mêmes appréciaient fort de rentrer en contact avec ce nouveau milieu. Certains désiraient du cannabis, Steven connaissait des dealers.

Steven donnait surtout beaucoup d'informations. Il s'arrangeait pour être au courant, et échangeait ce qu'il savait contre d'autres informations. Je ne dis pas qu'il ne grignotait pas dix pour cent par-ci par-là et qu'il ne recevait jamais de caisses de champagne devant sa porte. Il fallait bien gagner sa vie. Pourtant, la plupart du temps, il vivait au jour le jour et une fois que j'eus compris ce qui se passait, je me rendis compte que la situation financière ressemblait beaucoup à celle de Meakin Street : « Excusez-moi, madame Waterhouse, maman demande si vous ne pourriez pas nous prêter un peu de sucre... » Wendy Valentine n'avait jamais de quoi payer son loyer de cinq misérables livres par semaine, Carol avait toujours des bas filés, si bien que Steven lui glissait souvent un billet dans la main pour qu'elle s'en achète des neufs. Dans cette situation, nous les trois filles, nous faisions partie des gens que Steven mettait en contact avec ceux qui voulaient des filles, des snobs comme Carole et Wendy, ou des fleurs du caniveau comme moi. Je vous jure que je l'ai entendu prononcer ces mots au téléphone !

Après tout, toutes ces affaires n'étaient que des histoires d'amour. Ce n'est pas ce que vous obtenez qui importe, mais ce que cela signifie pour vous. Un cinglé d'aristo s'est amouraché de la cuisinière à dix ans, alors, pour le consoler, vous lui proposez des fleurs du caniveau ! En fait, il n'y avait que moi qui correspondait à cette définition, Wendy et Carol étaient plutôt du genre à avoir passé dix ou quinze ans à rêver d'acteurs de cinéma et de grandes propriétés à la campagne. Un jour, le grand monde se présente sous la forme d'un joli garçon qui les couche dans l'herbe devant le dancing local, et ça se finit par un bébé qu'il faut faire adopter car les parents ne supportent pas un tel déshonneur. Alors, il ne reste plus que la grande ville, et la prostitution en amateur, mais seulement avec des gens de la haute. Les clients font partie d'un cabinet ministériel, ou alors, ils sont diplomates ou fils de Premier ministre. Je suppose que c'est ce qui m'a empêché d'aller trop loin dans ce petit jeu. J'appelais un chat un chat et si j'avais nourri des rêves à l'adolescence, la réalité les avait vite étouffés.

A côté de cela, j'allais toujours à Meakin Street voir Joséphine, pas aussi souvent que j'aurais dû, pourtant. Mais, avec tout ce que je savais, et le bon sens d'Ivy qui me poursuivait, je ne pouvais pas me bercer d'illusions comme les autres filles. Je n'ai même jamais cru que cela me rapporterait beaucoup d'argent, alors que Carol et Wendy espéraient toujours que le Prince Charmant viendrait les sauver avec une couronne de diamants et une splendide demeure avec piscine dans le Surrey. Je ne vivais pas non plus le même cauchemar – toutes deux redoutaient que si cela devait cesser un jour ou l'autre, elles se retrouveraient travailleuses à la chaîne dans une fabrique de chaussures. Le spectre du tablier blanc et de la pointeuse les hantait, alors que moi, il ne m'effrayait guère. Je crois que Steven partageait le même rêve, lui aussi. C'était un peu différent, peut-être, mais il était fasciné par le luxe. Il était le compagnon des grands, celui à qui on faisait confiance pour se procurer ce dont on avait besoin au moment où on en avait besoin. Et puis, c'était aussi une sorte de dieu de l'amour, un amour de pacotille, il faut bien l'admettre quand même. La plupart du temps, il ne voyait pas que d'un côté, il avait affaire à de mauvaises filles et de l'autre à une bande d'empaffés, sinon, pourquoi auraient-ils fait appel à des filles comme nous ? Steven les aidait. Il s'arrangeait pour trouver un nouveau médecin à cette chère tante Winifred, qui avait contracté de mauvaises habitudes à Berlin dans les années trente et devenait bizarre depuis la mort de son toubib. Il leur rendait service, oui, mais il n'était pas leur ami. C'était un instrument pratique.

Pauvre idiot ! Ils l'ont laissé tomber comme une vieille chaussette quand il a eu des ennuis. Je suis sûre que le téléphone n'a pas chômé ce jour-là. La fumée des papiers brûlés à la va-vite aurait pu asphyxier un troupeau d'éléphants ! Moi, je n'étais qu'un vulgaire pion sur l'échiquier, une pauvre fille déprimée, qui travaillait dans une ambiance un peu trop chaude et n'avait eu que deux hommes dans sa vie jusque-là. Jim Flanders, condamné à mort, et Johnnie Bridges, un brigand.

Malgré tout cela, un travail épuisant, un passé à faire peur, j'avais encore envie de m'amuser, d'une façon ou d'une autre. Et finalement, c'était amusant, d'aller à ces soirées dans des maisons de campagne en été, sans jamais savoir qui on allait rencontrer et ce qui allait se passer. J'ai pu voir le monde et comprendre comment il fonctionnait. A l'époque, cela ne marchait que parce ce que tout le monde était le cousin de Tartempion ou de Duschmoll. Et, aussi étrange que cela paraisse, pendant que je vivais dans l'appartement avec Steven, il a réussi à m'ouvrir l'esprit. Il me parlait, il me faisait lire, mon horizon s'élargissait. C'est pour cela que je ne supporterai jamais qu'on critique Steven Greene. Et puis, comme je l'ai déjà dit, j'étais un peu agitée. Je ne pouvais pas continuer à travailler comme croupier et à avoir pour seul réconfort mes longues conversations nocturnes avec Steven. J'étais trop jeune, trop dynamique. Je voulais avoir mon tour de manège, et rester jusqu'à la fin de la fête.

Tout a commencé sur ma propre initiative, en acceptant un rendez-vous avec Charlie Markham, et je ne peux pas dire que Steven m'ait encouragée. Quand il m'a vue avec mes talons hauts, mes bas mouchetés et ma robe noire fendue, il m'a simplement dit : « J'espère que tu sais ce que tu fais. » Mais je me préparais déjà à courir à ma perte. Je ne serais pas surprise d'apprendre qu'il y avait un peu de masochisme derrière tout cela, c'est la rançon des Johnnie Bridges ! Vous perdez toute conscience de vous-même et vous êtes prête à n'importe quoi pour vous sentir réelle, ne serait-ce que pendant quelques minutes. Je lui ai demandé ce qu'il voulait dire, il m'a simplement conseillé : « A ta place, je me méfierais. » A l'époque, ce mot ne signifiait rien pour moi, alors je suis allée dîner avec Charlie, et je l'ai accompagné à son appartement – des miroirs partout, et des épées sur les murs, jusqu'à la chambre, qui se voulait séduisante, mais qui était sombre et déprimante, avec ses murs rouge et noir, son gigantesque miroir au plafond, son lit à baldaquin et ses tentures de velours carmin. On aurait dit la chambre d'invités de l'abbaye de la mort, surveillée par un moine fou, Charlie, celle où le fantôme vient tous les soirs. Comment mes nerfs, sans parler de ma peau, ont pu résister à cette nuit, je ne le saurai jamais. Je me souviens simplement m'être lancée dans mon joyeux numéro d'humour populaire, ricanant quand je le pouvais, criant sans retenue en digne fille de la classe ouvrière, quand je ne pouvais m'en empêcher, lorsqu'il a sorti sa canne par exemple. J'aurais dû partir, mais j'étais venue ici volontairement, et je pensais qu'il allait arrêter d'un moment à l'autre. La vérité, c'est qu'il n'arrivait pas à s'exciter sans me faire peur et sans me blesser, et plus je résistais, plus cela prendrait de temps. Alors, j'ai passé toute la nuit à courir tout autour de la pièce. Finalement, je me suis retrouvée à plat ventre, avec des tas de bijoux et un masque sur le visage, et je l'ai laissé me frapper sur l'arrière-train à travers un oreiller – l'oreiller, c'était une idée à moi ! Je criais, je le suppliais d'arrêter, ne jouant qu'à moitié mon rôle, et je crois qu'après tout ce tintouin, il a finalement réussi. Je ne sais plus très bien ce que j'ai ressenti, mais je me rappelle que je regrettais Johnnie, qui me faisait l'amour comme une personne normale, aimante.

Je suis partie vers six heures et je me suis précipitée dans un taxi. Steven n'était pas couché, il avait visiblement passé la nuit dehors. Il était un peu ivre, et hurla en voyant mon visage, avant d'éclater de rire quand je lui racontai la scène. Il me fit malgré tout une tasse de thé et me dit : « Alors, effectivement, il n'avait pas cessé de penser à toi depuis la scène du buisson. Il y a des gens comme ça. À un moment de leur vie, ils rencontrent un point où leur corps et leur imagination se laissent emprisonner dans un noeud fatal. » Pour seule réponse, j'émis un grognement. Vous ne me croirez peut-être pas, mais le lendemain matin, je reçus un énorme bouquet de roses, avec un carton, « Mille baisers, Charlie. » Il m'a même téléphoné, pour me proposer une nouvelle sortie. Je n'en croyais pas mes oreilles. Après cette nuit qui ressemblait plutôt à un interrogatoire par la Gestapo, j'avais du mal à imaginer quelque chose de plus horrible, je me contentai donc de rire et de refuser. Tout d'un coup, il eut une voix bizarre. Je m'étais fait un ennemi, et je n'allais pas tarder à le regretter, même si à long terme, cela ne changerait pas grand-chose à ma vie.

C'est sans doute après cette aventure que Steven a compris qu'avec moi, il avait une bonne affaire en main. Le lendemain soir, il m'invita donc à une soirée, avec un acteur de répertoire très connu, Sir Christopher Wylie, un homme d'âge mur, très beau, mais orgueilleux. Comme il était du métier, il tenait à la perfection en toute chose, mais il ne voulait pas de relations normales, il avait simplement besoin de quelqu'un avec qui il pouvait baiser quand il en avait envie, sans créer d'attaches. Ça, cela ne me dérangeait pas. Le suivant, Lord Clover, avait des relations au gouvernement, dans l'armée, la marine et les affaires étrangères et possédait une immense demeure à Lowton. Il occupait lui-même une fonction importante, un secrétariat dans un ministère quelconque. Sa femme vivait à l'étranger, et je faisais la navette entre Lowton et Grosvener Square, où il résidait à Londres. Il me voulait toujours nue et passive. Je ne devais jamais prononcer un mot, et me contenter de passer de la baignoire au lit, muette. Il me parlait sans discontinuer, et si j'avais été une espionne, j'aurais pu extorquer pas mal d'argent aux Soviétiques. Il me relatait les discussions du ministère sur les problèmes de défense nationale, et même moi, je voyais bien qu'il commettait une erreur. Si jamais j'ouvrais la bouche, il me battait. Un jour, j'ai eu l'audace de demander une tasse de café, et il m'a balancé une grande gifle.

Le scandale a éclaté quand j'ai reçu un chèque de deux mille livres d'une société, et ensuite un coup de téléphone me demandant de tenir ma langue. C'est d'ailleurs ce que j'ai fait, je n'avais pas la moindre intention de semer la pagaille, et pourtant, j'aurais dû le faire, après ce qui est arrivé à Steven. Mais à l'époque, j'étais trop malade pour ça.

Steven me poussait à continuer. Il aurait fait fortune comme maquereau, s'il avait voulu. Tout en charme et en flatteries, une petite menace par-ci par-là, et je crois que les pilules blanches qu'il me donnait quand je me sentais déprimée contribuèrent pour beaucoup à son efficacité. Et puis, il m'offrait un endroit où je pouvais me décontracter et bavarder un peu, comme un acteur épuisé qui a besoin de détente après le spectacle. Il se montrait toujours très attentionné, il était parfait pour vous préparer une tasse de thé, il n'oubliait même jamais de me rappeler l'anniversaire de Sid. Quand vous êtes obligée de renoncer à tout, en véritable esclave, pour faire le bonheur de quelqu'un que vous n'aimez pas, vous iriez au bout du monde pour celui qui vous demande si vous avez mal aux pieds et à quels jeux vous aimiez jouer quand vous étiez enfant. En fait, ces hommes n'étaient pas très différents des autres, une fois que vous aviez accepté d'être entièrement à leur disposition. Parfois, je couchais aussi avec lui, enfin avec Steven, mais assez rarement. D'une certaine manière, j'avais l'impression que mon sexe était rassis, comme un pain de la semaine précédente. Je me demandais souvent comment Clover et Wylie pouvaient ne pas remarquer que quelque chose ne tournait pas rond chez moi. En fait, ils ne devaient pas tourner rond eux non plus, ceci explique cela. Je n'arrivais pas à coucher avec Steven, ni avec personne d'autre la plupart du temps. Il était gentil et réconfortant quand cela se produisait, mais cela ne me suffisait pas.

Le téléphone n'arrêtait pas de fonctionner, et franchement, la situation financière dans cet appartement était un vrai foutoir. Avec mon salaire et les cadeaux, j'aurais dû être riche, mais tout me filait entre les doigts en factures, ou en paires de chaussures achetées trois par trois que je donnais ensuite à ma sœur parce qu'elles ne m'allaient pas. A cette époque, Shirley m'était d'un grand secours. Elle était très intelligente et très gentille, surtout avec Joséphine, et si elle aimait quelque chose, c'était bien le fruit du péché ! Elle allait au cinéma avec ses camarades en escarpins à vingt guinées la paire, parfumée à l'Arpège et trouait ses chemisiers de soie avec ses cigarettes de luxe. Et si Ivy avait le malheur de me traiter de mère indigne, Shirley ne manquait pas de lui signaler qu'elle aussi profitait de mon argent, ce qui ne faisait qu'exaspérer Ivy un peu plus. Pour moi, Shirley était devenue une véritable amie, mais elle ne s'imaginait pas que je menais une vie merveilleuse. Elle parlait latin et se dirigeait tout droit vers l'université. Ça non plus, Ivy ne le supportait pas. J'étais une fille des rues et Shirley une intellectuelle, et franchement, Ivy ne savait pas lequel était le pire des deux.

De toute façon, comme toute chose, bonne ou mauvaise, cela eut une fin. C'est la nature humaine qui eut raison de moi, la nature humaine et le manque d'organisation. Un jour, j'allais dans le Dorchester où je devais déjeuner avec Clover et deux autres gros bonnets − en fait, je devenais une personnalité dans la bonne société, une jolie fille pleine d'esprit et de répartie, d'un bon sens populaire enchanteur, et honnêtement très douée pour commenter l'événement du jour. Je savais toujours quel visage s'était assombri quand un certain nom avait été mentionné et qui n'avait pas été très heureux de voir Tartempion entrer... Malgré ma grande ignorance, j'avais toujours une bonne analyse de la situation. Le problème, c'était de savoir à quel moment il fallait jouer au plus fin et montrer qu'on comprenait les dessous de l'histoire et à quel moment on devait jouer les jolies blondes écervelées. Peu importe, tout ça se révéla utile par la suite quand j'ai dû travailler pour mon compte, mais à cette époque, ce n'était qu'un travail supplémentaire pour une Mary déjà exténuée.

Ce jour-là, je portais un tailleur carmin avec une jupe moulante, une veste cintrée et un petit chapeau à voilette perché sur le haut de ma tête. Je traversais la salle, ne pensant qu'au homard, quand je suis tombée sur ce bon vieux Johnnie Bridges, bien habillé lui aussi, accompagné de Ferenc Nedermann. Je ne les avais pas revus ni l'un ni l'autre depuis près de dix-huit mois. En vérité, pendant l'année qui suivit cet horrible rendez-vous avec Charlie Markham, je savais à peine ce qui se passait. Nous étions déjà en automne 1957, et c'était tout juste si je l'avais remarqué.

Etrangement, je fus assez peu surprise de le rencontrer. Lui, il s'arrêta net en me voyant. Très calmement, je lui dis :

– Bonjour, Johnnie, comment ça va ? Qu'est-ce qui t'est arrivé au visage ?

En nous voyant, habillés comme des princes sur la moquette épaisse d'un grand hôtel, personne n'aurait pu deviner qui nous étions. Pourtant, Johnnie porta la main à son visage, d'un geste défensif. Il avait une marque de rasoir sur une joue. Les Rose avaient dû finir par l'avoir. Je croyais qu'ils y avaient renoncé mais, apparemment, c'était une erreur à moins que cette cicatrice ne vienne d'ailleurs.

– Un accident, me répondit-il. Je passe à la chirurgie esthétique la semaine prochaine pour arranger ça.

Visiblement, il était contrarié que j'ai mentionné ce point. D'ailleurs, cétait bien pour cela que j'en avais parlé. Il se reprit pourtant un peu et me dit :

– Comment vas-tu, Moll ? Tu as l'air en pleine forme.

– En fond, tu veux dire. Et vous ? Comment allez-vous, monsieur Nedermann ?

– Comme d'habitude.

– Je suis contente de vous avoir rencontré, il faudrait qu'on se revoie un jour, leur dis-je à tous deux, mais là, il faut que je me dépêche, je suis en retard.

Sur ce, je me suis éloignée, de l'allure fière d'une princesse couronnée, satisfaite de ma froideur, de mon insouciance et de mes vêtements luxueux. Jusqu'à ce que le couteau se retourne dans la plaie après le hors-d'œuvre et que je me mette à repenser à Johnnie.

Ensuite, curieusement, j'ai commencé à m'inquiéter pour Joséphine que je n'avais pas vue depuis quinze jours. Et, avant de me rendre compte de ce que je faisais, je me levai, feignant de me sentir mal, et pris un taxi pour Meakin Street.

Je dois avouer qu'à cette époque, j'étais prête pour un changement. J'aurais mieux fait de m'en tenir là et de rester à Meakin Street, avant que les choses tournent à la catastrophe. En fait, j'étais exténuée. Ce n'était pas drôle de travailler au club de dix heures du soir à trois heures du matin, de prêter main-forte à Simon pendant la journée et d'aller à tous ces rendez-vous avec Wylie et Clover, où je devais, sans grand succès sans doute, faire croire à chacun qu'il était le seul. A cette époque, tous deux insistaient pour que je leur consacre plus de temps. Je me demandais même si Clover ne pensait pas qu'avec un vernis de culture française et de nouveaux papiers, il ne finirait pas par se débarrasser de sa femme pour me passer la bague au doigt et me présenter comme la nouvelle Lady C., une optimiste-née. De toute façon, avec cette histoire et Johnnie qui réapparaissait, j'aurais absolument dû me tenir à l'écart, cela m'aurait évité pas mal d'ennuis, mais non, apparemment j'avais envie que les choses se compliquent. J'étais avide de châtiment à cette époque. Quand Johnnie m'a téléphoné au club pour m'inviter dans son nouvel appartement de Grosvernor Square, j'ai accepté. Inutile de préciser que j'y suis allée dans l'esprit de me vanter de ce que j'avais fait, et avec qui, pendant toute cette période, puisqu'il m'avait laissée dans le pétrin, et puis, lorsqu'il aurait été bien impressionné par ma nouvelle vie, ma gaieté et ma grande beauté, je l'aurais laissé me faire des avances, pour le repousser comme un chien galeux. Et devinez ce que j'ai fait ? Je l'ai repris, évidemment ! Si bien que j'avais un travail qui me tenait éveillée toute la nuit et la moitié de la journée, deux drôles d'amants qui n'étaient pas censés connaître l'existence de l'autre, et un troisième que je devais vraiment garder secret, surtout d'Arnie Rose. Pas très étonnant que la bombe ait fini par exploser ! Mon Dieu, de quoi n'est-on pas capable quand on est jeune !

C'était la musique qui avait eu raison de mes bonnes intentions. Johnnie a mis une chanson de cabaret française. Il a sûrement fait ça car mon numéro de vantardise avait encore mieux marché qu'escompté, il voulait me mettre dans l'ambiance, me conditionner. Et j'ai entendu cette mélodie triste, en français, que j'entendais parfois en rêve. C'est ça qui m'a fait craquer. Sinon, peut-être serais-je rentrée chez moi, comme une vraie dame, mais là, un passé dont je ne connaissais rien me jouait un mauvais tour. Ce n'est pas certain, mais il est vrai que cette musique m'a ébranlée. J'étais à nouveau tombée dans la gueule du loup. Et puis de nouveau la même histoire, la peau douce et les caresses envoûtantes, pourtant, cette fois, je savais que Johnnie n'était qu'une ordure, mais hélas, il y a des ordures qui savent très bien se comporter au lit. Ce n'est qu'une fois debout, qu'ils révèlent leur véritable personnage, diabolique et corrompu. C'est ce que les hommes ne comprennent pas quand ils voient une fille avec un type qui vendrait père et mère, c'est que, pendant une heure ou deux, quand ils sont avec elles, ils sont purs comme des enfants.

Le lendemain matin, en revenant au club sur les coups de dix heures, je rencontrai Steven qui me mitrailla du regard.

— Où étais-tu passée ? Wylie est venu te chercher à neuf heures du matin, il paraît que vous deviez faire des courses. Et Clover a téléphoné. Je lui ai dit que tu étais à Meakin Street. Tu y étais ?

— Qu'est-ce qui te prend ?

— Je n'aime pas me trouver à mon désavantage.

— Tu n'es qu'un snob, Steven. Tu ne te ferais pas tant de soucis si c'étaient deux éboueurs qui m'avaient demandée.

— Est-ce que tu étais à Meakin Street ? Non, sinon, tu ne serais pas revenue à dix heures du matin. Et vu ta tête, si tu étais chez ta mère, moi, je suis allé à la messe de minuit à la cathédrale de Westminster. Que se passe-t-il ?

Je lui fis un pied de nez. Pour dire la vérité, je me sentais mal à l'aise avec cette affaire, mais j'étais tout excitée par une nuit d'amour, et Steven comprit immédiatement.

— Bridges ! Johnnie Bridges, c'est lui, non ? Idiote ! Imbécile ! Ne t'imagine pas que je vais te couvrir auprès des gens que je connais.

— Oui, tu les connais, répondis-je aussi méchamment, mais n'oublie pas que le jour où tu auras des ennuis, eux ne te connaîtront plus.

Il vacilla comme si je l'avais frappé.

— Tu sais que tu dois aller à Lowton, ce week-end, dit-il en se ressaisissant un peu. Ils comptent sur toi.

Le téléphone sonna. Il alla répondre. L'affaire paraissait urgente. Cela avait quelque chose à voir avec des photos de Wendy Valentine et quelqu'un du ministère des Affaires étrangères, des photos compromettantes, comme on dit. Une troisième personne menaçait de les donner à la presse, il fallait les racheter, tout le problème était de rassembler l'argent. En fait, ce pauvre Steven perdait déjà le contrôle de la situation. Son empire commençait à s'ébranler. Par exemple, le week-end à Lowton fut annulé, sans raison particulière. Ce vieux Steven avait mis les filles dans de drôles de bras : Wendy Valentine entretenait une relation avec un diplomate soviétique et un député en même temps, sans oublier son dealer antillais, pour le plaisir, lui, et tout le monde commençait à s'intéresser à elle. C'est pourquoi les vieux amis de Steven prenaient des précautions, il n'y eut donc plus d'invitations à la campagne, par exemple.

Après ce coup de téléphone, Steven se servit un cognac, et il n'était pas du genre à boire à dix heures du matin. Une seconde plus tard, des types de la mondaine frappèrent à la porte, on les reconnaît facilement à leur imperméable grège ! Ils sont un peu plus difficiles à repérer maintenant, mais à l'époque, on aurait dit des officiers en civil sur le chemin du club. Steven échangea quelques mots à la hâte avec eux dans la cuisine et ils disparurent, comme par enchantement.

— Qu'est-ce qui se passe ? demandai-je à mon tour.

— Rien, une simple difficulté, je leur ai dit à qui s'adresser.

Même lui ne comprenait pas les conséquences implicites de la visite de policiers.

— C'était la mondaine, de quoi s'agit-il ?

— Lord Clover veut t'installer dans un appartement.

— Quoi ? Et mon travail ?

Steven m'expliqua que Clover voulait que je vive dans un appartement sur Highgate Woods et qu'il me paierait trois mille livres par an, ce qui représentait une jolie somme. Et je refusai.

Steven était furieux. Il me dit que c'était une occasion à ne pas manquer et que je me conduisais comme une idiote. Je lui répondis que personne ne m'emprisonnerait dans un appartement, sans travail et à des lieues de ma fille.

— Si j'avais voulu vivre dans un harem, je serais allée en Orient !

Il se servit un deuxième cognac et soudain je compris.

— Tu as passé un contrat avec Clover ? C'est ça, non ? Il faut m'éliminer de la scène pour ne pas que je parle ?

— Clover en a très envie, me répondit-il.

— J'espère que ce n'est pas trop grave pour toi, il risque de se mettre en colère, cela détruirait votre amitié.

— Pire que ça.

Il voulait dire que Clover ne lui retirerait pas seulement son amitié, mais aussi sa protection. Je ne savais pas encore ce que cela signifiait pour Steven. Je pensais qu'il perdrait simplement quelques avantages et l'amitié d'un gros bonhomme qui me confiait des secrets d'Etat alors que j'étais allongée nue sur le lit, feignant d'être un tableau célèbre. Et pour lui éviter de renoncer à quelques pots-de-vin, je devais m'engager à devenir une esclave pour des mois, voire des années. Une fois encore, je refusai.

— Petite garce sans cervelle !

Pourtant, il ne connaissait pas encore toutes les conséquences de cette décision.

J'étais de nouveau avec Johnnie, si bien que je n'avais plus toute ma raison. Nous passions la matinée à flâner dans l'appartement, avec le téléphone qui sonnait sans arrêt et peu nous importait que les appels proviennent des bureaux lambrissés et cabinets officiels de toute la ville. L'engrenage était enclenché, et Steven n'allait plus tarder à être happé. En fait, les événements se sont déroulés en plusieurs étapes. La suivante eut lieu la même nuit, un vrai vaudeville. Steven était sorti et Johnnie et moi étions venus terminer en catimini une soirée passablement arrosée à l'appartement de South Molton Street. Nous étions déjà endormis quand la porte de la chambre s'ouvrit brusquement. Et voilà Lord Clever en smoking qui hurlait :

— Dire que j'allais tout lui donner, et voilà le travail !

— Qu'est-ce que c'est que ce cirque ? demanda Johnnie en se débattant dans le lit.

— Rien, je vais t'expliquer...

Et qui fait irruption ? Je vous le donne en mille, les frères Rose ! Johnnie se précipite hors du lit et enfile son pantalon. Tout le monde crie à tue-tête. Clover s'en va le premier, choqué par le manque de dignité de la scène. Inutile de préciser qu'Arnie me vire immédiatement et, pour faire bonne mesure, se débarrasse de Greene qui arrive la gueule enfarinée en demandant ce qui se passe.

En y réfléchissant aujourd'hui, il est évident que c'était un coup monté. Seuls les Rose avaient pu me voir monter avec Johnnie et laisser Clover me suivre, avec une clé fournie par leurs soins. Une minute plus tard, ils sont arrivés pour mettre tout le monde à la porte. En fait, quelqu'un leur avait dit qu'il serait plus prudent de se débarrasser de Greene. La présence de Johnnie, la relation triangulaire avec Clover n'avaient servi que de prétextes. On leur avait dit que Steven pouvait leur attirer des ennuis, et ils avaient déjà trop de choses à cacher. Ils ne pouvaient pas se permettre une enquête. Je suppose que celui qui les avait informés désirait simplement voir Steven s'éloigner. Mais il était trop tard. Déjà, les journaux étrangers faisaient des gorges chaudes de l'aventure entre Wendy et l'agent russe ainsi que des orgies organisées par Steven pour la haute, avec force fouets, masques et tout le tralala. Il ne m'avait guère parlé de ces histoires après ma réaction devant les simagrées de Charlie Markham. Mais à l'époque, il y avait beaucoup trop de curieux, et Steven faisait preuve de manque de savoir-faire. Il n'a pas su s'arrêter à temps. Il avait refusé des propositions de villa en Irlande et de studio à Paris, mais en restant à Londres, il avait signé sa perte. Je suis toujours étonnée d'avoir eu moi-même à subir si peu de retombées. D'ailleurs, Clover me retrouva dans l'appartement où je vivais avec Johnnie et m'envoya de l'argent pour que je me taise. C'est drôle, je l'avais toujours pris pour un personnage de cirque, mais quand il est venu chez Johnnie, j'ai vu un homme investi de pouvoirs, un propriétaire, un représentant de la loi. Il nous parlait tranquillement, installé sur le divan, Johnnie écoutait sans piper mot... bizarre, vraiment.

A peu près à la même époque, le dealer antillais de Wendy passait en justice pour une affaire ou une autre, et je n'avais qu'une envie, c'était de voir Clover partir et me laisser en paix. J'avais peur, car j'avais l'impression que si j'avais simplement l'air de vouloir parler, il m'arriverait des choses peu agréables. Je me sentis soulagée quand il partit en disant que je pouvais l'appeler quand je voulais. Ensuite, je me mis à trembler. Je croyais que c'était nerveux, mais en fait, c'étaient les premiers frissons d'une pneumonie.

Ce fut mon père qui s'arrangea pour que le nom de Mary restât en dehors de cette affaire. Par chance, elle pouvait passer pour une personne qui vivait dans cet appartement tout simplement parce qu'elle travaillait au club. Clover et Wylie s'étaient montrés assez raisonnables pour rester discrets sur leur relation et un petit entretien entre les deux confirma que ni l'un ni l'autre n'avaient envie de voir l'affaire s'ébruiter.

En janvier, lors du procès de Steven Greene, accuser de tirer des revenus de l'exploitation de l'immoralité, Mary, comme bien d'autres, était hors d'affaire. A la même époque, mon père s'enrôla dans les rangs du parti travailliste. Il annonça la nouvellle un soir au dîner. Ma mère était abasourdie, comme s'il était soudain devenu fou. Elle lui demanda ses raisons. Il répondit qu'il n'en avait pas la moindre idée, qu'il obéissait à une impulsion. Heureusement, la famille de ma mère avait son lot d'excentriques, un grand-oncle qui avait combattu aux côtés des anarchistes lors de la Révolution russe, un autre oncle, évêque anglican, soudain devenu papiste, et toute une série de gens loufoques, comme il y en a dans chaque famille, quand on y regarde de plus près. Elle prit donc cette conversion au socialisme comme elle venait et m'écrivit à Oxford pour me dire qu'elle avait beaucoup apprécié la présence d'Aneurin Bevan : « C'est un parfait charmeur, disait-elle dans sa lettre, on dirait un gros chat trop bien nourri, qui ne sort jamais les griffes. Bien sûr, je suis toujours très inquiète des excentricités de ton père, et je crains que s'il se radicalise encore, les difficultés ne manquent de se présenter. » Elle devait sûrement déjà l'imaginer en train de chanter *L'Internationale* à la chambre des Lords ou de rencontrer des agents soviétiques à Hyde Park la nuit. En fait, il se contenta de soutenir la campagne électorale de Bevan et de rester très lié au politicien, jusqu'à la mort de celui-ci quelques années plus tard.

C'est peu après m'avoir proposé de rejoindre ce que je dois bien appeler l'entreprise familiale qu'il me parla des circonstances du procès de Greene. A mon grand étonnement j'avais accepté son offre, et commençait mon initiation, ce qui signifiait, entre autre, me plonger dans ce long feuilleton intitulé l'Affaire Waterhouse.
– Il m'en a coûté en termes de services demandés, pour que cette petite idiote ne finisse pas en prison, m'avait-il dit. Le pire, c'est que pendant toute la période du procès, je me suis aperçu que je

me lavais les mains plus souvent que nécessaire. Je n'ai jamais été un adepte de Freud, mais je ne pouvais m'empêcher de voir la relation. Cela confirmait aussi les soupçons de ta mère qui me voyait déjà sombrer dans la folie. Mais c'est une chance qu'elle ait été à l'hôpital avec une bonne pneumonie, enfin, je parle de Mary Flanders, sinon, je ne sais pas ce que cette gamine aurait été capable de faire si on lui avait laissé la bride sur le cou.

— Que fait-elle, maintenant ?

— Elle vit avec un agent immobilier. Bien sûr, elle ne l'épousera pas. Il ne faudrait pas qu'elle se range et fonde une famille comme une femme normale ! De cela, j'en suis sûr, quant au reste, je n'en sais rien.

Sa fureur me paraissait si drôle, que j'en riais et citai : « Energique, mais d'un caractère douteux », ce qui était la description qu'un vendeur avait fait d'une jument que nous avions achetée. D'ailleurs, il avait fallu s'en débarrasser parce qu'elle mordait et bottait pour éjecter son cavalier dans les haies ou les ravins et qu'une nuit elle avait mis sa stalle à sac.

— Ce n'est pas entièrement sa faute, je suppose, poursuivit mon père, de sa voix déprimée, pourtant, cela m'étonnerait qu'il en sorte quelque chose de bon un jour.

— Personne ne peut le savoir, dis-je.

— De toute façon, c'est loin d'être terminé. Depuis le début, cette affaire est un sac de noeuds. Les années sont passées les unes après les autres, et nous espérions tous que cela allait s'arranger. Maintenant j'en doute. Je commence même à me demander si l'un d'entre nous aura la chance d'en sortir avec tous ses esprits.

Bien sûr, cette conversation eut lieu au cours de l'été 1958, alors que les événements de l'année précédente étaient encore frais dans les mémoires. De manière générale, cette affaire avait laissé l'impression que bien des aspects étaient restés dans l'ombre et que nombre de personnes avaient été injustement protégées. Un député avait déjà démissionné, un homme s'était suicidé, pourtant, il était de notoriété publique que toute la lumière n'avait pas été faite et certains pensaient que d'autres vérités seraient dévoilées plus tard. Rien d'étonnant donc à ce que mon père parle d'autres découvertes et de révélations futures.

Le débarquement intempestif de Clover et des Rose eut lieu au début novembre. Dès le lendemain, Molly déménageait pour s'installer chez son amant, à un kilomètre du Frames.

Dans l'appartement luxueusement meublé d'un immeuble moderne, aux divans confortables, avec des éclairages sophistiqués qui se reflétaient dans les multiples miroirs, Johnnie avait laissé des traces de son séjour qui durait déjà depuis quelques mois, par un tache sur la moquette ici, une brûlure sur la table là. Pourtant,

Molly avait l'impression d'avoir commencé son ascension dans le monde.

Pour Molly, au chômage, débarrassée de ses deux clients assidus, c'était de véritables vacances, une vraie lune de miel. Finalement, la catastrophe s'était changée en bénédiction. Exténuée par une vie sexuelle débridée, aussi cruelle qu'une marche forcée qui empiétait sans cesse sur son sommeil, elle se réconfortait dans la douceur de l'amour, du luxe, de la paresse. Pendant quelques semaines, les rues londoniennes, humides, brumeuses, revêtaient pour elle leurs habits de printemps. Et Johnnie qui se prélassait en robe de chambre l'accompagnait au cinéma, dans les boutiques, au restaurant, était heureux lui aussi. Enfin, il avait brisé son alliance avec les Rose, avait remboursé ses parts du club. Il prétendait ne pas avoir trouvé le bonheur depuis leur séparation, et d'une certaine manière, il disait vrai. Il lui demanda même de l'épouser. Elle répondit oui, mais après Noël. Johnnie fut déçu. Il aurait voulu qu'elle insiste pour se marier tout de suite. Mais en acceptant sa proposition, Mary avait entendu des sirènes de police retentir dans la rue. Elle avait eu peur. Elle l'aimait mais elle ne lui faisait pas confiance.

Dès qu'elle le put, elle alla voir Steven Greene. Il vivait désormais avec Wendy Valentine dans un deux pièces à Bayswater. Dès son arrivée, il la conduisit dans la chambre, mais elle eut toutefois le temps de voir une superbe femme installée devant le radiateur du salon. La chevelure noire et brillante était retenue en arrière par un catogan de velours. Elle portait un collier de perles, et une main aux ongles longs et vernis tenait une carte de tarot tandis qu'elle observait les autres disposées en cercle sur la table. Mary s'assit sur le grand lit défait et se regarda dans le miroir de la coiffeuse. En attendant Steven qui discutait dans l'autre pièce avec la femme, elle s'appuya sur les oreillers et s'endormit.

Une fois encore, elle rêva d'incendie, de la mélodie française et d'Allaun Towers. Elle courait dans un champ de maïs encore vert. Quand elle se réveilla, Steven était assis à l'autre bout du lit. Elle percevait des murmures dans la chambre d'à côté.

— Qu'est-ce que tu mijotes ? Tu loues ton appartement à des diseuses de bonne aventure ?

— Plus ou moins.

Il avait le regard éteint, des poches sous les yeux et quelques nouvelles rides.

— Tu as mauvaise mine. Tu as trente-deux ans et tu en parais quarante. Tu as besoin de repos. Pourquoi ne partirais-tu pas en vacances ? Je suis venue te demander si tu n'avais pas besoin d'argent. Johnnie est plein aux as, et j'ai récupéré du fric en vendant un collier. Je pourrais te prêter quelques centaines de livres, si tu veux.

— Non, je te remercie, j'ai tout ce qu'il me faut. Si les huiles restent à l'écart pendant un moment, on peut quand même faire tourner les affaires avec les moins riches et un peu de cartomancie.

Dans l'autre pièce, le murmure cessa. La porte se referma.

— Steven, je m'en vais, dit la femme.

Steven et Molly sortirent de la chambre.

— Merci pour l'appartement, dit la femme à Steven. Vous n'aimeriez pas qu'on vous prédise l'avenir ? demanda-t-elle à Molly.

— Non merci, je n'y crois pas.

— Comme vous voudrez. Bizarre, la plupart des jeunes filles ont envie qu'on leur lise l'avenir, surtout si c'est gratuit.

— Je ne supporte pas de savoir qu'on n'y peut rien changer. Mais toi, dit-elle à Steven, je suis sûre que tu y as goûté, et tu n'as pas apprécié ce que tu as entendu. Tu devrais laisser tomber. C'est bon pour les joueurs.

— Vous seriez surprise d'apprendre le nom des clients qui me font confiance, dit la femme, contrariée.

— Excusez-moi, je me suis mal fait comprendre. De toute façon, ce n'est pas mes affaires.

Mais, après le départ de la femme, elle continua sur sa lancée :

— Tu te conduis comme un idiot, Steven. Tu ne voudrais tout de même pas plonger pour ce genre de foutaises. Tu as subi un revers de fortune, c'est tout. Inutile de rester avec les rideaux tirés à te faire peur avec des cartes de tarot pour autant. Il y a pas mal de tes amis soi-disant bien placés qui t'ont laissé tomber. Mais ils ont plus peur que toi, tu peux en être sûr. D'abord, tu sais pas mal de choses sur leur compte qui feraient les délices des magazines. Ils paieraient des fortunes pour que leurs charmantes épouses, leurs filles innocentes, leurs actionnaires n'apprennent pas ce que tu sais.

— Je ne pourrais jamais leur faire de chantage.

— Parce que tu te prends pour un gentleman. Et eux, tu sais sais comment ils ont réussi à devenir des gentlemen ? Parce que quelqu'un de leur famille a commis quelque meurtre, trahi un roi, ou vendu sa fille ! C'est comme ça qu'ils ont obtenu leurs privilèges, et c'est comme ça qu'ils entendent les garder. Pour eux, c'est pratique que tu te conformes à leurs beaux principes. Et puis, tu leur rends bien service en attendant ici à ne rien faire. Comme ça, tu ne leur attires pas d'ennuis. Et pendant ce temps, tu as la mondaine sur le dos. Je parie que ton appartement est surveillé.

Sans dire mot, Steven Greene regardait les flammes du radiateur à gaz.

— Voyons, Steven, accepte l'argent et va faire un tour au Maroc ou je ne sais où. Prends des vacances et laisse-les se faire du souci. Tu te conduis comme une fille qui vient de se faire plaquer. Tu attends tranquillement qu'ils s'aperçoivent de leur erreur et reviennent à toi. Disparais, et presse-leur le citron.

— Non, je me sens trop... déçu.

— Bon, eh bien tu ne diras pas que je ne t'ai pas prévenu. Mais tu risques d'avoir de gros ennuis bientôt. Et puis, j'ai une nouvelle à t'annoncer. Johnnie et moi nous allons nous marier.

— Alors, pourquoi as-tu l'air si triste ?

— Triste ? Je ne suis pas triste, c'est toi qui l'es. Alors, tu ne me félicites pas ?

Steven hocha la tête.

— Je suis fauché, tous mes amis m'ont laissé tomber, je ne vois pas comment je vais m'en sortir, alors, j'ai au moins un privilège, je dis ce que je pense. Et je pense que tu n'es pas heureuse et que tu as bien raison, parce que ton Johnnie ne vaut pas tripette. Désolé, Molly, mais je devais te le dire.

— Alors, mieux vaut ne plus en parler, dit Molly en frissonnant. Mais comme de toute façon ça se fera, autant que tu en prennes ton parti.

— Qu'est-ce qu'il fait en ce moment ?

— Johnnie ? Il travaille pour Ferenc Nedermann.

— En tant que quoi ?

— Je ne sais pas très bien.

— Eh bien, renseigne-toi. Va voir toi-même. Une femme doit s'intéresser à ce que fait son mari.

— Bon, je le ferai, répondit Mary, sentant que Steven suggérait qu'elle n'aimerait pas ce qu'elle allait découvrir.

Soudain, il semblait que le brouillard et le silence de la rue les avaient épuisés.

— Tu n'as rien à boire ? demanda Molly.

— Non, pas avant le retour de Wendy, les temps sont durs.

— Bon, je vais chercher quelque chose.

Elle revint avec une bouteille de whisky, du fromage et du jambon. Quand il lui ouvrit la porte, Steven ressemblait à un homme qui venait de recevoir un choc terrible.

— Je vais te préparer un sandwich. Mais que s'est-il passé ?

— On m'accuse de tirer des bénéfices de l'immoralité.

— Oh, non ! Comment le sais-tu ?

— Un de mes amis flics vient de me téléphoner. Je n'arrive pas à y croire.

— Tu as encore le temps de partir. Ils ne peuvent pas t'accuser si tu n'es plus là.

— Bien sûr que si. Tout recommencera quand je reviendrai.

— On t'a prévenu pour que tu puisses partir. Alors, file à New York et ne reviens plus. Tu trouveras bien un moyen de gagner ta vie, là-bas.

— Je n'ai plus le temps d'obtenir un visa.

— Ecoute-moi bien, ils ont pris une décision. Certains de tes anciens snobinards d'amis veulent se débarrasser de toi, d'autres veulent te punir, te discréditer, te faire passer pour un criminel. C'est à ça que se résume toute l'affaire. Alors, va voir le premier groupe. Ils pourraient te décrocher un visa pour la lune en trois heures.

— Tu racontes des bêtises.

— Mon Dieu, Steven, tu les connais, ces gens, tu as préparé des orgies pour eux, et tu ne les as jamais vus tirer deux ou trois ficelles ? Je ne sais pas à quoi tu penses.

— A ma peau, par exemple, ma chère Molly. S'ils veulent prouver que j'ai joué les macs, eh bien, ils feront appel à ton témoignage par exemple.

— Eh bien, tant mieux, je serais très heureuse de leur dire la vérité. Mon Dieu, Steven, pourquoi ne fiches-tu pas le camp.

— Je n'ai rien à me reprocher, je ne suis pas coupable. Si seulement j'avais au moins récupéré l'argent que j'ai filé à Wendy Valentine ! Elle a même donné ma télé à ses parents.

— Comme si cela avait de l'importance ! Ils s'arrangeront pour avoir des preuves, Steven, peu importe ce que tu pourras faire ou dire.

— Et comment ? demanda Steven en s'affalant sur le divan.

Molly alla préparer les sandwiches à la cuisine. Tout ce qu'elle voyait en déchirant le pain sur lequel elle tentait rageusement d'étaler du beurre, c'est que Steven comptait sur la vérité pour prouver son innocence.

— Sid dit qu'il ne faut jamais franchir les portes du tribunal. Fais n'importe quoi, dis n'importe quoi, paie n'importe qui, mais ne va pas au tribunal, parce que dès que tu en as franchi la porte, tu as déjà perdu, voilà ce qu'il dit.

— Molly, répondit-il, impatient, je suis innocent. Un procès honnête doit prouver qu'un innocent est innocent.

— J'aimerais bien que tu aies raison. Mais Sid dit que même un enfant de chœur paraîtrait coupable devant la cour.

— Ecoute, je me moque de ce que pense ton père.

— Eh bien, téléphone à ton avocat. Tout de suite.

— Tu sais, répondit Steven en la regardant, un de ces jours, tu deviendras une femme de tête.

— Oui, et sûrement plus vite que ça si j'ai affaire à des gens comme toi. Tu as été trahi, abandonné par des amis qui te mettent la justice aux fesses, et tu n'arrives toujours pas à y croire. Tu penses toujours que tu finiras par te réveiller et t'apercevoir que ce n'était qu'un cauchemar. Fais quelque chose, Steven, sinon tu es fichu.

— Allez, tu ferais mieux de rentrer chez toi, Molly et de mettre au point ton témoignage.

— D'accord, mais je reviendrai.

Ils avalèrent leurs sandwiches en silence, assis sur le divan, un bras passé sur l'épaule de l'autre. Après sa brève lune de miel, Molly se sentait plus exténuée que jamais.

De retour à l'appartement, elle parla à Johnnie des charges qui pesaient contre Steven.

– Ne t'inquiète pas. Toutes ces histoires me fatiguent. Cela fait des années que Steven Greene marche sur la corde raide, maintenant il s'est fait prendre, et je ne vais pas me mettre à pleurer sur son sort. J'ai bien assez de mes problèmes.

Le lendemain, Steven avait été inculpé. Peu familière des procédures judiciaires, Molly se rendit au commissariat central où elle demanda à voir un inspecteur.

– C'est à quel sujet, mademoiselle ? lui demanda un policier, intrigué par cette si belle fille à l'accent des bas quartiers.

Ce jour-là aussi, l'épais brouillard s'infiltrait dans les bâtiments et tournoyait dans les pièces. Si elle était liée à des truands, pensa le policier, elle n'aurait sûrement pas été assez naïve pour venir se présenter ainsi. Pourtant, comment pouvait-elle être si bien habillée et si pleine d'aplomb ? En général, la classe ouvrière se montrait plus timide dans ses rapports avec la police.

– C'est à propos de Steven Greene.

Le policier comprenait mieux. Nombre d'histoires circulaient déjà sur Steven Greene et ses orgies pour la haute. Les journaux étrangers mentionnaient le nom de ministres et de membres du clergé qui auraient pu être impliqués dans l'affaire. Les quotidiens britanniques gardaient le silence, mais la rumeur prenait le relais. « L'une des nanas de Greene, pensa le policier. Une débutante, sûrement. » Il alla chercher un homme en civil qui conduisit Molly dans un bureau et lui annonça que l'inspecteur n'allait plus tarder.

– Je veux faire une déclaration, dit Molly.

– Oui, c'est possible, mais j'ai bien peur qu'il ne vous faille attendre.

Finalement, l'inspecteur arriva, en uniforme.

– Je m'appelle Molly Flanders. Un de mes amis a des ennuis, et je voudrais l'aider.

– Euh, êtes-vous bien certaine qu'une jeune femme comme vous ait envie de se mêler à une affaire qui risque de tourner au sordide ? Je dois vous prévenir, dans votre propre intérêt.

Molly restait abasourdie devant tant de désinvolture.

– J'habitais avec lui, j'étais sa locataire. J'étais au courant de ce qui se passait. Il ne prenait jamais un sou aux filles. La plupart du temps, c'était le contraire. Je pourrais lui être utile en disant ce que je sais.

– Savez-vous ce que cela signifie d'aller à la barre des témoins, d'être harassée de questions par un procureur qui essaie de démonter votre histoire ? Ce n'est pas très agréable. Et puis, nous avons tous nos petits secrets que nous n'aimerions pas voir divul-

234

gués. Et devant le tribunal, il est impossible de garder un secret, lui dit-il d'un ton paternaliste.

Moly explosa :

— Je n'ai rien à cacher. Ça m'est égal si on apprend des choses sur moi. Pourquoi voulez-vous que je me taise ?

— Madame Flanders, dit l'inspecteur sur un ton de reproche, nous ne voulons pas vous empêcher de parler. Si vous avez une déclaration à faire pour aider votre ami, eh bien, allez-y. Mais je vous préviens, on vous posera des questions sur votre passé. Et on se demandera pourquoi une jeune femme bien comme vous, mariée de surcroît, a décidé de prendre un appartement avec M. Greene. C'est un peu étrange de partager un appartement avec un homme. Ils ne manqueront pas d'en faire des gorges chaudes au tribunal.

— Je ne vivais pas là tout le temps. J'y passais quelques nuits parce que je travaillais au club juste en dessous.

— Vous n'y travaillez plus alors ? demanda l'inspecteur, trop gros pour son uniforme qui semblait prêt à craquer.

— Non.

— Pour quelles raisons ? Fâchée avec le patron ?

— Effectivement, répondit Molly, désormais sur la défensive. Mais cela n'a rien à voir avec ma présence ici.

Elle commençait à croire que le policier savait tout sur ses relations avec Lord Clover et Christopher Wylie, tout sur la mort de son mari.

— Je suis là pour défendre un ami, c'est tout.

Il y eut un moment de silence, puis le policier se pencha sur le bureau, les mains croisées, le regard compatissant.

— Madame Flanders, j'apprécie votre geste et je respecte vos motivations. Vous voulez vous rendre utile. Mais j'aimerais vous donner un conseil. Pour moi, rien ne serait plus facile que de prendre votre déclaration, et de vous laisser vous débrouiller avec les insinuations que le procès ne va pas manquer de dévoiler. Qu'est-ce que les voisins penseraient d'une telle publicité, vous y avez réfléchi ? Comme vous êtes très jeune, je vais vous donner une chance avant de vous laisser vous embarquer là-dedans. Je vous conseille de retourner chez vous, d'en parler à quelqu'un, votre mari, vos parents, et demain, si vous n'avez pas changé d'avis, revenez me trouver, nous verrons ce que vous avez à nous dire.

Molly, imaginant la réaction de Sid en voyant sa photo dans les journaux à scandale, fut tentée d'accepter. Le policier avait réussi à lui faire peur, mais elle prit une profonde respiration et dit :

— Non, merci. C'est gentil à vous, mais je préfère le faire maintenant.

— Bon, très bien, dit le policier dont le ton avait soudain changé. Si vous y tenez. George, tu prends la déposition, dit-il en quittant la pièce.

— Très bien, allez-y, madame Flanders, dit le policier en civil en s'installant derrière sa machine à écrire. A quelle date êtes-vous entrée dans l'appartement de M. Greene ?

Molly raconta son histoire, parfois interrompue par le policier qui lui demandait des précisions. A la fin, il lui relut sa déposition. Même pour les oreilles inexpérimentées de Molly, le texte semblait plat et peu convaincant. Tout ce qu'elle affirmait, c'est que Greene n'acceptait jamais d'argent des femmes.

— Vous me direz si vous avez besoin de connaître d'autres éléments ? dit-elle d'un ton anxieux en signant.

— Nous garderons le contact, vous serez peut-être appelée à témoigner.

Plus tard dans la journée, Steven Greeve, passablement éméché, se balançant sur sa chaise, lui dit :

— Ils ne veulent pas de toi, Moll. Ils ont essayé de te dissuader avec leur petit discours sur la publicité tapageuse. Ah, quel dommage pour vous, une si gentille fille ! Je me demande si ta déclaration se retrouvera un jour dans les dossiers. Elle est peut-être déjà dans la corbeille à papier.

— Oh, non, je ne crois pas.

— Tu ne crois pas ? s'exclama Wendy Valentine, étendue sur le sofa, en robe de chambre qui laissait parfois voir ses bas et son porte-jarretelles. Eh bien, moi, ce matin, je me promenais à Gerrard Street sans rien demander à personne quand une voiture de police s'est arrêtée. Ils m'ont fait monter, finalement, j'ai passé deux heures au commissariat à répondre à leurs questions. Ils cherchent à accumuler des preuves contre Steven.

Wendy regarda sévèrement Molly.

— Il y a un personnage important de ton côté ?

— Qu'est-ce que tu veux dire ?

— Je crois que tu es protégée, dit Wendy.

Molly réfléchit un instant.

— Protégée ? Par qui ?

— Clover, ou les Rose.

Molly frissonna.

— Ils ne peuvent pas m'empêcher de témoigner si j'en ai envie.

— Ils peuvent t'offrir de l'argent, dit Steven. Accepte, si tu veux. Je ne t'en voudrais pas.

— Mais je n'ai pas besoin d'argent.

— Peut-être, mais Johnnie, si, ajouta calmement Wendy.

Le téléphone sonna et Steven alla répondre.

— C'était Johnnie. Il se demandait où tu étais passée. Il veut que tu reviennes tout de suite.

— Il attendra cinq minutes.

— Il n'avait pas l'air très content, la prévint Steven.

Epuisée, Molly se leva et partit. En rentrant, elle eut une dispute avec Johnnie. Il lui ordonna de ne pas s'occuper de Steven et de ses ennuis. Molly refusa. Johnnie hurla. Molly pleura. Une voisine d'âge mûr vint se plaindre du bruit. Ce soir-là, allongée à côté de son amant, Molly se demanda ce qui n'allait pas.

Le lendemain, elle se trouvait aux côtés de Johnnie dans une rue couverte d'éclats de verre de North Kensington. Ils arrivèrent devant une maison dont le revêtement des murs s'écaillait par gros lambeaux, ainsi que la peinture des portes et des fenêtres. Les rideaux étaient tirés. Une vitre brisée avait été réparée avec une bande adhésive. Un chien fourrait son nez dans les déchets éparpillés dans le jardinet, papiers, boîtes de conserves, marc de café tombés d'une poubelle renversée. Johnnie tambourinait à la porte en haut des marches fendillées.

— Monsieur Pilsutski ! Monsieur Pilsutski ! C'est Bridges.

Tout en espérant qu'il n'y ait pas de réponse pour qu'ils puissent partir, Molly s'approcha de lui.

— Quel idiot, je lui avais envoyé un mot pour lui dire que je viendrais.

A l'intérieur, un bébé criait. Johnnie continuait à taper. On entendit des pas lourds et la porte s'entrouvrit. Une femme noire en tablier pointa son nez. Elle ouvrit la porte un peu plus grand. Derrière elle, on apercevait quatre petites têtes d'enfants noirs, à différentes hauteurs.

— Oui ? Qu'est-ce que c'est ? Vous voulez voir Pilsutski ?

— Oui, c'est ça, dit Johnnie.

La femme leur lança un regard méprisant.

— En bas, au sous-sol.

Une femme aux cheveux gris descendait lentement l'escalier en s'appuyant à la rampe.

— Merci, dit Johnnie.

Il prit le couloir et frappa à une petite porte à gauche de l'escalier.

Molly entendit la vieille dire :

— Monsieur Higgins, ma sœur est malade et les enfants sont si bruyants. Vous ne pourriez pas...

— Par ici, dit brusquement Johnnie qui se glissait sous l'escalier de l'autre côté de la porte.

La femme noire criait au-dessus de leurs têtes.

Un vieil homme en chaussons se tenait sur le linoléum déchiré.

— Je suis un ami de M. Nader. Je vous ai envoyé un mot...

— M. Nader ? répondit l'homme avec un fort accent étranger.

— Non, je suis monsieur Bridges, l'associé de M. Nader. Je peux entrer ? Ce serait préférable qu'on ne nous entende pas.

— Ah, oui, oui, seul à seul. Venez.

Il ouvrit une porte et les conduisit dans une petite pièce bien rangée, avec un divan, deux fauteuils et une table à la nappe de dentelle blanche immaculée. Il y avait un crucifix au mur et un autre sur une table basse, elle aussi recouverte de dentelle blanche. Une grosse femme d'âge mur entra.

— Asseyez-vous, asseyez-vous, dit le vieux. Maria, fais-nous du thé.

— Monsieur Pilsutski, ma fiancée, dit Johnnie en montrant Molly. J'espère que cela ne vous dérange pas que je l'aie amenée avec moi.

— Comment une si jolie fille pourrait-elle déranger quelqu'un ? dit-il en regardant Molly. Alors, comme ça, vous allez vous marier ?

— Oui, mais venons-en aux affaires. Bon, M. Nader, mon collègue, aimerait jeter un coup d'œil sur les livres. Est-ce possible de les voir ?

— Ah, les registres de loyers..., dit Pilsutski lentement, vous voyez, monsieur euh...

— Bridges.

— Oui, c'est ça, monsieur Bridges. Il est difficile de tenir des livres dans un tel endroit, avec toutes les allées et venues. Et puis, si je les mets à la disposition des locataires, ils en profitent pour les perdre, alors, il faut se débrouiller sans cela...

— Oui, oui, bien sûr... Je comprends votre point de vue. Puisque vous mettez l'immeuble en vente, M. Nader aimerait avoir une idée de ce qu'il rapporte.

La femme réapparut avec du café et des gâteaux.

— Vous voyez, je ne me serais jamais débarrassé de cette maison, comme je le disais à M. Nader, mais le médecin m'a dit : « Pilsutski, tous ces soucis rendent votre femme malade. Pourquoi ne vendriez-vous pas pour aller vous reposer à la campagne ou au bord de la mer ? » Et vous savez, une femme, c'est plus précieux que tout. Prenez du gâteau, mademoiselle, il est excellent. Non, pas comme ça, sers le lait toi-même, dit-il à sa femme d'un ton rude. Cette jeune dame n'a pas trois mains !

Il ajouta quelques mots d'un ton méchant dans une langue étrangère. La femme fit le service et alla s'asseoir près de la fenêtre.

— Effectivement, dit Johnnie, l'immobilier, ce n'est pas de tout repos en ce moment. C'est encore pire quand on habite sur les lieux avec tous les locataires qui ne cessent de faire des réclamations.

— Oui, on n'en finit pas avec les histoires de toilettes bouchées, de disputes. Ils cognent à la porte pour un oui pour un non de jour comme de nuit. Il faut s'occuper d'eux comme si c'étaient des bébés. Bien sûr, ça rapporte, mais la santé passe avant tout.

— Vous avez tout à fait raison ! Bon, j'ai bien peur d'être obligé de vous poser des questions indiscrètes. Si vous n'avez pas de livres, je suppose que vous ne faites pas non plus de quittances de loyer.

– Euh, je suis très occupé et...

– Oui, oui, je vous comprends.

Molly, un peu intriguée au début, comprit vite que sans registres et sans quittances, les locataires ne pouvaient pas prouver qu'ils avaient payé le loyer, ni même qu'ils habitaient là. Cela facilitait les expulsions...

– Bon, dit Johnnie. Au rez-de chaussée, une famille de Noirs, un couple et une tripotée de gosses... Qui d'autre ?

– Le frère, chauffeur de bus.

– Combien paient-ils pour leur chambre ?

– Sept livres dix shillings.

– Hum hum, dit Johnnie en prenant des notes.

Sid et Ivy payaient cinq livres par semaine pour leur maison de Meakin Street, remarqua intérieurement Mary.

– Et l'autre porte du rez-de-chaussée ?

– Ah, oui, le vieux. Il a un ancien bail. Et au premier...

– Combien paie-t-il ?

– Dix shillings par semaine, dit Pilsutski à contrecœur.

– Une misère, un nouveau procès en perspective.

– Ils coûtent plus cher qu'ils ne rapportent, ces gens-là ! Et au-dessus, encore ces fichus locataires avec bail, ajouta-t-il, sa retenue laissant place à la rage. Deux chambres au premier, les meilleures de la maison, grandes, claires. Une vieille femme et sa sœur. Devinez combien elles paient, je vous le donne en mille ! Deux livres par semaine. Deux misérables livres.

– Vous pourriez en obtenir vingt, dit Johnnie. Une salle de bain ?

– Des toilettes, mais il y a largement la place pour une baignoire. On pourrait en faire un appartement de luxe.

– Elles sont en bonne santé ? demanda Johnnie.

– La sœur est malade, mais elle s'en remettra. Vous connaissez les vieilles...

Soudain, il regarda Molly et laissa sa phrase en suspens.

– Bon, peu importe. Et au deuxième ? Ça va peut-être mieux ?

– Sur la façade, trois Irlandais. Des ouvriers. Trois, quatre, cinq, je ne sais pas. Je ne pose pas de questions. Huit livres par semaine. Toujours payées. Pas de problème.

– Ils doivent bien rentrer un peu éméchés et faire du bruit de temps en temps, suggéra Johnnie.

– Ne m'en parlez pas ! Ils se cassent la figure dans l'escalier, ils claquent les portes, crient, se battent et j'en passe. On les entend d'ici.

– Ce n'est pas très agréable pour les vieilles dames.

– Oh, elles se plaignent, mais que voulez-vous que j'y fasse ?

– Il n'y a rien à faire.

– Sur l'arrière, une petite chambre. Un homme tranquille, très propre. Il travaille pour la municipalité. Trois livres.

Molly buvait son café en silence tandis que les deux hommes passaient en revue la suite des locataires. Finalement, Johnnie fit un rapide calcul et annonça :

— Ça nous mène dans les trente livres par semaine ? Pas vraiment le Pérou. Le problème, c'est tous ces locataires avec bail, sans eux, vous auriez au moins le double.

— Je ne le sais que trop, monsieur Bridges. Mais qu'y faire ?

— Oui, effectivement. Peut-être voudriez-vous me faire visiter, maintenant ?

— Avec plaisir.

Pilsutski les conduisit dans le couloir et, après avoir frappé brièvement, entra dans la pièce où avait disparu la femme noire. De nombreux enfants s'agitaient entre les lits. Une bouilloire fumait sur le petit réchaud à gaz dans un coin. La femme, qui lavait à l'évier le visage de l'enfant qu'elle tenait dans les bras, se retourna.

— Qu'est-ce que vous venez faire ici ? demanda-t-elle brusquement.

— Nous venons simplement voir si vous n'avez besoin de rien, dit Johnnie d'une voix douce.

Derrière eux, Molly percevait les effluves de la pièce, où sept personnes dormaient, vivaient, mangeaient. C'était un horrible mélange d'urine, de graisse rance et de sueur, encore renforcé par le manque de ventilation et l'humidité des murs moisis. On ne pouvait guère faire de reproches à la femme. Soudain, Molly se souvint de la fatigue et du désespoir d'Ivy assise dans sa cuisine, devant la lessive, la vaisselle et le désordre : « Je n'y arrive plus ! » Pour la première fois, elle songea que si Jim Flanders était resté en vie, elle aussi aurait pu se retrouver avec plusieurs gosses dans un minuscule deux pièces de Meakin Street, et mener une existence guère différente de ce qu'elle voyait ici.

— Oui, eh bien, cette pièce est toute moisie, le plafond dégringole dans le berceau du bébé, disait la femme, les mains sur les hanches. Et si vous avez l'intention d'acheter cette baraque, je vous conseille d'aller faire un tour aux toilettes. La chasse d'eau ne marche pas, le crépi ne tient plus. Et puis, demandez aussi à la femme du dessus combien de baquets d'eau elle récupère du toit quand il pleut. Et vous voudriez me faire croire que vous allez faire quelque chose pour nous ? Ne me faites pas rigoler !

— Merci beaucoup, madame, répondit Johnnie, ignorant son hostilité, comme s'il y était habitué.

Dans le berceau, le bébé se mit à geindre. La femme alla vers lui pour le réconforter. En chemin, elle lança à Molly un regard qui exprimait nettement son mépris pour une femme en si triste compagnie. Gênée, Molly suivit Johnnie et Pilsutski.

— Pauvre vieux ! confia Pilsutski en cognant à une autre porte.

240

Il n'a plus qu'une jambe valide, l'autre ne vaut rien. Monsieur Harris, monsieur Harris.

— Eh bien, elle ne manque pas de caractère, la femme d'à côté, remarqua Johnnie.

— Vous devriez voir le mari. Et les gosses qui ne cessent de crier. Bof, c'est leur façon de vivre.

— Ils sont bruyants alors ?

— Ce n'est rien de le dire.

— Hum, dit Johnnie, presque impressionné, comme si on lui avait montré une salle de bain neuve ou un plafond refait.

— Monsieur Harris ! cria Pilsulski en tournant la poignée de la porte. Fermé ! C'est pas faute de lui avoir répété. S'il y avait le feu ! Il y aura un drame un de ces jours. D'après moi, il n'en a plus pour longtemps. Ça se voit dans son regard. Je le sais, j'en ai connu assez en Pologne pendant la guerre.

— On dirait qu'il est sorti, dit Johnnie.

— Sorti ! Sorti ! Non, il ne peut pas se déplacer. Chut, je l'entends.

Un bruit de pas traînants à l'intérieur, puis la porte s'entrouvrit lentement. Un vieillard au visage gris et aux yeux bordés de rouge appuyé sur une béquille apparut.

— Que voulez-vous encore ?

— Jeter un coup d'œil, c'est tout, dit Pilsutski.

— C'est la troisième fois cette semaine.

M. Harris se tourna sur ses béquilles pour leur laisser le passage. Les autres le suivirent lentement. Molly percevait sa respiration sifflante. La pièce était meublée d'un lit bancal aux couvertures grises et d'une table où traînaient un pain sur une planche de bois, un morceau de margarine, un pot de confiture, un paquet de thé et une bouteille de lait à moitié vide. M. Harris, suspendu sur ses béquilles, faisait face à Pilsutski et à Johnnie. Il n'avait pas de jambe gauche.

Molly n'en pouvait plus.

— Johnnie, je vais t'attendre dans la voiture, donne-moi les clés.

Il ne l'entendit pas.

— Belle pièce, dit-il à Pilsutski.

Molly sortit et claqua la porte de la maison. Elle resta un moment sur les marches à respirer un air relativement plus pur. Les maisons qui lui faisaient face, avec leurs vitres brisées et leur crépi en lambeaux avaient pratiquement la même apparence que celle qu'elle venait de quitter. Ici et là, un jardinet bien entretenu, des rideaux neufs, mais dans l'ensemble, tout le quartier n'était que ruines. Une dizaine d'enfants tournoyaient autour des voitures abandonnées. Elle descendit rapidement, bien décidée à ne pas attendre Johnnie, à prendre un taxi ou un bus pour s'enfuir au plus vite. Pourtant, une voix derrière elle l'appela.

– Hé, madame...

La femme noire avait ouvert sa fenêtre. A contrecœur, Molly remonta les marches.

– Qu'est-ce qui se passe ? Votre mari va acheter la maison ?

Derrière elle, une petite fille de quatre ans souriait à Molly.

– Il y songe.

– Qui c'est, lui ?

– Cela ne vous regarde pas, il me semble.

La fillette tira la langue.

– Ah oui ? On vit ici, le propriétaire, ça nous concerne. J'ai quatre enfants, j'ai besoin de savoir ce qu'ils vont devenir.

– Il travaille pour un certain Ferenc Nedermann, répondit Molly, un peu hésitante.

– Oh, mon Dieu, non, pas ça. Nedermann, c'est le pire de tous dans ce quartier. Pilsutski, c'est pas la joie, mais à côté de l'autre, c'est le paradis. Ecoutez, dit-elle avec un regard farouche. Dites à votre homme de nous laisser tranquilles. De toute façon, cette baraque est pourrie. Pourrie ! Mais si Nedermann met la main dessus, nous sommes foutus.

– Foutus ?

– A la rue, c'est moi qui vous le dis. Oh, et ce pauvre vieux avec une jambe en moins, les vieilles... tous dehors ! Il fait grimper les loyers des locataires, et il s'arrange pour chasser ceux qui ont un bail. Il ferait n'importe quoi. Il envoie des hommes avec des fusils ou des chiens et je ne sais quoi pour les terroriser. Jusqu'à ce que les anciens s'en aillent et qu'il puisse augmenter les loyers.

Immobile, Molly observait le gros visage noir. Sans s'en rendre compte, la fillette avait elle aussi un air sérieux à présent.

– Une belle fille comme vous, ça peut faire beaucoup de choses ! dit-elle d'un ton encourageant. Dites-lui que l'endroit est en plus mauvais état qu'il n'y paraît, que la plupart des locataires ont un bail, comme ça, Nerdermann ira chercher ailleurs. Et puis, vous pourrez ajouter qu'il y a un avocat qui habite au premier, Nedermann aura peur d'avoir des ennuis.

– Je ne peux pas, Johnnie ne tient pas compte de ce que je dis.

– Alors, vous aurez des ennuis, vous aussi, dit la femme en claquant la fenêtre.

Un enfant cria dans la pièce. La femme souleva la fillette de la chaise où elle était assise et la conduisit à l'intérieur. Molly la vit se pencher sur un enfant invisible. L'air hagard, Molly remonta la rue aux pavés inégaux parsemés d'éclats de verre.

Elle avait les larmes aux yeux. Alors, c'était ça, le nouvel emploi de Johnnie ! Un travail fantastique, honnête ! C'était grâce à cela qu'il s'offrait des costumes et des chaussures sur mesures, des chemises de soie. C'était en achetant des taudis pour Neder-mann, en expulsant des pauvres gens, qu'il se donnait des airs

242

prospères et respectables. Pour lui, c'était ça « se ranger » ! « Mais c'est pire, bien pire que de casser des coffres ! » pensa-t-elle en se rappelant s'être fait la même réflexion à propos de ses fraudes au Frames.

Elle ouvrit le sac en crocodile que Johnnie lui avait offert et s'aperçut qu'elle n'avait pas assez d'argent pour prendre un taxi. Cela faisait des semaines que Johnnie ne lui avait rien donné. A l'arrêt de bus, elle regarda son livret d'épargne. Il ne lui restait pas grand-chose sur son compte. Finalement, c'était aussi bien que Steven Greene n'ait pas accepté l'argent qu'elle lui proposait, sinon, elle aurait été obligée de vendre l'un de ses deux derniers bijoux. Sans compter, elle avait acheté nourriture et boissons pour Johnnie et elle, payé le loyer de temps en temps et tout était parti ! La femme noire avait bien compris ce qui allait lui arriver. Elle avait vu les cheveux savamment coiffés, le manteau de fourrure et le sac de croco. Mais elle avait aussi vu une femme qui n'avait pas la moindre influence sur l'homme avec lequel elle vivait. Et pourquoi ? Tout simplement parce qu'il ne l'aimait pas, pensa Molly. Ou alors, ce n'était pas le genre d'amour des personnes qui partagent tout et sont pleines d'attentions l'une pour l'autre. Pas comme Sid et Ivy par exemple. Bien sûr, elle allait chez le coiffeur, buvait du champagne, mais elle ne comptait plus pour les choses sérieuses, sinon, elle aurait déjà eu une idée sur le genre de travail de Johnnie. Elle n'était qu'une décoration, sa maîtresse, l'incarnation de ses derniers rêves romantiques. Finalement elle était en moins bonne situation qu'Ivy. Elle au moins avait droit à la parole, parfois même bruyamment, sur tout ce qui concernait le couple.

— Encore une dévergondée, murmura l'une des deux femmes d'âge mûr derrière elle.

Molly fit semblant de ne pas entendre. Pourtant, elles avaient raison. Si elle avait été vraiment riche, les vieilles ne se seraient pas permises de la critiquer dans son dos. Mais un manteau de fourrure sur une fille aussi jeune, c'était toujours louche. Les femmes dignes de ce nom ont des enfants et des soucis, et les mauvaises filles, des manteaux de fourrure. Il en avait toujours été ainsi.

« Pourtant, on ne peut pas tout avoir », songea Molly dans le bus. Avait-elle envie de passer toute sa vie attachée à son évier, avec un mari qui pourrait devenir violent et une tripotée de gosses ? Et puis, après la quarantaine, elle aurait peut-être la chance de trouver un travail dans une boulangerie, comme Ivy, et de s'acheter enfin quelques vêtements ? Johnnie était beau et généreux. Il avait un splendide appartement. Que voulait-elle de plus ? Puis elle se souvint de l'attitude de son amant lorsqu'elle avait été enceinte, de la manière dont elle avait couvert ses fraudes au club. Elle se souvint d'Amanda. A présent, il gagnait sa vie sur des taudis. C'était pire encore qu'il ne fût qu'un simple employé. Un vulgaire contremaître sur une plantation d'esclaves. Peut-être n'était-il pas vraiment conscient de ce qu'il faisait. Soudain, elle se rendit compte qu'il n'avait jamais été pauvre, comme les Rose ou Ivy. Il n'avait jamais mangé du pudding au riz et à l'eau comme sa mère, n'était jamais allé à l'école pieds nus en plein hiver, comme Sid et ses frères un jour. Molly, comme Jack et Shirley sans doute, se souvenait avoir vu un plat de frites sans viande ni œufs pour les accompagner. La mère de Johnnie ne lui avait sans doute jamais donné des frites au goûter, il n'avait jamais tremblé de froid la nuit, car non seulement les couvertures manquaient, mais aussi les manteaux et les vestes qu'on empilait sur le lit. Peut-être était-ce pour cela qu'il ne se souciait pas des bébé qui toussaient et des vieilles femmes qui devaient monter les escaliers branlants.

Soudain, comme pour se consoler, elle revit le long bâtiment de briques rouges d'Allaun Towers. Elle était enfant et se promenait dans l'allée sous les arbres qui projetaient des taches d'ombre et de lumière sur le sol. Elle regardait la maison, étincelante dans le soleil. Elle entendait encore le bruit de ses pas sur le sentier marbré, le chant des oiseaux dans le silence, se souvenait de son étrange impression lorsqu'elle avait marché sur les graviers inondés de soleil.

Mais ça, c'était hier... Elle devait se marier après Noël. Et il faudrait qu'elle vende le bracelet que Lord Clover lui avait offert, qu'elle donne un peu d'argent à Sid et Ivy et leur annonce la nouvelle. Elle imaginait facilement la réaction d'Ivy. Le pire, c'est qu'il faudrait qu'elle dise aussi qu'elle ne pouvait pas prendre Joséphine avec elle. Johnnie ne voulait pas. En fait, il l'avait proposé, mais de si mauvais gré, que Molly savait que cela n'irait jamais. Ivy se retrouverait avec une fille qui épousait un homme qu'elle-même haïssait et une petite fille dont elle s'occuperait indéfiniment.

« Pourquoi faut-il que cela soit toujours ainsi ? » se dit-elle. Pourtant, une petite voix intérieure lui répondit : « Mais cela n'a pas à être toujours ainsi. » Elle n'y prêta pas attention et continua à se sentir aussi mal qu'auparavant.

Finalement, ce fut un mois après Noël et deux jours avant l'ouverture du procès de Steven Greene qu'une crise de pneumonie résolut tous les problèmes de Molly.

Molly ne se sentait pas bien depuis plus d'une semaine, mais la détresse lui masquait sa sensation de faiblesse physique. Elle avait tenté de parler à Johnnie de son travail pour Nedermann, mais il s'était contenté de repousser tous ses arguments et de dire, à juste titre d'ailleurs, qu'elle était bien heureuse de profiter de cet argent. Pourtant, il n'avait guère apprécié qu'on le critique. Il était devenu plus brutal, moins généreux et moins affectueux. Il parlait toujours mariage, mais Molly, à en juger d'après la conduite de son

244

amant, pensait parfois qu'il la haïssait. Peu sûre d'elle, elle suggéra de repousser le mariage à avril, parce qu'il ferait meilleur et qu'ils pourraient passer leur lune de miel à Paris. «Sois gentil», lui avait-elle demandé, mais ce nouveau délai déplut à Johnnie. Elle fut à peine surprise quand il commença à rentrer tard, prétextant qu'il avait passé la soirée avec des amis. Si elle avait été en meilleure forme, elle aurait peut-être accepté la situation sans perdre sa bonne humeur, mais elle pleurait, se croyait malade, et rejetait la cause de ses impressions désagréables sur sa tristesse. Un jour pourtant, elle se rendit compte qu'elle se trompait. Cette nuit-là, Johnnie n'était pas rentré, et le lendemain matin, au moment même où elle tentait d'appeler un médecin, on sonna à la porte. Molly reposa le récepteur et, s'appuyant contre le mur, alla ouvrir.

— Eh bien, tu vois, j'ai fini par te retrouver, dit Ivy. Tu aurais quand même pu venir nous voir.

Molly tomba. Ivy la rattrapa et la porta dans son lit.

— Johnnie, où est Johnnie ? murmurait Molly dans son délire.

Ivy téléphona au médecin qui diagnostiqua une pneumonie. Molly devait entrer à l'hôpital. Elle continuait à réclamer Johnnie, comme toute femme fait appel à son compagnon dans ce genre de situation. Et moins ceux-ci sont dignes de confiance, plus elles les appellent désespérement, sans doute parce qu'ils ne sont jamais là. Molly avait plus de quarante de fièvre et le poumon gauche très atteint.

— Où est Johnnie ? demanda Molly dans l'ambulance. Va chercher Johnnie.

— Oui, plus tard, répondit gentiment Ivy.

Ivy croisa le regard de l'ambulancier qui secoua la tête tristement. Ivy soupira.

Le procès de Steven Greene s'ouvrit trois jours plus tard. Dans son lit d'hôpital, Mary était toujours incapable de bouger. Johnnie rentra finalement à l'appartement, et il se demandait où avait bien pu passer Molly quand on sonna à la porte.

Il ne connaissait pas ceux qui le frappèrent. Coups de poings et coups de pieds furent assénés par trois hommes étranges qui l'encerclèrent immédiatement. Ils ne prononcèrent pas un mot, et, en quelques minutes, l'affaire fut réglée. Ce ne fut que lorsqu'il gisait au sol, ensanglanté, que l'un d'eux se retourna avant de partir et lui dit :

— C'est un cadeau de Jack Waterhouse. Et tu en auras d'autres si tu tournes encore autour de sa sœur.

Même Ivy ne savait pas que Jack et ses deux beaux-frères avaient décidé d'aller régler son compte à Johnnie. Jack ne le lui dit pas non plus après, d'ailleurs. Elle apprit la nouvelle par un cousin de Lil Messiter qui travaillait comme maçon pour Nedermann

– Sale histoire, l'accident de Johnnie Bridges, lui dit-il un jour qu'elle était avec Sid au Marquis de Zetland.

– Ne prononcez plus ce nom devant moi, avait-elle répondu instinctivement.

Puis, reconnaissant le ton neutre de quelqu'un qui cherchait à provoquer une réaction, elle ajouta :

– Quel accident ?

– Il s'est fait tabasser. Je croyais que vous étiez au courant.

Il lui demanda si elle avait une idée du coupable, et Ivy, soupçonnant immédiatement Jack, répondit rapidement :

– Non, non, pas la moindre. Il est gravement blessé ?

– Ça ne lui a pas fait de bien.

– Eh, dit-elle à Sid qui revenait du bar avec des boissons, qu'est-ce que c'est que cette histoire à propos de Johnnie Bridges ? Tu en as entendu parler ?

– Ouais, il paraît qu'il s'est fait casser le nez. Pas étonnant, je suppose. Ce genre de types ne manquent généralement pas d'ennemis.

Ivy comprit tout de suite que Jack était impliqué dans l'affaire et que Sid le savait. Elle but une gorgée de son gin fizz et commenta :

– Il fréquente un peu n'importe qui, ce Bridges.

Le cousin de Lil Messiter était assez avisé pour ne pas poser d'autres questions.

Peu à peu, Molly perdit espoir de voir Johnnie à l'hôpital. En fait, ce fut Ferenc Nedermann qui lui rendit visite plusieurs fois, et qui lui apporta des fleurs. Quand elle lui demanda des nouvelles de Johnnie, il répondit qu'il avait dû s'absenter pour affaire. Elle espérait malgré tout le retrouver à l'appartement quand Ferenc la raccompagna chez elle le jour où elle sortit de l'hôpital. Ivy ouvrit la porte et ordonna à Molly de se recoucher immédiatement. Il y avait un bouquet de roses dans la chambre, mais à présent, Molly ne s'imaginait plus qu'il venait de Johnnie.

– Tu veux t'asseoir ? demanda Ivy qui entrait avec un plateau de thé.

Elle gonfla les oreillers derrière sa fille, et la servit.

– Tu ferais mieux de remercier M. Nedermann, c'est lui qui a payé le loyer pendant que tu étais à l'hôpital. Il ne voulait pas que tu le saches, mais je lui ai dit que tu préférerais le savoir pour pouvoir le rembourser.

– Quoi ? Le loyer ? Je ne comprends pas. Et Johnnie ? dit Molly, toujours sous le choc de sa grave maladie.

– Je suis désolée pour toi, ma chérie, vraiment désolée..., répondit Ivy d'un ton compatissant.

– Qu'est-il arrivé ? demanda Molly qui croyait ne rien pouvoir supporter tant la tête lui tournait. Où est-il ?

– Il a filé à l'anglaise. Je regrette pour toi. Ses affaires ne sont plus là, j'ai vérifié. Je crois que Jack et ses beaux-frères lui ont donné une petite leçon avant qu'il s'en aille.

— Oh, maman, de quoi ils se mêlent ? Jack me le paiera, je te le jure.

— Molly, tu as failli mourir, et pendant ce temps-là, il vivait avec une autre. Une belle petite pute, je peux te le dire. Elle se fait passer pour un mannequin. Tu es restée à l'hôpital plus d'une semaine, et il n'est pas venu te voir une seule fois. Jack s'est aperçu de ce qui se passait, et il a perdu son sang-froid. Ce n'est pas quelques coups de poing qui vont changer les choses. Tu connais assez Johnnie. Je crois que ce n'est pas la première fois que ça arrive. Allez, bois ton thé, et n'oublie pas de remercier M. Nerdermann quand il viendra. Il a été très généreux.

Molly, qui sans le savoir s'était préparée à une telle éventualité, se redressa sur les oreillers.

— Mon Dieu, je n'ai plus un sou. Que vais-je devenir ?

— Je suis soulagée de te voir raisonner ainsi, dit Ivy d'un ton approbateur. Sid et moi, nous pensons que tu ferais mieux de te réinstaller au 4, et pour longtemps, cette fois. Il faut que tu t'occupes de Joséphine. Je ne peux pas continuer à travailler et à élever ta fille. Et puis, nous faisons des économies pour trouver une maison à Beckenham ou à Brombley, ce sera plus agréable. Ce sera plus facile pour toi, maintenant que Joséphine va à l'école. Et il est temps que tu assumes tes responsabilités.

D'un air las, Molly regarda sa mère et acquiesça d'un signe de tête. Il faudrait bien qu'elle fasse ce qu'Ivy disait. Sa mère avait accepté de s'occuper de Joséphine tant qu'elle-même était trop jeune pour se charger d'un enfant, mais à présent, Ivy était fatiguée.

— Tu peux encore rester ici un moment, le loyer est payé jusqu'à la fin du mois. Et là-bas, le propriétaire installe une salle de bain, elle sera terminée dans une quinzaine de jours.

— Ce sera toujours mieux que de se laver dans l'évier, dit Molly tristement.

— Ça te paraît dur pour le moment, mais il y a toujours des hauts et des bas. Il faut prendre ce qui vient.

Molly ferma les yeux. Intérieurement, elle reprochait à Ivy de vouloir convaincre toute la terre qu'il n'y avait pas d'autre façon de vivre que la sienne... un mari, des enfants, la misère de Meakin Street. Abandonnée, brisée, la fille qui avait essayé d'échaper à son sort se trouvait confrontée à son échec. Ivy avait gagné. Quelques larmes de colère roulèrent sur les joues de Molly.

Nedermann frappa à la porte de la chambre et entra.

— Voyons, Molly, dit-il en voyant les larmes, pas de ça. Alors, l'avenir ne semble pas très gai ? Il y a des moments comme ça, mais c'est là qu'il faut du courage.

Molly essaya de cacher sa rage devant tous ces sophismes.

— Maman m'a dit que vous aviez réglé le loyer, dit-elle en reniflant, tentant d'exprimer toute la reconnaissance qu'elle pouvait feindre. Je vous remercie beaucoup, mais je vous rembourserai, bien sûr.

« Et vlan, la bague victorienne de Sir Christopher Wylie ! » pensa-t-elle, espérant que les rubis n'étaient pas en toc.

— Ce n'est pas la peine. J'ai pris cet argent sur le salaire de Johnnie quand je l'ai renvoyé la semaine dernière.

Molly le regarda sans comprendre.

— Toujours ses petites manies, expliqua Nedermann. Je savais qu'il piochait dans la caisse, mais il avait démêlé pas mal de problèmes avec la municipalité, les impôts. Il avait même redressé les comptes. Je lui en savais gré, alors je laissais faire. Si c'en était resté là, je l'aurais averti à temps et j'aurais pu le garder. Mais il a commencé à négliger son travail.

Il se tourna vers Ivy d'un air interrogateur.

— Elle est au courant de tout, dit Ivy.

— Bon alors, vous devez comprendre. La femme payait tout pour lui, alors, il s'en fichait. Et ensuite, il venait le mercredi, et le jeudi plus personne ! Et puis, il devenait gourmand. Quelques centaines de livres d'accord, mais par milliers, cela ne marche plus. Je ne sais pas exactement à combien ça monte, mais comme tout le monde, je sens bien quand on me vide de mon sang. Une femme de couleur est venue me voir et m'a raconté que Johnnie voulait me faire payer six mille cinq cents livres pour une maison qui en valait quatre mille et qu'il avait l'intention de partager la différence avec le propriétaire.

— Ce n'était pas chez Pilsutski ? demanda Mary.

— Si. Comment le savez-vous ?

Pendant un instant, Mary pensa que Nedermann la croyait complice.

— J'y suis allée un jour avec Johnnie, j'ai rencontré la femme noire. Vous l'avez récompensée ?

— Oui, je lui ai accordé un appartement plus grand. Au même loyer bien sûr. On peut se montrer généreux avec les gens qui sont loyaux. Les autres, on leur laisse la bride sur le cou pendant un moment, et ensuite...

Il dessina un geste tranchant de sa grosse main bouffie. Mary espérait que la femme noire n'avait pas obtenu l'appartement des deux vieilles comme récompense.

— L'ennui avec Johnnie, poursuivit Nedermann, c'est que le jeu n'en valait même pas la chandelle. Il était bien payé, et s'il était resté honnête, je lui en aurais donné plus que tout ce qu'il pouvait extorquer. Ils sont tous pareils, ils n'ont pas de tête. Mais vous êtes fatiguée, et je crois que vous avez toujours un petit faible pour lui, pas vrai ? Faites attention, il vous a déjà blessée deux fois... Une fois, c'est un accident, mais si on reste plus longtemps, cela ressemble à du masochisme.

248

Molly ne reconnut pas le mot prononcé avec un fort accent étranger. De toute façon, elle l'avait rarement entendu.

— Je ne peux plus le sentir.

— Eh bien, méfiez-vous de ça aussi.

Après le départ de Nedermann, Ivy prépara le dîner de sa fille.

— Cela m'ennuie de te laisser toute seule, lui dit-elle avant de la quitter, mais tu ne peux guère habiter au numéro 4 en ce moment, la moitié des murs sont cassés. Et puis, il n'y a guère de place chez nous. Tu seras plus tranquille ici. Je reviens demain.

Elle enfila son manteau et mit son chapeau.

— Tu veux que je t'achète un journal ? demanda-t-elle du couloir.

— Non, merci, répondit Molly qui s'étonnait de cette question.

Quel cauchemar, pensait Mary, enfoncée dans ses oreillers. Meakin Street, encore. Chaque fois qu'on s'en échappait, c'était pour mieux y retourner. Mais si Ivy ne voulait plus garder Joséphine, elle n'avait pas le choix. Elle devrait vivre chichement, trouver un petit boulot, élever son enfant. Sans Johnnie ! Elle aurait dû être soulagée de son départ, mais il n'en était rien. « Tu te conduis comme une fille de joie, qui regrette le mac qui la maltraite et lui pique tout son fric. » Et dire qu'il voulait l'épouser et qu'elle avait hésité. C'était peut-être aussi bien comme ça. Et puis, peut-être valait-il mieux qu'elle retourne à Meakin Street. Elle s'endormit sur ces pensées. En rêve, elle entendit une voix haute et claire chanter en français. Les oiseaux gazouillaient. Elle voyait une grande bâtisse de pierre grise, abritée sous la longue chevelure des branches grises d'un saule pleureur.

Le téléphone sonna dans l'autre pièce. Elle se leva, pensant que c'était Johnnie. En fait, Wendy Valentine était à l'autre bout du fil.

— Espèce de garce, il est mort ! cria-t-elle à travers ses sanglots. Tu avais promis de l'aider, tu n'as rien fait !

— Quoi ? Qui est mort, Wendy ?

— Tu n'es qu'une salope, Molly Flanders. Quand on a besoin de toi, tu n'es pas là. Et maintenant, il est mort. Oh, Steven, pauvre Steven...

— Oh, mon Dieu, qu'est-ce qui se passe ? Tu es sûre qu'il est mort ? Je ne te crois pas. Je ne peux pas le croire. Il n'avait rien fait de mal.

— Ce n'était pas la peine. Il s'est suicidé. Suicidé !

Il y eut un long silence. Wendy, horrifiée par ses propres mots, pleurait. Cela devait être vrai. Wendy disait sûrement la vérité.

— Je voulais simplement te dire que je ne te le pardonnerais jamais, dit Wendy plus calmement. Jamais ! Tu avais promis de témoigner au tribunal, mais on ne t'a pas vue. J'ai appelé des centaines de fois, mais il n'y avait jamais personne. Tu avais quitté la ville, je suppose. Tu ne voulais pas être mêlée à une sale histoire. Qui est-ce qui te paie pour ton silence, j'aimerais bien le savoir ? Et j'espère que tu passeras le restant de tes jours à te demander si cela en valait la peine.

— Wendy, explique-moi, qu'est-ce qui se passe ? Il faut que tu me le dises. J'ai été à l'hôpital, je ne sais rien. Si j'avais su..., dit Molly, désespérée.

— Ah, oui, à l'hôpital ! répondit Wendy, trop bouleversée pour pouvoir écouter. « Si j'avais su... » Ferme ta gueule, Molly Flanders. Il n'y a plus rien à dire. Mais si jamais je te rencontre, je te promets que tu t'en souviendras. Tu peux me croire.

Elle raccrocha.

Molly appela le Frames et demanda Arnie Rose. Elle ne parvenait toujours pas à croire ce que lui avait raconté Wendy. Elle était peut-être droguée ou Dieu sait quoi. Arnie Rose prit le combiné. Il avait une voix amicale. Il semblait ne pas lui tenir rancune de l'avoir découverte dans l'appartement avec Johnnie.

— Salut, Molly. J'ai appris que tu avais été malade. Ça me fait plaisir de savoir que tu vas mieux.

— C'est Steven ! explosa Molly. Wendy Valentine m'a appelée pour me dire qu'il était mort. Elle dit que c'est ma faute.

— Quelle idiote ! Tu ne pouvais rien y faire.

— Alors, il est vraiment mort ? Que s'est-il passé ?

— Il s'est pendu dans sa cellule. Sale affaire. Il n'avait pas besoin d'en arriver là. C'est une grosse perte pour nous.

— Pourquoi ? demanda Molly en pleurant. Pourquoi ?

— Il a été condamné à deux ans pour proxénétisme. Tu penses, un homme comme lui n'a pas pu accepter une telle honte. Il était toujours à Brixton en attendant son transfert, et il s'est pendu. Moll, je sais que tu l'aimais bien, tout le monde l'aimait. Mais il a été stupide. Avec les remises de peine, il serait sorti dans moins de dix-huit mois. Il n'en avait pas pris pour vingt ans tout de même. Dans ce cas-là, j'aurais compris qu'il soit désespéré.

— Il se sentait abandonné par tous, dit Molly tristement. Même moi. Je ne suis pas allée au tribunal. J'étais à l'hôpital, je ne savais rien.

— Je ne crois pas que cela aurait changé grand-chose. Toute cette histoire paraissait louche. Dans des cas comme ça, il n'y a que ce que dit la police qui compte. Qui l'a vu aller où et avec qui, et donner quelque chose à Tartampion au coin d'une rue, c'est tout. Tout ce qu'il avait pour se défendre, c'était Wendy et Carol qui essayaient de se souvenir s'il leur avait prêté l'argent du loyer ou si c'était le contraire. Quelqu'un voulait le coincer, et il a réussi son coup. Ni toi, ni moi, ni l'archange Gabriel n'aurions rien pu pour lui.

— Ils ne t'ont rien demandé ?

— Non, ça aussi c'est louche. Dans ce genre de cas, la première chose à faire, c'est d'aller interroger le propriétaire. Et c'est un de mes amis. Personne n'est jamais venu le trouver. Ce n'est pas que cela aurait été agréable pour lui, mais en fait, personne ne lui a rien demandé. Pas de convocation, ni rien. Ils savaient qu'il était innocent, ou que de toute façon, il n'avait pas fait grand-chose, c'est pour ça qu'ils n'ont pas cherché plus loin. Tu vois où je veux en venir, ma petite Moll ? Si tu n'avais pas été à l'hôpital, tu aurais eu un mal fou à te faire entendre. Ils tenaient à le coffrer, voilà tout. Il fallait qu'on lui tire le portrait d'un salaud qui vivait sur le dos des femmes. Et pourquoi ? Parce que comme ça, quoi qu'il ait à dire, plus personne ne l'écouterait. Crois-en la vieille expérience d'un ancien condamné. Mon Dieu, dit Arnie, imitant la réaction des gens, comment faire confiance à un type pareil !

Molly croyait difficilement ce qu'elle entendait. Cette image du monde était trop noire pour elle.

— Crois-moi, c'est comme ça que ça s'est passé. Il en savait trop sur les petites culottes de l'évêque. Et ce n'est sûrement pas tout. Ces crétins de la brigade des mœurs se sont précipités au club comme des guêpes sur de la confiture. On a même eu droit à un cambriolage. Un cambriolage, tu t'imagines ! Qui oserait cambrioler les frères Rose ? Je te le demande. Si un mec s'approche, il sait parfaitement ce qui va lui arriver. Alors, qu'est-ce que je dois penser quand on m'apprend que l'appartement du dessus a été mis à sac ? Qu'on a essayé de me voler ? Effectivement, ils ont fait un sacré tintouin dans l'appartement pour y faire croire, mais je reconnais la griffe des flics aussi bien que ton joli minois, Moll. Greene ne savait pas seulement de quelle couleur était le slip du chancelier. Il faut se rendre à l'évidence, il a dû magouiller dans des services d'espionnage. Il avait quelques relations avec des membres du gouvernement, et puis il y avait ce diplomate russe qui baisait Wendy Valentine. Alors, il y a sûrement quelqu'un qui a essayé de se mettre en cheville avec lui... Et c'est comme ça que les poulets sont venus foutre le nez dans nos affaires. Oh, bien sûr, ils ne sont bons à rien. Autant envoyer ma grand-mère faire un cambriolage ! De toute façon, Greene ne ne devait rien garder, ce n'est pas son genre.

La voix d'Arnie retomba. Molly gardait le silence.

— Oui, Moll, une sale affaire. Il nous manquera.

— Merci, Arnie, merci de m'avoir dit la vérité, dit Molly en reniflant.

Pendant toute la nuit, Molly fut hantée par les sentiments que Greene avait dû éprouver dans sa prison. Elle imagina la corde — mais n'était-ce pas sa cravate ? — autour de son cou, les yeux exorbités, le visage bleu. Elle ne pouvait se libérer l'esprit de ces images. Elle se leva et avala une grande rasade de whisky, ce qui empira les choses. A présent, l'horreur de la mort de Jim se confondait avec celle de Steven. Elle se sentait seule dans l'appartement, elle n'avait personne vers qui se tourner et croyait qu'elle allait devenir folle. Pire encore, elle se sentait coupable. Si seulement on lui avait parlé du procès. Si seulement elle avait pu témoigner pour lui. Si seulement elle avait été assez maligne pour s'adresser à l'avocat de Steven au lieu de faire confiance à la police. Peut-être qu'on l'avait convoquée au tribunal et que la lettre s'était perdue ? A deux heures et demie du matin, elle fouilla tout l'appartement pour trouver une lettre rangée par Johnnie le jour où il était venu reprendre ses affaires. Et à six heures et demie, incapable de supporter l'idée d'une nouvelle nuit seule dans l'appartement vide, elle fit ses valises et prit un taxi pour Meakin Street. Peu importait l'état de la maison, elle prendrait Joséphine et s'y installerait immédiatement. Pour de bon, cette fois. Mais ce n'était pas comme ça que les choses devaient se passer...

Je me souviens encore de tout, comme si c'était une scène d'un film vu et revu... Les funérailles de Steven Greene. En fait, cela ressemblait beaucoup à du cinéma. Les arbres dénudés tout autour du cimetière, les pierres tombales de marbre ou de granite noir, le ciel gris et les vêtements sombres de l'assemblée semblaient tout droit sortis d'un film d'espionnage. Ma position, un peu en retrait de la cérémonie, accentuait encore cette impression. Inutile de préciser que je n'avais pas vraiment envie de venir. Mon père ne me l'avait même pas suggéré. Mais la publicité des journaux tout autour de cette affaire, qui, nous le savions tous deux, impliquait Molly, obligeait l'un de nous à y assister. Mon père ne voulait pas me le demander, mais j'étais sûr que si je n'y allais pas, il s'y rendrait en personne. Plutôt que de laisser un homme relativement âgé dans un cimetière en plein hiver, je préférai me porter volontaire. Il m'avait couvert avec une prétendue mission du ministère de l'Intérieur. Néanmoins, il n'était guère dans mon intérêt de me mettre en avant. Tout d'abord, cette pseudo-mission n'existait pas, et même si cela avait été le cas, ma présence n'aurait guère été très rassurante à l'enterrement d'un homme qui s'était pendu en prison. C'était une journée morose, un endroit morose, et je n'étais pas très heureux de me trouver là.

Le père de Greene, qui était en fait pasteur – c'est sans doute pour ça que, par perversité, son fils avait adopté une philosophie sadienne –, ne s'était pas senti capable d'enterrer son fils dans sa propre paroisse du Dorset. D'ailleurs, les autorités religieuses auraient pu ne pas permettre une telle cérémonie pour un suicide notoire. Néanmoins, il présida bravement son office au cimetière, dans un vent mordant, le style de temps qui permet à l'assemblée d'oublier la culpabilité d'être toujours en vie en se disant qu'après une telle épreuve, tout le monde se retrouvera dans une quinzaine de jours à l'enterrement de l'un ou l'autre. Ce n'est pas que les présents fussent dotés de ce genre d'humour en une telle occasion. En fait, ils étaient scandaleusement dépassés en nombre par les photographes et les journalistes, autre raison qui expliquait mon éloignement. Je n'avais pas la moindre envie de me retrouver le lendemain à la une des quotidiens. Dans le petit groupe, je vis Simon Tate et quelques filles que je ne reconnus pas. L'une d'elles, qu'on appelait Carol, il me semble, portait un tailleur noir, des bas noirs et des talons hauts, ainsi qu'un petit bibi à voilette. Ce n'était sans doute pas sa faute si elle arborait l'attirail de la parfaite veuve joyeuse. Elle avait l'air sincèrement peinée en dépit de ses vêtements. Wendy Valentine, elle, paraissait malade. Elle portait un manteau de fourrure usagé et des souliers éculés. Sous ses cheveux en bataille, son visage semblait décharné et livide. Martin Pellman, le défenseur de Greene, était là lui aussi, ainsi que les Rose. Les femmes Greene, mère et fille, se tenaient près du pasteur, loin des autres qu'elles ne connaissaient pas mais qui avaient sans doute contribué d'une manière ou d'une autre à la chute de Steven.

Ce qui m'impressionna le plus, ce fut l'arrivée, plutôt tardive, de Lord Clover. Il savait sûrement que sa présence aux funérailles le dénoncerait comme l'un des utilisateurs des services de Greene. Moi-même, j'avais entendu qu'il avait pris part à la conspiration qui l'avait envoyé en prison, et pourtant, au dernier moment, sans doute en voyant que les choses étaient allées beaucoup plus loin qu'il le voulait, il avait dû être pris de remords, et avait décidé d'apparaître aux funérailles d'un proxénète reconnu, suicidé de surcroît. Sans broncher, il affronta les objectifs pointés sur lui. Le lendemain, tous les journaux britanniques publièrent sa photo et c'en fut fait de sa carrière politique, mais il dut sans doute couvrir de honte pas mal de ses amis qui n'avaient pas eu le même courage. D'ailleurs, en le voyant, je ne me sentais pas très fier de rester à l'abri.

Clover se tenait près de Molly qui garda la tête baissée pendant pratiquement toute la cérémonie. Quelle scène déprimante ! Pour seuls amis, le mort n'avait que quelques membres de sa famille –, dont un pasteur –, le propriétaire d'une maison de jeu, quelques truands et prostituées. On se serait cru à l'exécution d'un bandit de grand chemin. Et pour compléter le tableau, un homme que je ne reconnus pas, le grand manitou de l'immobilier, Ferenc Nedermann, en manteau noir et écharpe de soie blanche.

J'étais trop loin pour suivre le service, mais pas assez pour ne pas entendre la terre tomber sur le cercueil et les sanglots des femmes Greene. Quand tout fut terminé, le groupe se sépara maladroitement. Je vis les frères Rose aller présenter quelques mots de condoléances au Révérend Greene, fort bien choisis, je n'en doute pas. Les Rose et consorts ne badinent pas avec ce genre de formalités. Ils ont l'habitude de prononcer les mots justes dans les occasions qui mettent mal à l'aise tout le monde, comme lorsque le défunt est mort dans des circonstances douteuses ou a mené une existence des plus louches. Je ne suis pas sûr que les Greene, en entendant les frères Rose dirent combien ils avaient aimé et respecté leur enfant, savaient qu'ils parlaient à l'un des criminels les plus terrifiants de toute la terre d'Albion. Je crois qu'ils avaient tout simplement conscience d'enterrer leur fils sous le tir de mitraillette des appareils photos. Ensuite, Martin Pellman les guida hors du cimetière. Clover, après avoir lui aussi échangé quelques propos avec M. et Mme Greene, disparut à son tour. Le reste de l'assemblée, qui après tout se connaissait bien, se dirigea vers le pub le plus proche. Je n'aurais pas dû les suivre, car je risquais qu'on se demande qui j'étais, mais je dois avouer que j'avais grand besoin de boire quelque chose. Je restai dans un coin pendant que le petit groupe bavardait et que les journalistes tentaient d'obtenir de nouvelles interviews.

Leurs avances étaient sans cesse repoussées, car certains n'avaient aucun désir de leur parler tandis que d'autres avaient promis l'exclusivité à leurs concurrents. Je vis malgré tout Norman Rose dire quelques mots à l'un de ces chiens de la presse. Après cela, plus personne n'osa ennuyer les amis de Greene. J'observais tout le monde, mais surtout Molly Waterhouse. Quand je la vis parler à Ferenc Nedermann, je ne savais pas que tout se jouait au moment-même, mais si j'avais été au courant de ce qui se tramait pour l'avenir de cette fille belle, et relativement peu endurcie, j'aurais inondé le pub de mes lumières pour tout empêcher. Pourtant, si elle n'avait pas été avec lui, elle ne serait sûrement pas la femme qu'elle est aujourd'hui.

— Je ne comprends pas, dit Molly, à demi consciente de la dispute qui opposait le tenancier du bar à un photographe qui voulait d'autres images du groupe.

Quelques mois auparavant, Johnnie lui avait dit que Ferenc Nedermann ne s'intéressait pas aux femmes à part une prostituée qu'il allait voir dans son appartement de Soho le mardi et le jeudi après-midi. Elle se demandait vraiment pourquoi il lui proposait de venir s'installer chez lui, puisque depuis des années il ne semblait pas désirer la compagnie d'une femme. De plus, il n'avait pas l'air de la désirer. Et puis, elle se sentait totalement hagarde. Tout lui semblait irréel après les funérailles.

— Voilà ce que je vous propose. Vous vous installez chez moi, et je m'occupe de vous, dit-il d'une voix grave mais ferme, de vous et de l'enfant.

— Josie ?

— Evidemment. L'enfant, je veux l'enfant.

Molly scrutait la salle pour pouvoir s'accrocher à une réalité tangible. Elle regarda le groupe de photographes, entendit les rires qui fusaient puis se taisaient brusquement, comme si l'assemblée se souvenait soudain de la raison de sa présence ici. Elle fixa même un moment sans le voir le grand jeune homme mince près du bar, avec ses mèches de cheveux clairs qui lui tombaient sur les yeux. Il la regarda lui aussi, puis détourna les yeux, comme s'il ne voulait pas croiser les siens. L'esprit confus, Molly tendit son verre vers Nedermann qui essaya d'attirer l'attention du garçon. Pendant qu'il était ainsi occupé, elle essaya de comprendre pourquoi Nedermann tenait tant à la présence de Joséphine. Ne lui avait-il pas parlé un jour d'une femme et d'un enfant à qui il était arrivé quelque chose ? Les yeux sur le large dos, elle repensa à une expression que Steven Greene employait souvent, un mort vivant.

Elle prit le verre que lui tendait Nedermann. Elle ne voulait pas penser à ça tout de suite, pas après l'enterrement. Mais peut-être que si elle ne se décidait pas vite, il retirerait son offre. Et cela valait la peine d'y prêter attention. D'un côté, il y avait Meakin Street, un emploi mal payé, la joie des voisins qui assisteraient au retour de la fille maudite, la vie chiche pour elle et Joséphine. De l'autre, la vie avec Nedermann signifiait la sécurité pour elle et l'enfant. Le confort. Cette fois, elle ferait des économies, des vraies. Plus de Bridges et consorts, plus de paniers percés. Mais elle n'était pas amoureuse de Nedermann. En fait, elle ne l'aimait pas du tout. Et la manière dont il gagnait son argent lui faisait horreur. Si elle en vivait elle aussi, d'une certaine façon, elle participerait à cette activité méprisable. Pourtant, elle avait pitié de lui. Elle le sentait désespéré. Il ne serait pas du genre à la quitter d'un cœur léger pour une autre femme, en la laissant malade et sans défense.

Ce fut peut-être cette dernière raison, car Johnnie lui avait fait plus de mal qu'elle ne le croyait, qui l'amena à dire, d'une voix qui avait perdu sa fermeté habituelle :

– D'accord.

Nedermann se pencha vers elle et l'embrassa sur le front.

Un peu plus loin, les filles et Simon Tate commençaient à devenir ivres et se remémoraient les exploits les plus truculents de feu Steven Greeve.

– Alors, il s'est baissé et les as ramassés en disant à l'évêque : « Je crois que c'est à vous, mon cher. »

Tous éclatèrent de rire.

– Oh, mon Dieu, les caleçons de l'évêque ! Ah, quel sacré numéro, ce bon vieux Steve !

– Quand ? demanda Molly.

– Et vous vous souvenez du jour où il m'avait trouvée dans la piscine en costume d'Eve et qu'on jouait au docteur avec ce grand Noir... ? dit une voix de fille. Alors Steven lui a dit...

– Aujourd'hui, si vous voulez, répondit Nedermann.

– ... Eh bien, comme ça, on aura la preuve que vous n'êtes pas raciste...

– D'accord, dit Mary dans le brouhaha des rires. Et il ne faut pas oublier, dit-elle en se tournant vers les autres, qu'il était très gentil avec moi. Il me donnait des livres. Ce n'était pas qu'une machine à sexe. Il dessinait, il connaissait beaucoup de choses sur l'art. On n'arrête pas de le noircir pour faire croire que tout ce qui a été dit au tribunal n'est que la pure vérité. Et bientôt, on ne se souviendra plus que des histoires cochonnes.

– Venez, dit Nedermann, allons chercher votre fille.

Certains se diraient, se disent, mais pourquoi aller vivre avec un homme qu'on n'aime pas ? L'argent sûrement. Je connais un tas de filles, et des hommes aussi, qui feraient n'importe quoi pour de l'argent. Parfois, on se trouve un bon prétexte, un mariage, ou même un coup de foudre qui justifient élégamment la situation. Mais souvent, l'argent commande tout, même si les gens qui sont impliqués ne veulent ni le reconnaître ni même se l'avouer. Quand j'ai raconté tout ça à Joséphine, beaucoup plus tard, elle m'a dit qu'à mon époque, aucune femme, ou presque, imaginait pouvoir se prendre en charge toute seule. Pas étonnant, sans contraception, et avec des boulots minables en perspective ! D'autant plus que j'avais perdu ma dernière chance en ne me souciant jamais de mon éducation. Pas comme Shirley. Et puis, il y avait une autre différence entre Shirley et moi. J'étais très belle. Shirley était mignonne, mais je ne pouvais pas m'asseoir dans un bus sans qu'un homme essaie de lier conversation ou me fasse des avances. Ce n'était pas très facile de garder le droit chemin, cette voie étroite et ennuyeuse, quand on ne cessait de m'offrir des solutions plus séduisantes.

Comme Nedermann, par exemple. Il me proposait protection et sécurité pour moi et mon enfant, et de l'amour aussi, même si cela ressemblait plus à de la dévotion. Je m'en doutais, mais je n'en comprenais pas les raisons. J'ai compris plus tard. Joséphine m'a dit que jamais elle n'oublierait le jour où elle a vu son landau de poupée et tous ses jouets empilés dans une Rolls Royce par un homme en haut-de-forme. Elle n'avait que cinq ans, et il fallait que je reste derrière elle, à lui répéter sans cesse qu'elle aussi monterait dans la voiture. Elle avait peur qu'on s'en aille avec son beau landau. Je lui avais mis sa robe de velours rouge, et elle ne voulait pas enfiler son manteau pour ne pas la cacher. Elle avait des tas de jolies boucles brunes qui volaient au vent, et elle écarquillait les yeux, tant elle était excitée. Ivy nous regardait d'un air suspicieux, le manteau de Joséphine à la main. Ferenc l'impressionnait, je le savais. Il était plus vieux, il avait l'air respectable, et

256

elle sentait sûrement qu'il allait aimer Joséphine. Je me souviens encore comment la gosse a sauté dans la voiture et a commencé à faire des signes, comme une vraie petite reine. Ivy oscillait entre l'approbation et le reproche et elle s'est mise à pleurer en voyant Joséphine partir pour de bon. Elle ne savait que faire. Elle a tendu sa petite valise à Joséphine en lui disant : « Reviens bientôt me voir, ma petite Josie. » Josie n'a pas manifesté l'ombre d'une émotion. Elle a juste répondu : « Je vais aller habiter dans une grande maison et il y aura des dentelles partout dans ma chambre. » A l'époque, elle était littéralement obsédée par les fanfreluches. Cela m'ennuyait beaucoup qu'elle n'ait pas voulu dire au revoir gentiment, alors je crois que je lui ai donné une gifle dès que nous avons démarré. Je n'oublierai jamais le regard de Ferenc quand il a vu Joséphine chigner. C'était comme si c'était lui que j'avais frappé. En fait, c'était vraiment ça le cœur du problème, bien sûr.

Ivy fut horrifiée quand Molly revint la voir une semaine plus tard. Comme Joséphine était partie montrer sa nouvelle poupée à une camarade, elle en profita pour bavarder un peu avec sa fille.

— Oh, je ne sais pas, Molly. Tu veux dire que tu remplaces sa femme et son bébé morts ? C'est pour cela qu'il a voulu que tu viennes ? Non, Molly, c'est vraiment pas normal.

— Je sais.

— Tiens, donne-moi donc une cigarette, dit Ivy qui essayait d'arrêter de fumer. Je ne comprends vraiment pas. Il n'y a jamais rien de normal avec toi. Au fait, lança-t-elle à brûle-pourpoint, où as-tu passé la nuit dernière ?

— A Orme Square, quelle question !

— Où exactement ? insista Ivy sans la moindre gêne.

— Dans la chambre d'amis, répondit Molly à contrecœur.

— Je m'en doutais, dit Ivy en soufflant la fumée. Bof, ajouta-t-elle après un long silence. Après tout, ça peut marcher. Je suppose qu'il vaut toujours mieux que Johnnie Bridges.

— Joséphine est couverte de rubans et de dentelles. Il lui offrirait des chaussures en dentelle si elle le voulait. Il n'y a rien que Ferenc ne ferait pas pour nous.

— Il y a une chose qu'il ne fera jamais pour toi, répondit-elle à sa fille.

1958

Pour Molly, il semblait que le printemps 1958 n'arriverait jamais. Pendant des mois après son installation, l'herbe de Hyde Park, juste en face de la maison, restait grise et rare. Les arbres dressaient leurs grands squelettes vers le ciel couvert. Tous les jours, elle allait chercher Joséphine à la sortie de sa nouvelle école chic, et la ramenait en traversant le parc. La fillette, en manteau et chapeau vert, courait devant elle, tandis que Mary la suivait en manteau de fourrure et bottes à talons hauts. Ensuite, elles rentraient dans l'élégante maison d'Orme Square. Molly préparait le goûter de Joséphine et commençait à faire la cuisine. Nedermann, très pointilleux sur la nourriture, avait engagé un cuisinier trois jours par semaine, et Mary apprenait à utiliser vin, ail et épices dans les mets. Nedermann la conduisait dans les magasins, et elle choisissait rideaux, meubles et vêtements avec plus de goût qu'elle n'en avait jamais manifesté auparavant. Joséphine, douée pour l'apprentissage, elle aussi, se laissait contaminer par sa nouvelle école, et l'uniforme élégant qui allait de pair. Elle prenait des cours de danse classique, parlait d'une voix distinguée et s'apprêtait à devenir ce que Molly aurait appelé une parfaite petite madame. Nedermann était ravi des progrès de ses deux protégées. Molly, qui adorait faire plaisir, se réjouissait de le voir satisfait, pourtant, n'être qu'un symbole de sécurité, et la remplaçante d'un souvenir, lui donnait l'impression de s'appauvrir. Parfois, en voyant un couple marcher main dans la main, elle songeait : « Peu importe qu'ils soient mariés à quelqu'un d'autre, que la femme soit enceinte et n'ose pas le dire à ses parents ou même que son compagnon finisse par la battre. Peu importe, car en ce moment, à cette minute précise, ils sont heureux et moi pas. » Nedermann lui avait ouvert un compte en banque sur lequel il versait régulièrement de l'argent. Sans rien dire, Molly en plaçait une partie à la Caisse d'épargne et continuait à payer le loyer de Meakin Street.

Un jour, elle ouvrit le coffre-fort du bureau — après tout, elle n'avait pas été la petite amie de Johnnie Bridges pour rien. Elle fut abasourdie par la somme qu'elle y trouva, deux ou trois mille livres en coupures usagées dans des enveloppes sales ou reliées en liasses par des élastiques. Il y avait aussi une foule de documents qu'elle ne prit pas la peine d'examiner, car sans le savoir, elle cherchait la clé du mystère : une enveloppe brune, tout au fond, qui contenait la photographie d'une femme, du même âge qu'elle à peu près. Les cheveux blonds retenus en chignon sur la nuque, elle portait un manteau noir à col de fourrure blanche et tenait une petite fille par la main. Le visage long, sans aucun maquillage exprimait tendresse et patience. La fillette, blonde elle aussi, ressemblait beaucoup à sa mère.

Molly retourna la photographie et vit une adresse de Prague. Alors, c'était elle, Mme Nedermann. Pourtant, elle ne ressemblait guère à Molly. Petite et frêle, les dents en avant, elle semblait timorée. Elle rappelait plutôt une des femmes de Meakin Street, un peu comme Lil Messiter, qui venait d'une famille nombreuse où il n'y avait jamais assez à manger pour tous, une femme affaiblie par le surmenage dès les années d'enfance, sans cesse exténuée, une sorte d'esclave qui pense que son seul droit à la vie est de servir les autres. L'enfant à côté d'elle partageait la même fragilité. Elles n'avaient pas dû tenir longtemps en camp de concentration, pensa Molly.

Plus tard, dans la salle de séjour aux lampes à abat-jour roses et aux divans tapissés de chintz, sa pitié laissa place à la rage et l'indignation, à la fureur d'une femme frustrée. Elle avait enlacé Nedermann, elle s'était même glissée dans la grande pièce, pour s'entendre dire qu'il était fatigué. Elle avait aussi essayé de parler de la situation.

– Molly, Molly, je te veux telle que tu es. Je ne te demande rien.

Elle n'avait pas réussi à lui faire comprendre qu'elle avait envie de faire l'amour. Il avait dû apprendre un jour que la sexualité était un fardeau pour les femmes et qu'on ne pouvait exiger des faveurs que de celles qu'on payait. Peut-être même avait-il conçu cette théorie en vivant avec la pauvre Mme Nedermann et non lors de ses premières années à Londres, comme immigré sans le sou.

Elle avait passé deux mois à trépigner dans cet appartement, à apprendre son rôle d'épouse snob, sachant que le personnage qu'elle était censée incarner n'avait jamais existé. Qu'ils soient tchèques ou anglais, Molly savait reconnaître un vieux manteau, un visage mal nourri, l'expression humble de la pauvreté. Nedermann ne la transformait pas en la femme qu'il avait perdue, mais en celle qu'il aurait aimé avoir. Qu'importaient les frous-frous de Joséphine, elle partirait dès le lendemain et mettrait les choses au point le soir même.

À cet instant précis, on sonna à la porte. Simon Tate se trouvait sur le palier.

262

— Moll, je passais par là. Alors, j'ai tenté ma chance. Je te dérange ?

— Non, entre, ne reste pas dans le froid.

En fait, Molly était très heureuse de revoir le pâle visage oblong de Tate.

— Brouuu, dit-il après avoir enlevé son manteau. Oh, joli ! s'exclama-t-il en entrant dans le salon. Et ça, superbe ! D'où vient ce tableau ?

— Ferenc l'a eu en règlement d'une dette.

C'était un petit portrait de femme du XVIIIe siècle.

— Pas mal du tout, vraiment pas mal. Eh bien, Moll, tu ne m'offres rien à boire ?

Molly, sachant que Ferenc, qui se méfiait de l'alcool et de ses effets, n'apprécierait pas qu'on boive en plein après-midi, répondit d'un ton joyeux :

— Bien sûr que si, je manque à tous mes devoirs ! Alors, que se passe-t-il au club ?

— Oh, la routine, les fortunes qui se font et se défont. Pas de savon dans les toilettes de dames. Des disputes entre gentlemen sur le trottoir. Molly, je vois que tu es retombée sur tes pieds.

— Il m'a fait la cour à l'enterrement. J'aurais dû savoir qu'après ce serait encore la même histoire, dit Molly d'un ton désespéré.

— A cheval donné, on ne regarde pas à la bouche.

— Ouais, c'est une longue histoire..., fut tout ce qu'elle répondit.

Feignant la gaieté, elle posa des tas de questions sur le pub, puis, finalement, incapable de se retenir, elle lui demanda s'il avait des nouvelles de Johnnie Bridges. Visiblement, Simon aurait préféré qu'elle n'aborde pas ce sujet.

— Je suis désolée, Molly, il est en détention préventive. Je crois que nous allons devoir nous passer de la présence du beau Johnnie pendant une bonne année. C'est peut-être aussi bien. Tu ne voudrais quand même pas qu'il vienne faire un tour ici maintenant que tu es si bien installée ?

Il voulait dire par là qu'il la croyait bien capable de retomber dans ses bras, ne serait-ce que par ennui.

— Qu'est-ce qu'il a fait ? Un cambriolage ?

— Non, proxénétisme, Moll. En fait, il faisait ce dont on a accusé Steven. Il avait quelques filles du côté de Marylebone. D'après ce que je sais, il ne se débrouillait pas mal comme voleur, mais être maquereau devait être encore plus facile pour lui, d'autant plus que c'est un homme à femmes.

Bien qu'elle fût outrée, Molly répondit d'un ton résolu :

— Il n'a jamais aimé les femmes. Il faisait semblant, c'est tout. Aucun homme qui respecte les femmes ne pourrait les traiter de cette façon.

– Molly, cela fait longtemps que nous sommes amis. Tu n'as pas l'air très heureuse. Que se passe-t-il ?

– Rien. Ils ne vont pas être très tendres avec Johnnie en prison.

– Non, effectivement.

– Tu as revu Bassie ?

– Il vit avec un écrivain au Maroc. Allez, Molly, tout ce que je vois, c'est une maîtresse de maison qui s'ennuie. Dis-moi la vérité, que se passe-t-il ?

– Il faut que je m'en aille, voilà tout. J'ai hâte de retourner à Meakin Street, aussi horrible que ce soit. C'est un vrai cauchemar ici. Il ne s'intéresse pas à moi. Je joue les hôtesses et j'astique les meubles. Je réincarne sa femme morte, et il offrirait la lune sur un plateau d'argent à Joséphine, tout simplement parce qu'elle lui rappelle sa propre fille. Je suis un zombie et le pire...

Elle lui parla de la photo découverte dans le coffre.

– Nous ne sommes pas le même genre de femmes. Nous ne l'avons jamais été. Je me sens coupable parce que, quand elle était en camp de concentration, moi je m'empiffrais de confitures à la campagne, mais je ne peux pas supporter la situation plus longtemps.

– Tu n'es pas amoureuse de lui, évidemment, tu étais amoureuse du faible Johnnie. D'ailleurs, il vaudrait mieux que tu te méfies de cette tendance. C'est le genre de type qui te fait toujours du tort. Même la reine d'Angleterre n'aurait pas les moyens, avec eux.

– Je ne suis qu'une andouille. Au début, cela me paraissait satisfaisant. J'aime bien Ferenc. Je ne supporte pas la façon dont il gagne son argent, mais je l'aime bien, lui, malgré tout ce que tu peux penser. Pourtant cela ne peut pas continuer. Il faut que je retourne à Meakin Street, au bout de deux mois ! Mes pauvres parents ! Qu'est-ce qu'ils vont penser ? Imagine que ce soit Joséphine qui se conduise comme ça, je l'enverrais tout de suite à l'asile !

C'était un peu ce qu'elle avait appris sur Johnnie qui la déprimait tant. Savoir soudain qu'elle avait tant investi sur un homme capable de vivre sur le dos de prostituées la décourageait. D'autant plus que cela signifiait qu'il les traitait avec un mélange de brutalité et d'amour feint. D'ailleurs, cela l'inquiétait autant pour elle que pour lui. Il n'aurait pas manqué de lui offrir le même appât que celui qu'il avait proposé aux filles, et comme elles, elle serait tombée dans le panneau.

– Cela irait peut-être mieux si tu trouvais du travail. Tu pourrais t'intéresser à autre chose.

– Ferenc ne me laissera jamais m'en tirer comme ça. Il pense que la place d'une femme est au foyer. Et puis, je ne m'ennuie pas tant que cela. J'apprends à faire la cuisine par exemple. Ce n'est

264

pas plus monotone que de répéter « Faites vos jeux » et de ramasser des jetons à longueur de nuit.

— Au club, on se sent moins seul.

— Effectivement.

Mais Molly savait que si elle se sentait seule, c'était surtout parce qu'elle vivait avec un homme qui ne l'aimait pas.

— Je ne sais pas quoi faire. A part Meakin Street. Je serais peut-être mieux à la campagne. Une fois à Meakin Street, je verrai bien si ce boulot à Allaun Towers est toujours libre.

— Tom Allaun ne s'améliore pas.

Molly le regarda intensément. Il avait parlé d'un ton crispé et elle devinait que Tom avait dû profondément le blesser.

— Qu'est-ce qu'il a fait ?

Simon, prêt à avouer, changea d'avis au dernier moment.

— Des bricoles.

Après le départ de Simon, Molly était passablement ivre. Elle envoya un taxi chercher Joséphine à l'école et, quand Nedermann rentra, plus tôt que prévu, il la trouva assise par terre devant le coffre ouvert, en larmes, la photographie de l'épouse à la main. Elle le regarda sans ses craintes habituelles, elle savait qu'elle allait partir. Au lieu d'exploser dans une litanie de reproches, Nedermann la regarda gravement.

— Tu comprends maintenant. C'était il y a très longtemps. C'est pour cela que je vous ai fait venir, toi et Joséphine. Je voulais revivre les vieux jours. Mais plus tu restes ici, plus tu deviens différente. Excuse-moi, c'était une réaction égoïste. Et stupide. Un vieux rêve.

— On va partir. Dès demain. Nous avons commis une erreur tous les deux. Je n'aurais pas dû ouvrir le coffre.

— Je me suis toujours douté que cela pouvait arriver.

— Tu crois que je l'avais déjà fait ?

— Peut-être. C'est un vieux coffre. Il me semblait que tu devais savoir...

— Et tu m'as fait confiance avec tout cet argent ?

— Je n'ai jamais pensé que tu pourrais me voler, dit-il comme si c'était le dernier de ses soucis. Non, je n'avais pas peur pour l'argent, ajouta-t-il tristement.

Il ôta ses gants et son manteau qu'il replia soigneusement sur le dos d'une chaise. Et, toujours debout, ce petit homme trapu d'âge mur murmura :

— Je t'aime.

Pourtant, cette déclaration sonnait bizarrement, c'était un peu comme s'il annonçait un événement grave. Puis, à tâtons, il attira une chaise et s'y écroula en pleurs. Les épaules courbées, il enterra sa tête dans ses mains. Molly s'approcha de lui pour le consoler.

Cette nuit-là, ils dormirent ensemble pour la première fois. Au début il se montra timide, hésitant, comme s'il avait peur de lui faire mal ou de se laisser aller. Toutefois, il y avait quelque chose dans ce corps massif et dans la triste candeur de son amour qui donna à Molly envie de le protéger, et qui la protégea.

Et une semaine plus tard, comme on aurait dû s'y attendre, Molly alla voir Ivy, brandissant une énorme bague de diamant, et lui annonça son proche mariage. Elle espérait que sa famille serait heureuse d'apprendre qu'elle épousait un homme riche, un père pour Joséphine.

— Je pourrais être demoiselle d'honneur ? demanda Shirley.

— Une boutonneuse comme toi ! remarqua cruellement Molly. Sur ce, Shirley s'enfuit de la pièce en pleurant.

— J'espère que tu auras plus de tact avec ta fille quand elle aura le même âge, dit Ivy. Franchement, Molly, à ta place, j'y réfléchirais à deux fois.

— Ne te marie pas tout de suite, dit Sid qui venait de finir son service et buvait une tasse de thé, encore en uniforme. Vis encore un peu avec lui avant de prendre une décision. Ce n'est plus comme dans notre temps. Ta mère et moi, nous avons dû nous marier pour avoir un peu de vie privée

— Nous nous sommes mariés, point final, interrompit Ivy. Mais ton père a raison. Prends ton temps, tu dois penser à Josie maintenant.

— Le mariage, c'est sérieux, dit Sid. Et puis, tu vas avoir un autre gosse.

— Ça, c'est pas demain la veille, répondit Molly, pourtant certaine que Nedermann voulait un enfant d'elle. De toute façon, je ne vous comprends pas. Vous me reprochiez de vivre avec Johnnie sans être mariée, et maintenant, vous me dites de ne pas me marier. J'aimerais savoir à quoi m'en tenir.

— Tout est question de circonstances, dit Sid.

— De circonstances ! Mais vous êtes un peu mabouls ! Je ferais mieux de faire ce que je veux sans vous demander votre avis.

— Comme si tu avais déjà fait autrement ! lança Shirley qui revenait dans la pièce.

— Toi, mêle-toi de ce qui te regarde. Quand je voudrai l'avis d'une adolescente boutonneuse, je te préviendrai.

— Oh, là, là ! Je devrais pourtant savoir qu'on n'a le droit de rien dire dans cette baraque, répondit Shirley en claquant la porte.

— Oh, ces bachelières, dit Ivy. Toujours le nez plongé dans leurs bouquins. Enfin, il paraît qu'elle en a dans la tête.

— Ça compensera peut-être son mauvais caractère, dit méchamment Molly, toujours contrariée devant la réaction de ses parents. Enfin, ce n'est pas la peine de vous en faire pour le moment. Ferenc et moi, nous ne pourrons pas nous marier tant que sa femme ne sera pas morte officiellement. Il a appris la nouvelle par le bouche à oreille, mais ce n'est pas une preuve.

– Ça serait vraiment dommage qu'elle réapparaisse sans crier gare, dit Sid.

Molly le regarda sévèrement, et, sur le point d'épouser un homme riche qui n'était pas accepté dans sa propre famille, elle reprit un taxi, le diamant scintillant à son doigt.

Finalement, prouver la mort de Mme Nedermann s'avéra une affaire longue et pénible. Il fallait retrouver un certificat de mariage qui pouvait très bien avoir été perdu par une bureaucratie peu sympathique. Il fallait vérifier la liste des morts du camp de concentration où Mme Nedermann et sa fille avaient été envoyées. Nedermann dut revivre les angoisses d'après-guerre. Sa femme était morte à la suite d'une pneumonie au cours de l'hiver 1942 et sa fille, peu de temps après, d'une gangrène. Secrètement, Molly aurait préféré qu'il se fasse passer pour célibataire, cela aurait simplifié les choses. Pourtant, Nedermann, ancien réfugié, qui avait enduré bien des souffrances avant d'obtenir la nationalité anglaise, était terrifié à la simple idée d'enfreindre la loi. Il avait peur qu'un fonctionnaire jaloux ou trop vindicatif le dénonce et mette en cause non seulement son mariage mais aussi son statut de citoyen.

Il se passa une année avant que la mort de Mme Nedermann ne devienne officielle.

Telle la preuve de leur propre crime, la photocopie du document, avec ses coins cornés et ses plis qui apparaissaient en noir, reposait entre eux sur la table.

Nedermann se leva et ramassa le papier avant de quitter la pièce en silence. Une seconde plus tard, Molly entendit la porte du coffre se refermer. Le soir même, Nedermann lui remit les actes notariés de deux maisons de Notting Dale. Molly les prit en se demandant si elle pourrait sauver demeures et locataires de la déchéance.

– Prends-en bien soin, lui dit tristement Nedermann. Mes affaires se compliquent un peu en ce moment. Ça s'arrangera sûrement, mais en attendant, ces deux maisons sont à toi si les choses devaient mal tourner.

Nedermann possédait à présent plus de cinquante demeures à Londres, un établissement de jeu à Leeds (reçu comme règlement d'une dette), et une rangée de maisons jumelles à Middlesborough, qui faisaient partie d'un contrat d'échange impliquant trois autres habitations à Edgware. La plupart des maisons londoniennes étaient des taudis de l'époque victorienne dont certaines avaient été ainsi conçues dès le départ, et d'autres s'étaient délabrées avec le temps. Il avait commencé à investir dans l'immobilier dès la fin de la guerre et les carences en logements pendant les années cinquante lui avaient largement profité. Comme il l'avait expliqué à Molly, il ne tirait pas plus de revenus de son immeuble de luxe de Mayfair, habité par des veuves de colonel, des avocats et des filles à papa que des taudis aux escaliers branlants, aux toits qui prenaient l'eau où les locataires s'entassaient sans oser se plaindre de peur de se retrouver à la rue.

Nedermann lui-même opérait de bureaux minables à Bayswater, avec une équipe de dix personnes qui allaient du jeune homme chic à la brute épaisse au visage balafré, censée avertir les mauvais payeurs de ce qui les attendait. Ils allaient récolter les loyers accompagnés de bergers allemands et n'hésitaient pas à montrer le canon d'un revolver s'ils n'obtenaient pas satisfaction assez rapidement. Malgré tout, comme tous les tyrans, Nedermann était capable de gentillesse. Il emmenait toujours lui-même un enfant malade des locataires à l'hôpital, et offrait parfois un logement à un prix dérisoire à un parfait étranger qui lui semblait sympathique. Pourtant, un jour que Molly se plaignait de la présence de rats dans l'une des maisons, il répondit brusquement : « Mais que veux-tu que j'y fasse ? Je suis un homme d'affaires, pas un dératiseur. Les gens n'ont qu'à entretenir. Moi, je travaille dur pour ne pas finir comme la vermine qui vit dans mes appartements. Ils n'ont qu'à en faire autant. Mais ce sont des faibles. Qu'ils tuent leurs rats eux-mêmes ou qu'ils déménagent, ça m'est égal. » Molly frémissait en entendant ce genre de propos. Elle avait du mal à répondre aux exigences de Nedermann. Il fallait qu'elle fût la cuisinière parfaite, l'hôtesse parfaite, la mère parfaite, toutes choses pour lesquelles elle n'avait que peu de talent. Elle devait aussi être intelligente, élégante et gaie lorsqu'ils allaient ensemble à des soirées. Il voulait que tout le monde lui jalouse une telle merveille, et pourtant, il ne supportait pas qu'elle boive ou flirte plus qu'il ne l'estimait raisonnable. Un jour, à une réception chez un député, il lui ordonna de partir immédiatement, et, comme elle hésitait, il la tira par le poignet.

— Alors, tu ne peux pas te tenir correctement cinq minutes ? lui dit-il dans la voiture derrière la vitre qui les séparait du chauffeur, il faut absolument que tu te conduises comme une fille des rues !

Molly qui avait rencontré un coureur automobile avec qui elle avait échangé un baiser cria elle aussi :

— Au moins, lui, il faisait attention à moi. Qu'est-ce que je dois faire pendant ces soirées ? M'ennuyer pendant que tu parles de la dernière réforme immobilière du gouvernement ? Je reste à la maison toute la sainte journée, et le soir je me déguise pour aller jouer les potiches pendant que tu parles affaires. Tu parles affaires, tu penses affaires, tu rêves affaires... Qu'attends-tu de moi ?

— Un peu d'amitié, un peu de loyauté.

— Comme pour lui, dit-elle, en montrant le chauffeur. Oui, monsieur, bien monsieur, merci monsieur... parce que tu le paies pour ça.

— Qu'est-ce que tu veux dire avec tes « oui monsieur » ? Tout ce que je sais, c'est qu'une femme qui a tout ce qu'elle veut devrait supporter son mari, et non se conduire comme une fille des rues.

— Nous ne sommes pas encore mariés.

Sous la colère, elle sentait l'anxiété du réfugié qui ne possède rien mais sait à quel point la vie peut être dure. C'était la peur d'être renvoyé dans le monde de la déportation, de la pauvreté et de l'exil qui faisait marcher Nerdermann. Cela expliquait aussi son attitude intransigeante envers ses locataires. S'ils n'appréciaient pas leur sort, eh bien, qu'ils fassent comme lui, qu'ils s'en aillent.

— Pour toi, je ne suis qu'une bête de somme. Pas étonnant que j'aie envie de m'amuser de temps en temps. Il y a combien d'invités encore demain ?

— Dix.

— Nom d'un chien, mais comment tu te débrouillais avant de m'avoir ? Pourquoi n'embauches-tu pas une cuisinière et des extras ? C'est de six femmes que tu as besoin, pas d'une.

— Une femme doit s'occuper de son mari. Ce sont les paresseuses qui se plaignent toujours.

Mary avait été élevée dans la vieille tradition populaire qui veut que les femmes en savates et bigoudis récriminent sans cesse dans la rue contre un mari exigeant et des enfants turbulents, comme si c'étaient les seules chaînes qui les empêchaient de s'épanouir dans leur véritable vocation, vedette de cinéma ou infirmière en chef à l'hôpital.

— Ah oui, il n'y a que les paresseuses qui se plaignent ! Et les autres ? Qu'est-ce qu'elles font ? Elles meurent à trente-deux ans avec un sourire de gratitude aux lèvres ?

— Ma mère s'est levée à six heures du matin tous les jours, et elle était en parfaite santé et respectée de ses enfants.

— Et elle ne demandait qu'à mourir le plus vite possible, grommela Molly.

Ivy, qui, dans la bonne tradition de Meakin Street, passait son temps à traiter sa fille de dévergondée, fut abasourdie en allant lui rendre visite à Orme Square.

— Dis-donc, ça brille ! dit-elle d'un ton désapprobateur. Oh, c'est joli, je ne le conteste pas, et j'aime la propreté, mais on a l'impression de devoir prendre un bain avant d'entrer. Qui entretient tout ça ?

— Moi, dit Molly en versant le thé de la théière d'argent dans les tasses de porcelaine.

— Toi ? Il fallait que je crie pendant une semaine pour que tu veuilles bien faire ton lit. Tu fais ça toute seule ?

— Oui, je rince même les boîtes de conserves avant de les jeter à la poubelle et je passe l'aspirateur sous le lit de Joséphine tous les jours.

– Bon, tu me la donnes, cette tasse, à moins que tu aies peur que
je la casse. Enfin, ta maison est vraiment belle, et on dirait que la
petite Josie sort tout droit de la teinturerie.

Assise sur le tapis, les chaussettes immaculées, les chaussures
vernies bien cirées, les boucles brunes tirées sur la nuque en un
chignon soigné, Joséphine lisait.

– Elle est plus calme aussi. Moi, je n'arrivais pas à en venir à
bout. Je lui avais même dit que j'achèterais une chaîne pour l'attacher.

– Ferenc dit qu'une petite fille doit se conduire comme une
petite fille.

– Ça ne veut pas dire grand-chose. C'est difficile de faire d'une
gamine une gentille petite fille. Je n'y suis jamais vraiment parvenue. Enfin, je suppose qu'il dit aussi qu'une femme doit se
conduire comme une femme, entretenir sa maison et tout ce qui
s'en suit... Pourtant, je dois reconnaître qu'il s'occupe bien de
vous.

– Effectivement.

– Alors, le mariage est pour bientôt ?

– Oui.

Le seul autre visiteur que Ferenc acceptait volontiers était
Simon Tate. Pourtant, ce dernier refusait toujours les invitations à
dîner, prétextant son travail au club, et préférait aller voir Molly
dans l'après-midi quand elle était seule. Il insistait toujours pour
boire un verre.

– Eh bien, Molly, dit-il un jour, je vois que tu t'en tires bien.
Beaucoup de goût ! Des lignes modernes très nettes, et juste assez
de tradition pour maintenir un lien avec le passé. Qui est-ce ?
demanda-t-il en désignant un portrait. Le comte Von Nedermann
ou le neuvième Lord de Waterhouse ?

– Oh, toi, quel snob tu fais !

Elle essayait d'avoir le cœur léger, mais Simon remarqua qu'elle
avalait son gin un peu trop goulûment.

– Ça me plaît beaucoup. La seule chose qui m'intrigue, ce sont
les livres.

– Mieux vaut planquer ça, dit Molly en ramassant les ouvrages
qui traînaient sur le sol et en allant les ranger dans un placard
qu'elle ferma à clé. Ferenc ne supporte pas de me voir un livre à la
main.

– Comme ça, tu passes tes après-midi à lire Graham Greene et
les oeuvres complètes de Bernard Shaw en cachette ?

– Non, pas vraiment.

– Alors, qu'est-ce que ces livres font ici ?

– Si tu veux tout savoir, expliqua Molly, je me suis souvenue
que Steven insistait toujours pour que je m'intéresse à autre chose
que moi et que j'essaie de me cultiver si je ne voulais pas finir
comme une vieille barbe. Et puis, j'ai commencé à m'ennuyer.

Pour te dire la vérité, j'étais au bord de la dépression. A force, le coiffeur et la grande cuisine, ça te rend cinglée. Alors, je me suis dit que si je lisais un livre, un seul, Steven saurait, où qu'il soit, que quelqu'un l'avait pris au sérieux. J'en ai acheté un qui racontait la vie d'un brigand de grand chemin et d'une fille en robe décolletée. Mais cela ne valait pas un clou. Enfin, même si l'époque est différente, cela aurait dû ressembler à ce que j'ai connu, mais il n'y avait personne du genre d'Arnie Rose dans ce roman, et on peut être sûr que dans ces milieux, il y a forcément un Arnie Rose quelque part. Ce n'était sûrement pas le genre de livre que Steven voulait me voir lire. Alors, je me suis inscrite à la bibliothèque et j'ai découvert quelques livres qui m'ont franchement intéressée. J'aime bien les policiers de Graham Greene par exemple. Mais Shaw, ce n'est qu'une vaste plaisanterie. Steven me parlait sans arrêt du professeur Higgins qui apprenait les bonnes manières à une fille des rues. Il m'a même emmenée voir *Pygmalion,* mais je n'aime pas lire les pièces de théâtre, c'est trop difficile.

— Bientôt prête pour le Parlement ?

— Ne te moque pas de moi. Ce sont les gens qui se moquent des filles comme moi qui nous empêchent de progresser. Tu peux rire de Sid ou d'Ivy, ils ont l'habitude, et ils savent que maintenant, c'est trop tard pour changer, mais n'essaie jamais de te moquer de Jack ou Shirley, car eux, ils n'arrêtent pas de passer des examens. C'est la différence entre toi et Steven. Lui, il respectait les gens.

— Je suis sûr que Ferenc n'aimerait pas t'entendre parler comme ça.

— Je te sers un verre ? dit Molly en haussant les épaules.

— Dis donc, tu n'y vas pas de main morte aujourd'hui avec le gin.

— Je m'ennuie, non ? Alors, ce verre, je te le sers oui ou non ?

— Oui, merci. En fait, Molly, je suis venu ici pour une raison particulière. Je ne m'entends plus très bien avec Norman et Arnie, et j'en ai marre du club. Tu pourrais dire un mot à Ferenc, je serais tenté de travailler avec lui.

— Simon ! Ce n'est pas raisonnable, tu ne tiendrais pas cinq minutes. Ça te rendrait malade de travailler avec Ferenc. Ce n'est pas très propre toutes ces histoires de rats, d'expulsions, d'immeubles qui prennent feu à cause d'un radiateur défectueux, et j'en passe.

Simon jeta un coup d'œil sur le vase en cuivre, les peintures raffinées, les aquarelles délicates, la moquette épaisse.

— C'est de là que vient tout cela ? demanda-t-il en reposant son verre en cristal.

— Qu'est-ce que tu crois ? On n'a pas une mine d'or dans le jardin. Ecoute-moi, je suis une femme entretenue qui vit sur de l'argent gagné malhonnêtement. Et quand nous serons mariés, ce sera encore pire, parce que j'aurais reconnu devant la loi que tout ça m'est égal. Et si on changeait de sujet ? Johnnie ? Que lui est-il arrivé ?

— Il en a pris pour deux ans. Une des filles était mineure.

— Je n'aimerais pas être à sa place en prison.

— Moi non plus. Bon, à propos de ma question de tout à l'heure, si ce que tu m'as dit est vrai, autant en rester là, je chercherai quelque chose d'autre. J'en ai vraiment marre des joueurs, et puis, j'aimerais voir la lumière du jour un peu plus souvent et profiter de mes week-ends, comme tout le monde. Au fait, Tom Allaun et Charlie Markham reviennent en ce moment. Ils dépensent des fortunes. Et moi, il faut que j'avale leurs sarcasmes. Ils sont odieux quand ils gagnent et encore pire quand ils perdent. Charlie peut toujours compter sur l'entreprise familiale pour couvrir ses dettes, mais je ne sais pas ce que Tom va devenir.

— Son père vendra une autre ferme, dit Molly qui en avait appris beaucoup depuis qu'elle fréquentait les milieux de l'immobilier.

Soudain, elle se leva, grommela quelques paroles à propos de Mme Gates et d'une gitane et s'évanouit.

Simon se précipita vers elle, et la releva au moment où elle reprenait conscience.

— Molly, dit-il, inquiet, depuis quand bois-tu ?

— Ce n'est pas le gin. Je suis enceinte, encore une fois. Oh, ce n'est pas possible de se faire avoir comme ça. Je n'en veux pas, je ne veux pas de ce bébé.

— Réfléchis avant de prendre une décision, lui dit Simon en lui tendant un verre d'eau.

— Pendant neuf mois, peut-être ? Je n'ai pas le temps de réfléchir. Il faut que tu m'aides.

— Mais comment ?

— Renseigne-toi. Demande aux femmes que tu connais. Je veux un endroit chic, et discret surtout, peu importe le prix. Il ne faut pas que Ferenc l'apprenne.

— Tu n'as pas le droit de lui faire ça. Ce serait un bon père.

— Et moi ? Je ne compte pas, moi ? Je ne suis même pas mariée. Et j'ai déjà un enfant sans père. Tu crois que j'ai envie de tout recommencer ? Renseigne-toi, Simon, poursuivit-elle dans un murmure. Mme Jones est toujours responsable des toilettes ?

— Oui.

— Alors, demande-lui. Elle sait sûrement. Dis que c'est pour ta sœur. Mais fais-le dès aujourd'hui.

— Je vais le faire tout de suite, dit-il, pris d'une soudaine inspiration.

En fait, il avait envie de fuir. Une conversation embarrassante avec Mme Jones lui semblait un faible prix à payer pour échapper à cette femme hystérique qui lui paraissait capable de tout, briser un miroir, s'évanouir encore, hurler...

— Bon, alors vas-y, dit Molly qui comprit immédiatement son jeu.

— Tu es sûre que tout ira bien ? Tu ne veux pas que j'aille chercher Joséphine pour toi à l'école ?

— Non, je m'en occuperai. Va voir Mme Jones, et appelle-moi.

— D'accord.

— Euh... si jamais je te dis... qu'est-ce que je vais pouvoir dire ? Oui, si je te dis que je viens le chercher au club demain matin, cela veut dire que Ferenc est là. Alors, motus et bouche cousue.

Simon s'en alla, d'un air coupable. Finalement, ce fut lui qui accompagna Molly à son entretien avec le faiseur d'anges, encadré de deux psychiatres qui affirmaient que ses clientes étaient si perturbées que la naissance d'un enfant pourrait sérieusement endommager un équilibre déjà précaire. Quelques jours plus tard, il la conduisit dans la clinique de banlieue où eut lieu l'opération et revint la chercher le soir même. Dans l'entre-temps, Ivy avait téléphoné à Ferenc pour lui annoncer que Molly s'était évanouie et qu'elle passerait la nuit à la maison pour plus de précaution. Le lendemain, Molly retourna à Orme Square.

C'était une semaine plus tard que les photocopies prouvant la mort de Mme Nedermann étaient arrivées. C'était peut-être pour ça que, devant la théière d'argent et les pains que Molly préparait tous les matins, elles avaient semblé apporter la preuve d'un récent forfait. Néanmoins, Molly n'éprouvait aucun remords.

Je n'étais pas heureuse, pas vraiment heureuse avec Ferenc, mais je me sentais satisfaite, ce qui méritait reconnaissance, je suppose. Je n'avais plus besoin de baiser Sir Machin et Lord Truc. Je ne tirais plus le diable par la queue. Joséphine recevait une bonne éducation dans une école distinguée. J'aimais bien Nedermann, et j'avais pitié de lui, sans être amoureuse, si cela veut dire quelque chose. Mais il était si autoritaire, que j'étais souvent irritable. Il avait de grandes exigences sur la tenue de la maison, et avait banni pratiquement tous les gens que je connaissais de chez lui. Il fallait bien qu'il s'accommode d'Ivy, puisque c'était ma mère, mais quand il rentrait à la maison après l'une de ses visites, il se plaignait de l'odeur de tabac, ouvrait les fenêtres en grand et grommelait comme un vieux grincheux.

Après tout, je n'avais pas trop à me plaindre. Il payait tout, y compris les cours de danse de Joséphine, l'uniforme et la pension. Pourtant, je crois que je n'aurais pas pu rester si je ne l'avais pas aimé un peu. Souvent, je pensais que la vie à Meakin Street, si dure fût-elle, aurait été sacrément plus drôle que la compagnie de

Nedermann. Et il n'était pas facile non plus d'oublier la façon dont il gagnait son argent. Il nous tenait captives, Joséphine et moi, et il traitait ses locataires de la même manière. Il ne se sentait tranquille que s'il savait tout le monde à ses pieds. Parfois, en le voyant se conduire comme un tyran, j'avais envie de hurler. Mais voilà, il était gentil et il avait besoin de moi.

J'avais les yeux brouillés de larmes quand il est mort. Ils ont quand même fini par traîner le cercueil dans la tombe. Il aurait été horrifié s'il avait assisté à ses propres funérailles. Cela m'a hantée pendant des années, et quand j'ai eu assez d'argent, j'ai rassemblé tous les gens qui l'avaient connu, et j'ai fait faire une cérémonie dans le cimetière où on l'avait enterré, avec le sermon d'un rabin, suivie d'un grand repas traditionnel. Et puis, j'ai commandé une belle pierre tombale de marbre. C'était bien le moins que je puisse faire pour le pauvre bougre.

De toute façon, les choses allaient de mal en pis. En fait, j'ai eu de la chance de ne pas être mariée avec lui, sinon, quand la situation a explosé, j'aurais été nommée d'office directrice de toutes ces sociétés bidon, et j'aurais mis des années à m'extirper de cette situation pour finir avec une réputation d'escroc.

Je ne sais pas vraiment pourquoi je ne l'ai jamais épousé. Au début, je trouvais toujours des prétextes futiles, et ensuite, il semblait s'en être désintéressé. Et à la fin, pendant les dix-huit derniers mois, il était beaucoup trop inquiet. C'est à peu près à ce moment-là que j'ai essayé de l'aider à régler la situation, mais cela ne servait à rien. Il ne voulait pas renoncer à ses immeubles, et il ne m'écoutait pas. Bien au contraire, il préférait chercher conseil auprès des autres. Et les autres, eux, travaillaient tous pour leur propre compte...

La vérité, c'est qu'à côté de ses faiblesses d'homme d'affaires, Nedermann n'était plus à la page. L'élection d'un gouvernement travailliste, que mon père et moi avions prévue au moins six mois auparavant, mit fin à son racket. En fait, les gens n'acceptaient plus la corruption et les affaires louches, en marge de la loi. Tout cela appartenait désormais à l'après-guerre, à une époque où nourriture et vêtements étaient encore rationnés et où on manquait de pratiquement tout. A ce moment-là, tout incitait à la combine, bas nylon ou whisky achetés au marché noir, bidons de peinture « empruntés » devant la porte d'une usine, pots-de-vin aux conseillers municipaux pour qu'ils veuillent bien ne pas prêter attention à un bâtiment construit sans permis, etc... Cette atmosphère était propice à Nedermann. Il fournissait des logements à une époque de totale pénurie. C'est sans doute pour cela qu'on le tolérait. Les autorités municipales, le ministère de la Santé et de l'Environnement, et même la police ne prêtaient que peu d'attention aux plaintes déposées contre lui. D'ailleurs, il versait sûrement des compensations à ces aveugles complaisants.

Mais il vint un temps où tout le monde se lassa. C'est alors qu'il perdit le contrôle de la situation. Ses affaires frôlaient le point de rupture. Il achetait et achetait, changeant une hypothèque contre une autre, comme un gosse qui joue au Monopoly. Il acquérait une maison avec un seul accompte, et proposait de payer le reste grâce à un prêt hypothécaire, à des taux d'intérêt atteignant parfois vingt-cinq pour cent. Après cela, il fallait manœuvrer pour payer les traites grâce aux loyers d'un autre immeuble. Pratiquement toutes les transactions s'effectuaient en liquide, et plus de la moitié d'entre elles n'avaient aucune existence légale. Peu à peu ses affaires se compliquaient de manière inextricable. Puis il s'est mis à revendre certains de ses biens à ses subordonnés, qui bien souvent récoltaient les loyers et lui laissaient la responsabilité des hypothèques et des contrats face à une administration de plus en plus vigilante. Comme les lois sur les locations étaient mieux appliquées, les locataires commencèrent à faire appel aux tribunaux qui souvent baissaient le montant des loyers qu'ils considéraient comme exorbitants. Au fur et à mesure que l'empire s'écroulait, les locataires connaissaient de moins en moins leur propriétaire. Une bonne manière d'esquiver la loi consistait à enregistrer la propriété sous le nom d'une société aux Bahamas ou ailleurs. Les bâtiments changeaient souvent de mains, parfois jusqu'à une fois par mois. Il n'y avait plus personne à qui s'adresser pour transmettre des récriminations. Pire encore, lorsque les loyers n'avaient pas été réclamés pendant plusieurs mois, les propriétaires invisibles pouvaient expulser les locataires pour non-paiement. Le scandale de la situation éclatait en plein jour. Nedermann ne servait plus à rien. Ses jours étaient comptés.

Ce qui se passa exactement lors de cette nuit de novembre, je ne pourrais le dire. Ce qui est sûr, c'est que Nedermann a peut-être eu de la chance de mourir ce jour-là. J'ai comme l'impression qu'il n'aurait pas survécu au désastre financier et à la disgrâce qui le menaçaient. Il était probablement trop orgueilleux, trop anxieux pour supporter une telle épreuve.

Néanmoins, vous devez bien imaginer notre effarement en voyant que, de manière irréductible, Nedermann se trouvait au bord de la ruine.

Maintenant, on peut dire que cela paraissait inévitable, mais après coup, c'est souvent comme ça. Bien des affaires florissantes de nos jours ont traversé des passes où elles ne parvenaient à tenir sur pied que par miracle. Si tout s'était effondré à ce moment-là, personne n'aurait été surpris.

En fait, sans la police, les Rose n'auraient guère créé de problèmes. Et sans les Rose, l'intervention de la police serait restée sans gravité. Et si Ferenc ne s'était pas empêtré dans ses affaires l'année précédente, il aurait sans doute survécu à ces deux crises. Hélas, la police avait décidé de lui faire un sort car il était propriétaire d'une maison close – il disait toujours qu'il n'avait aucun moyen de savoir ce qui se passait chez lui, mais je n'ai jamais été sûre que c'était la vérité. La police se préparait donc à l'arrêter. L'autre volet de cette sale histoire est très compliqué, mais je crois que cela s'est passé à peu près comme ça. Il avait acheté deux pâtés de quatre maisons chacun à un représentant de l'Eglise. Pour décrocher l'affaire, il avait utilisé un prête-nom, un vieil ivrogne qui travaillait pour lui, le colonel Devereux, car il pensait que l'Eglise n'aimerait peut-être pas vendre à n'importe qui. Mais pour le premier accompte, il dut hypothéquer Orme Square, et comme ce n'était pas suffisant, il offrit en garantie deux maisons qui n'étaient pas encore payées. Bien sûr, la banque n'en savait rien. Pire encore, vous ne le croirez peut-être pas, il avait revendu l'une d'entre elles la semaine précédente à un certain Gerry Armstrong. Je ne sais pas s'il avait l'intention de s'en sortir comme ça pendant un moment et de compenser plus tard. Il me semble plutôt qu'à cette époque il commençait à perdre la mémoire. Il n'inscrivait jamais rien sur papier, pour échapper aux services fiscaux, inutile de préciser qu'eux aussi étaient constamment sur son dos. Le malheur, c'est qu'Armstrong ne tarda pas à découvrir que la maison qu'il avait payée cash était déjà hypothéquée et que le précédent propriétaire devait encore cinq mille livres. Le plus grave, c'est que ce Armstrong n'était autre qu'un neveu d'Arnie et Norman Rose, le fils de leur sœur Marie. J'ai été horrifiée quand j'ai appris ça. En règle générale, si vous vous trouviez par hasard sur le chemin d'un neveu des Rose, il valait mieux présenter des excuses sur-le-champ et envoyer des fleurs le lendemain. Mais Ferenc ne s'inquiétait guère. Quand je lui ai dit à quel point j'avais peur, il a simplement proposé de prendre la voiture et de faire le tour des bars pour leur expliquer qu'il s'agissait d'une erreur qu'il réparerait sans tarder. Sur le moment, je lui ai fait confiance. Mais quand je me suis retrouvée au téléphone avec Ivy un peu plus tard, et qu'elle m'a conseillé de mettre Joséphine dans un taxi et de lui envoyer immédiatement, je n'ai pas hésité à m'exécuter. Ferenc fut pris de rage en voyant que Joséphine avait disparu.

J'ai quand même essayé de lui faire entendre raison. Je lui ai dit d'aller éclaircir cette histoire pendant que je remettais un peu d'ordre dans les livres avec le comptable. Lui, c'était un petit homme tranquille, qui laissait Nedermann agir à sa guise, tant il avait peur de lui. Je pensais que si on lui offrait un peu de calme et de tranquillité, il aurait une chance de pouvoir éclaircir la situation. De toute façon, j'en ai tiré une bonne leçon, ne jamais engager un comptable qui a peur de vous. Ferenc refusa. Alors nous avons entrepris une horrible ballade dans les rues de Londres, à la recherche de Norman et Arnie. Nous avons fait tous les pubs, toutes les boîtes, mais il devenait de plus en plus évident que personne ne voulait rien savoir. En fait, tout le monde avait envie de se débarrasser de nous. C'est là que j'ai commencé à avoir vraiment peur. Ferenc, lui, faisait semblant d'être parfaitement tranquille, du moins jusqu'à ce que nous allions chez Prospect, à Wapping. Nous n'avons rien eu à demander au garçon, il nous servit et dit immédiatement :

— Si vous cherchez quelqu'un, monsieur Nedermann, ne vous inquiétez pas, on vous cherche aussi.

Ferenc a dit « merci » bien poliment.

Mais le barman a répondu, parfaitement courtois lui aussi :

— Excusez-moi, monsieur, mais si vous n'y voyez pas d'inconvénients, nous aimerions que madame et vous, vous partiez dès que vous aurez terminé vos verres. Ne vous pressez pas pour autant, bien entendu, mais rentrez chez vous dès que possible. Bien sûr, les verres sont offerts par la maison, et je suis certain que vous me comprenez, monsieur Nedermann, je n'ai rien contre vous, ajouta-t-il, pour adoucir la brutalité de ses propos.

Le serveur se retira à l'autre extrémité du bar vers un client qui ne commandait rien. Après ça, Ferenc pâlit. Pourtant, il avait du cran. Il buvait son cognac comme s'il avait tout son temps. Il réussit même à engager une conversation amicale, comme si nous étions venus pour nous amuser.

Quand nous quittâmes le club, nous ne savions plus que faire. Nous allâmes près des docks et restâmes un moment dans la voiture à regarder les allées et venues des bateaux. Le brouillard tombait et nous entendions les cornes de brume résonner sur la Tamise.

— Ecoute, Ferenc, lui ai-je dit alors, pourquoi ne disparaîtrais-tu pas pendant un jour ou deux ? Je connais les Rose depuis que je suis gosse, je pourrais leur expliquer, ils m'écouteront peut-être.

— Nous sommes des hommes d'affaires tous les trois, et nous pouvons parfaitement régler ce petit problème entre nous.

— Ferenc, je t'en supplie...

Il ne voulut pas m'écouter. Il m'a répondu que si j'avais peur, je n'avais qu'à partir. J'ai refusé. Alors, il m'a ordonné de partir, et c'est à ce moment-là que j'ai compris que lui aussi avait peur. J'ai continué à refuser, mais je sais encore à quoi je pensais en voyant les sacs soulevés par les grues qui disparaissaient soudain au fond de la rivière. C'était comme ça que les Rose se débarrassaient des individus encombrants. Parfois, ils étaient encore vivants quand ils tombaient dans les eaux du fleuve.

Finalement, je réussis à convaincre Ferenc que les Rose ne toucheraient pas à un de mes cheveux. Je n'en étais pourtant pas si sûre moi-même. On ne sait jamais trop comment les types dans leur genre réagissent. Nous retournâmes à Orme Square, nous fîmes l'amour, et croyez-moi ou pas, avec les Rose aux trousses, ce soir-là, Ferenc me dit : « Bonne nuit, ma chérie », et s'endormit à poings fermés, comme un bébé. J'en suis certaine car pendant que je guettais les signes de l'arrivée d'Arnie et de ses amis, il ronflait tranquillement. Je savais qu'ils ne frapperaient pas poliment à la porte. On ne verrait rien venir avant qu'ils ne soient là ; ils passeraient par le toit s'il le fallait. Alors, je continuais à épier le moindre craquement quand le téléphone sonna. Ferenc n'a pas bougé. Je me suis levée d'un bond. Au début, je ne savais pas qui c'était, alors quant à comprendre ce qu'on me disait... Ensuite, il m'a semblé que c'était le colonel Devereux, ivre, comme d'habitude, qui m'appelait d'un bar. « Bla bla bla, bla bla bla... » J'en devenais folle. J'allais raccrocher quand j'ai enfin compris : « Dites à M. Nedermann que c'est important. »

— Qu'est-ce qui est important ? me mis-je à hurler.

Ferenc ne se montrait toujours pas, ce qui devait déjà être un signe. Mais sur le moment, je n'y ai même pas prêté attention, car un homme avait repris l'appareil des mains de Devereux.

— Dites simplement à M. Nedermann que la brigade des mœurs est au 14, Routledge Square. Nous savons que c'est une maison close et nous allons l'arrêter, me dit une voix que je ne reconnus pas. Ils sont en chemin pour Orme Square.

D'après la voix, ce devait être un flic. Il devait être payé par je ne sais qui en plus de ses fonctions, mais à ce stade, cela aurait pu être n'importe qui.

Pour couper court, je suis allée voir Ferenc. Je l'ai secoué comme un prunier et je l'ai appelé pour le réveiller. Pas de réponse. Je savais déjà qu'il était mort. Et je n'ai guère à m'en vanter, mais sur le coup, je n'ai pas versé une larme. Je suis encore surprise de la vitesse de ma réaction. Tout ce que je pensais, avec les flics d'un côté et les Rose de l'autre, c'est que j'avais de grandes chances d'être prise entre les deux. Ferenc était tranquille à présent, mais moi pas.

Je suis encore surprise d'avoir été si dure après six ans de vie commune. Pour dire la vérité, je me suis habillée à toute vitesse tout en bourrant mon sac à main de bijoux. Je lui avais tout rendu quand il avait eu besoin de liquide rapidement. Je n'ai jamais eu beaucoup de talent pour m'accrocher à mes cailloux. Certaines femmes ne s'en séparent jamais. Regardez Isabel Allaun par exemple, elle ne lâcherait pas ses bijoux pour un empire, elle préférerait plutôt voir un bébé mourir de faim sous ses yeux. Bon, peu importe, je pris tout ce qui restait, j'attrapai le trousseau de clés qui traînait sur le bureau et je me suis précipitée vers le coffre. Il ne restait plus que deux cents livres, j'ai pris l'argent – je lui avais rendu les deux maisons qu'il m'avait données au cours d'une crise précédente. Tout d'un coup, je me suis retrouvée dans la rue, complètement affolée, car j'avais peur de me faire remarquer à me promener toute seule dans le brouillard à trois heures du matin. Je regardais partout à la fois. Par chance, un bus est arrivé. Je suis montée, avec mon sac plein à craquer et mes yeux secs, ne comprenant toujours pas que Ferenc était mort pour de bon. J'ai payé ma place comme quelqu'un qui rentre un peu plus tard que d'habitude après une soirée entre amis.

Bel exploit quand même ! C'est inimaginable à quel point on peut devenir impitoyable quand on est en danger. Je suppose que c'est parce que les gens ne s'arrêtent pas pour pleurer les morts en temps de crise qu'ils arrivent à s'en sortir et que la race humaine a survécu à ces millions d'années. Pourtant, après coup, on ne se sent pas très fier d'avoir agi ainsi.

Le chauffeur noir venait juste de me rendre ma monnaie quand j'ai vu une immense limousine noire arriver de l'autre côté. Arnie et Norman Rose, bien sûr, avec Norman au volant. J'ai pensé que s'ils me trouvaient, ils essaieraient de reprendre l'argent, ils auraient peut-être même cherché à se venger. C'est pour ça que j'ai décidé de ne pas aller à Meakin Street avant d'en savoir un peu plus. Je ne savais que faire, et soudain je me suis souvenue de ma sœur Shirley. Ils ne penseraient jamais à aller me chercher en grande banlieue. Je voulais y passer quelques jours pour me remettre de mes émotions et voir ce que la police et les Rose me voulaient exactement.

Shirley était debout quand Molly sonna à la porte. Elle vint ouvrir dans une robe de chambre en coton chenille d'un bleu délavé, un biberon dans une main et un bébé dans l'autre. Elle regarda Molly d'un air inquiet.

— Chut, ne fais pas de bruit, Brian dort. Le bébé a fait le cirque toute la nuit.

Shirley était étudiante en physique-chimie à l'université depuis six mois quand elle avait rencontré son mari, étudiant lui aussi. A dix-neuf ans, elle avait abandonné ses études pour l'épouser.

Molly avança sur le linoléum immaculé et se dirigea mécaniquement dans la cuisine. Elle s'installa devant la petite table de Formica. Shirley mit la bouilloire sur le feu. Elle donna le biberon au bébé qui recracha la tétine presque immédiatement.

Molly se sentait mal à l'aise devant sa sœur au regard vide.

— Pourquoi ne me donnes-tu pas le bébé ? dit-elle à Shirley qui sortait un sachet de thé, son fardeau toujours dans les bras.

Shirley installa le bébé aux yeux rougis par le rhume sur les genoux de sa sœur. On entendit un bruit à l'étage.

— C'est Brian Junior, je vais le lever avant qu'il ne réveille son père.

« A quatre heures du matin ? » pensa Molly, un peu surprise.

Shirley revint bientôt avec un bambin de trois ans au teint pâlot.

— Tu veux dormir sur le divan ?

Le bébé, l'enfant, et surtout Shirley, tous paraissaient exténués. De grands cernes noirs soulignaient les yeux bleus de Shirley. Ses cheveux châtain clair, légèrement gras, étaient retenus en queue de cheval par un élastique. Molly se sentait coupable d'être ainsi arrivée au beau milieu de la nuit, bien qu'ici, le milieu de la nuit ne parût guère différent du milieu de la journée. Elle se rendit compte soudain que la position de Shirley était encore moins enviable que son propre sort. En fait, elle ne savait pas grand-chose sur sa sœur, elle ne l'avait guère revue depuis son mariage. Pourtant, elle se souvenait parfaitement de la dispute au sujet des fiançailles.

« Non, ne lui donne pas ton autorisation, avait-elle dit à Sid. Elle ne peut pas se marier avant vingt et un an, sans ça. Oblige-la à terminer ses études. Il lui restera toujours quelque chose si cela ne marche pas.

— Mais elle est amoureuse, avait répondu Ivy. Et Brian est un brave garçon. Ses parents ont une chaîne d'épiceries avec des magasins dans tout Londres. Ils vont leur offrir une maison comme cadeau de mariage.

— Oh, maman, regarde-moi, si j'avais eu des diplômes, j'aurais mené une autre vie après la mort de Jim Flanders. A quoi ça lui sert d'avoir commencé des études ?

— Je ne vois pas de quoi tu parles. Et je ne comprends pas non plus pourquoi tu t'imagines que l'on va écouter tes conseils à propos du mariage de ta sœur.

— Shirley a rencontré un brave garçon, et elle va l'épouser, dit fermement Sid.

— Bon, alors pourquoi ne peut-elle pas poursuivre ses études une fois mariée ? Ça se fait.

— Oui, nous y avons pensé, mais cette idée ne plaît pas trop aux parents de Brian. Ils préfèrent qu'elle devienne une véritable épouse, comme ça, Brian pourra se concentrer sur ses études. Après tout, c'est lui qui doit gagner le pain.

— Je ne vois pas en quoi ça pertuberait ses études que sa femme continue les siennes. Ça ne fait pas de bruit, que je sache !

— Oui, mais les parents de Brian pensent que ce serait mieux si elle s'occupait de la maison, et lui de ses études.

— Les parents de Brian par-ci, les parents de Brian par-là ! Qu'est-ce qui vous prend ? Vous avez au moins autant droit à la parole qu'eux.

— L'important, c'est qu'elle ai un mari et un foyer, dit Ivy, je ne vois pas ce qu'elle ferait avec un diplôme de chimie, ça ne lui servira pas à grand-chose pour élever ses enfants.

— Eh bien, je ne suis pas d'accord. Et puis, si vous espérez me voir à la noce, autant y renoncer tout de suite. Je parie que Shirley est plus intelligente que Brian, c'est pour ça que ses parents veulent l'éliminer avant qu'elle gagne la course.

– Tu n'es qu'une petite punaise.

– Ah, j'ai raison, alors ? Et puisque ça a l'air de vous soulager que je ne vienne pas à la cérémonie, eh bien je viendrai.

– Oh, de toute façon, il n'y aura pas grand-chose, remarqua Sid. Ils sont baptistes. Ils ne boivent que de l'eau.

– Oh, mon Dieu ! Vous devriez empêcher ça tout de suite. Shirley ne sera pas heureuse avec lui.

– On a déjà vu ce que ça donnait de laisser les enfants n'en faire qu'à leur tête.

– Mais elle n'en fait qu'à sa tête ! Si vous voulez avoir un peu d'autorité, dites-lui d'attendre avant de se marier. Elle sera malheureuse, c'est moi qui vous le dis. »

Le lendemain, Molly avait invité Shirley à venir la voir à Orme Square, mais sa sœur avait refusé.

« Non, c'est impossible. Ça ne plairait pas à Brian. Et puis, nous avons une réunion de catéchèse. »

Dès son entrée à l'université, Shirley s'était convertie à la religion baptiste. C'est là qu'elle avait rencontré Brian. Molly qui pensait que l'amour romantique s'était vite confondu avec la ferveur religieuse avait répondu :

« D'accord, Shirl. Mais n'oublie pas que je prie pour que tu fasses travailler ta matière grise et que tu ne te maries pas avant d'avoir obtenu ton diplôme. Crois-tu que Dieu a envie de te voir te sacrifier pour Brian ?

– Mais je ne te comprends pas, Moll. Ce n'est pas un sacrifice. Et si c'en est un, je le fais de plein gré. »

A présent, songea Molly en la voyant remettre le bébé au lit, c'était sans doute trop tard.

– Je n'aurais pas dû venir. J'avais besoin de me mettre à l'abri quelques jours pour réfléchir à ce que je vais faire.

– J'aimerais bien t'aider, mais Brian... Il n'aime pas être dérangé.

Brian... avec son corps maigrichon, ses cheveux rouquins et ses airs de perpétuel mécontent ! Molly avait eu raison sur l'intelligence respective de sa sœur et de son beau-frère. Brian avait dû changer d'université dès la deuxième année, ce qui d'ailleurs n'avait pas suffi à lui faire obtenir son diplôme. On avait raconté que son père se faisait vieux et qu'il devait prendre le relais. Cela valait mieux que d'avouer un échec.

– Cela ne fait rien, je ne veux pas t'ennuyer.

– Tu retournes chez les parents ?

– Ne sois pas stupide. J'ai gardé le numéro 4. Si je voulais aller à Meakin Street, j'irais chez moi. Joséphine y est déjà.

– Que se passe-t-il ?

– Malgré son nouvel esprit timoré en bonne Waterhouse elle s'intéressait toujours aux potins de la vie, aussi sordides soient-ils.

– Peu importe, je veux rester éloignée de Meakin Street pendant quelques jours. Regarde, le bébé est endormi, tu devrais en profiter pour le remettre au lit.

– Il va se réveiller et Brian...

– Je ne comprends pas. Ça se passe souvent comme ça ? Tu passes la nuit à monter et à descendre les gosses pour que Brian puisse dormir tranquille ? Tu dors quand, toi ?

– Ils ne sont pas toujours aussi turbulents. Mais ce n'est pas trop grave, je peux toujours faire la sieste avec Brian Junior. Sinon, je m'occupe des livres. Ils ne sont jamais à jour. Ça me donne une chance de rester au courant.

– Les livres ? Quels livres ?

– Les livres de comptabilité. Le comptable ne s'en tirait pas, alors, j'ai pris le relais l'an dernier.

– Ah bon, dit Molly en sortant un paquet de cigarettes. Tu en veux une ?

– Euh... oui, mais surtout ne le dis pas à Brian.

– Voyons, Shirley, quand il se lèvera, je serai partie depuis longtemps. J'attends simplement l'heure du premier métro.

– Excuse-moi.

– Il n'y a vraiment pas de quoi. Qu'est-ce que tu peux faire quand ta dévergondée de sœur arrive chez toi en taxi en plein milieu de la nuit ? Je vais à Brighton, mais est-ce que tu pourrais me rendre un service ? Téléphone demain à Ivy quand tu iras faire tes courses. Dis-lui que tout va bien et que je les contacterai dans quelques jours. Et puis, pendant que tu y seras, annonce-lui aussi la mort de Ferenc.

– Oh, mon Dieu, que s'est-il passé ?

– Une autre fois.

– Je suis inquiète pour toi. Pourquoi ne peux-tu pas rentrer à la maison ? Tu as des ennuis ?

– Pas vraiment. Fais-moi confiance.

Shirley avait toujours l'air angoissée, mais Molly se rendit compte qu'elle redoutait sans doute plus un scandale qu'elle ne se faisait de souci pour sa sœur.

– Ne t'inquiète pas, on ne me verra pas à la une des journaux. Enfin, du moins, je ne crois pas.

– J'espère bien que non, dit Shirley, presque honteuse.

– Je crois que cela doit commencer à bouger dans le métro maintenant.

– Il fait encore nuit.

Molly se leva doucement et rendit le bébé à sa sœur. En longeant les rues proprettes de la banlieue, elle se demandait laquelle des deux filles Waterhouse était le plus mal en point en cette nuit de novembre 1964.

Une fois à Brighton, elle prit une chambre dans un petit hôtel et mit les bijoux en sécurité dans un coffre de la banque. Obéissant à l'instinct, elle garda une bague ornée d'un gros diamant qu'elle plaça dans une autre banque. Elle retourna à l'hôtel à travers la rue brumeuse qui longeait le bord de mer. Des vagues glacées lavaient les galets de la plage en contrebas. Pour elle, comme pour la plupart des Londoniens, c'était comme si le reste du pays n'existait pas. L'Angleterre se limitait à la capitale et aux quelques villes de villégiature de la côte Sud. Brighton n'était en fait qu'une extension naturelle de la ville natale. Mais à cette époque de l'année, les magasins fermés des arcades et le temps morose la déprimaient. Pendant les jours qui suivirent elle dormit d'un sommeil agité. Elle faisait des rêves troubles au sujet de Nedermann. En flânant le long de la triste promenade, elle observait les vagues et regrettait de ne pas l'avoir aimé, de ne pas l'avoir rendu heureux.

Assise sur la plage, sous le vol tournoyant des mouettes, elle pensait qu'elle ferait mieux de téléphoner à Sid et Ivy, pourtant, elle n'en ressentait pas l'envie. Le paysage sinistre commençait à lui convenir. Après la mort de Nedermann, sa propre fuite l'avait déprimée. Elle appela malgré tout, et apprit que la police ne semblait pas s'intéresser à elle. Pourtant, les Rose avaient envoyé une sorte de gorille à Meakin Street pour savoir où elle était. Il semblait avoir cru Ivy quand elle lui avait dit n'en rien savoir

— Il faudra bien que je les rencontre un jour ou l'autre, dit Molly, effrayée.

— Vaudrait mieux pas. Tu vas avoir des ennuis.

— Je ne peux pas toujours me cacher et puis, il y a Joséphine.

— L'ami de Sid, le flic, pense que tu ferais mieux d'aller tout raconter à la police. Tu pourrais obtenir une protection.

— Tout le problème, c'est de savoir si la police sera de mon côté. La moitié des flics sont soudoyés par les Rose.

— Oui, c'est ça l'ennui. Oh, Molly, je me demande ce que tu vas devenir. Et je me demande ce qui t'a pris d'aller voir Shirley. Tu aurais pu te douter que tu n'obtiendrais rien là-bas.

— Personne ne m'avait prévenue. Que se passe-t-il ? Le charme des épiciers baptistes ne fonctionne plus ?

Ivy, trop affectée par la situation pour pouvoir se défendre, se contenta de grommeler, ce qui lui évitait d'admettre que Molly ne s'était pas trompée sur ce mariage.

— J'aimerais bien voir le jour où je n'aurai plus de souci à me faire pour mes filles. Mais, ta seule chance, c'est quand même de revenir et d'aller voir la police, ajouta-t-elle d'une voix plus ferme, Sid t'accompagnera au commissariat.

— Je ne veux pas le mêler à cette histoire.

Molly retourna à l'hôtel plus déprimée que jamais. Elle comprit que si elle voulait fuir les Rose, elle devrait bientôt quitter Brighton. Elle ne savait pas si elle n'aurait pas préféré leur faire carrément face. Si elle choisissait la fuite, où aller ? Même Framlingham n'était pas un endroit sûr. Il lui faudrait aller plus loin, beaucoup plus loin. Au Kenya, comme Simon Tate ?

Elle s'endormit, le bruit des vagues toujours aux oreilles et rêva des Rose et du fantôme de Nedermann. Elle était enfermée dans l'un de ses horribles taudis. Les taches des murs grandissaient de manière menaçante, les vitres se brisaient. Elle se réveilla en murmurant :

— Il n'était pas heureux.

— Qui n'était pas heureux, Molly ? demanda une voix familière.

Elle s'assit dans son lit, terrifiée. Arnie Rose, installé sur une chaise près de la fenêtre, la regardait gentiment.

— Qui t'a laissé entrer ?

— La femme de la réception. Je lui ai dit que j'étais ton mari et que nous nous étions querellés. Elle avait l'air toute contente de m'aider.

— Tu l'as payée... Qu'est-ce que tu veux, Arnie ?

— Moll, tu sais bien ce que je veux, répondit-il calmement. Tu as volé Nedermann, c'est toi, non ? Tout ce que je veux, c'est ce qui nous appartient. Tu sais bien que je ne peux pas te laisser t'en tirer comme ça. Simple question de discipline. Et puis, il me semble que tu as un sommeil bien agité. Il te faudrait un type dans ton lit, pour te calmer un peu.

Il n'était pas aussi effrayant qu'elle l'avait imaginé.

— Arnie, je n'ai rien...

— Voyons, voyons, tu as ouvert le coffre. Tu as même oublié de fermer la porte. Il devait y avoir pas mal de bijoux. Je ne suis pas du genre à dépouiller les femmes de leurs ornements, mais, comme je t'ai dit, je n'ai pas le choix.

— Je n'ai pris que ce que Ferenc m'aurait légué s'il avait eu le temps de faire un testament.

— Il ne savait pas qu'il allait partir si vite, le pauvre !

— Comment m'as-tu trouvée ?

— Ta sœur. Elle chantait des hymnes dans une église baptiste avec un petit béret sur la tête. Elle a une sale mine. Elle était beaucoup plus jolie avant. Ça doit être toutes ces prières et cette espèce de rouquin de mari. Enfin, elle n'avait pas l'air de vouloir de scandale en public.

— Oh, Shirley, Shirley, murmura Molly, désespérée.

— Oh, ça ne l'a guère amusée. C'est le genre de fille à qui on pourrait arracher les ongles... enfin, si on ne connaissait pas les bonnes manières, sans qu'elle dise le moindre mot. Seulement

284

voilà, une bagarre devant la chapelle, c'est trop pour elle. Tu peux me croire, je dis la vérité. Mais tu vois, dit-il du même ton raisonnable, ces considérations ne nous avancent pas beaucoup dans la petite affaire que nous avons à régler. Je ne veux pas mâcher les mots. Il faut que je sache exactement ce que tu as pris à Orme Square pour que je puisse prendre ma part, je te laisse un cinquième. Alors faut que tu me dises où tu as mis le magot. Et si tu ne veux pas le faire, il faudra que j'insiste. Tu vois où je veux en venir ?

A présent qu'il parlait de la manière dont il obtiendrait les informations désirées, il commençait à se réjouir d'avance de la situation. L'allusion aux ongles de Shirley n'avait guère rassuré Molly non plus.

— Bon, d'accord. Il y a deux cents livres dans le tiroir du bas de la commode. C'est tout ce que j'ai, et il faut que je paie l'hôtel. J'ai mis les bijoux à la banque, pas grand-chose. Je lui ai pratiquement tout rendu quand ses affaires ont commencé à battre de l'aile.

Elle n'avait pas parlé de la bague en diamant.

— O.K., Molly, je veux bien te croire. Mais si jamais je m'aperçois que tu as menti...

— Bon, bon, je me lève, allons à la banque tout de suite. Si tu pouvais sortir pendant que je m'habille...

— Tu es sûre de ne pas vouloir que je reste ?

— Un peu de respect, je t'en prie. Le cadavre de Ferenc n'est pas encore froid.

— Moll, voyons...

Moily lui adressa le sourire qu'elle avait offert à Lord Clover et Christopher Wylie et se soumit aux désirs d'Arnold Rose. C'était un amant brutal, un tireur de cheveux, un mordeur de cou. En fait, Molly était surprise que cela ne soit pas pire. De toute façon, elle n'avait pas de remords à avoir. Les Rose parvenaient toujours à leurs fins.

— Tu es vraiment une belle fille, Moll, lui dit-il. Je le savais, mais maintenant, j'en ai la preuve. J'espère qu'on se verra un peu plus souvent.

— Ferenc..., murmura Molly.

— Oui, je comprends, mais tu ne peux pas être en deuil toute ta vie. Venons-en plutôt aux affaires. Autant aller à la banque et voir ce qu'il y a.

— Grands ciels ! s'exclama-t-il un peu plus tard, tandis qu'il déballait les bijoux dans un abri de la promenade balayée par le vent. Ce n'est pas ça qui va mettre du beurre dans les épinards ! Tu es bien sûre d'avoir dit la vérité, Moll ?

Molly, qui ne voulait pas renoncer à sa bague, se lança dans le récit détaillé des ennuis de Ferenc et donna la liste de tous les bijoux qu'elle avait rendus.

– ... Et pour l'achat des Chepstow Villas, il n'avait plus rien. C'est comme ça que les boucles d'oreilles en diamant sont parties... Ferenc essayait sans cesse de les racheter au mont de piété, alors, j'ai fini par les vendre moi-même et j'ai donné le liquide, comme pour le collier de perles...

– Chut, chut, ça suffit comme ça. Tu as vraiment été stupide. Ivy ne t'avait donc pas dit de ne jamais te séparer de tes bijoux ?

– Pas vraiment, dit Molly, soulagée d'avoir gagné la partie.

– Eh bien, suis mon conseil. Dans les moments difficiles, les bijoux, c'est tout ce qui reste à une fille. Les diamants sont les meilleurs amis de la femme. Enfin, nous remplacerons tout ça plus tard, pas vrai ? Maintenant, quittons ce vent de malheur et allons déjeuner.

Ils se rendirent dans un grand restaurant où ils mangèrent des huîres et burent du champagne. Finalement, Molly appréciait le repas. Les derniers jours avaient été affreux. A présent, Arnie avait repris tous les bijoux, mais lui avait laissé les deux cents livres, ce qui était un soulagement en soi. Arnie parlait de Ferenc Nedermann en termes respectueux. Molly ne pouvait s'empêcher de penser que les frères Rose avaient une lourde responsabilité dans cette crise cardiaque fatale, mais c'était réconfortant de pouvoir parler de lui malgré tout.

– En fait, j'aimais beaucoup Ferenc, vraiment beaucoup. C'était un personnage agréable, et un homme d'affaires compétent. Bien sûr, il a commis quelques erreurs, mais rien ne nous dit qu'il n'aurait pas réussi à arranger les choses, s'il n'était pas mort prématurément. Quel âge avait-il ?

– Quarante-huit ans.

– Quarante-huit ! Ce n'est vraiment pas un âge pour mourir. Enfin, personne ne sait quand nous allons être emportés. Je regrette d'avoir été obligé de courir après lui, mais je ne pouvais pas faire autrement. Il avait volé le fils de ma sœur, on ne peut pas laisser passer des choses pareilles. Si seulement il était venu me trouver pour me parler d'homme à homme... Enfin, c'est la vie...

Molly, qui sentait qu'Arnie n'allait pas tarder à lui faire des propositions, dit rapidement.

– Je n'arrive pas à m'en remettre. Tout allait bien, et cinq minutes plus tard, j'essayais de le réveiller mais... Ma seule consolation, c'est qu'il n'a pas souffert. Il ne s'est rendu compte de rien. Je me demande quand ils vont nous rendre le corps après l'autopsie...

– Ne t'inquiète pas de ça, Molly. La firme s'occupera de l'enterrement.

– Il était juif.

– Ah oui ? s'étonna Arnie. J'aurais dû m'en douter. Enfin, parlons d'autre chose. Il faut penser à ton avenir. Tu as un enfant à élever. Je ne voudrais pas que tu le prennes mal, je sais que tu es très sensible en ce moment, mais je dois te dire ma façon de penser. Molly, tu as de la classe, beaucoup de classe. Et beaucoup de personnalité aussi. Je respecte ton chagrin, c'est tout à fait normal. Mais une femme ne peut pas passer sa vie à pleurer. Tu es belle, Molly, tu as besoin d'un homme pour te protéger. Je pourrais être très gentil avec toi.

— Arnie..., tenta d'interrompre Molly en souriant.

— Je suis très gentil avec les femmes, poursuivit-il, une nuance de colère dans la voix. Regarde ce que j'ai fait pour cette garce de Wendy Valentine. Oh, je ne voudrais pas dire de mal d'une femme, mais il faut regarder la vérité en face. Quand j'étais avec elle, elle avait tout ce qu'elle voulait, voitures, manteaux de fourrure et tout le tralala. Et qu'est-ce que c'était Wendy ? Un trou à négros ! Excuse ma vulgarité, je n'aime pas ça, mais il faut appeler un chat un chat, et je sais tout sur elle. Bien sûr, il n'y avait pas de ces histoires quand j'étais avec elle, mais avant et après... Il n'y a que le train qui n'est pas passé dessus, noir, jaune ou vert, elle s'en fichait. Enfin peu importe, si j'ai fait tout ça pour elle, imagine ce que je serais capable de faire pour toi. Toi, je te respecte, Moll. La vie n'a pas toujours été rose pour toi, mais tu as fait tout ce que tu pouvais pour ta gosse. Et c'est comme ça qu'on juge la valeur d'une femme. Alors, Moll, qu'est-ce que tu en dis ? Je te traiterai bien, je te le promets.

Soudain, Molly réfléchit à toute vitesse. Elle avait vingt-huit ans, il était temps qu'elle fasse quelque chose pour elle-même. Elle n'avait pas besoin d'un homme qui décide de son avenir pour elle, pas pour le moment du moins. Si elle acceptait la proposition d'Arnie Rose, ou de tout autre, son âme ne lui appartiendrait jamais. Pourtant, elle avait peur de vexer Arnie.

— Tu as raison, Arnie, j'ai été très secouée. Je suis très sensible, trop peut-être. J'ai besoin de temps. Peut-être même d'un mois ou deux... Je te fais confiance, Arnie, mais dans un moment pareil, je n'ai rien à donner à personne.

— Ça me va, dit-il en lui servant un verre de vin. Je pensais que tu allais me faire cette réponse. C'est normal, je respecte tes sentiments..

Il lui caressa les doigts de sa grosse main pleine de poils noirs. Il portait une chevalière ornée d'un diamant au petit doigt.

— Je te remercie d'être aussi compréhensif.

— Alors, on passe au dessert, et que dirais-tu d'un peu de champagne ?

— Merci, Arnie, dit Molly, soulagée d'être tirée d'affaire pour le moment.

Pourtant, l'échappatoire n'était que temporaire. Arnie la raccompagna à Londres et la déposa à Meakin Street.

287

1964

Cette nuit-là, dans la maison à présent négligée, Mary passa une nuit sans sommeil dans le grand lit aux pommeaux de cuivre, où, autrefois, elle avait connu le bonheur dans les bras de son amant Johnnie. Elle réfléchissait.

Elle avait deux cents livres sous le matelas, cent autres à la Caisse d'épargne, et Arnie Rose reviendrait très bientôt lui faire la cour. Il n'était pas très judicieux de refuser quoi que ce soit à l'un des frères Rose. Le sentimentalisme d'Arnie pouvait facilement tourner à la rage, comme chez les enfants. Elle pouvait cependant dormir sur ses deux oreilles pendant un moment sous la protection de Sid et d'Ivy. Le code d'honneur des voyous se refusait à s'attaquer à une femme en deuil. Cet après-midi même, elle avait inscrit Joséphine dans une école publique. Mais il faudrait encore qu'elle achète un uniforme.

Malgré ses soucis, elle ne pouvait oublier les jours avec Johnnie, où tous deux faisaient encore figure d'enfants innocents. Elle aurait peut-être dû épouser Ferenc, et bénéficier du reste de l'héritage une fois les problèmes réglés. Mais avait-elle droit à cet argent ? Elle s'était fait avorter de l'enfant de Ferenc, pourtant, il serait mort plus heureux avec un héritier. Et puis, il y avait trop de morts autour d'elle, Jim, Steven Greene, Ferenc, tous partis avant l'heure.

Molly finit par s'endormir, mais un cauchemar la réveilla bientôt. Elle aurait pu ramener Ferenc à la vie, mais elle avait oublié ce qu'il fallait faire pour ça. Une voix intérieure lui murmurait : « Prends des cours de sténodactylo. » Elle entendit un bruit dans la cour. En descendant voir ce qui se passait, elle se voyait déjà dans un bureau ou un cabinet de médecin. Et puis, si elle entreprenait des études, elle serait souvent absente de chez elle. Cela empêcherait Arnie de venir à l'improviste à toute heure du jour, et cela lui donnerait un bon prétexte pour le renvoyer quand il serait là.

Parvenue en bas de l'escalier, elle ouvrit doucement la porte.

Elle s'imagina, les traits tirés, des lunettes écaille sur le nez, derrière une pile de livres. Il faisait noir dans la cour, et elle ne savait toujours pas d'où venaient les petits cris de souris. Soudain, quelque chose lui frôla la jambe ; Molly sursauta. Dans la cuisine éclairée, elle se retourna et vit un chaton noir et blanc, assis sur le sol, qui miaulait en la regardant. Molly lui donna une coupelle de lait.

— Bon, d'accord minou, tu as gagné. Puisque tu veux rester, eh bien reste. Il est grand temps que j'aie un gentil petit chat pour ma gentille petite vie.

Finalement, il amuserait Joséphine, qui ne comprenait que trop qu'on la reléguait chez Ivy en cas de crise et devrait désormais se contenter d'une école humble et d'une maison mal entretenue. Nedermann lui avait toujours tout donné, mais lui avait obstinément refusé tout animal familier. Il prétendait même que les poissons rouges pouvaient donner des maladies. Et puis comme ça, sa vie paraîtrait bien ordinaire. Avec une petite maison, une gamine de douze ans un peu dégingandée, des cours de secrétariat et à présent un chat de gouttière noir et blanc, elle deviendrait peut-être trop banale pour qu'Arnie ait envie de s'intéresser à elle. Et si cela ne suffisait pas, elle travaillerait quelques nuits par semaine au Marquis de Zetland pour le décourager un peu plus. Imaginant le bonheur de Joséphine, sa nouvelle carrière, et le départ définitif d'Arnie dans sa limousine noire, elle alla se recoucher, satisfaite. Le chat, mécontent de son coussin dans la cuisine, grimpa vite dans la chambre et s'endormit à côté de Molly, la tête sur l'oreiller.

Molly suivait des cours de sténodactylo qui lui avaient coûté plus de la moitié de son pécule pour une session de quatre mois, et elle ne s'apercevait pas qu'à vingt-huit ans, elle était beaucoup plus belle qu'à dix-huit. Le visage avait perdu sa rondeur enfantine, gagnant ainsi en précision. Les yeux bleus brillaient toujours autant, et les lèvres, même au repos, semblaient sourire. A présent, elle avait le maintien de la maturité. Ce qui ne faisait qu'intriguer Arnie Rose. La jolie fleur des caniveaux à qui il avait fait des avances instinctives avait désormais de la distinction.

— Elle ne peut plus se contenter de petits malfrats, avait-il confié tristement à son frère. Elle ne tardera pas à s'en apercevoir. Tout ce qu'il me reste à faire, c'est d'attendre mon heure.

— Tu l'as bien dit, tu l'as bien dit, répondit Norman, mais fais gaffe, une fille, c'est capable de n'importe quoi, n'importe quoi.

Arnie venait à Meakin Street deux ou trois fois par semaine. A chaque fois, Molly était obligée de le faire entrer. Tous les prétendants éventuels étaient vite découragés par le patron du Marquis de Zetland, à qui il suffisait de mentionner le nom d'Arnie Rose pour que les clients un peu trop entreprenants s'assagissent immédiatement.

– C'est désespéré, maman, se plaignit-elle un jour à Ivy. Je fais tout mon possible pour prouver que je désire avant tout mon indépendance. Je lui raconte même que je dois étudier après avoir couché Josie, je commence à taper à la machine dès neuf heures du matin, mais il est toujours là avec ses bouteilles de champagne et je ne sais quoi. Parfois, je suis même obligée d'aller avec lui au cinéma et il commence à se lasser de mon rôle de veuve éplorée. Quand il se ramène au pub le soir, tous les clients s'en vont. Ginger n'apprécie guère. Plus personne ne se sent tranquille quand il est là. Et en plus, il va chercher Josie à l'école en voiture. Je ne sais plus quoi faire. Je ne peux pas lui dire non, et si je ne cède pas, il se vengera sur nous tous.

– Tu es piégée. C'est ça l'ennui. Tu ferais mieux de lui dire carrément qu'il vaut mieux ne pas insister.

– Tu ne le connais pas. Pense à toutes les horreurs que quelqu'un puisse commettre, double la dose et tu approcheras de la vérité.

– Sid et Jack lui parleront.

– Et Sid aura un accident en allant au dépôt et Jack tombera des docks. C'est ta faute, si je suis aussi jolie.

Pour une raison mystérieuse, Ivy sembla défaillir.

Ce soir-là, Arnie vint revoir Molly et s'installa près de l'arbre de Noël. Joséphine faisait ses devoirs à la cuisine. Le chat rôdait entre les deux silhouettes immobiles. Molly restait figée, comme un animal traqué, espérant se faire oublier du prédateur.

– Je ne vois pas pourquoi tu ne te débarrasses pas de cet animal. Il est infernal. Pourquoi ne prends-tu pas un chien, un caniche avec pedigree ?

– Je ne pourrais pas m'occuper correctement d'un chien avec mes cours. Et puis, la maison est pleine de souris, dit Molly tandis que le chat venait s'installer sur ses genoux en ronronnant.

– Tu n'es pas obligée de vivre ici. Je crois que j'ai été clair là-dessus, répondit-il d'un ton chargé de menaces, car visiblement, il trouvait que le deuil n'avait duré que trop longtemps. Je parie qu'il dort avec toi la nuit.

– Il me tient compagnie.

C'était la chose à ne pas dire.

– Tu n'as pas besoin de rester seule. J'ai mieux à te proposer qu'un chat plein de puces qui te ramène des tas de maladies.

– C'est l'heure de l'ouverture, il faut que j'y aille, Ginger n'aime pas que j'arrive en retard.

– Assieds-toi, Molly, ordonna Arnie, le visage dépourvu d'expression, et écoute-moi bien. Ça me fait de la peine de voir un fille comme toi dans un trou à rats. Il est grand temps que tu oublies Ferenc et que tu commences à prendre des décisions. Moi, je t'ai dit ce que j'avais à te proposer, mais je commence à croire que tu me fais marcher. Et je n'aime pas ça, je n'aime pas ça du tout.

Molly se leva et s'approcha de lui, le visage impavide, les yeux écarquillés.

– J'ai peur de moi, Arnie, dit-elle doucement. Tu vas peut-être me croire superstitieuse, mais j'ai peur de porter malheur. Regarde ce qui est arrivé aux hommes qui se sont approchés de moi. Jim Flanders, pendu, Steven Greene, suicidé dans sa cellule, Nedermann, mort à la quarantaine avec les flics aux trousses. Que ferais-tu à ma place ? Tu commencerais sans doute à te poser des questions. J'ai l'impression d'être frappée d'une malédiction, dit-elle encore plus bas.

Arnie regarda les yeux grands ouverts et parfaitement fixes de Molly dans la pièce éclairée par une seule lampe.

– C'est stupide, Molly, dit-il en détournant les yeux. Tu te fais des idées, ce ne sont que des coïncidences.

– J'espère que tu as raison, mais je ne peux pas m'empêcher d'y penser sans arrêt.

Elle savait que, comme la plupart des criminels, Arnie était superstitieux. Dans un monde où la chance joue un rôle essentiel, il est important de mettre tous les atouts de son côté. Le visage songeur, il l'accompagna jusqu'à la porte du Marquis de Zetland, mais n'entra pas boire un verre, contrairement à son habitude.

Jusque-là, tout allait bien. Mais le sursis serait de courte durée. Que ferait-elle ensuite ? Partir ? Et Joséphine ? Que deviendraient-elles, toutes les deux ?

Après l'heure officielle de la fermeture, elle lavait les verres quand Lil Messiter, toujours installée à une table, lui dit :

– Eh bien, tu as perdu ton sourire, ce soir ?

Elle avait une voix rauque. Molly, en voyant le verre vide, lui resservit une Guinness.

– Tenez, madame Messiter, dit-elle avant de retourner à sa vaisselle.

Le patron autorisait souvent Lil Messiter à rester un moment après la fermeture, et souvent, il lui offrait une bière. A Meakin Street, tout le monde savait que Lil avait eu une vie dure. A quarante-huit ans, elle en paraissait soixante. Son mari, qui avait toujours été violent, était mort dix ans auparavant, la laissant avec deux enfants d'âge scolaire et un bébé. Cissie était élève infirmière à l'hôpital Saint Thomas, Edna s'était mariée et Phil était parti en Ecosse depuis longtemps. Elle n'avait personne sur qui compter, personne qui puisse l'aider financièrement. Elle avait toujours fait des ménages pour élever ses enfants. A présent, deux des garçons étaient dans la marine et elle vivait seule avec le petit dernier, George. Son fils aîné lui envoyait parfois un peu d'argent. Quand elle n'était pas épuisée, trop épuisée pour son âge, elle travaillait encore, et se saoulait quand ses moyens le lui permettaient. En fait, c'était encore au Marquis de Zetland qu'elle était la plus heureuse.

— Je n'ai guère de raisons de sourire, lui dit Molly tout en continuant à laver vigoureusement. Mais nous avons tous nos problèmes, n'est-ce pas madame Messiter ?

— La vie n'est pas tendre pour les femmes seules, même si elles ont de beaux cheveux blonds.

— C'est pire parfois, répondit Molly en essuyant le bar.

— Alors, Arnie ne te dit rien ? dit Lil en regardant instinctivement vers la porte, pour s'assurer qu'elle était fermée. Il faut un homme pour pouvoir se débarrasser d'un autre. Tant que tu seras seule, il rôdera dans les parages.

— Une autre bière, madame Messiter ? Ne vous inquiétez pas, je ne m'en vais pas avant que le ménage soit terminé.

— Oui, une petite goutte.

Quand Molly vint lui apporter son verre, elle posa un bras squelettique sur celui de Mary.

— Débarrasse-toi de lui.

— Mais comment ? Il est dangereux, répondit Molly à voix basse.

— Trouve quelqu'un qui puisse s'en charger.

— Tous les soldats du roi n'y arriveraient pas !

Molly alla vers le placard, sortit un balai et se mit au travail.

— Alors, il faudra le tuer. Prends un bon couteau de cuisine, dit Lil en riant, toute réjouie par cette idée.

— Chut, pas si fort.

— Empoisonne-le, mets quelque chose dans son whiky, poursuivit Lil.

Molly ramassa la poussière et les mégots et alla jeter le contenu de sa pelle à la poubelle. Ensuite, elle rinça la serpillière et les torchons et les mit à sécher sur l'évier.

— Vous avez terminé, madame Messiter ? Allez, venez, je vous raccompagne.

Elle la prit fermement par le bras et l'aida à remonter la rue. Il était déjà onze heures et demie, mais George, âgé d'une dizaine d'années, n'était pas encore couché.

— Aide-la à se mettre au lit, mon garçon. Elle a un peu trop bu ce soir. Tiens, voilà une livre, prends-la pour me faire plaisir.

L'enfant attrapa sa mère par la taille et prit l'argent de sa main libre.

— Viens maman, le marchand de sable est passé.

« Quelle vie pour ce pauvre gosse ! » pensait Molly en traversant la rue sous la bruine.

— Oh, non, murmura-t-elle en apercevant une silhouette dans l'obscurité, appuyée contre sa porte d'entrée.

Les lampadaires dessinaient des taches lumineuses sur les flaques d'eau.

— Bonsoir, Moll.

– Qui est-ce ? demanda-t-elle tout en connaissant déjà la réponse.

– C'est Johnnie.

– Tiens, quelle surprise ! dit-elle en plongeant dans son sac pour chercher ses clés.

Johnnie la suivit à l'intérieur. Dans le couloir, il la prit par la taille et essaya de l'embrasser, mais Molly s'écarta.

– Qu'est-ce que tu fiches ici ?

Johnnie lui sourit, comme s'il imitait son sourire insouciant d'autre fois, mais à présent, dans le visage creux, les lèvres plus minces prenaient plutôt la forme d'un rictus.

– Tu as des ennuis, c'est pour ça que tu es venu ?

– Molly, tu es devenue amère.

– Je suis plus vieille et plus raisonnable. Tu veux du thé ?

– C'est comme ça que tu me souhaites la bienvenue ?

– C'est toujours mieux que ce que tu mérites. Je suis restée debout toute la soirée, et je ne tiens plus sur mes jambes.

Dans la cuisine, Johnnie restait tout près d'elle, bien trop près, pour chercher à savoir si Mary lui répondrait comme autrefois. Lui qui avait usé de son charme pour mettre des filles sur le trottoir, dont une mineure de moins de seize ans !

– Alors, qu'est-ce que tu es venu faire ? Tu as des ennuis ?

– Plus ou moins.

– Eh bien, tu ferais mieux d'aller te faire voir ailleurs, toi et tes ennuis.

Elle alluma le four pour réchauffer un peu la pièce, lui servit une tasse de thé et prit une cigarette.

Johnnie portait un costume de laine clair, un pull à col roulé et une montre en or au poignet.

– Je suis très occupée en ce moment, j'ai une gosse de douze ans, et je suis exténuée. Il n'y a pas de place pour les ennuis dans cette maison.

– On m'a dit que tu étais revenue ici. Ça m'a étonné, je pensais que Ferenc t'aurait laissée moins démunie. Que s'est-il passé à Orme Square ? Il n'avait rien mis de côté pour toi ?

– Il ne pensait pas mourir si vite, il n'avait jamais été malade avant.

– Le palpitant a flanché, il paraît. Dommage, ça a dû te faire un choc.

– C'est le moins qu'on puisse dire, surtout avec les Rose qui arrivaient d'un côté et les flics de l'autre. C'est ce qui l'a tué. S'il te restait quelque chose de ce que tu lui as volé, ça me dépannerait bien en ce moment.

– Tu n'avais même pas de bijoux ?

– Non, pas de bijoux, tu te prends pour les impôts ?

– Ça me fait plaisir de me retrouver ici. Quand j'y repense maintenant, je me rends compte à quel point j'y ai été heureux.

Personne n'a jamais compté comme toi. Personne ne comptera jamais autant.

— Tu n'as pas beaucoup changé, dit Molly en se versant une deuxième tasse de thé. Les choses vont mal pour toi, alors tu cherches une femme sur qui te reposer. Qu'est-ce que tu veux, Johnnie ? Autant le dire tout de suite, mais si c'est de l'argent, tu n'as rien à espérer.

— Non, simplement quelques semaines de tranquillité. Prends-moi comme locataire. De l'argent, j'en ai. Si tu veux, je peux payer le loyer.

— Non, comme je t'ai dit, je n'ai pas envie de me compliquer l'existence. Il y a quelque chose derrière tout ça, et ce n'est sûrement pas parfumé à la rose. Et puis, en parlant de roses, Arnie traîne souvent dans les parages, je ne pense pas que tu aies envie de le rencontrer. Non, ça ne marche pas, Johnnie, pas cette fois.

— Je savais que tu refuserais. En fait, on s'est fait surprendre dans un cambriolage à main armée avec Bones Ferguson, le boucher de Finchley ; il y avait la recette de la semaine dans le coffre. Ils ont piqué Bones, moi, j'ai réussi à m'en tirer, mais maintenant, j'ai la police aux trousses. Je n'ai nulle part où aller. J'ai besoin de quelques semaines pour que les choses se calment, après je pourrai partir.

— Et tu trouves que c'est le bon endroit ! s'exclama Molly, horrifiée. C'est les grands boulevards ici, et la moitié des gens te connaissent. Tu es cinglé ou quoi ? Ce qu'il te faut, c'est une cabane quelque part près de Liverpool, enfin n'importe où, mais pas ici. Et en plus, tu me mêles à tes histoires. Comment ça s'appelle ? Recel de malfaiteur ? Fiche le camp, Johnnie. Je ne veux pas d'ennuis à cause de toi.

— Une nuit seulement, supplia-t-il. Je suis fatigué, Moll, et je n'ai pas d'autre endroit.

— Et tes filles ?

— Quelles filles ? demanda-t-il d'un air las.

— Bon, ça va pour une nuit. Tu dormiras sur le divan. Je te donne des couvertures. Moi, je vais me coucher. Et puis, tu as intérêt à déguerpir de bonne heure avant que les gens ne soient levés. Passe par la cour, et méfie-toi d'Arnie, il arrive n'importe quand.

— Rien à craindre de ce côté pendant une semaine ou deux.

— Et pourquoi ?

— On raconte que les Rose vont aller passer une semaine de vacances en Espagne. Il y a une petite enquête à leur sujet. Je crois qu'ils ont intérêt à s'éloigner.

— Voilà au moins une bonne nouvelle, répondit Molly en lui lançant les couvertures par-dessus la rampe d'escalier.

« Je ne pourrais jamais fermer l'œil, pas avec un Johnnie en cavale chez moi », mais à peine avait-elle formulé cette pensée qu'elle s'endormit profondément.

Plus tard dans la nuit, Johnnie vint se glisser nu entre ses draps, et comme leurs corps s'étaient toujours bien connus, Molly et Johnnie Bridges se rejoignirent sans hésitation. Le lit aux pommeaux de cuivre avait toujours été leur joie, leur bonheur, leur véritable foyer.

— Il faut quand même que tu partes demain, dit Molly.

— D'accord, Moll. Je ne veux pas t'attirer d'ennuis.

La tête sur sa poitrine, Molly aurait pu lui poser des questions, sur les prostituées, la prison, mais, pour le moment, elle n'en avait pas envie. Depuis qu'ils étaient séparés, ils menaient tous deux une vie plus misérable, plus désespérée. Elle ne voulait pas le lui rappeler. Elle ne voulait pas en entendre parler.

— C'est vrai, à propos d'Arnie ? Il faut qu'il quitte le pays ?

— Oui, c'est vrai, ils sont allés trop loin, cette fois. Le môme Barnett.

— Oh, mon Dieu ! s'exclama Mary, horrifiée.

— Allez, dors maintenant, ma chérie. N'y pense plus.

A six heures du matin, elle se réveilla et vit que Johnnie s'habillait déjà. Elle pleurait, sans savoir si c'était à cause des ennuis de Johnnie ou simplement parce qu'il s'en allait. Malgré son costume élégant, il avait triste mine. Son séjour en prison semblait l'avoir démoli, comme c'est souvent le cas. Il ne s'en était visiblement toujours pas remis, et ne parviendrait peut-être jamais à oublier cette épreuve.

— Bonne chance, Johnnie.

— Merci, ma chérie.

Elle entendit la porte de la cour se refermer. Johnnie devait déjà sauter par-dessus les murs des jardins pour rejoindre Wattehblath Street. Elle se détendit un peu. Elle n'était pas seulement inquiète d'abriter un homme recherché, Johnnie la rendait nerveuse. Son simple nom signifiait pour elle chagrin et ennuis. Elle ne voulait pas le voir trop près, pas trop souvent.

Elle préparait tranquillement le petit déjeuner pour elle et Joséphine, heureuse de savoir Johnnie parti et les Rose disparus quand soudain on frappa à la porte. Angoissée, se demandant si Johnnie n'était pas de retour ou si la police avait déjà découvert son refuge, elle alla ouvrir. Finalement, c'était encore pire que prévu. Arnie Rose, un bouquet dans une main, une enveloppe pleine de papiers dans l'autre, se tenait sur le seuil.

Il rayonnait. Molly ne put réprimer son effarement. Elle le croyait à l'étranger. Elle savait qu'il était impliqué dans la mort d'un garçon de dix ans, Kenneth Barnett. Se rendant soudain compte de sa peur, elle dit d'un ton léger :

— Tu es bien matinal aujourd'hui. Il faudra que tu nous prennes comme nous sommes. Josie doit aller à l'école, et j'ai un examen de sténo au collège.

Très vite, elle traversa le couloir pour continuer à s'occuper du petit déjeuner. Tout en s'efforçant de paraître aussi fatiguée et engourdie que possible, elle passait mentalement en revue les endroits où Johnnie Bridges aurait pu laisser des traces de sa visite.

— Sers-toi une tasse de thé. Joséphine, va chercher le lait sur le palier.

— Pas le temps, vraiment pas le temps, répondit Arnie. En fait, je dois partir. J'aurais déjà dû partir hier, mais je ne voulais pas m'en aller sans te dire au revoir. Alors me voilà, tiens, regarde ce que je t'ai apporté.

— Je vais les mettre dans l'eau, dit simplement Molly, mais elle savait, après les années passées avec Nedermann, ce qu'Arnie voulait vraiment lui donner.

Arnie faisait les cent pas dans la cuisine exiguë. Joséphine s'installa devant son bol et jeta un coup d'œil sur sa mère, une expression pleine de doute sur le visage. Molly la regarda elle aussi pour lui donner confiance.

— Ce n'est pas des fleurs que je voulais parler. Je veux que tu prennes ces papiers. Le titre de propriété d'une jolie maisonnette à Berkeley Square, à ton nom bien sûr. Mais je n'ai pas le temps de traîner. Je veux une réponse, et tout de suite. Tu pourras emménager pendant mon absence, tu n'as qu'à demander à Morris ce dont tu as besoin.

Molly se jeta dans les bras d'Arnie.

— Oh, Arnie, c'est formidable, tu es vraiment trop gentil !

Mais elle savait déjà qu'elle devrait se précipiter à Brighton dès que Joséphine serait partie pour l'école. Elle retirerait le diamant de la banque, et il faudrait qu'elle et Joséphine disparaissent le plus vite possible.

— Enfin un peu de bon sens. Je savais bien que tu finirais par te rendre à la raison. Il est grand temps que tu quittes ce trou à rats.

— Josie, essuie-toi la bouche et va à l'école.

Sur le pas de la porte, sa fille la regarda étrangement.

— Je ne veux pas vivre avec lui, je resterai avec Mamie.

— Allez, va-t'en, ne t'inquiète pas, j'arrangerai tout ça.

Elle allait rentrer quand elle vit Lil Messiter qui remontait la rue, une bouteille de lait à la main.

— Alors, vous avez eu du changement la nuit dernière. Toujours mieux qu'Arnie Rose !

— Oh, oui, il pleut encore, quel désastre ! répondit Molly avant de fermer rapidement la porte.

— Je n'ai pas entendu mon nom ? demanda Arnie devant la porte de la cuisine.

— C'était Lil Messiter, dit Molly, prise de panique. Elle va plutôt mal en ce moment, elle boit trop. En fait, je crois ne l'avoir jamais vue à jeun. Oh, Arnie, je suis tellement émue, il faut que j'aille m'asseoir.

Il est vrai que ses jambes semblaient céder sous elle. Elle redoutait qu'Arnie découvre que Johnnie était venu la voir. Un Arnie en colère pourrait très bien se venger sur Joséphine.

Le cœur battant, elle se dirigea au salon.

— Autant aller s'allonger, le lit est juste au-dessus.

Un ogre, un ogre de conte de fées ! Le pire, c'est qu'elle n'avait pas fait le lit. Arnie verrait bien que deux personnes y avaient dormi. Elle était fichue ! Déjà, elle sentait le sang ruisseler de son nez cassé. Arnie la prit par la taille, mais à l'instant même, on frappa à la porte.

— N'y va pas.

— Ce doit être maman.

Seule, Ivy, en tant que mère et ancienne camarade de classe des Rose, avait le pouvoir de réfréner les élans d'Arnie. Soudain, Molly eut envie de bousculer quiconque se trouverait sur le palier, facteur, laitier ou voisin, et de fuir le plus loin possible.

Par chance, c'était effectivement Ivy.

— Alors, il y a de mauvaises nouvelles ? demanda-t-elle en entrant tristement.

Lil Messiter avait vu Johnnie entrer et lui avait dit qu'il était toujours là. Molly d'un signe de tête indiquant le salon empêcha sa mère d'en dire plus.

— Oh, je venais simplement bavarder un moment, dit Ivy, comprenant l'anxiété de sa fille.

Elles savaient toutes deux que si Ivy restait trop longtemps, Renée, la vendeuse, passerait son temps à chanter des chansons des Beatles derrière le comptoir, s'emmêlerait dans les comptes et mélangerait toutes les commandes pour le lendemain, néanmoins, devinant plus ou moins la situation, Ivy ouvrit la porte du salon d'un air déterminé.

— Arnie ! s'écria-t-elle. Quelle surprise ! cela fait des mois que je ne t'ai pas vu.

— Tu as l'air en pleine forme, Ivy, on dirait la sœur aînée de Molly. Comment ça va ?

— Quel flatteur, va, j'ai déjà trois petits enfants.

— Tu veux un café, maman ? dit Molly qui en profita pour se précipiter à l'étage et faire le lit.

Soudain, Ivy arriva et, en jetant un coup d'œil sur les draps fripés, s'exclama :

— Qu'est-ce qui se passe dans cette maison ? Tu es devenue folle ? demanda-t-elle en attrapant pourtant un coin du drap et en tirant les couvertures.

— Chut, reste jusqu'à temps qu'il s'en aille, il ne devrait pas tarder à partir, chuchota Molly.

Ivy tira le rabat du drap puis se glissa silencieusement hors de la pièce, en cherchant d'autres indices révélateurs.

300

— Descends, et fais semblant d'être allée à la cuisine, dit Ivy à voix basse.

Molly acquiesça silencieusement et obéit.

— Et voilà, dit-elle en apportant le café au salon.

— Je suis impatient d'aller te voir dans ta nouvelle maison, dit Arnie.

Au même moment, une voiture s'arrêta devant la porte.

— Je vais voir, dit Ivy. Un monsieur pour toi Arnie, annonça-t-elle en revenant quelques secondes plus tard.

— Dis-lui d'entrer.

Molly était plus terrorisée que jamais. Elle était habituée aux gorilles de Nedermann, mais on aurait dit des anges à côté de la brute épaisse qui se tenait dans le couloir. Avec ses deux mètres, ses épaules de débardeur, son visage d'abruti, il la terrifiait.

— Geoff, combien de fois t'ai-je dit de ne pas me déranger quand je suis ici ?

— Il s'est passé quelque chose, monsieur Arnold. M. Norman m'a dit de venir vous chercher tout de suite.

Il pencha son énorme masse vers Arnie et lui murmura quelque chose à l'oreille. Arnie parut contrarié un moment, mais se reprit rapidement et fit bonne figure.

— Ça y est, notre avion privé m'attend dans le Kent, je dois partir. Désolé de te quitter si vite, Moll. Je te revois à mon retour à Berkeley Square. Et puis, n'oublie pas, Morris est à ta disposition. Je reviens dans une quinzaine de jours au plus tard.

Il se leva, posa une énorme liasse de billets sur la table et sortit, suivi de son garde du corps. La porte se referma derrière eux.

— Va lui faire un signe par la fenêtre, ordonna Ivy. Allez, vite, insista-t-elle en voyant sa fille hésiter.

Finalement, Molly s'exécuta.

— Assieds-toi. Tu n'aurais pas un peu de cognac ?

— Je me sens très bien.

— Toi peut-être, mais moi pas.

Ivy alla chercher la bouteille à la cuisine et revint avec deux verres.

— Maman, j'ai un exam de sténo tout à l'heure.

Ivy avala son cognac, visiblement fort tourmentée.

— Tu es au courant, non ? Pourquoi doit-il partir ? Ça a un rapport avec ce gosse, j'en suis sûre. C'est lui et Norman qui ont dû organiser l'enlèvement. Le pauvre mioche est mort d'une crise d'asthme dans la grange où ils l'avaient enfermé. Et quelqu'un les a dénoncés, c'est pas trop tôt. Mon Dieu, imagine un peu la peur de ce gosse. Mourir comme ça ! Il était temps qu'on mette fin à tout ça. On va peut-être enfin pouvoir faire quelque chose contre eux.

— Ils s'en sortiront, comme d'habitude, prédit Molly.

— J'espère que tu comprends enfin dans quel guêpier tu t'es fourrée. Il ne faut pas qu'il revienne ici. Il n'est même pas bon à tenir compagnie à un chien ! Et puis, il y a Joséphine. Ce gosse n'avait que dix ans. Mon Dieu, tout cela m'effraie.

— J'avais décidé d'aller à Brighton chercher un peu d'argent à l'abri dans une banque et de partir tout de suite avec Josie.

— Ce n'est pas juste, que ce soit toi qui doives t'enfuir, mais je crois que c'est la seule solution. Tu as vu cette brute qui est venue le chercher ? Personne ne pourra jamais te protéger contre eux, pas même la police. Personne n'est en sécurité avec eux. Et toi, espèce d'andouille, il a fallu que tu te compromettes avec lui, et en plus maintenant, tu recommences à faire l'imbécile avec ce Johnnie Bridges. Mon Dieu, ça me donne des frissons.

— Ça ne s'est passé qu'une fois. Il est en cavale, lui aussi. J'ai été obligée de le laisser entrer.

— Molly, tu me fais peur, tu me fais vraiment peur. Un truand d'un côté et un voyou en cavale de l'autre, et tu couches avec lui en plus. Tu l'as encouragé, Molly, il ne te lâchera pas. Il va rôder dans les parages jusqu'à ce que la police le retrouve, dans ta salle de bain, probablement. Et tu seras déclarée complice. Le mieux, c'est que tu t'en ailles et que tu me confies Joséphine pour quelques mois. Je ne comprendrai jamais pourquoi tu t'es laissé avoir par cette petite crapule.

— Oh, mon Dieu, pauvre Joséphine. Je fais une bien piètre mère...

— Ce qui est fait est fait, inutile de pleurer là-dessus, dit Ivy, paraissant soudain très vieille.

Si Molly était une piètre mère, elle ne valait guère mieux en tant que fille.

— Et puis, tu ne pourras pas aller à Brighton, remarqua Ivy, les trains sont en grève.

Le piège se refermait.

— Alors, Jack est en grève, lui aussi, il pourra m'emmener en voiture.

— Pas avant la fin de la semaine, il est en stage.

Molly regarda l'argent d'Arnie toujours sur la table. Il y avait largement de quoi louer une voiture pour se rendre à Brighton.

— A ta place, je ne toucherais pas à ça.

— Je n'en ai pas l'intention.

Si elle prenait sur ses économies, elle pourrait malgré tout s'offrir le trajet en voiture, mais il lui semblait devoir laisser cet argent à Ivy.

— J'attendrai que la grève se termine ou que Jack puisse m'emmener. Arnie ne va pas revenir tout de suite. Ça me donne quelques jours. Et entre-temps, je vais passer mon exam, j'arriverai peut-être quand même à l'heure.

— J'appellerai Jack et je lui demanderai s'il ne peut pas se libérer plus tôt que prévu.

Les deux femmes se levèrent et allèrent vaquer à leurs occupations respectives. Ivy revint le soir même annoncer que Jack pourrait conduire Molly à Brighton le surlendemain. Mais le surlendemain, il était déjà trop tard. Le piège s'était définitivement refermé sur Molly.

On peut se permettre quelques coups de malchance quand on raisonne intelligemment. Et inversement, quand on a de la chance, quelques erreurs de jugement ne vous entraînent pas trop loin. Mais ce qu'on ne peut jamais se permettre, c'est les deux à la fois, une décision idiote, et une catastrophe. Et c'est exactement ce qui est arrivé. J'ai fait et refait le scénario dans ma tête avec des si. Pendant plus d'un an, je n'ai rien eu d'autre à faire. Des reproches à Johnnie, des reproches à moi-même, ressassés et ressassés à en devenir folle. Le claquement des lourdes portes, le cliquetis des clés, les cris des femmes... Tout ce que je peux en dire, c'est que je survivais à peine. En fait, je crois que personne n'arrive à supporter ce genre de choses.

Bien sûr, Johnnie est revenu. Il s'est pointé un soir, à une heure du matin et il est passé par la fenêtre de la chambre. Nous nous sommes disputés. Cela a duré des heures et des heures. Il est devenu assez violent, j'ai même cru qu'il allait me battre. Je n'aurais rien pu faire de toute façon, car Joséphine était là. Il m'arrachait hors de mon lit, me traitant de salope et je ne sais quoi, et j'étais impuissante. Le problème, c'est qu'il a passé la nuit sur le divan en bas. Il avait refusé de partir, ce qui signifiait que si je voulais me débarrasser de lui, je n'avais plus qu'à appeler la police... Oh, j'aurais dû, j'aurais dû... Enfin c'est ce que je me suis répété pendant des mois et des mois en prison. Comme je n'avais pas vraiment envie de le dénoncer, je lui ai dit qu'il pouvait passer la nuit sur le divan, mais que si je le revoyais, une seule fois, j'appellerais la police en pensant que si les flics se pointaient par hasard cette nuit-là, je leur raconterais qu'il était entré à mon insu. Furieuse, j'allai me coucher, et le lendemain matin, Johnnie avait disparu. Alors, j'ai décidé de confier Josie à Ivy et d'aller chercher la bague le jour-même à Brighton. Ensuite, j'aurais assez d'argent pour m'enfuir dans le Nord et trouver un travail. J'écrirais à Arnie que je n'arrivais pas à oublier Ferenc et que j'étais partie vivre mon destin ou je ne sais quelle ânerie. Je reviendrais au printemps, épuisée sans aucun doute, quand les choses se seraient tassées.

Le pays était en ébullition. On s'amusait beaucoup, le travail ne manquait pas. A cette époque, je pensais réellement que je pourrais retourner à Londres, trouver une place correcte... et j'ai fini derrière des barreaux !

J'avais connu de durs moments dans ma vie, mais ce jour-là, ce fut sûrement le pire. Je revins du collège vers cinq heures pour trouver la maison pleine de policiers. Une dizaine au moins, en uniforme et en civil. Et Josie, dans sa tenue d'écolière, qui avait l'air au bord de l'évanouissement.

En arrivant à Meakin Street, j'ai tout de suite compris qu'il se passait quelque chose. Tout le monde était dans la rue, Lil, le petit George, la femme de la boutique du coin, le vieux Fainlight. Il y avait même des gens que je ne connaissais pas.

Autre grand *si* que j'ai ruminé pendant des années : « Ah, si j'avais eu la bonne idée de faire demi-tour. » Mais comment aurais-je su que ce n'était pas un hasard ? Il aurait pu y avoir une explosion, ou un meurtre ou je ne sais quoi. Il aurait même pu arriver quelque chose à Josie. Mais quand je fus assez près pour poser des questions, la police était assez près pour m'arrêter.

— Madame Flanders ? demanda un flic qui sortait du couloir.

— Josie, tu n'as rien ? fut tout ce que je pus demander.

La pauvre gosse me fit un signe timide. Elle venait juste de rentrer prendre quelques livres et, quand elle a ouvert la porte pour aller chez Ivy, ils étaient tous là. Apparemment, ils étaient entrés sans lui demander l'autorisation, et elle ne savait plus quoi faire. Ensuite Sid et Ivy qui avaient vu la foule sont arrivés eux aussi.

— Que se passe-t-il ? a demandé Sid à l'inspecteur.

Puis il s'est tourné vers moi et m'a posé la même question. Je n'avais pas de réponse à lui fournir. Puis un policier en uniforme est descendu de l'escalier et a murmuré quelque chose à l'oreille de l'inspecteur. Ils m'ont appelée par mon nom et m'ont arrêtée sur-le-champ, devant ma fille et mes parents, sans parler de la moitié de la rue. Non-dénonciation de malfaiteur et recel de marchandises. Je ne pouvais guère nier la première accusation, mais je fus abasourdie par la seconde.

— Vous avez un permis de port d'armes ?

Je restais immobile, je ne savais que dire. Et je me suis retrouvée dans le panier à salade.

Bref, j'ai pris dix-huit mois. Cela aurait pu être plus long, mais c'était ma première condamnation et ils ont reconnu, comme c'est souvent le cas, que j'avais été bernée par un homme, ce qui n'était que trop vrai.

Plus tard, j'ai compris que si Arnie avait effectivement quitté le pays, il avait chargé quelqu'un de me surveiller. Et on a dû voir Johnnie entrer ou sortir. Le type a téléphoné à Arnie en Espagne. Comme prévu, celui-ci s'est fâché et m'a fait coffrer. J'ai eu de la chance que cela n'ait pas été pire. Il aurait pu se venger sur ma famille. Maigre consolation quand on se trouve dans une cellule de deux mètres sur trois avec deux autres femmes !

Avec les odeurs d'urine et de sueur, le manque de lumière, les bousculades incessantes, les bruits de pas dans les corridors, le claquement des portes, le cliquetis des clés... Oh, mon Dieu, quelle horreur, quel enfer !

Inutile de préciser qu'Arnie s'est arrangé pour faire mettre Johnnie à l'ombre aussi. Lui au moins, c'était le propriétaire des « marchandises » : le revolver, trouvé sous une lame de parquet dans la pièce où il avait dormi. Il en a pris pour sept ans, mais, lui, il avait déjà un casier.

Je sortis au bout de quatorze mois, mais ça avait suffi pour me détruire. Je ne savais que faire, tout juste si je savais encore qui j'étais.

C'est surtout du bruit que je me souviens. Les pas, l'écho qui résonnait, les hurlements des femmes qui criaient, sans raison le plus souvent, d'ailleurs, cela m'arrivait aussi. Un véritable asile de fous. Moi aussi, j'en perdais la raison. Je faisais des rêves très colorés, où une femme chantait en français, puis sa voix se brisait en une longue plainte stridente. Il y avait des jours où cette chanson ne me sortait pas de la tête de toute la journée, sans une minute de répit. Elle me hantait. J'ai parlé de ce rêve à une prostituée française, Madeleine. Elle m'a demandé de lui chantonner l'air, ce que j'ai fait, et elle l'a repris avec moi. Avec certaines des paroles, mais elle ne s'en souvenait pas bien. C'était l'histoire d'un amour qui s'évadait dans le vent et les champs de blé, un air sentimental. Elle me raconta que c'était une vieille chanson, très populaire dans les cabarets, à l'époque de sa mère. Je fus surprise d'apprendre que cette mélodie existait vraiment, et je me demandais où j'avais bien pu l'apprendre. Le plus drôle, c'est que plus Madeleine se rappelait les paroles oubliées, plus je me sentais mal. A la fin, je dus même lui demander d'arrêter de chanter. Je sombrais dans le désespoir et l'on ne peut pas se permettre ce genre d'attitude, pas en prison. Elle était gentille, il y en avait comme ça, alors, elle se tut et m'offrit une cigarette. Quand elle a été libérée, les paroles me revenaient peu à peu, à moi aussi.

Finalement, le vacarme, le confinement, la promiscuité, les matonnes, tout ça c'était terminé. Libre. Enfin ! Mais j'étais incapable de rentrer chez moi.

1966

Molly Flanders, née Waterhouse, proche de la trentaine maintenant, est assise sur un banc non loin des rives de la Tamise. Il est
deux heures du matin.

Derrière, de l'autre côté de la route, on aperçoit des maisons
d'avocats et de juges avec leurs pelouses bien entretenues. Le trottoir est mouillé. Tout est calme, à part le ronronnement lointain
d'un moteur de voiture de temps à autre ou le fracas étouffé d'un
train qui traverse un pont. Elle entend même les vaguelettes
lécher les murs de l'Embankment. C'est le printemps, les eaux
sont hautes.

Elle porte une vieille jupe brune, des souliers éculés et une veste
grise trop grande. Le sac de plastique à côté d'elle contient son
gant de toilette, sa brosse à dents, une chemise de nuit, quelques
sous-vêtements et un pull-over. L'air est doux, mais il souffle un
petit vent froid. Elle regarde dans le vide. Elle n'est plus dans le
monde réel. Comme les papiers fripés qui glissent le long du mur,
ou les brindilles emportées par le courant, elle dérive...

En mai, toujours dans les mêmes vêtements, elle se trouve cette
fois sur l'escalier d'un entrepôt brûlé, un peu plus bas sur la
rivière, près des docks. A travers la porte ouverte, elle voit un mur
de béton et une voiture abandonnée.

L'homme à côté d'elle lui offre sa bouteille de vin rouge. Elle
porte le goulot à ses lèvres. Lui, il est correctement habillé, pantalon de velours vert et veste bleu marine. Contrairement au couple
blotti dans un coin de l'autre côté du hangar, ce n'est pas une
épave. Les autres, dans leurs manteaux râpés et leurs chaussures
trouées, se partagent une bouteille. Molly ne fait qu'apercevoir les
silhouettes recroquevillées. L'un d'eux a une mauvaise toux.
Molly et son compagnon sont différents. Molly, elle, ne paraît pas
plus apathique, pas plus sale que le mois précédent. Son sac en
platique a toujours la même taille. Elle ne s'est pas encore mise à

collecter les détritus, ou les reliques qui pourraient lui être utiles un jour ou l'autre. Elle a toujours une apparence respectable. Si la police s'approche, elle pourra encore dire qu'elle va quelque part, et on la croira. Il n'y aura plus de prison pour Molly Waterhouse. Ou pas encore. Du bas de l'escalier montent murmures, disputes et quintes de toux des autres, tapis dans le hangar, telle une colonie de rats. La lumière des grandes fenêtres éclaire les silhouettes des clochards, avec leurs bouteilles, leurs baluchons, leurs couvertures, leurs vieilles valises rafistolées. Des querelles parfois bruyantes, toujours insensées, explosent de temps à autre. La bagarre s'éteint et l'un des protagonistes hurle des mots dépourvus de sens.

— Je te dis que c'est ma sœur. C'est elle, la coupable. C'est pas moi, c'est ma sœur.

— Tu radotes, vieux schnock.

— Molly, dit l'homme à la veste bleu marine, je crois que je vais aller à Kilburn voir si un de mes amis est là. Tu viens avec moi ? Il a un appartement.

Molly refuse d'un signe de tête. Elle connaît l'histoire. Cela se finira dans la mauvaise banlieue, la mauvaise rue, à la recherche d'une adresse qui n'a jamais existé ou a été oubliée depuis longtemps. Ou alors, l'ami aura déménagé depuis des lustres. Le hangar fourmille de rêves de ce genre, d'amis bien placés ou de cousins accueillants. Les rêves compensent une enfance malheureuse, reconstruisent un passé peu enviable. La réalité n'existe plus, ou alors, elle est trop dure pour qu'on puisse la regarder en face.

L'homme en veste marine se lève et commence sa longue marche vers Kilburn, laissant Molly seule sur son escalier. A cause d'un état de fatigue permanent et de la malnutrition, elle ne se souvient plus très bien comment elle est arrivée ici. Elle dort rarement longtemps à la même place. A sa sortie de prison, son ballot de vêtements sous le bras, elle aurait pu retourner à Meakin Street, où Sid et Ivy l'attendaient. Ils avaient continué à payer le loyer pour elle, sacrifiant les économies pour la nouvelle maison. Ils lui avaient dit que quelqu'un lui avait trouvé un emploi de fonctionnaire, quelqu'un l'avait mystérieusement demandée, elle, personnellement, et non pas simplement un quelconque prisonnier libéré. Une place dans un musée. Et puis, si jamais elle ne voulait pas de cet emploi, Lady Allaun avait écrit pour dire qu'elle aimerait que Molly vienne à Framlingham aider Mme Gates qui se faisait trop vieille pour se charger seule de la maison.

Molly avait répondu qu'elle prendrait sa décision à sa sortie de prison. Elle nageait dans le brouillard la plupart du temps, mais elle avait néanmoins écrit qu'elle sortirait le 18 et non le 13, date réellement prévue. Elle pensait que cette erreur volontaire passerait inaperçue, même aux yeux du censeur le plus vigilant. Ce fut le cas. Quand Sid et Ivy vinrent la chercher, elle était déjà partie.

310

La liberté ! C'était ça qu'elle voulait, non ? La liberté. Elle prononce le mot à voix haute dans le hangar. En dessous d'elle, résonne un gros rire hystérique.

La vie continue. Molly dérive. Parfois, elle dort dans des foyers d'accueil, parmi les femmes, déracinées et agitées, qui gigotent toute la nuit ; parfois, elle s'abrite dans des maisons en ruines ; parfois, quand il fait beau, elle s'installe sur un coin d'herbe. Elle reçoit une pension de la Sécurité sociale, quelqu'un lui a fourni un certificat de naissance au nom de Maria Lane, née à Birmingham. Elle mange des œufs et des frites dans les cafés, ou se contente de sandwiches. Son apparence se détériore car elle ne peut se laver que dans les bains publics. Ses souliers sont fatigués à force d'avoir trop servi, ses vêtements sont crasseux, à force de dormir à la dure. Elle se promène avec quelques comparses, une fille en robe indienne, toujours pieds nus, et un homme plus âgé qui prétend être le père de la fille, ce qui est peu probable. Ils vont partout ensemble, boivent, avalent des pilules quand ils peuvent mettre la main dessus, font des projets pour la journée, se racontent longuement qui ils sont, qui ils ont été, qui ils deviendront, dans des récits bourrés de contradictions. Des grands cernes de fatigue creusent les joues de Molly. Elle a perdu un morceau de dent avant, en recevant une brique qu'un garçon jetait sur le groupe assis devant un grand feu sur un terrain vague.

Elle dérive ainsi tout au long de l'été 1966, dort très mal, se réveille à l'aube sur un carré d'herbe derrière un mur, sur un banc ou sur le sol nu, après un sommeil agité, sans cauchemars pourtant. Pendant le jour, à demi éveillée, elle entend discuter ses compagnons d'infortune : « Allez, file-nous une bouffée », ou bien : « Ce sagouin, il a filé pour Aberdeen. Tiens, regardez-moi celuilà ! Non mais, pour qui il se prend, je vous demande ! »

C'est à cette époque que mon père commença à perdre patience : « Nous avons essayé de lui trouver un travail, peine perdue ! Elle n'en fait qu'à sa tête. » Cela me rendait malheureux. C'est pire encore maintenant que je sais que la situation était plus désastreuse que je le pensais. C'est à moi que revint la tâche d'expliquer comment Mary avait refusé la place qu'on lui proposait pour disparaître dans la nature. En haut lieu, on en resta consterné. Pour dire la vérité, elle avait été plus ou moins oubliée. Cet incident la fit de nouveau passer au premier plan. En bref, j'avais accompli mon devoir, tel le fonctionnaire consciencieux d'un empire sur le déclin qui vérifie les effectifs d'un avant-poste lointain, sans savoir qu'il agit en pure perte. Personne ne prêtait attention à ma tâche laborieuse, qui avait été définie à un moment où cela semblait important. Le temps avait émoussé les passions, et, après un bref éclair d'inquiétude à la nouvelle de la disparition, tout le monde s'accorda à laisser tomber l'affaire et je me retrouvai avec la tristesse de celui qui voit le labeur de nombreuses années s'effondrer. Surveiller Molly n'était plus sous ma responsabilité. Pourtant, cela restait toujours une sorte d'obsession. J'étais fasciné. A l'époque, j'étais peiné pour elle, néanmoins, Molly m'exaspérait. Quoi qu'il en fût, j'avais toujours envie d'en savoir le plus possible sur elle. Mais là, toute trace était perdue. De toute évidence, elle avait fait une sorte de dépression nerveuse en prison. Après tout, quoi de plus normal ? En l'espace de quelques mois, elle avait vu la mort de son protecteur, Nedermann, avait essayé de reconstruire sa vie et d'échapper au terrible chef de gang qui la poursuivait. Et au moment où elle y était presque parvenue, elle avait vu ses efforts ruinés par une arrestation inattendue et un séjour en prison. Pas étonnant qu'après tous ces combats inutiles, la prison l'ait épuisée. A sa libération, elle avait sans doute cherché à fuir tout ce qu'elle connaissait. Le danger, c'était que les épreuves de la vie ne l'entraînent définitivement à des lieues de l'existence normale qu'elle voulait mener. Elle aurait pu se laisser sombrer, plus bas, toujours plus bas, jusqu'à mourir peut-être d'autonégligence. Pourtant, les pronostics étaient en sa faveur : jeune, intelligente et solide. Mais ce n'est parfois pas suffisant pour sauver un homme ou une femme. La malchance et les circonstances peuvent détruire de véritables forces de la nature.

Molly avalait son bol de soupe à la longue table du réfectoire peint en blanc et vert pisseux, en compagnie de clochards, vagabonds, chômeurs, et de quelques hippies aux yeux vides, en jean et chemise criarde.

Deux hommes, suivis de deux autres, entrèrent dans la pièce. Le premier, le pasteur de Saint Botoph, était le responsable du foyer d'accueil. L'homme de taille moyenne à ses côtés, portait un costume noir et une cravate rouge. Il avait l'air plein d'énergie. Ses yeux bleus et vifs firent rapidement le tour de la pièce, et virent ce qu'il fallait y voir.

Molly, assise entre une vieille à la chevelure grise en broussaille et un jeune garçon qui venait visiblement d'être mis à la porte par ses parents, ne remarqua pas la petite compagnie, qui cherchait à savoir dans quelle mesure la charité publique devait se substituer aux fonds gouvernementaux. A la table, peu de convives prirent la peine de lever les yeux. Deux mois auparavant, un homme avait trouvé la mort après être tombé dans l'escalier du foyer. Le médecin légiste avait conclu qu'il y avait eu meurtre. Le coupable ne pouvait être qu'un membre du personnel ou l'un des clochards hébergés. Les témoins s'étaient vite dispersés mais le défunt, on l'avait vite découvert, était moins coupé du reste du monde qu'il semblait. Il avait deux frères, dont un directeur de banque, et deux sœurs, toutes deux épouses de policiers, qui ne voulaient pas qu'on enterre l'affaire. L'arrivée du prêtre et de l'homme en costume noir signifiait sans doute de nouvelles questions, et personne ne voulait être mêlé à cette histoire.

Quand Molly finit par remarquer les intrus, elle continua à manger, mine de rien. Le pain dur lui faisait mal à sa dent cassée, mais elle mordait, ignorant la douleur.

L'homme en costume noir se déplaçait vite, et en un instant se trouva près de Molly, la main tendue.

— Bonjour, je m'appelle Joe Endell. Et vous ?

Molly mit un instant à comprendre qu'elle devait serrer cette main tendue. Elle avait depuis longtemps perdu l'habitude des présentations officielles.

— Mary Flanders.

— Vous venez souvent ici ?

— Assez, oui. Le sol n'est pas fameux, mais l'orchestre est splendide.

Les yeux de Joe Endell scintillèrent un moment, mais comme le temps lui manquait et qu'il avait trouvé quelqu'un à la réplique facile, il demanda simplement à voix basse :

— Ils ont fait des travaux ici, récemment ?

— Oh, un peu de nettoyage. Ils ont changé les couverts.

En quelques secondes, Molly semblait avoir quitté le brouillard de la pauvreté, de la fatigue, du désespoir dans lequel elle errait depuis des mois. Rémission spontanée ou simple conséquence de la lueur de vivacité du regard d'Endell ?

— C'est charmant ici. L'un des meilleurs hôtels de Londres. Il y a une drôle de pièce là-haut, dit-elle plus bas. C'est là qu'ils mettent les types qu'ils n'arrivent pas à maîtriser. Je ne crois pas que le pasteur soit au courant. La dernière porte, au troisième.

Elle s'étonnait elle-même de ses réponses. Ne voulant pas en dire plus, elle replongea le nez dans son assiette.

— Merci de votre collaboration, lui dit Endell.

Il s'éloigna pour parler à d'autres tandis que Molly prenait son pain et s'en allait. Elle le termina sous un grand arbre d'Hyde Park et s'endormit. Pendant ce temps, Endell harcelait de questions le personnel de l'asile, regardait dans chaque pièce, tandis que ses assistants, estimant en avoir assez vu, cherchaient à mettre fin à la corvée. Au troisième étage, comme il avait déjà visité tous les dortoirs et salles de bain, on ne put lui refuser l'autorisation de voir la petite pièce au fond du couloir. Le pasteur sembla surpris de trouver la porte verrouillée ; apparemment, la clé avait été perdue.

— Il doit bien y avoir quelqu'un qui sait forcer une serrure ici, suggéra insolemment Endell.

La clé réapparut aussitôt. La petite compagnie ébahie regarda les murs de béton mystérieusement tachés, le sol de carrelage, le sommier sans matelas. Tout sentait le désinfectant et le vomi. Pardessus tout ça, une odeur qu'on ne pouvait pas sentir mais qu'on détectait aisément, celle de la peur. Le pasteur se tourna vers l'un de ses subordonnés pour lui poser une question. Endell sortit son carnet de notes et y inscrivit quelque chose.

— A quoi sert cette pièce ? demanda-t-il.

— Je ne tarderai pas à le savoir, répondit le pasteur.

— Cela m'intéresserait de connaître la réponse.

Les compagnons d'Endell, qui comprenaient à présent le but de l'investigation, approuvèrent. Puis, la petite compagnie se sépara et Endell reprit à pied le chemin de la Chambre des communes. En route, l'image de Molly avec ses cheveux blonds emmêlés, ses yeux bleus cernés et sa dent cassée lui revint à l'esprit. « L'orchestre est splendide. » Il comprit ce qui la rendait si extraordinaire. Elle lui avait parlé comme à un égal. Dans ce genre d'endroit, comme en bien d'autres lieux, on s'adressait rarement à lui en termes familiers. C'est pour ça qu'il n'entendait pratiquement jamais parler des petites pièces au fond du couloir. Les gens l'avaient élu comme leur représentant, songea tristement Joseph Endell, député travailliste, en traversant le hall sinistre de la Chambre des communes, et, la moitié du temps, ils l'admiraient trop pour lui parler de choses qui, d'après eux, heurteraient ses oreilles. Si la jeune vagabonde ne lui avait rien dit, lui et ses assistants n'auraient pas deviné l'existence de cette chambre sinistre où le personnel faisait subir Dieu sait quel traitement aux êtres qu'ils y enfermaient.

Cependant, sous son arbre, Molly rêvait qu'Endell lui achetait des œufs à l'angle de Meakin Street. Puis ses songes se noyèrent dans la confusion des sans-abri, des déracinés, des brebis égarées.

Une semaine plus tard, Joe Endell quitta la Chambre des communes à minuit. En marchant le long de la Tamise dans la chaleur qui suit une journée torride, il aperçut une femme au pied d'une colonne dorique de Lambeth Bridge. En fait, on aurait pu croire qu'elle avait simplement glissé après être restée trop longtemps adossée à la colonne. « Un temps superbe pour aller à la campagne », pensait Molly, assise sur le trottoir. Peut-être finalement irait-elle à Framlingham. En fait, elle se leva et se dirigeait vers un carré d'herbe quand elle tomba nez à nez avec Joe Endell.

— Oh ! dit-il, et en véritable politicien, il se souvint de son nom : Mary Flanders.

Molly s'en voulait de lui avoir donné son vrai nom.

— J'ai oublié comment vous vous appelez.

— Endell, Joe Endell. Je vous invite à dîner ? offrit-il sur une impulsion.

Plus tard, il raconta à son associé, Sam Needham, qu'il voulait lui poser d'autres questions sur le fonctionnement des foyers populaires, sur la cuisine, les dortoirs et les commodités qui s'offraient aux sans-abri. Mais Sam éclata de rire.

Pourtant, Endell posa quelques questions à Molly tandis qu'ils remontaient Victoria Street, déserte sous la pleine lune.

— Ça fait longtemps que vous menez cette vie ?

— Depuis le printemps.

— Celui-ci ? demanda Endell, en pensant qu'elle n'avait pas encore connu les rigueurs du vagabondage en plein hiver.

— Oui, dit Molly. Et vous ? Qu'est-ce que vous faites ?

— Je suis député.

— Quelle circonscription ?

— Kilburn West.

Molly hésita. Ce secteur incluait Meakin Street. Elle ne voulait pas penser à Sid, à Ivy ni même à sa fille, et si elle avait parlé de sa situation à Endell, il aurait essayé de la remettre sur le droit chemin. Elle était sans doute sous sa responsabilité. En fait, il devait même connaître Jack. Endell remarqua le silence et le combla.

— Je suis au parti travailliste. Je fais aussi du journalisme. Je viens du Yorkshire.

— Alors, les travaillistes ont gagné ? demanda vaguement Molly.

— Oui. Là, ça ira ? dit-il en la conduisant dans un bar d'une rue transversale.

Ils s'installèrent devant une table de Formica.

— C'est gentil de votre part, dit Molly.

— Vous m'avez rendu service. Si vous ne m'aviez rien dit sur la chambre du haut, je ne l'aurais sûrement pas vue. Il y avait des indices dans certains des rapports que j'ai épluchés, mais il fallait que je me rende compte par moi-même. C'est épouvantable.

— Saucisses frites, demanda Molly au serveur qui s'approchait en tablier blanc maculé de taches. Et une tasse de thé.

A une table toute proche, des jeunes gens fort bruyants allèrent mettre des pièces dans le juke-box. La musique des Rolling Stones emplit la salle étouffante.

— Nous veillerons à ce que ce genre de choses ne se reproduise pas.

— Tant mieux.

A travers son brouillard Molly était vaguement consiente d'un homme en face d'elle qui ne demandait rien. Dans la vie qu'elle menait à présent, pratiquement tout le monde voulait quelque chose, une cigarette, une paire de chaussures, quelques sous. Elle était certaine qu'il ne voulait pas non plus ce que les hommes veulent généralement des femmes. Elle était sale et fatiguée, elle portait de vieilles sandales et un manteau râpé. Elle avait un béret brun sur la tête, et pour compléter le tableau, une dent cassée.

Beau déguisement ! Elle avait renoncé à la féminité, peut-être parce que sa condition de femme l'avait trop fait souffrir.

Endell, d'une politesse naturelle, ne lui posa aucune question sur ce qui l'avait amenée à sa situation actuelle, mais il lui parla beaucoup de lui-même.

– J'ai eu de la chance. On ne pouvait pas me donner de circonscription au Nord, alors, on m'a délégué à Londres. J'y habite maintenant habite. J'ai beaucoup à apprendre sur la ville et sur les gens. Je ne m'en tirerais pas sans mon associé. Lui, il est né ici, il connaît tout et tout le monde. Mes parents vivent toujours dans le Nord. Mon père est médecin et ma mère professeur. J'ai un frère et une sœur. Et vous, vous avez des frères et sœurs ?

Il avait donné toutes ces informations d'une voix neutre avec un léger accent du Yorkshire. Molly, qui profitait de cette pause, l'esprit toujours confus à cause du manque de sommeil et de nourriture, comprenait à peine ce qu'il lui disait. Pourtant, elle s'aperçut que la voix d'Endell n'avait ni le caractère morose de ceux avec qui elle parlait ces derniers temps, ni l'impatience des fonctionnaires à qui elle devait parfois avoir affaire.

– J'ai un frère et une sœur aussi.

– Une autre tasse de thé ?

– Je préférerais un café.

Il se dirigea vers le comptoir. Soudain, Molly devint soupçonneuse. Et si c'était une sorte de pervers qui ramassait les épaves dans la rue ? Cela arrivait qu'on attire des clochards, hommes ou femmes, dans un terrain vague pour les tuer. C'était peut-être un assassin. Endell revint avec deux cafés.

– Ça va mieux. J'ai un peu trop bu au bar tout à l'heure. C'est un hasard si je vous ai rencontrée.

– C'est facile de se couper des gens dont vous êtes censé vous occuper.

– Vous avez raison. Et vous ? Où allez-vous maintenant ? Vous avez des projets ?

– Moi ? Non. Je cherche simplement à éviter les ennuis.

Inutile de lui expliquer. Elle en avait vu des vertes et des pas mûres, et elle ne trouvait pas les mots pour en parler. Et puis, elle n'en avait pas envie. Elle était sortie de là et elle en était heureuse. Elle se sentait plus ou moins en colère contre Endell qui de toute façon ne comprendrait pas. Il essayerait peut-être de la replonger dans le monde qu'elle fuyait.

En fait, il essayait déjà. Pour éviter son regard et son expression amicale, Molly se leva.

– Merci pour la bouffe.

Si c'était effectivement un assassin, mieux valait partir tout de suite.

– Je vais peut-être aller dans le Kent, j'ai des amis là-bas, dit-elle avant de le quitter.

316

Il lui fit un signe de tête grave.

— Alors, votre petite amie est partie ? dit gaiement l'homme au tablier maculé. Vous feriez mieux de courir après, elle pourrait s'en trouver un autre.

— Vous l'aviez déjà vue ?

— Non, pas ici, dit-il en retournant à ses tasses.

Les mois passaient. Septembre fut assez doux, mais en octobre, le trottoir commença à refroidir sous les pieds de Molly. Dormir signifiait surtout se faufiler sous des sacs et des couvertures et se réveiller transie de froid. Puis il se mit à pleuvoir. Molly était obligée de se trouver un foyer tous les soirs, et cela coûtait cher. Par un matin de novembre glacé, une idée lui vint à l'esprit et, sans plus attendre, elle quitta son refuge pour se rendre à la Chambre des communes. Quand Endell entra dans le grand hall, il sembla très choqué de la voir ici. Son état s'était détérioré depuis la dernière fois qu'il l'avait vue. Elle avait le visage crasseux, les jambes grisâtres, un pan de son vieux manteau se décousait. Il s'assit à côté d'elle sur un banc sous le regard circonspect d'un policier.

— J'ai besoin de vingt livres. Je ne peux pas retourner chez moi dans cet état. Ma mère en mourrait de me voir comme ça. J'ai une petite fille, enfin elle est grande maintenant, je ne peux pas continuer à vivre ainsi. Il fait froid, il pleut. J'ai envie de changer de vie et de m'occuper de ma fille. Et j'en ai les moyens, vous savez. J'ai encore un gros diamant dans une banque à Brighton. Des milliers de livres au bas mot. Si seulement j'avais de quoi me payer le voyage. Et puis, ils ne croiront jamais que c'est à moi, si j'arrive comme ça. Il faut que je m'achète un manteau et des chaussures. Je ne peux pas retourner chez moi, je n'ai personne vers qui me tourner...

En honnête citoyen, Endell, horrifié de voir une scène aussi lamentable se produire en public, et à la Chambre des communes en plus, regrettait d'avoir exprimé son amitié à cette pauvre clocharde.

— Ecoutez, dit-il d'une voix ferme, je ne suis pas né de la dernière pluie. Je ne vais pas vous donner vingt livres pour une histoire qui ne tient pas debout.

Se rendant soudain compte qu'elle se trouvait dans un lieu public avec un homme qui avait des relations dans le monde extérieur, Molly se tourna vers lui.

— C'est la vérité. Je peux téléphoner à la banque, vous pourrez leur parler. Et puis, ma famille habite au 19, Meakin Street, ça fait partie de votre circonscription. Vous devez vous occuper de moi. Je m'appelle Flanders, née Waterhouse. Vérifiez, vous verrez bien que je n'ai pas menti.

Endell pensa que cela pouvait bien être une autre astuce classique d'une mendiante à l'esprit vif. Pourtant, il décida de lui faire un peu confiance.

317

– Bon, très bien. Inutile de téléphoner à la banque, ils ne me donneraient pas ce genre d'information par téléphone. Mais si votre famille fait effectivement partie de ma circonscription, je suis prêt à vous aider. Je vais vous donner du papier à lettre et un timbre et vous écrirez à la banque pour avoir confirmation de ce que vous avancez. Quand vous l'aurez, envoyez-la moi ici, à mon nom. Et je vérifierai...

– Oh, donnez-moi donc l'argent, dit Molly impatiemment, et je jure devant Dieu que je ne vous ennuyerai plus.

– Vous savez aussi bien que moi que cette histoire est étrange. Je dois vérifier, et je n'y manquerai pas. Alors, voici quelques shillings pour le papier et le timbre...

Molly se mit à pleurer.

– Je ne sais pas ce que je vais devenir... Je n'ai personne à qui m'adresser.

Endell, devinant le mensonge, répondit :

– Taisez-vous, ne vous laissez pas abattre. Prenez cet argent, écrivez, et revenez me voir la semaine prochaine.

Soudain aussi amère que la tombe, Molly se leva, ignorant l'argent, et partit.

Devant ce geste, Endell commença à croire qu'elle disait la vérité, mais quand il vérifia les listes électorales, il ne trouva ni Waterhouse, ni Flanders.

– Tu as bien failli te faire avoir, mon cher, se dit-il.

Molly commença son errance au moment où les autres démunis cherchaient le réconfort des villes. En sortant de la Chambre des communes, elle traversa immédiatement le pont le plus proche et emprunta la route du sud, vers la côte.

Ses deux sacs plastique à la main, elle traversa les bas quartiers de Londres, longea les banlieues aisées avec leurs belles pelouses. Dans l'après-midi, alors que la nuit tombait déjà, elle atteignit une grande route bordée d'arbres. Elle aurait pu faire de l'auto-stop et monter dans l'un des camions qui passaient devant elle, mais une sorte d'obstination la faisait avancer sans s'arrêter. Elle ne s'endormit dans une grange que lorsqu'elle sentit qu'elle allait tomber si elle faisait un pas de plus. Elle s'éveilla à l'aube au chant du coq et reprit sa marche. Plus tard dans la matinée, elle acheta des pains au lait dans une boulangerie. Elle passa la nuit suivante dans un grand parc de la banlieue de Brighton. Il pleuvait. A l'ouverture de la banque, trempée, crasseuse, elle était déjà assise sur les marches du palier. A contrecœur, le caissier appela le directeur lorsqu'elle expliqua ce qu'elle voulait. Il ne lui restait que le papier qu'on lui avait remis à sa sortie de prison pour prouver son identité, néanmoins, le directeur l'écouta, lui demanda quelques exemplaires de sa signature et lui conseilla de revenir dans l'après-midi.

Assise sur la plage, face aux vagues glacées, Molly se souvenait du jour, deux ans auparavant, où elle avait déposé la bague à la banque. C'était avant que le couple Arnie Rose-Johnnie Bridges ne la conduise en prison. Elle aurait dû craindre de ne pas récupérer sa bague, pourtant, elle avait confiance.

— Tout a l'air d'être en ordre, lui dit le directeur quand elle revint. D'ailleurs, ajouta-t-il en lui remettant des papiers à signer, je vous reconnais. Je n'oublie jamais un visage.

— J'ai beaucoup changé, dit Molly.

— Oui, mais cela ne m'empêche pas de vous reconnaître, je suis très physionomiste.

Molly prit sa bague et se précipita chez un bijoutier pour la vendre. Après un coup de téléphone à la banque, il lui en proposa trois mille livres. Elle prit une partie en liquide et accepta un chèque pour le reste. En longeant le bord de mer, elle jeta ses deux sacs dans le caniveau. Elle courut un moment, puis se retourna et regarda les guenilles, les vieux journaux, la brosse à cheveux édentée sur le bord du trottoir. Elle acheta un jean, un pull et un manteau, du savon, du shampooing, une brosse à dents, et malgré quelques difficultés et en payant à l'avance, elle réserva une chambre d'hôtel. Le lendemain, elle retourna à Meakin Street, pour aller rejoindre Sid, Ivy et Joséphine.

Dans son bureau de la Chambre des communes, Joe Endell recevait un choc.

— Waterhouse ? Bien sûr que je les connais, lui dit son associé. Jack, le fils de Sid, travaille sur les docks, c'est un personnage important du syndicat. Je ne sais vraiment pas pourquoi les Waterhouse ne sont pas sur les listes, ils ont dû déménager. (Il prit un registre électoral sur une étagère.) Une des filles a mal tourné, Mary, je crois. Ah, voilà, il y a trois ans. Sid et Ivy Waterhouse, 19, Meakin Street, et au numéro 4, Flanders, Mary. Oh, mais bon sang, c'est ça. Mary Flanders. Son mari a été pendu pour meurtre. Il a zigouillé un gardien de nuit au cours d'un cambriolage. Pas de casier, mais le juge a voulu faire un exemple. Et sa femme, c'était la fille de Sid et Ivy. Elle a eu un gosse juste après la condamnation de son mari. Et ensuite, elle s'est attiré des ennuis.

— Oh, mon Dieu ! s'exclama Endell. Je l'ai fichue dehors. Je ferais mieux d'essayer de la retrouver.

— N'en fais rien, dit Sam fermement. Et ne te reproche rien, surtout. Tu ne peux pas distribuer ton argent à tous les clodos qui viennent te trouver. Remarque, elle était mignonne. Un vrai visage d'ange. Elle a dû changer maintenant.

— Plutôt.

— Eh bien, autant te débarrasser de cet air songeur, Joe Endell, cette fille n'attire que des ennuis. Après la mort de son mari, elle s'est laissé entraîner dans je ne sais quoi. Elle a travaillé dans un club de jeu. La seule chose dont je sois sûr, c'est qu'Arnie et Norman Rose étaient dans le coup. C'est Ivy qui a dû s'occuper de la petite pendant tout ce temps. Et finalement, elle s'est acoquinée avec cet horrible escroc, Nedermann. Tu sais, celui qui est derrière la moitié des maisons de la circonscription, bien qu'il soit mort depuis deux ans. Et la femme pour laquelle tu te fais tant de souci, elle a mené la grande vie, grâce à ses taudis et ses bordels. C'est de là qu'elle tient ses bijoux. Alors, ne t'occupe pas d'elle, garde ta générosité pour ceux qui en ont vraiment besoin.

— Bon, d'accord, Sam.

— Je dois reconnaître que c'est une petite maligne, elle est bien capable d'être couverte de crasse et de vermine et d'avoir encore tous ses bijoux dans son sac de plastique.

— Sam, j'avais pitié d'elle.

— J'espère que ça en est resté là. Tu devrais te marier, Joe, comme ça, tu aurais assez de tes propres soucis.

— J'ai déjà été marié, répondit Endell. Bon, nous pourrions peut-être aller revoir ces ateliers de couture de Treadwell Street ?

Pourtant, ce soir-là, en dînant avec sa fiancée, Harriet Summers, il ne put s'empêcher de lui parler de Molly.

— Elle est dans une situation désespérée. Elle ne sait pas quoi faire. Elle était peut-être sur le point de se réhabiliter, et c'est moi qui l'en aurait empêchée.

Harriet, comme Sam Needham, lui répondit qu'il n'avait pas de souci à se faire. Elle ajouta perfidement que les femmes dans le genre de Molly Flanders savaient toujours très bien s'en tirer toutes seules. Mais, comme Sam, elle eut des soupçons sur ce qui sous-tendait l'inquiétude d'Endell. Le lendemain, au *Daily Mirror*, où elle travaillait, elle fouilla dans les archives. Les informations obtenues ainsi que les souvenirs des autres journalistes lui permirent de se faire une idée assez précise de Molly Flanders. Elle n'expliqua à personne pourquoi elle s'intéressait à ce sujet, de peur qu'une plume audacieuse décidât avant l'heure que cette héroïne de la pègre réduite au vagabondage fournissait un matériel affriolant pour un bon article. Et comme elle n'était pas stupide, elle n'en parla pas non plus à Joe Endell.

Cependant, Molly, après avoir trouvé à Brighton un dentiste qui avait accepté de réparer rapidement sa dent brisée, était en chemin pour Meakin Street, propre et parfaitement respectable.

Dans l'après-midi, elle frappa à la porte du 19. Elle s'étonna déjà en arrivant devant la maison. Le heurtoir en forme de poisson et la peinture marron ne ressemblaient guère à Sid et Ivy. Pas plus que les pots de lierre rampant sur le rebord de la fenêtre. Le statut de Meakin Street grimpait dans la hiérarchie.

Une femme en jean lui ouvrit la porte, un bébé dans les bras. Derrière elle, on voyait un tricycle rouge rutilant dans le couloir. Elle regarda Molly, qui devait encore sentir l'odeur de la rue, d'un air méfiant.

— Waterhouse ? Oui, bien sûr, Mme Waterhouse nous a laissé son adresse. Elle a même beaucoup insisté. Où l'ai-je mise, déjà ? Attendez.

La femme revint bientôt et lut à voix haute : « 20, Abbot's Close, Beckenham. »

— Merci, dit Molly en souriant.

Ivy avait enfin réalisé son rêve. Les Waterhouse de la rue sordide étaient devenus les Waterhouse de la banlieue. Soudain, Molly vit deux grandes voitures noires garées devant le numéro 4, son ancienne demeure. Quelques personnes en sortirent et s'installèrent dans les véhicules. Un grand garçon en costume sombre regardait fixement la maison.

— George ! George ! s'écria Molly.

Le visage pâle, les traits tirés, un grand dadet d'adolescent la regarda.

— Oh, mon pauvre George, dit Molly en comprenant soudain que les deux voitures devaient être celles des pompes funèbres pour l'enterrement de Lil Messiter.

— Molly ! Molly, que fais-tu ici ?

C'était une fille grande et mince en tailleur gris et chaussures bien cirées qui avait parlé, Cissie, la fille de Lil.

— Je ne faisais que passer. C'est... ?

— Hum hum. Pneumonie. Un rhume mal soigné qui a traîné trop longtemps. Nous venons de l'enterrer. Entre donc.

Molly accepta. Elle passa le bras autour de l'épaule de George et le conduisit à l'intérieur.

Il y avait deux bambins dans le hall. Au salon, son ancien divan, sa moquette bleue, ses rideaux autrefois immaculés, tout était sale et taché.

— Je n'ai pas pu faire grand-chose. J'étais en conférence quand c'est arrivé. Je ne voulais pas de grande cérémonie, juste la famille...

Il n'y avait que trois adultes dans la pièce.

— C'est bizarre que tu sois passée juste à ce moment-là, dit Cissie en lui tendant un verre de whisky. Je dois retourner à la cuisine, j'ai préparé quelques sandwiches et un gâteau, mais je n'ai sûrement pas fait comme il fallait, ajouta-t-elle assez violemment.

— Je vais te donner un coup de main, dit Molly.

Ron, le beau-frère de Cissie, se leva également et alla se servir un whisky. Les deux enfants grimpèrent bruyamment l'escalier.

— Quels fainéants, grommela Cissie dans la cuisine. Ils m'ont tout laissé sur les épaules. Pauvre maman, Phil et Artie n'ont même pas pu venir. Phil, on peut compter sur lui, mais il est en route pour la Nouvelle-Zélande. Artie travaille loin d'ici, lui aussi, dit-elle en reniflant. Elle n'a pas eu une vie très heureuse.

— Je sais. Je ne comprends pas pourquoi papa et maman ne sont pas là. Tu ne leur as pas dit ?

— Ton père a la grippe. Tu ne le savais pas ?

— Je n'étais pas là...

— Je croyais...

— Non, ce n'est pas ce que tu penses. J'ai été libérée il y a plusieurs mois. Mais ça marche bien pour toi. Des conférences et tout ça...

— Oui, j'ai évité ce que ma mère a connu.

Pourtant, elle ne paraissait pas heureuse. Pas en ce moment. Elle avait organisé sa vie pour échapper au destin de sa mère, et maintenant, on ne pouvait plus rien pour celle qui avait tant souffert. Molly suivit Cissie qui apportait les sandwiches au salon.

Plus tard, elles se retrouvèrent dans la cuisine. Molly lava une cruche qu'elle remplit d'eau. Les autres, qui avaient déjà à moitié vidé la bouteille de whisky, parlaient de la défunte.

— Elle aurait dû lui faire face, dit la sœur de Ron d'une voix brouillée.

— Ce n'était pas si facile à l'époque, répondit le beau-frère barbu.

— Quand j'étais petite, raconta la sœur de Cissie, la nuit, quand je les entendais, j'avais envie de le tuer.

— Au fait, j'ai oublié de te demander, dit Molly, comment se fait-il que ta mère se soit installée ici ?

— Oh, Soames, son propriétaire, est mort. Les héritiers voulaient revendre la maison, mais avec ma mère, tout était dans un tel état qu'ils ont voulu intervenir avant que le pire se produise. Alors, ils lui ont proposé de s'installer ici, ils ont tout refait dans l'ancienne maison et ils l'ont vendue. C'est un producteur de télévision qui y habite maintenant.

— Pas possible, s'exclama Molly, impressionnée.

— A Meakin Street ! Et nous qui traitions Fainlight de snob parce qu'il travaillait dans un bureau !

De retour au salon, Molly s'installa à côté de Cissie. Ron avait passé un bras autour de l'épaule de sa sœur, une jeune fille pâlotte et agitée. Elle avait sans doute fumé. Edna, la sœur de Cissie, la regardait sévèrement. George, le fils cadet de Lil, lisait un magazine dans un coin avec une bicyclette désossée en couverture.

— Et George, que va-t-il devenir ? demanda Molly à Cissie.

— Il va aller vivre à Wimbledon avec Ron et Edna. Une chance qu'ils aient une chambre libre. C'est la seule solution. Je passe tout mon temps à l'hôpital. Mais le problème, ajouta Cissie à voix basse, c'est qu'à l'école on voulait le mettre dans une section mécanique, et que là-bas, il faudra qu'il change d'orientation. Il est doué pour la mécanique !

— Quel dommage, dit Molly.

— Et toi ? Où vis-tu ? Ce ne doit pas être une mince affaire de sortir de prison !

— Eh bien, je vois que les vieux amis ne mâchent toujours pas leurs mots. Moi, je suis nulle part. J'ai traîné ma bosse sous les ponts. Je me suis complètement effondrée en prison. Je crois que je vais reprendre le cours de secrétariat que j'avais commencé.

— Tu trouveras une bonne place.

— Hum hum. Je viens de vendre une bague que m'avait laissée Nedermann, tu sais, le type dans l'immobilier, dit naïvement Molly. Ça paiera le loyer. Quand j'aurai fini mon cours, je placerai ce qui restera.

Ron fut pris d'un éclat de rire. L'air gêné, sa sœur regardait la tache que venait de faire son whisky renversé.

— Il vaudrait mieux que je m'en aille, dit Molly.

— Bois un autre verre, j'ai à te parler.

Molly, qui avait toujours connu Cissie comme une enfant résolue et énergique, comprit d'instinct qu'elle avait pris une décision. A ce moment, Edna, la sœur de Cissie, vint s'asseoir à côté d'elle.

— Molly, c'est ça ? dit-elle d'une voix pointue. Cela fait des années que je ne t'avais pas vue, mais j'ai beaucoup entendu parler de toi.

— Cela ne m'étonne pas, dit Molly qui savait qu'Edna avait dû se délecter des ragots et des rumeurs de scandale.

— Non, rien d'étonnant. Tout le monde dit que quand Mary Waterhouse est dans les parages, il se passe toujours quelque chose.

Consciente de l'agressivité sous-jacente, Molly changea de sujet :

— Je crois savoir que George va aller habiter avec vous ?

— Oui, Ronnie est très gentil. Il dit qu'après tout, la famille, il n'y a que ça qui compte.

Pourtant, Edna n'avait guère l'air de se réjouir de la situation. Le pauvre George allait échanger la vie à Meakin Street avec son épave de mère, contre ce qui semblait être le foyer froid et peu cordial de sa sœur. Le garçon, penché sur son livre, semblait avoir grandi trop vite, et paraissait incapable d'endurer plus que ce qu'il avait déjà souffert.

— Molly, viens avec moi à la cuisine, j'aimerais te parler, dit Cissie sans la moindre cérémonie.

Sa sœur la regarda d'un air méprisant.

— Qu'est-ce qui te trotte par la tête ? demanda Molly à la cuisine.

— Eh bien voilà. Edna est une petite garce, tu as bien vu. Et son

323

mari, il est borné, et en plus de cela, je le crois violent. Il bat sûrement Edna.

Pour un instant, Cissie sembla perdre sa fermeté.

— Je crois qu'elle n'a pas bien supporté son enfance, comme tout le monde d'ailleurs. Enfin, peu importe. Mais je ne peux pas prendre George, et mes frères non plus, pourtant, nous sommes les seuls qui pourrions l'aider. Voilà ce que je te demande : si tu venais revivre ici, tu accepterais de le prendre comme locataire ? Comme ça, il pourrait entrer dans sa section de mécanique ?

— Ben..., dit Molly, le problème, ce sera de coucher tout le monde quand Joséphine sera là. Il n'y a que deux chambres.

— George dormira dans le salon s'il le faut. J'achèterai un convertible. Et puis, je pourrais te verser une pension pour que tu t'occupes de lui. Je paierai ses vêtements. Je ne veux pas que tu croies que je te demande de l'entretenir. Mais je veux qu'on prenne soin de lui. Il a eu une enfance difficile. Je ne veux pas qu'il aille chez Edna pour se faire tabasser par Ron. Et puis, je ne voudrais pas qu'il rate la chance d'entrer dans cette section. Tu verras, il est surprenant. Il peut réparer absolument tout et n'importe quoi.

— Effectivement, j'ai besoin de vivre quelque part.

— Essaie, c'est tout ce que je te demande, supplia Cissie avec tout le désespoir de l'aînée d'une famille branlante. Je fais des économies pour acheter une maison, et j'essaie de changer de travail, alors je ne suis pas disponible pour l'instant, mais cela ne durera pas longtemps. Tout ce que je veux, c'est que George continue ses cours en attendant que je le prenne avec moi... Le problème, dit-elle, semblant soudain très lasse, c'est que je ne suis pas d'accord avec tout ce que tu as fait. Enfin, tu essaies de t'en sortir, et puis, toi, tu as bon cœur. J'ai confiance en toi. Sinon, George s'en ira comme un pauvre chien perdu, et Dieu sait ce qui va lui arriver. Le bail est à mon nom ici, ils auront du mal à te faire partir, surtout si George est avec toi.

— Affaire conclue, dit Molly.

— Ouf ! s'exclama Cissie, en buvant dans le verre qu'elle avait servi à Molly. Ça me soulage d'un gros poids.

Molly sourit.

— Alors, me voilà de retour, dit-elle en regardant tout autour d'elle. Ma bonne vieille cuisinière, mon vieil évier...

— Pour le loyer..., commença Cissie.

— Est-ce que tu peux t'occuper de George jusqu'à temps que j'ai vu Sid et Ivy et que j'ai tout arrangé ? interrompit Molly. Disons que je te téléphone demain soir.

— D'accord.

— Bon, eh bien, je te laisse annoncer la nouvelle à ta charmante famille, dit Molly en disparaissant déjà.

Finalement, la décision de retourner à Meakin Street semblait clarifier les pensées de Mary. Elle avait effectivement été une piètre fille pour ses parents, et une mère indigne. Elle s'était laissé piéger par Johnnie Bridges. A présent, il fallait qu'elle ait la décence d'essayer de se reprendre. Néanmoins, pour elle, c'en était fini de la honte et des sentiments de culpabilité. Sid et Ivy n'apprécieraient peut-être pas de la voir revenir ainsi, mais elle se montrerait directe, elle offrirait un foyer à sa fille, et, si elle était trop mal reçue, elle s'en irait comme elle était venue.

Pourtant, en remontant Abbot's Street, elle ne put s'empêcher de sourire. Avec ses arbres soigneusement plantés dans des terrepleins au milieu de la rue, ses jolies maisonnettes aux jardinets bien entretenus, la banlieue incarnait tout ce dont Ivy avait toujours rêvé. Durant les longues années passées à Meakin Street, où les fenêtres battaient sans cesse, où l'on pouvait passer la main dans les craquelures des murs, Ivy ne cessait de parler de la maison idéale, en une litanie obsessionnelle. « Non, il n'y a rien de mieux que d'être vraiment chez soi. Regardez-moi cette baraque ! Elle tombe en ruines. Moi, ce que je voudrais, c'est une maison à moi, avec une cuisine claire et moderne, facile à entretenir. Et un petit jardin. J'ai besoin d'air pur. J'en ai assez de cette atmosphère sordide. On vieillit avant l'âge ici. J'ai déjà gâché la moitié de ma vie, et ça n'a pas été tout rose, c'est moi qui vous le dis. »

Le numéro 20 était légèrement détaché des autres maisons. Des chrysanthèmes fleurissaient sur la pelouse, et les rosiers avaient été soigneusement taillés. Un peu anxieuse, mais pourtant ravie à l'idée de revoir sa fille et ses parents, Molly sonna à la porte. La sonnette reproduisait le son de Big Ben.

Ivy vint répondre en tailleur marine. Elle avait été chez le coiffeur. Elle eut un mouvement de recul et porta la main à son cœur.

– Mary ! Oh, Mary !

Molly avança et la prit dans ses bras. Sa décision d'affronter directement sa famille et de les laisser l'accepter ou la refuser fut immédiatement ébranlée.

– Oh, maman, gémit-elle. Excuse-moi, j'aurais dû revenir plus tôt.

– Nous étions fous d'inquiétude. Sid, Josie, regardez qui vient nous voir ! Vite, dépêchez-vous ! Tu aurais quand même pu nous envoyer un mot, dit-elle à Molly. Toute cette attente, ça a été affreux pour nous.

– Je n'étais plus moi-même, répondit Molly en reniflant.

En larmes, incapable de bouger, Sid se tenait immobile devant la porte du salon. Une fillette rondouillette aux boucles brunes se précipita devant lui.

— Maman ! Maman ! cria-t-elle.

— Pardonne-moi de t'avoir négligée si longtemps.

— Ça ne fait rien, maintenant tu es de retour, dit Josie en l'embrassant.

Sid essuya ses larmes du revers de sa manche et se mit à crier :

— Il paraît que tu as couché sous les ponts. On te croyait morte. A quel jeu joues-tu ?

— J'ai apporté une bouteille de champagne pour fêter mon retour. Et du whisky aussi. Vous ne voulez pas me laisser entrer ?

— J'ai bien envie de te flanquer à la porte, dit Sid en colère.

Molly croyait assez peu à ses paroles, et sa fille confirma ses soupçons.

— Ne fais pas attention, maman.

— Je sais.

Molly passa devant Sid et l'embrassa sur la joue. Dans le salon, autour du tapis, trônaient un divan et deux fauteuils tapissés d'un tissu à motif floral. Un feu électrique, imitation d'un âtre véritable, brûlait dans la fausse cheminée. Immédiatement, Molly fit sauter le bouchon de champagne.

— Mon tapis ! gémit Ivy.

— Bienvenue à la maison ! dit Sid en levant son verre.

— Moi, j'ai toujours su que tu étais vivante, déclara Joséphine. Hein, c'est vrai, Ivy ?

— Oui, c'est vrai.

— C'est joli, dit Molly en regardant tout autour d'elle. Nettement mieux que Meakin Street.

— Josie ne s'y plaît pas. C'est à peine croyable, elle préfère les quartiers sordides.

— Je suis en pension, maintenant, j'ai obtenu une bourse de mérite. Je ne reviens que pour le week-end et les vacances.

— C'est très bien, dit Molly, impressionnée. Tu t'y plais ?

— Oh, oui ! C'est fantastique, il y a même des chevaux !

— Des chevaux ?

— Et ce n'est qu'à dix kilomètres de Framlingham, compléta Ivy. Un jour elle s'est sauvée et elle est tombée sur Mme Gates. Mais elle l'a obligée à retourner tout de suite à l'école.

— Elle a bien fait.

— Bien..., interrompit Sid. Où étais-tu passée ? Et qu'est-ce que tu vas faire maintenant ? C'est là la question.

— C'est vrai, j'ai mené une vie de clocharde pendant un moment. J'avais déjà eu plus de problèmes qu'il n'en fallait, alors, la prison, ça a été le coup final. Quand j'ai été libérée, je n'ai pas osé me représenter devant vous. Je n'arrivais pas à prendre de décision. Drôles de vacances, mais...

326

— Un moment de crise, plutôt, remarqua Joséphine. Il fallait que tu fasses le point.

— Eh bien, tu donnes dans la psychologie en plus de l'équitation ?

— Je n'ai plus le droit de dire ce que je pense ?

— Je ne connais personne qui ait pu empêcher un Waterhouse de s'exprimer. J'ai bien essayé, mais je n'y suis pas arrivée non plus, dit Ivy. Tiens, à propos, Jack va se porter candidat.

— Pour quoi ?

— Le Parlement, bien sûr, dit Sid.

— Waouh ! On dirait que toute la famille se fait une place dans le monde, dit Molly, repensant soudain aux yeux bleus de Joe Endell. Voilà, moi, j'ai décidé de retourner à Meakin Street.

Elle leur parla de sa discussion avec Cissie après l'enterrement de Lil Messiter. Elle annonça également son intention de reprendre ses cours de secrétariat.

— Je ne vois pas pourquoi Josie ne viendrait pas avec moi un week-end sur deux. George pourra dormir sur le divan, ça fera un camarade pour Josie.

— Il est comment ? demanda Joséphine.

— Oh, assez déprimé. Il a eu une vie difficile, et maintenant sa mère est morte. Tu auras de la chance si tu arrives à le dérider. Mais il est très intelligent. Il pourra te donner un coup de main en maths.

— Je me débrouille très bien toute seule, affirma Josie.

— Tiens, sers-nous donc un whisky, dit Sid en tendant son verre. Mais je me demande si c'est raisonnable de parler de tout ça devant Joséphine.

— Elle est un peu grande pour qu'on la renvoie jouer dehors. Et puis, autant qu'elle soit au courant. Elle n'a pas été élevée dans du coton, que je sache. Je comprends ce que vous voulez dire, c'est que ça paraît tout beau tout nouveau, mais que vous ne me faites pas confiance et que vous ne voulez pas envoyer Joséphine dans une maison pleine de bandits. Mais ça, c'est fini, complètement fini.

— Ce qui ne me plaît pas, c'est la lueur de malice dans les yeux de Josie quand elle parle de tout ça. Les filles sont toutes un peu fofolles de nos jours. Je n'ai pas envie de la voir se laisser embarquer dans des aventures idiotes au lieu de passer ses examens.

— Je suis sûre qu'elle sera raisonnable. Bien sûr, si vous pensez que je ne mérite pas d'avoir ma fille...

— Ça, c'est à toi d'en décider, répondit perfidement Ivy.

— Un bon travail, c'est tout ce qu'il te faut.

— Je crois que c'est effectivement la seule solution.

— Je ne peux pas dire que ça m'enchante de te voir retourner à Meakin Street. Tu ne pourrais pas te trouver un petit appartement ailleurs ?

– Le loyer n'est pas cher, répondit Molly d'un ton neutre. Et puis, ces vieilles maisons ne manquent pas de charme.

– Ni de fuites dans le toit, de portes mal jointes et de fenêtres branlantes. Tout tombe en ruines.

– En fait, à moi aussi, ça me manque, remarqua Sid.

– C'est le pub qui te manque. Ce n'est pas toi qui devais déboucher les toilettes ni préparer à manger dans cette cuisine délabrée. Cette rue, c'est l'enfer pour les femmes. Regarde cette pauvre Lil Messiter, elle en est morte. Ne me parlez plus jamais de Meakin Street. C'est un vrai cauchemar.

– Eh bien, papa, tu pourras accompagner Josie et tu en profiteras pour passer au pub. Bon, je ferais mieux de partir maintenant, dit Molly en se levant. Je dois téléphoner à Cissie ce soir, et je m'installerai sans doute dès demain. La maison est plutôt en mauvais état, d'après ce que j'en ai vu.

En retournant à la station de métro, elle se sentit soulagée que les retrouvailles avec ses parents ne se soient pas plus mal passées.

« Un Noël tranquille en perspective à Meakin Street, pensa-t-elle dans l'obscurité de novembre. Après les cellules, les ponts et les hangars, cela aurait pu être pire, bien pire. »

1967

Effectivement, cela aurait pu être pire. Pour les fêtes de Noël, les Waterhouse s'entassèrent dans la maison de Jack à Wapping, Jack, sa femme et les deux enfants noirs qu'ils avaient adoptés, Molly, Joséphine et George Messiter, Sid et Ivy, les deux beaux-frères de Jack, leurs femmes et leurs enfants, et la belle-mère de Jack. Comme il est de coutume dans ces milieux, la famille se gaussait du discours de la reine devant les deux dindes et le pudding qui trônaient sur la table. Pat, l'épouse de Jack, fit une crise de nerfs à propos de la vaisselle.

— J'en ai marre ! J'en ai marre des hommes, tous autant qu'ils sont. Ça fait des années qu'on nous rebat les oreilles avec les droits de l'homme, et regarde où nous en sommes. Les mains dans l'eau sale. Nous, on les soutient pendant leurs grèves, on leur prépare des sandwiches, mais on est toujours aussi mal payées et on ne reconnaît pas nos véritables qualifications. Et qu'est-ce qu'ils font pour nous, je te le demande ? Rien, absolument rien ! Nous comptons pour du beurre, nous ne sommes que des potiches. Les droits de l'homme, les droits de l'homme, et les droits de la femme, alors ?

Sur ce, de rage, elle cassa une assiette dans l'évier et sortit de la cuisine, furieuse.

— Elle est surmenée, dit la sœur de Pat.

— Ce n'est pas grave, je vais préparer le thé, dit sa mère.

— Elle se sentira mieux après une sieste, commenta Ivy.

— En fait, c'est elle qui a raison, répondit la mère de Pat en mettant de l'eau sur le feu.

Joséphine plia sagement le torchon, le suspendit sur le sèche-serviettes et sortit de la pièce. Pat redescendit après un petit somme et le reste de la journée se passa joyeusement. Shirley fêtait Noël avec sa belle famille.

— Pauvre gosse, dit Ivy, elle ne doit pas s'amuser beaucoup avec ces rabat-joie.

En févier de cette même année, Molly se rendit compte à quel point la vie de Shirley n'était pas gaie.

A cette époque, elle avait pratiquement terminé son stage de secrétariat et commençait à avoir des problèmes d'argent. Elle avait donné à Sid et Ivy la moitié de la somme qu'elle avait obtenue pour la bague. Le reste avait servi à restaurer la maison et à payer les cours. Cela lui faisait une drôle d'impression de vivre avec George et souvent Joséphine, mais finalement, ce n'était pas désagréable. A la grande surprise de Molly, Joséphine s'entendait bien avec ce rêveur de George qui ne parlait que mécanique. Ils passaient des heures à jouer aux échecs. Un jour, Joséphine, qui avait pris l'habitude d'imiter ses humeurs moroses derrière le dos du garçon, confia à sa mère :

— Au moins, lui, il n'est pas toujours en train de m'embêter comme les garçons de Beckenham, et ses histoires de machines, c'est plutôt intéressant.

Souvent, Joséphine interrogeait sa mère sur son passé. En lui fournissant les réponses qu'elle demandait, Molly se surprenait elle-même de voir la jeune fille tapageuse, l'ancienne Mme Molly Flanders, s'entraîner à la sténo devant la télévision, s'inquiéter du prix des pommes de terre, se plier aux caprices du chat, préparer des repas plantureux pour l'appétit fluctuant des adolescents. Peut-être devrait-elle envisager de rencontrer un homme, de l'aimer, et même de l'épouser.

On sonna à la porte un samedi après-midi, tandis qu'elle servait le rosbif. Alors qu'elle s'apprêtait à aller ouvrir, elle entendit un grand craquement. Le chat, que Sid et Ivy avaient emmené à Beckenham, s'était vite sauvé pour revenir à Meakin Street. Apparemment, il avait vécu en sauvage jusqu'au retour de Molly et en avait perdu toutes ses bonnes manières. Il sauta sur la table et s'empara de la viande. George le regarda, ébahi. Il ne savait jamais comment réagir aux petits incidents de la vie quotidienne. Molly retira le précieux butin de la gueule du chat.

— Oh, George, qu'est-ce que tu peux être idiot !

L'assiette toujours à la main, elle alla ouvrir. Sa sœur Shirley se tenait sur le palier avec ses deux garçons, Brian et Kevin. Kevin, âgé de deux ans, avait toujours les mêmes yeux rouges que lorsqu'il était bébé. Tous deux paraissaient maigres et angoissés. Shirley portait une énorme valise à la main.

— Tu ferais mieux d'entrer, dit Molly.

Au salon, Shirley éclata en sanglots. La sonnette retentit à nouveau. Molly pensa immédiatement que le mari venait chercher sa femme, mais elle trouva un inconnu en costume sur le palier.

— Madame Messiter ? demanda-t-il en fixant l'assiette de viande que tenait Molly.

— Elle n'habite plus ici, répondit-elle, dans le pur style de Meakin Street face aux étrangers qui posaient des questions.

332

— Ah, elle est toujours sur les listes électorales.

Derrière elle, un étrange vacarme signifiait assez que ses neveux étaient en train de mettre la maison à sac, tandis que sa sœur restait écroulée sur le divan.

Soudain, l'homme la reconnut.

— Vous ne seriez pas Mary Waterhouse ?

— Si, et vous ? Euh, excusez-moi...

Un fracas épouvantale retentit dans la cuisine.

— George, tu ne pourrais pas garder un oeil sur cette maudite bestiole ?

— Ce n'est pas le chat, je travaillais sur mon lave-vaisselle, et tout est tombé de la table.

— Mon Dieu, j'ai l'impression de vivre avec un savant fou. George, prépare donc du thé, ma sœur vient d'arriver.

— Vous habitez ici, maintenant ? demanda l'homme avant d'ajouter rapidement : Je suis du parti travailliste, je connaissais votre père et vous aussi, quand vous étiez petite fille. Je crois que vous avez rencontré notre candidat, Joe Endell ?

— Ah, oui, dit Molly en se souvenant de la scène dans le hall du Parlement.

— Il sera content d'apprendre que vous allez bien.

— Dites-lui que je voterai pour lui, mais je suis très occupée pour l'instant.

— Au revoir, dit Sam Needham à la porte qui se fermait !

En homme qui a l'habitude de se voir souvent claquer la porte au nez, il inscrivit quelque chose sur son bloc-notes et poursuivit son chemin, songeur. Mary Waterhouse, malgré son assiette et ses hurlements contre le chat, était vraiment charmante. Endell l'avait-il remarqué sous les vêtements crasseux ? Sûrement ! Needham se faisait du souci. Endell, célibataire à plus de trente ans ! Il vaudrait mieux qu'il se stabilise et ait des enfants, cela ferait meilleure impression sur l'électorat.

— Alors, Shirley, que se passe-t-il ? demanda Molly de retour au salon.

— Je l'ai quitté. Il y a quelque chose qui ne tourne pas rond chez lui.

— Quoi ?

— Je ne peux pas en parler devant eux, dit-elle en indiquant les enfants qui sautaient sur le fauteuil.

George entra en tenant précautionneusement son plateau.

— Shirley, George, le fils de Lil. Il habite ici.

Brian, l'aîné des deux, prit un réveil qu'il donna à son petit frère. Molly se leva pour leur reprendre et le posa sur l'étagère.

— On veut des jouets.

— Essaie d'empêcher ton frère de jouer avec la télévision. Attendez, je vais l'allumer.

— J'aime pas la télé, et Kevin non plus.

Assise sur une chaise, Shirley regardait dans le vide. Molly servit le thé.

— A boire, dit Brian.

— Je vais te chercher un verre d'eau, proposa George.

— J'aime pas l'eau.

— Bon, ben, je te donnerai un biscuit, allez, venez avec moi.

Molly, surprise, le regardait avec gratitude. Pour une fois, il semblait maîtriser la situation.

— Alors, tu as quitté ton mari ?

— Comment faire autrement ? Ils sont tous odieux dans cette famille. Son père essayait de me coincer dans la cuisine, tu te rends compte, mon beau-père ! Et puis, quelle bande de radins ! Je n'avais que sept livres par semaine pour entretenir la maison et habiller les gosses. Et dire qu'ils gagnent des fortunes avec leurs magasins. Eux qui se disent si croyants, ils n'hésitent pas à frauder le fisc. Le principal, c'est de ne pas se faire prendre.

— Dis-donc, cela date d'un autre siècle, ton histoire. Ils font travailler leur femme pendant qu'ils fourrent les mains sous les jupes de la bonne ! Je ne comprends pas comment tu as pu supporter ça. Moi, je me serais sauvée au bout d'un mois, pieds nus, s'il le fallait.

— Oui, mais il y avait les enfants. Et puis, au début, j'y ai cru. Tu ne peux pas imaginer à quel point ils sont pervers. A la fin, Brian voulait qu'on se déguise, tous les deux. Ça te choque ?

— Déguise en quoi ?

— Ben moi, je devais m'habiller en pute, tu sais, porte-jarretelles et tout le bazar. Et lui, il mettait mes vêtements. Voilà ce qui se passait le samedi soir, et le dimanche, tout le monde se retrouvait à l'église à chanter des psaumes.

— Oh, là, là !

— Et son père qui me pelotait sans arrêt en récitant la Bible pour se justifier ! Ils sont cinglés, Molly. Et je crois qu'ils m'ont rendue folle, moi aussi.

— Ça va passer.

— Ce sont ces médicaments, sanglota Shirley. On me les a ordonnés pour une dépression. C'est Brian qui m'avait envoyée chez le médecin. Mais c'était encore pire. Le médecin a dit qu'il fallait que je continue à les prendre, que l'effet était très lent mais que ça finirait par marcher. Je crois que je vais tout arrêter.

— Tu ferais mieux.

On entendit un autre fracas, provenant de l'étage cette fois. Molly se précipita en haut. En observant les dégâts dans la salle de bain, George dit :

— Le grand voulait aller aux toilettes. Il a dû essayer de grimper sur la chasse.

— Mon Dieu, ils auront tout cassé avant la fin du week-end, dit Molly en fermant les robinets et en vidant le mélange de shampooing, sels de bain, eau de Cologne et verre brisé de la baignoire.

— Pauvres gosses ! dit George, ils ont l'air vraiment perturbés.

— Plutôt. C'est gentil de t'occuper d'eux. Tu peux les surveiller encore un instant, je vais trouver une solution.

— Deux ou trois bouteilles cassées à la salle de bain.

— Oh, encore, dit Shirley, abattue.

— Shirley, je comprends ta situation, mais tu vois toi-même qu'on manque de place ici. Et je passe mon examen dans quinze jours. Je ne suis même pas chez moi. C'est Cissie Messiter qui a le bail et je n'ai pas envie d'attirer l'attention du propriétaire. Alors tu peux rester un moment, jusqu'à ce que tu trouves quelque chose, mais cela ne pourra pas durer longtemps.

— Oh, Molly, je te remercie.

Cette nuit-là, Shirley dormit dans la chambre de George à côté de ses enfants pour lesquels on avait emprunté un matelas. George regagna le divan du salon, son lit habituel lorsque Joséphine était là. « Pour quelques jours seulement », avait-elle dit à George.

Dix jours plus tard, Molly était désespérée. Shirley n'avait pas quitté son état léthargique. Elle n'avait pas réussi à se passer de ses fichus médicaments et, plus elle s'enfonçait dans sa dépression, plus les enfants devenaient insupportables. En revenant du collège, exténuée, Molly trouvait Shirley installée devant la télévision qui attendait que sa sœur prépare le dîner pour toute la famille. La cuisine était un vrai champ de bataille, les enfants s'amusaient à renverser les tiroirs et le chat profitait de la confusion générale pour jouer dans les pots de fleurs. Molly commençait à comprendre pourquoi Ivy revêtait parfois ce visage démoniaque qui l'avait frappée enfant et pourquoi, à présent, elle s'accrochait désespérément à sa morne banlieue. Pour Molly, la réussite à son examen devenait une véritable obsession, bien qu'elle sût pertinemment qu'elle pouvait le repasser ou même trouver un emploi sans son diplôme. Et puis, elle avait des soucis d'argent. Entretenir Shirley et ses enfants revenait cher. Pourtant, elle n'avait pas le cœur à se montrer trop dure avec sa sœur. La pauvre arrivait à peine à comprendre ce qui se passait, et n'avait pas le moindre sou. Néanmoins, un soir, en revenant avec son panier plein de provisions, consciente que ses cinquante dernières livres ne tarderaient pas à s'épuiser, Molly décida de parler sérieusement à sa sœur.

Shirley était étendue sur le divan dans un état quasi comateux. Les deux garçons hurlaient dans la cour. Dans la cuisine, George mangeait un sandwich au fromage, plongé dans la lecture d'un magazine pour oublier le bruit. Il pleuvait. En regardant par la fenêtre, Molly vit que Brian et Kevin étaient sortis sans imperméable, le plus petit avait encore ses chaussons. Ils enlevaient les briques mal soudées du mur. Elle en aurait hurlé.

On sonna à la porte. Joséphine arrivait, les yeux barbouillés d'eye-liner noir, un sac à la main.

— Josie, tu ne devais pas venir ce week-end.

— C'est l'anniversaire de ma copine, vous n'avez pas voulu m'écouter, avec Ivy.

— Il n'y a pas de place...

— Je dormirai par terre dans la cuisine.

Joséphine entra, mais Molly avait à peine eu le temps de refermer la porte qu'on sonnait de nouveau. Harold Soames, l'héritier du propriétaire, attendait sur le palier, en costume bleu marine et chemise rayée à col blanc.

— Je voudrais voir Mme Messiter.

— Elle est sortie, dit Molly au moment où les deux garçons trempés grimpaient l'escalier, laissant une traînée boueuse derrière eux.

Cela sentait l'expulsion. Molly n'avait aucun droit légal à cette maison.

— Je peux lui transmettre un message ?

— Je préfère lui parler en personne.

Hébétée, Shirley alla rejoindre ses enfants qui faisaient un vacarme épouvantable au premier. Visiblement, Soames attendait des explications. Comme rien ne venait, il prit la parole.

— Je n'aime pas du tout ce qui se passe ici.

Le chat traversa le couloir, une côtelette entre les dents. Brian, qui redescendait en courant, tomba sur les deux dernières marches. Il ouvrait déjà la bouche pour hurler quand Joe Endell passa devant le propriétaire et rattrapa la côtelette qu'il rendit à Molly. A cet instant, bien que personne ne le remarquât vraiment, un éclair de flash se déclencha.

— J'espère que je n'ai pas brimé outrancièrement votre chat.

Sans réfléchir, Molly prit la côtelette, puis, comprenant enfin qui était là, sourit de soulagement.

— Oh, monsieur Endell ! Laissez-moi vous présenter monsieur Soames, mon propriétaire. Monsieur Endell, notre député.

— Bonjour, dit Soames, après avoir inspiré profondément, je vous prie de m'excuser, j'ai un rendez-vous. Pourriez-vous dire à Mlle Messiter que j'aimerais prendre contact avec elle. Nous avons aussi nos obligations, nous autres les propriétaires, dit-il à Endell.

Molly, reprenant la situation à son avantage, déclara :

— Peut-être devriez-vous lui écrire pour prendre rendez-vous.

Mal à l'aise, Soames esquissa un sourire et partit.

— Entrez donc, dit Molly à Endell.

Une fois à l'intérieur, Molly éclata de rire.

— Que se passe-t-il ? demanda Shirley qui descendait.

— Une expulsion, voilà ce qui nous guette, répondit-elle avec une certaine satisfaction. On dirait bien qu'il va falloir trouver un autre appartement. Je vous offre un verre, monsieur Endell ?

Difficilement, elle se dirigea vers la porte, évitant les morceaux de puzzle, les jouets brisés et un reste de dinosaure en pâte à modeler. Elle tendit la côtelette à Joséphine.

— Passe-la sous l'eau et remets-la dans le frigo.

— Je fais du café, maman ? demanda Joséphine, inquiète devant la bonne humeur grinçante de sa mère.

— Bonne idée, répondit Endell.

Avant de venir, il avait juste l'intention de dire ce qu'il avait à dire et de partir aussitôt. Sam Needham, qui avait pourtant décidé de ne pas lui parler de Molly Flanders, n'avait pu résister à son amour des potins et avait fini par lâcher le morceau. Pour racheter cette faiblesse, il avait ajouté : « De toute façon, mieux vaut rester à l'écart. Ce genre de fille n'attire que des ennuis. Elle a un casier, ne l'oublie pas, Joe. » Néanmoins, Joe Endell, après avoir visité des appartements municipaux à moins d'un kilomètre de là, s'était retrouvé à Meakin Street.

— Excusez le désordre, dit Molly en ramassant quelques objets. Ma sœur et ses deux fils sont ici en ce moment, et nous sommes les uns sur les autres.

— Joséphine prépare le goûter des enfants, dit Shirley en entrant dans la pièce. Tu ne veux pas dire qu'on va te chasser de chez toi ?

— Si. C'était le propriétaire, Soames. Je ne suis dans cette maison que parce que Cissie a bien voulu que j'y habite et puis, elle ne voulait pas que son frère quitte l'école pour aller vivre chez sa sœur. Mais en fait, elle sous-loue, et c'est interdit. Après ce qu'il a vu, cela m'étonnerait que Soames veuille bien croire que je suis de passage. Il va commencer à se poser des questions.

Presque immédiatement, elle regretta le plaisir qu'elle prenait à tourmenter sa sœur. Molly se rappelait le jour où la famille avait fêté son entrée à l'université. Elle se souvenait même de la barre de chocolat que lui avait tendue la petite fille sale à la gare, quand elle était revenue de Framlingham. Shirley n'était pas comme ça auparavant. On l'avait détruite, mais cela ne durerait pas toujours.

— Ne t'inquiète pas, Shirley. Je trouverai bien quelque chose. Mieux peut-être.

Joséphine revint avec le café.

— Ma fille, Joséphine. Et Shirley, je te présente M. Endell.

— Appelez-moi Joe.

Une fois encore, la sonnette retentit.

— N'ouvrez à personne, ordonna Molly.

Pourtant, Joséphine alla à la porte et on entendit des bruits de voix dans le couloir.

— Qu'est-ce que j'avais dit ! grommela Molly.

– Je pensais, dit Ivy en entrant au salon, que puisque toute la famille ou presque était réunie, je pouvais bien faire un tour à Meakin Street pour voir ce qui se passait. Et toi, mademoiselle, ajouta-t-elle en se tournant vers Joséphine, tu n'as sûrement pas dit à ta mère que je t'avais interdit de venir.

– Je n'ai pas encore eu le temps.

– Bon, eh bien..., commença Ivy, furieuse, mais elle laissa retomber sa voix en voyant Endell.

– Je te présente Joe Endell.

– Bonjour, dit Ivy d'un ton neutre. Ah, oui, le député, je me souviens, mon fils, Jack, a dû nous parler de vous.

– Vous êtes la mère de Jack ? Heureux de vous connaître enfin, madame Waterhouse.

A cet instant, les deux garçons revinrent dans la pièce, un gâteau à la main. Ils commencèrent à courir. Un jouet craqua sous leurs pieds. Kevin laissa tomber son gâteau sur le tapis, Brian marcha dessus. Ivy, qui s'était un peu détendue, fronça les sourcils. Elle regarda Shirley qui rêvassait à la fenêtre.

Endell, en bon stratège, suggéra :

– Si nous allions au pub, nous pourrions parler plus facilement de vos problèmes avec le propriétaire ?

Molly hésitait.

– Si tu as des ennuis avec le vieux Soames, autant profiter de la proposition de M. Endell, dit Ivy. Et puis, je vais avoir besoin de place pour faire un peu de ménage avec Shirley.

– Bon, d'accord, dit Molly, heureuse de voir une occasion de s'échapper de cet enfer. Ça ira, Josie ?

– J'ai deux mots à lui dire, à elle aussi, dit Ivy.

Endell prit Molly par le bras.

– On dirait bien qu'avec Mme Waterhouse au commandement, vous n'avez pas à vous inquiéter. En fait cela irait peut-être mieux si on lui confiait les affaires de l'Etat.

– Effectivement, répondit Ivy. Au fait, il y a un photographe qui rôde dans les parages. C'est pour toi, Molly ?

– Oh, non ! Il me semble avoir vu un éclair de flash quand vous êtes entré, dit-elle à Endell.

– C'est peut-être Sam Needham qui a arrangé quelque chose avec la presse et qui a oublié de m'en parler.

Dans la rue, il n'y avait plus trace du photographe.

– Je crois que ma mère a envie de reprendre les choses en mains. Les gosses vont avoir du fil à retordre avec elle.

– Ils ont l'air d'avoir bien besoin de la poigne de leur grand-mère.

Au moment même, un photographe surgit du coin de la rue. Il y eut un deuxième éclair.

– Hé, vous ! Qu'est-ce que vous faites ?

Joe Endell courut derrière l'homme qui s'enfuyait.

338

– Pour qui travaillez-vous ?

– Le *Mirror*.

– Qu'est-ce que c'est que cette histoire ?

– Je ne sais pas. On m'a juste dit de venir ici.

– C'est pour lui ou pour moi ? demanda Molly qui arrivait.

On l'avait photographiée à seize ans, des images de la jeune femme enceinte d'un condamné à mort, on l'avait photographiée au Frames, dans une robe décolletée. Les flashes avaient fusé lors de l'enterrement de Greene et de Nedermann. Les photos étaient de bien mauvais augure pour elle.

– Au 4, Meakin Street, une femme blonde, c'est tout ce qu'on m'a dit. C'est bien vous ?

– Oui, mais pourquoi ?

– Je ne sais pas. Faut demander au rédacteur en chef, dit-il en se retournant.

– C'est exactement ce que je vais faire, cria Molly derrière lui.

– J'ai l'impression que pour vous, c'est un gin tonic.

– Bravo, vous avez deviné.

– Salut, Molly, cria Ginger. Je viens de voir passer Ivy. Elle avait l'air pas qu'un peu en colère.

– C'est exactement pour ça que je suis venue. Je me cache.

– Des nouvelles de Sid ?

– Le pub lui manque. Il prévoit un pèlerinage pour bientôt.

Endell apporta le gin, et une bière pour lui.

– Je téléphone au rédacteur en chef demain à la première heure. J'ai une petite idée de ce qu'ils veulent faire. Que sont devenus les méchants d'hier ? Ou quelque chose dans ce goût-là. Et puis, on verra une photo de moi en robe de chambre en train de prendre le lait sur le palier. Ce n'est pas juste. Je fais tout ce que je peux pour mener une vie normale, suivre une formation, payer le loyer...

– Oui, se contenta de dire Endell au cas où sa fiancée Harriett eût une main derrière tout ça.

Elle avait eu une étrange réaction quand il lui avait raconté comment Sam avait retrouvé Molly. Soudain, elle avait paru sur ses gardes. « Je t'avais bien dit que ces filles-là ont la vie dure. » Endell, qui ne comprenait pas grand-chose dans ce domaine, avait vite changé de sujet. Mais il savait pourtant que Harriet s'était mise immédiatement à parler avenir et mariage. Pourtant, il se demandait si elle le voulait pour lui-même ou pour le style de vie que pouvait lui offrir un jeune député sous la coupe de vieux membres du parti.

Harriet avait renoncé à une famille aisée qu'elle trouvait trop conservatrice pour une jeune femme des années soixante. Mais Endell soupçonnait que la position d'épouse d'un député travailliste sur la voie d'une grande carrière politique satisferait à la fois ses tendances radicales et ses aspirations sociales. Comment réagirait-elle si son mari perdait les prochaines élections ? Comment réagirait-elle s'il retournait travailler dans un journal local du Yorkshire ? On ne savait jamais à quel point ces choses comptaient pour une femme. Parfois, des jeunes filles de dix-huit ans épousaient de vieux millionnaires repoussants, et des comtesses s'évadaient avec des gitans. Mais entre les deux, la frontière était floue, et un homme, quels que soient son pouvoir, sa richesse, son statut ou sa personnalité, ne savait jamais vraiment par quoi les femmes étaient attirées. Quoi qu'il en fût, il aurait été fort ennuyeux que Harriet se retrouve le lendemain matin avec de magnifiques clichés 18 x 24 de Joe Endell accompagnant Molly Flanders au pub. « Advienne que pourra », se dit Joe Endell, fatigué des incertitudes de la vie privée. Obéissant à une impulsion, il déclara :

— Ecoutez, j'ai une réunion avec le responsable de l'habitat sur la banlieue, cela vous dit de m'accompagner ? Cela ne durera qu'une heure. Nous irons dîner ensuite. Nous n'avons pas encore eu le temps de parler de votre propriétaire.

— D'accord.

Ils se sentaient bien ensemble, comme si leur présence mutuelle les stimulait, comme s'ils se connaissaient depuis des années.

Finalement, Molly se trouva fort intéressée par le plan d'habitation, dont ils discutèrent un peu plus tard dans un petit restaurant.

— Ne le laissez pas construire des tours. Les gens ne veulent pas y habiter. C'est bon pour les célibataires qui ne sont jamais chez eux et qui n'ont pas besoin de jardin pour que les gosses puissent jouer. Et ceux-là, ils ne sont pas sur la liste des logements municipaux.

— Cela fait gagner de la place.

— Pas tant que cela. Il faut toujours laisser des espaces verts tout autour, pour que cela ait figure humaine. Les gens préfèrent un petit carré de jardin plutôt qu'un grand morceau de verdure. Et puis, que se passe-t-il si l'ascenseur tombe en panne et que les gens jettent leurs ordures partout dans le parc ?

— Ce sont ces appartements modernes, confortables et pratiques. C'est de ça que les gens ont besoin.

— Non, ça, c'est ce que veulent ceux qui font les projets. Eux, ils ont été élevés dans des rues comme Meakin Street, et ils en ont horreur, exactement comme maman. Mais en fait il y a pire. Et les autres, ils ont simplement envie de voir les ouvriers parqués dans des territoires dont ils ne sortiront pas, pour qu'ils ne gênent personne. Regardez le nouvel ensemble, avec la voie ferrée d'un côté et le cimetière de l'autre. Ça en dit assez long, non ?

Endell était contrarié. Lui, il militait en faveur de la destruction des vieux taudis, sans salle de bain pour la plupart. Il avait confiance dans les constructions modernes. Pour lui, Molly n'était qu'un exemple de ceux qui entravaient le progrès et il lui dit qu'elle travaillait contre les intérêts de sa classe.

— Ecoutez-moi bien, Joe Endell. En peu de temps, j'ai connu des tas d'endroits différents. Mais vous, je suis sûr que vous êtes né dans une petite maison, avec un pommier dans le jardin. Vous réfléchissez peut-être et vous en savez beaucoup sur le sujet, mais moi je me fie à l'expérience. Ma mère vient enfin de réaliser le rêve de sa vie en achetant une maison de banlieue, avec jardin, bien sûr. Si vous lui proposiez d'aller vivre gratuitement au dix-neuvième étage d'un immeuble, elle vous rirait au nez. Moi non plus, je n'irai pas pour un empire. Alors, vous êtes du côté des promoteurs, ou bien du côté des travailleurs ?

— Mais les gens ne savent pas réellement ce qu'ils veulent.

— Ah, oui, et vous le savez mieux qu'eux, peut-être ? Vous n'êtes qu'un élitiste, dit-elle, très fière de se souvenir du mot qu'elle avait entendu chez Jack à Noël.

— Vous ne savez pas de quoi vous parlez.

— Bon, d'accord, mais je suis sûre que je ne me trompe pas à propos de votre pommier dans le jardin quand vous étiez gosse.

Endell était issu d'une famille de petits-bourgeois de Leeds. Son père était médecin, et sa mère professeur. Molly, elle aussi, fit un résumé de sa vie pour Endell.

— A mon âge, je crois qu'il est temps que je prenne les choses en main. Je n'ai pas fait grand-chose pour le moment, à part aller de crise en crise. Vous, vous avez toujours suivi la même voie, depuis le début. Bon, d'accord, vous aviez des atouts de votre côté, une bonne famille, vous êtes un homme, c'est déjà plus facile, mais quand même. Prenez Cissie Messiter, par exemple, elle avait une famille bien pire que la mienne, et elle a trouvé un bon boulot. Elle n'a pas été aussi stupide que moi.

— Elle est probablement pas aussi jolie non plus.

— Le coup classique ! Des boucles blondes, et c'est la perdition ! Encore et encore. Mais c'est fini, c'est pour ça que je ne supporte pas l'idée que le *Daily Mirror* remette tout sur le tapis.

Soudain, en se penchant au-dessus de son assiette de pudding, Endell déclara :

— Et le mariage ? Vous avez déjà songé à épouser un député travailliste par exemple ?

Molly se mit à rire.

— Bonne idée ! Je ferais des merveilles pour sa carrière aux yeux du public. Une femme avec un casier, bien connue pour avoir fréquenté des truands ! Il ne resterait pas député très longtemps. Non, ce que je voudrais, c'est une autre part de pudding. George et Joséphine mangent comme des ogres, alors, j'ai rarement l'occa-sion de me resservir du dessert. J'ai déjà bien de la chance d'en avoir une part.

Endell, qui avait parlé sur une impulsion, fut soulagé de voir que Molly ne prenait pas sa remarque au sérieux. Il ne savait pas pourquoi il avait réagi ainsi. Immédiatement, il pensa à la colère de Harriet si elle l'avait entendu. Et ensuite, il songea combien il serait agréable de trouver Molly à la maison après avoir siégé toute la journée à la Chambre des communes.

Ce jour-là, j'ai réglé la moitié de la note, j'ai accompagné Joe à la Chambre des communes et je suis rentrée directement chez moi. Mais je savais que ce n'était que pour préserver les formes. Ce sont des choses que l'on sent tout de suite. Je désirais Joe Endell, il me le fallait, c'était même la seule personne dont j'avais envie. Je voulais sentir ses bras autour de mon cou, je voulais faire l'amour avec lui, et surtout, j'avais envie qu'il soit près de moi. Je l'aimais, malgré sa naïveté, je l'aimais, bien qu'il ai parlé mariage sans même savoir qu'il m'aimait déjà. Pourtant, il fallait que je me débarrasse de lui. D'abord, je voulais m'en sortir par moi-même sans que des Bridges ne m'attirent des ennuis, sans que des Nerdermann ne viennent m'offrir leur aide, sans les Arnie Rose et leurs menaces, sans même que des types honnêtes dans le genre de Joe Endell ne veuillent clarifier la situation pour moi. Mais en fait, ce n'était pas la véritable raison. Ce qui importait pour moi, c'était surtout ce que je lui avais dit. Une fille comme moi ne pouvait qu'attirer des ennuis à un homme comme lui. Joe Endell n'avait aucun handicap, aucun scandale dans sa vie, ni politique ni personnel – à part un mariage prématuré voué à un échec prévisible –, pas d'enfant, et sa première femme s'était remariée en Nouvelle-Zélande. Si j'entrais dans sa vie, je ne pourrais que perturber sa carrière, sinon l'entraîner au désastre. Je n'avais pas la moindre envie de renoncer à lui, mais il le fallait. Et si je ne le faisais pas rapidement, après, il serait trop tard. Le problème, c'est que j'ai toujours eu soif de vie, et que je n'ai jamais été capable de dire non pendant très longtemps.

Quand Molly rentra chez elle ce soir-là, elle trouva une maison calme. Ivy se reposait sur le divan, les pieds sur la table basse.
— J'ai fait un peu de ménage, j'attends mon taxi. Je peux encore avoir le dernier train. Sers-toi un café si tu veux, il est sur la table.
— Merci, maman, tu as fait des merveilles.
— Joséphine est chez son amie. J'ai vérifié, elle est bien là-bas. J'ai eu deux mots avec Shirley aussi. Elle ne peut pas rester ici, il n'y a pas de place. Il faut qu'elle se débrouille toute seule. Nous ne pouvons pas non plus la prendre avec nous. Elle dit que ce n'est pas juste parce que je me suis occupée de Joséphine pendant des années, mais Sid et moi, nous ne rajeunissons pas, et au moins, Joséphine avait l'avantage d'être toute seule. Je n'ai pas osé le lui

342

dire, mais la simple idée d'avoir ces deux petits garnements chez moi, ça me donne des cauchemars.

— Que va-t-elle devenir ?

— Aucune idée, il faut qu'elle prenne une décision, qu'elle réfléchisse à un moyen de s'en sortir.

— Pauvre Shirley.

— Le mariage, c'est comme la prison, le plus difficile, c'est d'en sortir. Ou elle s'en va et elle laisse les enfants avec lui, ou elle trouve une meilleure solution que d'aller se réfugier chez sa sœur. Toi, tu as eu de la chance, j'étais plus jeune, et il n'y avait que Josie.

— Je ne sais pas quoi faire pour elle.

— On ne peut rien faire. Et puis toi aussi, tu as les ailes coupées, observa Ivy avec un mélange de regret et de satisfaction. A propos, la marchande du coin de la rue m'a dit que les deux zozos qui ont acheté notre maison cherchent à vendre. Pourquoi ne prendrais-tu pas un emprunt ? Il serait temps que tu aies une maison à toi.

— J'ai bien assez de soucis sans ça. Et je n'ai pas envie de m'endetter. Je ne dois rien à personne pour le moment.

— Sid se portera caution. Mais qu'est-ce que fiche ce taxi ? dit Ivy en se dirigeant impatiemment vers la fenêtre. Je veux bien aider Shirley, mais avant, il faut qu'elle s'organise un peu. Dieu sait que personne n'a envie de la voir enfermée avec ce Brian. Le mariage en disait assez long. Je n'oublierai jamais la façon dont ils nous regardaient tous avec leurs verres de limonade à la main pour voir si nous n'avions pas un coup dans l'aile. J'en pleurais. Ils croyaient que j'étais triste de me séparer de ma fille, mais en fait, tout d'un coup, j'ai compris ce qui l'attendait. Et au fait, qu'est-ce que c'est que cette histoire de député ?

— Quelle histoire ?

— Je n'ai pas envie de te voir traîner dans ce genre de milieu. Ce sont les pires, le jeu, l'alcool, les femmes. Des vrais marins, une fille dans chaque port. A côté, Johnnie Bridges a l'air d'un enfant de chœur.

— Comment le sais-tu ?

— Par Jack, répondit brièvement sa mère.

A ce moment, le chauffeur de taxi sonna à la porte et Ivy s'en alla immédiatement.

Le lendemain, Shirley fit ses valises et retourna à Greenford, plus déprimée que jamais.

— Ivy a raison. Il faut que je m'y prenne mieux si je veux le quitter. Personne ne peut rien faire pour moi, dit-elle en pleurant, ce qui renforça encore les sentiments de culpabilité de Molly.

Molly passa brillamment ses examens en mars et trouva un emploi dans une chaîne de magasins de vêtements. Elle s'abonna au *Times* et s'intéressa plus particulièrement aux articles consacrés à Joe Endell. Les photographies de Molly et Endell allant au pub ne parurent pas dans la presse. Molly crut que son coup de téléphone et ses menaces avaient compté pour beaucoup dans cette discrétion. En fait, ce fut surtout parce que Joe Endell avait menacé Harriet de la quitter si elle ne faisait pas tout son possible pour que les choses en restent là, que l'affaire n'avait pas transpiré. Harriet avait fait marche arrière. Néanmoins, elle conserva ses soupçons et son ressentiment. Elle archiva soigneusement les clichés ainsi que toutes les informations qu'elle avait récoltées sur Molly Flanders. Endell, mécontent à la fois de son propre rôle et du jeu de Harriet, se mit à la voir moins souvent. Cela ressemblait presque à un hasard. Ils étaient très occupés tous les deux. Leurs emplois du temps ne concordaient pas. Mais Harriet ne se faisait guère d'illusions. « Tout ça, c'est à cause de cette petite garce de Flanders. Et je ne peux rien dire, parce que cet idiot ne se rend même pas compte de ce qu'il fait. »

Un soir, Endell arriva tandis que Molly buvait un verre avec Sid au Marquis de Zetland. Il alla s'asseoir à leur table. Ils parlèrent de Jack qu'Endell avait rencontré à un meeting.

— Il y a une élection partielle à Battersea, et ce n'est plus un secret pour personne que Jack sera candidat. C'est un bon siège.

— Eh bien, comme ça, il pourra en profiter pour faire construire des gratte-ciel.

— Ah, elle est un peu retardataire, n'est-ce pas ? dit Endell à Sid.

— L'avantage avec les gratte-ciel, c'est que lorsqu'il y a une fuite sur le toit, il n'y a qu'une famille qui est mouillée, remarqua Sid d'un ton neutre.

— Alors, et ce travail ? demanda Endell à Molly.

— Je vais démissionner.

— Au bout d'un mois ? s'exclama Sid. Ce n'est pas comme ça qu'on fait une carrière. Moi, je suis resté trente ans au même endroit, même pendant la guerre.

— Oui, mais Hitler ne passait pas son temps à te coincer dans les couloirs, et à t'inviter à dîner parce que sa femme manquait de charme ! répondit Molly.

Elle avait déjà perdu toutes ses illusions. Le monde du travail lui rappelait l'époque où elle devait repousser les avances d'Arnie Rose.

— Mais, il n'a pas le droit ! s'écria Endell, outré.

— C'est lui le chef.

— Eh bien, fiche-lui une gifle et téléphone au directeur, dit Sid.

— C'est exactement ce que je vais faire. Et après je chercherai une place avec une femme comme chef.

— Ça, c'est bien ma fille. Elle ne se laisse jamais abattre. Bon, eh bien, il faut que je retourne vers les joies de Beckenham, dit-il avant de crier gaiement à ses amis : La prochaine fois, je vous ramène un chou du jardin.

— Que diriez-vous d'une promenade le long du canal ? proposa Endell.

— Je dois rentrer. Joséphine est toute seule.

— Il n'est que huit heures et demie, elle regarde sûrement la télévision. Un peu d'air frais ne vous fera pas de mal.

Molly se souvenait du jour où elle avait quitté le pub avec Johnnie Bridges, il y avait dix ans, dix ans déjà.

Endell lui prit la main, et ils sortirent. Elle n'aurait pas dû le laisser faire. Elle se rappelait son Johnnie des années cinquante, avec son costume trop élégant et son sourire sûr de lui. À cette époque, elle n'avait vu aucune raison de réfréner ses élans.

Une brise fraîche soufflait au bord de l'eau. Déjà, les feuilles des branchages se teintaient de verts tendres.

— Je dois vous dire quelque chose. Les photos seront publiées demain matin dans le *Daily Mirror*.

— Oh, merde ! dit Molly en relâchant sa main. Joséphine va en entendre de toutes les couleurs à l'école. Et puis, je vais avoir des problèmes pour trouver un autre travail. Et cette fois, il faudra vraiment que je tombe sur une femme. Les hommes vont me considérer comme une proie facile, la femme d'un condamné à mort, la petite amie d'un truand... Que vais-je devenir ?

— C'est pire que ça. Il faut que vous le sachiez, c'est ma faute en fait. J'ai parlé de vous à ma fiancée, mon ex-fiancée, il y a long-temps... la première fois que je vous ai rencontrée. Elle est journa-liste au *Mirror*.

— Oh non, vous vous prétendez l'ami du peuple, mais vous n'êtes vraiment bon à rien. Que peut-on espérer des hommes qui nous gouvernent s'ils ne sont même pas capables d'avoir un peu d'autorité sur leurs petites amies ? Vous ne lui avez pas dit les conséquences que cela pourrait avoir sur moi et ma famille ? Ne me dites surtout pas que pour elle, c'était le seul moyen de lancer sa carrière !

— Le problème, dit Endell, visiblement peiné, c'est qu'elle a été folle de rage en voyant ces photos. De la jalousie, elle voulait sa revanche.

— Quoi ? Jalouse ? Et de quoi ? Elle croyait qu'il y avait quelque chose entre nous ? Vous ne lui avez pas dit qu'elle se trompait ?

— J'ai essayé.

— Ivy avait raison.

— Pardon ?

— Elle m'a dit que les hommes politiques en profitaient avec les femmes.

— Ah, dit Endell, ne sachant quelle tactique adopter. Partons, dit-il en se plaçant de nouveau face à elle. Allons en France, dès demain. Je peux tout arranger. Vous n'aurez pas besoin de retourner travailler. Vous n'aurez pas à regarder ces photos.

– C'est impossible. Vous ne pouvez pas vous permettre une liaison avec une fille comme moi.

Immédiatement, elle se jeta dans ses bras et l'embrassa. Elle avait l'intention de s'enfuir immédiatement, mais elle resta. Elle posa sa tête sur son épaule et lui murmura :

– Je ne peux pas me retenir plus longtemps, mais tu prends des risques.

– Ne t'inquiète pas.

Elle repoussa l'épi de cheveux roux qui retombait toujours sur le front de Joe Endell et lui dit :

– Pour un homme intelligent, tu te conduis comme un imbécile.

– Tu vois, j'obtiens quand même ce que je veux, dit-il en l'embrassant encore.

En silence, ils rentrèrent à Meakin Street. George dormait profondément sur le divan, tandis que Joséphine avait retiré le matelas du lit pour l'installer par terre dans la chambre de George. Endell et Molly firent l'amour sans faire de bruit. Joe se montrait très doux et attentionné. Ensuite, ils bavardèrent gaiement, rièrent, firent l'amour une fois encore. Cette fois, Endell fut tout à la fois fougueux, empressé et généreux.

– Je t'aime, je t'aime depuis toujours, je veux t'épouser.

D'une voix plus endormie qu'elle ne l'était réellement, Molly répondit :

– Je t'aime, Joe.

Le lendemain matin, Joe alla acheter le journal. Assis devant leurs exemplaires respectifs, ils mesuraient l'étendue des dégâts. Molly enceinte dans sa robe noire sur les marches du 19, Meakin Street après la condamnation de Jim Flanders ; Molly au club avec Johnnie Bridges et les frères Rose ; Molly et Steven Greene, tous deux en tenue de soirée dans leur appartement luxueux au-dessus du club ; Molly et Nedermann, ainsi qu'une photo d'un des taudis ; le récit de son emprisonnement.

A sa grande surprise, Molly vit que Joe essuyait de grosses larmes avec un mouchoir bleu.

– Qu'est-ce que tu as ?

Pendant un instant d'angoisse, elle crut qu'il allait lui annoncer que malheureusement, il fallait qu'ils se quittent déjà.

– Rien, c'est cette photo de toi, si jeune, enceinte avec un mari condamné à mort.

– Oui, eh bien, ne va pas dire que c'est pour ça que j'ai mal tourné. Ce n'est qu'une des raisons. En fait, cette vie me plaisait. J'aimais les beaux vêtements, les lumières, l'agitation. Ne crois surtout pas que j'étais heureuse, coincée dans l'appartement avec Jim. A dix contre un, s'il n'avait pas été pendu, je serais partie.

– Tu n'as pas l'air de vouloir aller bien loin sur cette photo. Tu as l'air complètement perdue. C'est vrai, tu t'es mariée trop jeune et tu as eu un enfant sans le vouloir, mais tu n'avais pas tellement d'autres possibilités.

– Personne ne m'a interdit de poursuivre mes études, comme Shirley, personne ne m'a obligée à tomber enceinte à quinze ans. Evidemment, si j'avais été fille de duc, quelqu'un aurait arrangé les choses pour moi. Mais j'étais fille de chauffeur de bus, et comme on dit, je ne faisais pas attention à ce que je faisais.

– C'est faux.

– Enfin, peu importe, c'est pour Josie que je me fais du souci. Et George aussi. Ses copains vont en profiter pour se moquer de lui.

– Emmène-les se promener. Je vais téléphoner à Sam pour qu'il vienne nous chercher, nous irons tous chez Ivy.

– Tu n'as pas de voiture ?

– J'ai raté trois fois mon permis.

– Oh, j'aurais pensé qu'on te le donnerait d'office. A un député. Au fait, tu ne devais pas travailler sur des dossiers ?

– Je suis amoureux, fit-il remarquer.

Ils s'embrassaient devant les pages déployées des deux *Daily Mirror* quand Josie entra dans la cuisine. Tremblant de froid dans sa chemise de nuit, elle se prépara du thé.

– Je me demande ce que George va penser de tout ça, dit-elle, comme si elle s'adressait à la gazinière. Vous allez vous marier ?

– On verra ça en temps et en heure, répondit Molly avec dignité. Et puis, tu peux bien te moquer de ta mère, mais je crois qu'il y a pire encore. Regarde. Ma brillante carrière !

Pourtant, Joséphine ne parut pas gênée par les articles.

– Oh, regarde ! je suis aussi sur la photo ! s'exclama-t-elle en indiquant le ventre arrondi de sa mère. Oh ! Meakin Street ! Tu connaissais vraiment tous ces truands ? Alors, c'est elle, Wendy Valentine ?

– Cela ne va pas te poser de problème au collège ?

– Non, pourquoi ? J'aurais l'air d'une vedette. Tu as encore tous ces bijoux ?

– Tu les manges, lui répondit Endell.

– Ah, ça aide d'être blonde ! dit-elle en regardant sa mère.

Ils se rendirent donc tous chez Ivy. Jack y était aussi, seul. Il ne s'entendait plus très bien avec sa femme. Ivy semblait bouleversée.

– Alors, il y avait Shirley, et maintenant Jack s'y met aussi. Mais qu'est-ce que j'ai fait au bon Dieu ? Les gens ne sont plus obligés de se supporter comme avant. On leur laisse trop le choix, voilà le problème.

– On n'a jamais trop le choix, madame Waterhouse.

– Vous croyez ?

– Madame Waterhouse, je veux épouser votre fille, le problème, c'est qu'elle ne veut pas de moi.

– Et pourquoi donc ? Oh, elle changera d'avis.

– Maman, n'oublie pas que je suis là.

– Toi, je te parlerai plus tard.

– Demande à Jack alors.

– Demander quoi ?

– Pourquoi je ne peux pas l'épouser.

– Effectivement, c'est délicat. Tu vois, maman, les Beatles ou les Stones peuvent faire ce qu'ils veulent, tout le monde s'en fiche, mais l'attitude de la femme d'un député, c'est toujours très important aux yeux du public.

– Toute cette histoire est un coup monté, remarqua intelligemment Sid. Quelqu'un voulait à tout prix faire éclater le scandale.

– Une ancienne petite amie, avoua Endell.

Sid lui offrit une bière. Joséphine sortit de la pièce, visiblement en colère.

– Ah, les jeunes, on ne peut pas dire qu'ils aient l'esprit large, dit Ivy à sa fille. Tiens, viens donc me donner un coup de main pour préparer le dîner.

Pourtant, une fois dans la cuisine, Ivy s'assit et se servit un verre de sherry.

– Eh bien, Molly, drôle de bonjour ! Et j'ai déjà eu Shirley en larmes ce matin au téléphone.

– Ne t'inquiète pas, maman, il achète le 19. La maison rentre de nouveau dans la famille. Il habitera en face de chez moi. Tu crois toujours qu'on ne peut pas trouver le bonheur en dehors du mariage ?

– Moi ? C'est la dernière chose que je dirai.

Molly Endell

Ce nouvel arrangement fonctionnait à la perfection. Molly, qui résidait officiellement au numéro 4, passait beaucoup de temps avec Endell qui habitait au 19. Quand Joséphine était là, elle s'occupait de George, toujours incapable de régler les problèmes de la vie quotidienne à moins qu'il ne s'agisse d'un quelconque ennui mécanique. C'était à peine s'il trouvait ses chaussettes dans la commode, néanmoins, il gagnait son argent de poche en réparant les moteurs de voitures et de motos à des tarifs défiant toute concurrence. Tout paraissait facile, sans doute parce qu'Endell avait le talent de simplifier les choses. Lorsque cela n'allait pas, il trouvait un moyen pour que tout se passât mieux la fois suivante. Il n'était ni prétentieux ni colérique, et ne vivait pas emprisonné dans un réseau de préjugés ou d'exigences. Il travaillait dur, s'endormait n'importe où, et reprenait sa tâche après un petit somme. Molly, après ses premières expériences, avait accepté comme principe de vie qu'il fallait se conformer aux désirs d'un homme. Elle s'était pavanée pour satisfaire la vanité de Johnnie Bridges, elle avait essayé de devenir la maîtresse de maison parfaite que voulait Nedermann, elle s'était transformée en Vénus silencieuse pour Lord Clover qui lui déversait des secrets d'Etat plein les oreilles. A présent, elle entretenait une relation avec un homme qui semblait de pas avoir de règle de conduite. Parfois, épuisée, elle rentrait du travail et se retrouvait à préparer une omelette à la hâte pour un membre du ministère. Le lendemain, Joe avait tout organisé pour un grand dîner le soir même. La chambre d'amis était sans cesse occupée, par un réfugié politique d'Amérique latine, la femme d'un député victime d'un mari violent, ou simplement un membre du Parlement qui avait raté le dernier train du vendredi soir. Le couple compensait le manque d'intimité permanent et les allées et venues entre deux maisons par des discussions continuelles. Joe et Molly parlaient sans arrêt, se disputaient ou au contraire constataient qu'ils étaient parfaitement d'accord. Molly, même lorsqu'elle s'absentait pour aller chez le coiffeur, souffrait de l'absence de Joe. Un jour, elle se précipita chez elle les cheveux encore mouillés et cassa deux assiettes de rage en trouvant la maison vide.

— Qu'est-ce qui te prend ? demanda Joe en rentrant.

— Tu n'étais pas là, je suis revenue avec les cheveux mouillés pour te voir.

— J'étais allé te chercher chez le coiffeur. Je me suis inquiété en ne te voyant pas. Alors, tu viens à la réunion de campagne ce soir ?

— Les élections ne sont que dans un an.

— Ça va arriver vite. Il y a quelque chose à manger ?

— De la viande froide. Mais Josie a envoyé George faire des courses et cet âne bâté a disparu. Je vais te préparer un sandwich. J'ai promis à Simon Tate de le voir ce soir. Il a ouvert un restaurant à Chelsea. Tu n'as qu'à venir nous rejoindre après la réunion, tu dîneras avec nous.

— D'accord, mais j'aurais aimé que tu sois là.

— Tu sais bien que cela m'énerve. Vous n'arrêtez pas de parler syndicats et parti, mais en fait, ce n'est qu'aux hommes que vous pensez. Regarde Jack, sa femme l'a quitté parce qu'elle en avait assez de préparer des sandwiches pour des hommes qui ne songeaient qu'à leurs propres droits.

— Nous avons obtenu l'égalité des salaires.

— Tu sais bien que cela ne veut rien dire, c'est de la théorie. A quoi ça sert, sans vrais congés maternité et sans crèches ? Comment aurais-je fait sans Ivy ? Et puis, il a fallu qu'elle abandonne son travail pour s'occuper de Josie. Tu ne feras jamais croire que le parti travailliste s'occupe plus du sort des femmes que les autres. C'est un club de mâles supplémentaire, c'est tout. Vous voulez que nous continuions à dépendre de vous. Ça vous donne un sentiment de sécurité.

— Si j'ai bien compris, tu veux un enfant ?

— J'y songe. Mais, il faudrait que j'abandonne mon travail.

Une fois encore, Joe trouva facilement une solution.

— Je vais être chargé d'une commission, et j'aurais besoin d'une secrétaire. Alors, cela serait aussi bien que je t'engage, toi. Comme ça, le bébé trouverait une place, lui aussi. Tu serais d'accord ?

— Pour quoi ? dit Molly, avant d'ajouter rapidement : Oui.

— Alors, vite, dans la chambre. Et puis, nous discuterons de tes nouvelles fonctions, j'ai hâte de commencer.

Ils montèrent effectivement dans la chambre. Un peu plus tard, en se rhabillant, elle regarda Joe, avec ses cheveux tout emmêlés sur l'oreiller.

— Joe Endell, je t'aime, plus que je n'ai jamais aimé personne.

Il sourit et s'endormit.

352

Dans le petit salon, au-dessus du restaurant, Molly confia à Simon Tate :

— Je suis plus heureuse que je ne l'ai jamais été.

— Moi aussi. C'est chouette, non ?

— Quoi ? Le restaurant ou Clive ?

— Le restaurant me plaît et j'adore Clive. Quand je repense au Frames, pour moi, c'était un vrai cauchemar. Tous ces snobinards qui perdaient leur chemise, et ces visages crispés de joueurs, et les Rose qui avaient l'œil à tout. Je ne comprends pas comment nous avons pu le supporter.

— Il y avait sans doute de bons moments, répondit Molly en buvant une gorgée de cognac. On s'est bien amusés parfois. Quand je repense à l'argent que nous avions dû récupérer en catastrophe et à ce pauvre Ephraim Wetheby qui menaçait de se suicider au téléphone pour que nous puissions entendre le coup de fusil. Et puis, tu te souviens, les toilettes des femmes ? Il y en avait des histoires là-dedans !

— Ouais, on aurait dit l'acte III scène 3 d'un spectacle de patronnage. Suicides, avortements et j'en passe. Finalement, tu as raison, mais j'étais jeune...

— Et tu avais peur de la police. Cela devait être une véritable épée de Damoclès suspendue au-dessus de la tête.

— Exactement, j'ai mis des années à me débarrasser de ma peur.

— Tu te souviens de Steven Greene ?

— Oui, il n'a vraiment pas eu de chance. Buvons à sa mémoire, il n'y a plus rien d'autre à faire maintenant.

Ils continuèrent à bavarder du bon vieux temps comme deux personnes qui avaient survécu à de dures épreuves, et partageaient successivement joies et tristesse.

— J'ai entendu dire que Wendy Valentine était partie dans le Nord. Je crois qu'ils ont eu raison d'elle. Elle aura du mal à mener une vie normale. Et puis, il y aura toujours une bonne âme pour aller déterrer le passé. En fait, cette vie, c'est comme la drogue, après, on trouve que le retour à la normale est bien ennuyeux.

— Et pourtant, ça cause pas mal de dégâts.

En fait, cette conversation faisait frissonner Molly. Simon l'avait connue à une époque un peu folle où tout pouvait basculer avec la rapidité de l'éclair. A présent, couverte d'amour et de satisfaction, comme une personne bien au chaud dans son manteau de fourrure, elle ne voulait pas entendre la moindre allusion à une possibilité de changement. Avec Simon, elle avait traversé des périodes difficiles, et désormais, il lui rappelait que rien, jamais rien, ne dure éternellement.

Ils dînèrent à une petite table d'angle après le départ des clients. Au moment de se quitter, Simon embrassa Molly et lui dit :

— Prends bien soin de toi.

Tout d'un coup, Molly fut saisie d'appréhensions. Elle prit les clés de voiture et, sans la moindre explication, annonça qu'elle prenait le volant. Endell parut contrarié, car depuis qu'il avait obtenu son permis, ses talents de bon conducteur étaient l'une des rares choses dont il s'enorgueillissait. Néanmoins, il s'installa sans protester sur le siège du passager, et ils rentrèrent à la maison.

J'étais ravi du bonheur de Molly avec Joe Endell, bien que ce sentiment fût à la fois légèrement entaché d'un peu de jalousie et malgré tout renforcé par une étrange impression : d'une certaine façon, Molly ne m'avait pas laissé tomber. On ne peut pas dire que le choix de ses précédents partenaires ait amélioré son image de marque. A présent, elle connaissait le bonheur avec un homme de valeur, et prenait sa tâche de femme de député très au sérieux. Finalement, il s'avérait que je n'avais pas été si idiot en tentant de persuader mon père et les autres de la considérer comme un être humain à part entière, au même titre que nous-mêmes, et non pas comme une simple petite garce. Désormais, c'était une femme respectable, liée à un membre du Parlement. Elle faisait presque « partie de notre monde », comme on aurait pu dire, et cela me prouvait que j'avais eu raison de prendre sa défense. En tout cas, Joe Endell était un honnête homme sur qui, malgré un monde toujours à l'affût des ragots, il ne courait que peu de rumeurs de scandale. Il avait la réputation d'un être candide et incorruptible, ce que ses collègues prenaient sûrement pour un handicap dans le monde politique. Quoi qu'il en fût, cela marchait. On pensait qu'il se verrait sans doute confier le ministère de l'Education après les élections de 1971. Malheureusement, le parti conservateur mit fin à ses espoirs en gagnant les élections. Malgré la victoire du camp opposé, il conserva son siège, avec une perte de cinquante votes seulement. C'était un homme transparent, protégé de la calomnie par sa propre innocence, qu'il ne perdit jamais, et de l'échec par une immense force de travail. Même le choix de son épouse, après une demande formulée au pub au bout de quelques rares rencontres, dont deux au moins à un moment où sa future épouse avait tout d'une épave, fut l'une des meilleures décisions qu'il ait jamais prises. Pas étonnant que j'en fusse un peu jaloux. Endell avait fait ce que j'aurais pu faire, demander à Molly de l'épouser, mais lui n'avait éprouvé ni doute ni hésitation. Et il pouvait se féliciter du résultat. A côté, je me sentais lâche et stupide. Pourtant, j'avais conscience de la futilité de tels sentiments. J'étais parfaitement heureux. Peu avant le mariage d'Endell et de Molly, ma femme avait donné naissance à notre deuxième enfant. J'étais très content. Mais personne n'échappe à quelques regrets nostalgiques de temps en temps !

En fait, ils menèrent leur vie un peu folle pendant sept ans. Ils

354

durent se marier juste avant, ou juste après la conception de leur enfant. A ce moment-là, tout le monde était au courant de leur liaison. A l'intérieur des limites de la circonscription, on considérait la mauvaise conduite de Molly comme des erreurs de jeunesse, provoquées par la mort prématurée de son premier mari. Finalement, ce passé agité jouait peut-être en sa faveur. Les gens la sentaient humaine, et donc capable de comprendre leurs propres problèmes. En fait, on la pardonnait parce qu'elle avait l'air parfaitement ingénue. Elle débordait d'enthousiasme et d'énergie. Elle était belle, heureuse et sympathique. Le mariage fut donc accueilli sous de bons auspices à l'intérieur de la circonscription, et ne suscita que quelques commentaires à l'extérieur.

Molly paraissait si heureuse pendant les années qu'elle passa avec Endell, que pour une fois on pouvait avoir la faiblesse de penser que cela allait durer éternellement.

1974

Heureux, Joe Endell était installé devant la cheminée, les pieds sur le pare-feu. Son instinct du Yorkshire l'avait poussé à conserver l'âtre et à faire ramoner la cheminée à l'automne, en prévision des moments difficiles. « Crois-moi, tu me remercieras plus tard, ma petite Molly. » A la lumière de la lampe, il écrivait son discours qui prévoyait la chute imminente du gouvernement.

— Une chance que tu accouches en juin, au pire nous aurons toujours assez de lumière pour nous occuper du bébé, au mieux, il sera fils d'un ministre de la Couronne.

— Tant qu'il est en bonne santé, le reste m'est égal.

Elle vivait mieux sa grossesse à trente-sept ans qu'elle ne l'avait vécue adolescente.

— Mais pendant que j'y pense, je crois qu'il serait temps que tu essaies de retrouver tes véritables parents, dit-elle en levant le nez de sa machine à écrire. Ce serait peut-être bien de savoir qui c'est.

— J'aime autant pas.

— Tu as peur de découvrir que ton père a été pendu pour meurtre ? Ou que ta mère faisait le trottoir ? Ne t'inquiète pas, ce n'est pas cela qui a effrayé Josie. Fais-le, par simple curiosité.

— Je ne suis pas curieux.

— Joe, dit-elle en tapant toujours, tu crois vraiment que c'est une bonne idée de parler du conflit de Heath avec les syndicats ? C'est un peu ennuyeux, tu ne trouves pas ?

— Peut-être. Va me chercher mes brouillons en haut. Je vais tout centrer sur une vision rationnelle de l'avenir. Non, attends, j'y vais, se reprit-il en voyant le visage fatigué de son épouse.

Ce n'était pas la première fois que Molly soulevait le problème des parents naturels de Joe Endell, mais à chaque fois, il manifestait les mêmes réticences. Pour lui, et il avait raison, son père et sa mère étaient ceux qui l'avaient élevé. Pourtant, Molly détectait dans la voix de Joe les traces des inquiétudes de l'enfance. Un jour, elle avait abordé le sujet avec Evelyn Endell, la mère adoptive de Joe.

— Je sais, il ne veut même pas y penser. J'en ai déjà parlé, mais il m'a dit de laisser tomber, de manière assez brusque, je dois dire. C'en était même étonnant de sa part. De toute façon, j'avais eu envie de le faire, il y a des années, mais Fred pensait que ce n'était pas forcément une bonne chose. Il a connu un cas, en tant que médecin, où un couple a découvert par hasard que la véritable mère de leur fille adoptive se prostituait. Ils ont quasiment enfermé la fillette dès l'âge de onze ans. Pour lutter contre une mauvaise hérédité ! Bon, je sais, cette attitude est un peu extrême, mais nous aurions pu nous laisser influencer par ce que nous aurions découvert sur les parents de Joe, surtout dans les moments de crises, comme à l'adolescence. Finalement, j'ai pensé que Fred avait raison, et je n'ai pas insisté.

Les deux femmes étaient installées sur la pelouse devant la maison qui donnait directement sur la plage de la côte du Lancashire.

— C'est quand même étrange que ce soit la seule chose dont il ne m'ait jamais parlé. C'est vous qui me l'avez appris. Il ne dit jamais un mot là-dessus, comme s'il n'avait aucun souvenir de tout ce qui précède son arrivée ici. Pourtant, il avait déjà six ans, il doit bien se rappeler quelque chose.

— Et vous ? vous avez des souvenirs ?

— Oui, je me souviens du train qui nous a emmenés quand nous étions réfugiés. Et Ivy me donnait un œuf tous les jours, après que Jack soit parti à l'école. Il n'y avait qu'un coquetier à la maison, et c'était un secret. Je ne devais en parler à personne. C'est peut-être pour ça que je m'en souviens.

— Sûrement, dit sa belle-mère. En pleine guerre ! Tous les jours ? Vous éleviez des poules ?

— A Meakin Street ? Il n'y avait même pas de place pour un chat. Et vous, vous vous rappelez encore votre enfance ?

— Oui, je me souviens d'une promenade sur le cheval de mon père, le ciel était très noir, et quand je suis revenue, on m'a installée devant le feu et on m'a donné du lait chaud, je n'ai pas très bien compris ce qui se passait, mais plus tard ma mère m'a dit qu'elle devait être en couches de mon frère, ce qui signifie que j'avais deux ans et demi. Mais tout le monde n'est pas pareil, on se souvient surtout des choses étranges.

— Mais Joe devrait avoir matière à se souvenir, l'orphelinat, son arrivée ici, je ne comprends pas.

— Fred dit que cela peut être parfaitement naturel, ou bien que c'est un traumatisme refoulé. Mais, d'après lui, il ne faut pas réveiller chien qui dort. Il n'y a qu'une chose pour laquelle Fred s'est inquiété, c'est lorsque Joe a refusé l'argent de son grand-père, enfin, l'héritage, vous savez.

– Non, non, je ne crois pas.

– Ah bon ? Oh, c'était il y a bien des années de toute façon. Le père de Fred était très riche. Il dirigeait une petite aciérie, dans les années vingt et trente, mais il s'est mis à construire des armes. D'un certain point de vue, je suis d'accord avec Joe, le père de Fred vendait sa marchandise à qui la lui achetait, à cette époque, il n'y avait aucune réglementation. Et je suis sûre que si nous connaissions toute la vérité à ce sujet, nous en serions tous outrés, mais on ne réagissait sans doute pas de la même façon en plein milieu de la Grande Dépression.

– Oui, certainement, mais que s'est-il passé avec Joe ?

– Harold Endell, le père de Fred, est mort en laissant la moitié de son argent à son fils, le reste devait être réparti entre les trois petits-enfants. Cela doit remonter à une vingtaine d'années au moins. Joe venait d'être embauché au *Yorkshire Post*. Il a refusé sa part, car il n'était pas d'accord avec la façon dont cet argent avait été obtenu. C'est à ce moment que Fred s'est demandé si cette attitude n'était pas un geste de révolte contre la famille, parce que finalement, Joe ne supportait pas d'être un enfant adopté.

– A mon avis, c'était plutôt une question de convictions politiques. Commerce d'armes et entreprise capitaliste, pas étonnant qu'il ait sauté au plafond.

– Il était si jeune. Nous n'étions pas sûrs qu'il garderait les mêmes opinions. Et puis, les parents ont souvent tendance à ne pas faire attention aux idées politiques de leurs enfants. On pense toujours que ça va leur passer. Tout ce que Fred voyait, c'était un petit idiot qui refusait cent mille livres. Il ne vous en avait jamais parlé ?

– Vous devriez le connaître, ce qui est fini est fini. Avec Joe, il n'y a qu'aujourd'hui et demain qui comptent.

– Oui, c'est pour ça que vous ne devriez pas trop le pousser à remuer le passé. J'espère que je ne vous heurte pas ?

– Non, bien sûr, vous êtes sa mère, vous le connaissez mieux que moi.

– Vous avez l'air si heureux comme ça. Que demander de plus ? dit sincèrement la belle-mère.

– Rien, rien. Laissons le passé là où il est, c'est mieux comme ça.

De loin, on entendait la marée monter. Soudain, le ciel s'obscurcit.

– Il va pleuvoir, nous devrions rentrer, dit Mme Endell.

En silence, elles se dirigèrent vers la maison. Prévenue par son instinct, Molly sentit que tout n'allait pas aussi bien qu'il y paraissait. Joe était mal à l'aise depuis leur arrivée, bien que tout se déroulât comme d'habitude. La seule différence, c'était que Molly venait de lui annoncer qu'elle attendait un enfant. Il en avait pleuré de joie, mais ensuite, il s'était montré nerveux. C'était sans doute normal, pour un homme proche de la quarantaine qui n'avait encore jamais été père d'être troublé par un tel événement, pourtant, cette explication ne la satisfaisait guère.

Quand vint l'heure du départ, Joe avait mal à la tête. Pâle et fatigué, il s'était installé sur le siège du passager. Mary alluma la radio. Comme il avait pris un calmant, il s'endormit bientôt. Molly se mit à chantonner en français l'air qui passait, la mélodie nostalgique qu'elle entendait dans ses rêves d'enfance. A la fin de la chanson, Joe se réveilla, les yeux hagards, les traits tirés.

— Ça va ? Tu ne veux pas que je m'arrête quelque part ?

— Non, ça va. J'ai fait un mauvais rêve. Ce sont sans doute les cachets que papa m'a donnés.

Anxieuse, Molly continua de conduire, mais finalement, Joe sombra dans un sommeil détendu.

Pourtant, quelques semaines plus tard, Joe se réveilla d'un cauchemar, criant et suant, une expression de terreur sur le visage.

— J'ai rêvé qu'Edward Heath avait gagné les élections, dit-il en essayant de sourire.

Les cauchemars cessèrent avec le début de la campagne électorale. Ils voyageaient à travers tout le pays et Molly se sentait parfaitement heureuse.

Le 4 mars 1974, à quatre heures du matin alors que la dépouillement était presque terminé, Joe, Sam Needham et Molly quittèrent la maison d'un autre député, sûrs d'une victoire travailliste.

Ils décidèrent de rejoindre la fête au quartier général du parti. Comme Sam Needham avait un peu trop bu et que Molly, au sixième mois de sa grossesse, était fatiguée, Joe, toujours enthousiaste pour prendre le volant, s'était porté volontaire. En s'installant sur le siège arrière, Molly songea soudain qu'après une campagne épuisante, son mari devait être aussi exténué qu'elle, et puis, bien qu'elle n'aimât pas se l'avouer, il ne conduisait pas très bien. Néanmoins, au fur et à mesure qu'ils avançaient calmement dans les rues désertes, elle oublia ses craintes et somnola. Il lui sembla entendre le rugissement d'un lion en longeant Regent's Park.

— Quelle nuit, n'est-ce pas Joe ? Hé, Joe, attention ! cria Sam, alors que Molly était toujours dans un demi-sommeil.

Au même moment, la voiture dérapa, et, soudain, un grand choc projeta Molly en avant. Le souffle coupé, elle se retrouva penchée sur le siège avant. Elle ne ressentait aucune douleur, mais tremblait encore de frayeur. Malheureusement pour elle, elle ne perdit pas connaissance.

— Joe, Molly, ça va ? dit Sam, à demi étourdi. Joe ! Joe !

A l'extérieur on entendait des éclats de voix et le hurlement d'un klaxon bloqué.

— Joe ?

La tête ronde aux cheveux roux reposait sur le volant, immobile.

Quelqu'un ouvrit la porte du chauffeur.

— Ne le bougez pas, dit une voix d'homme. Oh, mon Dieu !

— Il y a une dame derrière, faites-la sortir d'abord, murmura Sam Needham.

— Ils sont combien à l'intérieur ? Vous êtes blessée ? Vous pouvez sortir ? demanda une autre voix, sur un ton plus officiel.

On l'aida à se dégager de la voiture. Sur le trottoir, elle fixait les quatre véhicules entremêlés qui bloquaient la route.

— Ça va, Molly ? demanda Sam. Une ambulance va arriver.

Molly s'écarta du policier qui la soutenait et s'approcha de la voiture.

— Joe est toujours à l'intérieur.

— Non, n'approche pas, attends l'ambulance.

— Non ! Molly ! cria Sam.

Mais déjà, Molly quittait le trottoir et avançait près de la voiture.

— C'est mon mari.

Elle regarda le visage tranquille de Joe qui reposait contre le siège à présent. Ce ne fut qu'en voyant la tache rouge sur sa chemise qu'elle songea qu'il était peut-être mort. Pourtant, elle n'arrivait pas à y croire.

— Il est mort ? Il est mort ? ne cessa-t-elle de demander dans l'ambulance pendant le trajet vers l'hôpital Saint-George.

Elle ne voulait pas admettre que la réponse allait être oui, et à ce moment, personne n'osa lui dire la vérité.

Pendant les trois jours qu'elle passa à l'hôpital, Molly se conduisit comme une patiente modèle. Elle avait les côtes sévèrement enfoncées, mais à part ça, tout allait bien. Elle avait annoncé à Sid et Ivy qu'elle sortirait un jour plus tard que la date prévue, et elle prit un taxi pour la maison vide de Meakin Street. Ses intentions étaient claires. Elle n'avait plus de raisons de vivre à présent que Joe était mort.

Sans jeter un seul regard autour d'elle, elle monta au premier, prit une bouteille de codéine dans l'armoire à pharmacie, et, sans verser une larme, avala toutes les pilules. « Joe, Joe, Joe », ne cessait-elle de murmurer, allongée sur le lit. Jamais plus elle n'aimerait de cette façon. Mécréante comme seul pouvait l'être un oiseau de la ville, elle croyait malgré tout qu'elle le reverrait après la mort. De toute façon, elle ne pouvait pas continuer sans lui. Pas un instant, elle n'imagina que l'enfant qu'elle portait changerait quoi que ce soit. Les yeux secs, elle dérivait lentement vers la mort quand Ivy la trouva.

A cinq heures ce soir-là, Ivy téléphona à l'hôpital pour parler à sa fille. En apprenant qu'elle était partie, elle appela immédiatement Meakin Street. Pas de réponse non plus ! Elle décida d'aller voir elle-même.

– Où tu vas ? demanda Sid qui sortait d'une autre pièce.

– Notre Mary a quitté l'hôpital, je crois qu'elle va faire une bêtise.

– Je viens avec toi.

– J'aimais bien Joe, c'était un fils pour moi, dit Ivy dans le taxi.

Sid força le verrou du 19, Meakin Street. Une demi-heure plus tard, Molly entrait de nouveau à l'hôpital.

Terrassée par le chagrin, Molly ne sut pas comment elle passa les mois qui suivirent. Elle ne bougeait et ne parlait pratiquement pas. Elle mangeait pourtant, car l'enfant à venir manifestait ses exigences. Ivy, qui s'occupait d'elle à Beckenham, s'inquiétait de plus en plus au fur et à mesure que le temps passait. Souvent, Molly gémissait dans son lit comme un animal blessé. Son ventre s'arrondissait normalement. L'anxiété et la surcharge de travail épuisaient Ivy.

C'était la deuxième fois que sa fille attendait un enfant dans des circonstances épouvantables. Un deuxième enfant qui ne connaîtrait jamais son père.

Deux mois après la mort de Joe, Ivy s'entretenait avec Isabel Allaun qui était venue exprimer sa sympathie.

– Je suis inquiète pour le bébé. Ce n'est pas une question de santé. J'ai peur que l'accouchement ne la perturbe encore un peu plus. Le docteur dit de la laisser tranquille, que tout s'arrangera à la naissance, que ça lui donnera une raison de vivre. Mais tout ce qu'elle dit, c'est qu'elle n'aimera plus jamais personne comme Joe Endell. Le problème, c'est que c'est sûrement la vérité, je ne peux même pas la contredire là-dessus. Le docteur a peut-être raison. Mais j'ai connu une fille, là où nous habitions avant, elle était comme Molly. Son mari est mort, et quand elle a eu le bébé trois semaines plus tard, elle l'a étouffé dans son berceau. On l'a laissée en liberté, ils ont dit qu'elle avait agi sous un coup de folie.

Ivy regarda la femme qui autrefois avait voulu lui disputer son enfant. Elle avait perdu son arrogance. Elle paraissait ridée et ratatinée. A présent, ses bijoux accentuaient encore l'aspect craquelé de ses mains rugueuses.

– Oh, ma pauvre Ivy, j'ai été épouvantée quand je l'ai vue. Il faut absolument la forcer à se lever, et le plus tôt possible.

– C'est impossible. Nous avons tout essayé, la gentillesse, la menace... Rien n'y fait. Parfois, je me sens cruelle. Je suis dans de telles rages que j'ai envie de l'arracher de son lit. Je vais chercher un autre médecin. J'espère qu'il obtiendra un résultat. Sinon, j'ai peur qu'elle finisse à l'asile de fous.

364

– Dans d'autres circonstances, je l'aurais invitée à Framlingham, mais en ce moment, tout est sens dessus-dessous à Allaun Towers. Elle est mieux ici. Pauvre Mary, une si jolie petite fille, et si intelligente. On ne se serait pas attendu à une vie si terrible. Et maintenant, veuve pour la deuxième fois... C'est vrai, la gitane avait tout prédit, c'est bizarre...

– Quelle gitane ?

– Mary ne vous en a sans doute jamais parlé. Elle a dû tout oublier, elle était petite. Elle habitait chez nous, et Mme Gates, ma gouvernante, l'a emmenée voir une diseuse de bonne aventure à la foire. La femme a sorti toutes les âneries habituelles, mais je suis sûre qu'elle avait parlé de deux maris. Et quoi ? Ah oui, un sang maudit.

– Je ne suis pas supersticieuse, dit Ivy. Ce sont des sornettes, et en plus, c'est dangereux.

– Oui, bien sûr, vous avez raison. C'est idiot de ma part d'en avoir parlé. Vous avez assez de soucis sans vous occuper de bêtises pareilles. Merci de m'avoir laissée venir. J'espère que tout s'arrangera pour Mary et je vais voir ce que je peux faire pour elle.

Après que la petite silhouette se fut éloignée dans l'allée du jardin, Ivy rentra à la maison et s'assit lourdement. Qu'avait voulu insinuer Isabel en disant qu'Allaun Towers était sens dessus-dessous ? Sir Frederick était mort deux ans auparavant, et elle n'avait pas parlé de son fils Tom. Mais la défaite de son ancienne ennemi, s'il s'agissait bien d'une défaite, ne lui plaisait guère.

Elle apporta une tasse de thé et une part de gâteau à son invalide de fille. Molly, assisse dans son lit, avala son thé en deux gorgées. Elle engloutit le gâteau, en le tenant à deux mains, comme un enfant. Puis, elle commença à gémir, en fixant sa mère. Ivy reprit la tasse, et se prépara à sortir. Molly cessa de geindre et mit sa main devant sa bouche, en un geste horrifié.

– Je reviens dans une minute, dit Ivy.

En sortant, elle s'appuya contre la porte, elle ne savait pas combien de temps elle tiendrait avec sa fille à demi folle. Elle se demandait si toutes ses attentions étaient d'un quelconque secours pour Molly et si sa fille serait capable de s'occuper du bébé à la naissance. De nouveau, elle pensa à la femme qui avait tué son propre enfant. « Il vaudrait mieux qu'il naisse mort-né, songea-t-elle. Je ne peux pas m'occuper d'un autre enfant, plus maintenant. »

Dans la cuisine, elle fut prise de rage, contre Molly, contre Endell qui s'était tué après avoir conçu un enfant, contre Sid et le toubib qui persistaient à croire que tout s'arrangerait, comme s'ils étaient incapables de regarder la vérité en face.

– Mon Dieu, pauvres de nous ! Les hommes s'en tirent toujours, mais pour nous, cela ne finit jamais.

Pourtant, Isabel Allaun réussit à faire changer les choses, bien que ce ne fût pas vraiment grâce à elle.

Une semaine, plus tard, Tom Allaun et Charlie Markham se retrouvèrent autour d'une table du Frames.

— Des nouvelles de Molly ? demanda Charlie à son cousin.

Enfoncé dans son siège, il avait l'air un peu saoul. Les ans ne l'avaient pas traité trop durement. Sa silhouette un peu forte, qui tendait à s'empâter, était encore raisonnablement ferme. Il avait toujours le teint rose et les yeux clairs. Il ressemblait vraiment à ce qu'il était. Un homme d'affaires content de lui et peu scrupuleux dans ses rapports avec les femmes et ses associés. Déjà divorcé deux fois, il courtisait une femme riche, divorcée elle aussi, qui n'était pas sûre de vouloir l'épouser. Tom était en meilleure forme, car il faisait régulièrement du sport, surveillait son poids et buvait peu. Pourtant, il restait moins attirant que son cousin. Il n'avait pas le regard franc et ses lèvres s'étaient amincies.

— Elle va plutôt mal, dit Tom en indiquant au croupier d'un signe de tête qu'ils ne jouaient pas. Elle a un polichinelle dans le tiroir, bien sûr. Maman est allée la voir, et il paraît qu'elle est complètement déboussolée. Je crois qu'elle est bonne pour les psy et les asiles.

— Oh, mon Dieu, la pauvre ! Pourtant, elle en voulait à une certaine époque, dit Charlie qui ne voulait pas admettre que Molly l'avait repoussé, ni que finalement, elle l'effrayait.

Tom, jaloux des succès de son cousin avec Molly, répondit :

— Oui, eh bien, ce n'est plus le cas.

Mais Simon Tate, qui était venu ce soir-là au club pour rendre service car les deux directeurs étaient absents, entendit la conversation. Immédiatement, il alla téléphoner à Ivy.

— Si seulement vous pouviez faire quelque chose pour elle, lui dit Ivy en lui ouvrant la porte le lendemain.

— J'essaierai.

Il monta directement dans la chambre de Molly. Elle était allongée sur le côté, grosse masse inerte sous les couvertures. Simon tira les rideaux.

— Je t'emmène déjeuner. Champagne et tout le tralala. Tu as juste le temps de t'habiller.

— Je ne peux pas.

— Allez, Molly. Je suis venu de loin pour te chercher. Ne me déçois pas.

— Je ne peux pas, je ne peux pas, dit-elle en pleurant.

— Comment oses-tu me dire une chose pareille ? Tu as regardé ta mère ces derniers temps ? Je ne crois pas. Elle est malade, c'est toi qui la tues avec tout le travail que tu lui donnes. Tu veux que ce soit elle qu'on enterre, la prochaine fois ?

Pour ne pas l'entendre, Molly se réfugia sous les couvertures et se mit à gémir. Simon les arracha brusquement, dévoilant le visage enflé, le corps ramolli sous la vieille chemise de nuit bleue, les jambes gonflées. Molly cria en se rendant compte de la vue qui s'offrait à lui, un homosexuel! Elle tenta de se recouvrir, mais Simon profita cruellement de son avantage.

— Eh bien, ce n'est pas joli. Pas joli du tout. Tu crois que Joe serait content de te voir comme ça? Tu te crois obligée de t'enlaidir à ce point?

— Laisse-moi tranquille.

Simon fit un pas en arrière et la regarda.

— Ça suffit, Molly. Tu as essayé de te suicider une fois, mais tu n'as pas recommencé, que je sache. Je suppose que ton père et ta mère ont caché les lames de rasoir et les médicaments, mais quand on veut, ce ne sont pas les moyens qui manquent. Tu n'as pas essayé de sauter par la fenêtre ni de te pendre avec les draps. C'est donc que tu veux rester en vie. Alors, ce n'est pas la peine de tuer tes parents et de faire du mal à l'enfant que tu portes. Si tu as choisi de vivre, eh bien, vis correctement. A ton avis, pourquoi Joe était amoureux de toi? Parce que tu étais vivante, et enthousiaste. Comme lui, comme son enfant si tu lui en donnes la chance. Lève-toi, Molly. Il faut lutter, tu n'as pas le choix, alors, autant en prendre ton parti. Si tu n'es pas prête dans cinq minutes, je m'en vais.

Il attendit dans le salon avec Ivy. Tous deux comptaient les minutes. Inquiète, Ivy se mit à parler du ton morne et plat de quelqu'un qui annonce un événement important:

— Il y a quelque chose que je devrais lui dire. Il y a longtemps que j'aurais dû. Cela changerait peut-être quelque chose, mais j'ai peur. Cela serait peut-être encore pire après.

— De quoi parlez-vous?

— Si elle ne descend pas dans dix minutes, je le lui dis, poursuivit Ivy d'un ton plus normal. C'est le moment ou jamais.

— Vous en êtes sûre? Pourquoi ne me le dites-vous **pas**? Je pourrais peut-être vous aider.

— Je ressens une drôle d'impression, répondit Ivy, les yeux fixés sur l'horloge de la cheminée. Il faut qu'elle sache...

— Je vais préparer du thé. A moins que vous ne préfériez un apéritif? proposa Simon qui commençait à croire qu'Ivy perdait la tête à force de s'occuper de sa fille malade.

Finalement, ils burent du café, levant le nez à chaque seconde pour regarder l'heure. Mais avant que les dix minutes ne se soient écoulées, Molly ouvrit la porte. Elle portait une robe imprimée dans les tons pourpres, des bas et des chaussures. Elle avait mis du rouge à lèvres sur sa bouche diaphane.

— Je n'arrive pas très bien à marcher, dit-elle en s'approchant de Simon d'un pas tremblant.

— La voiture est dehors.

Au début, il avait l'impression de déjeuner avec un fantôme. Pâle, ne parlant que dans un chuchotement, ne mangeant presque rien, Molly lui faisait peur. Il craignait de l'avoir forcée à se lever pour rien, et qu'ensuite elle replonge dans sa torpeur.

– Excuse-moi, Simon, excuse-moi, je me sens toute drôle.

– Il faut que tu te réhabitues.

– Je n'arrive pas à oublier Joe. C'est comme lorsqu'on vient de t'amputer d'un bras ou d'une jambe. Toutes les sensations restent là. Et puis tu te souviens qu'il te manque un bras ou une jambe, et la douleur revient. Ça n'arrête jamais. Je sais que je ne connaîtrais jamais plus ce que j'ai vécu avec Joe. J'ai connu d'autres hommes mais je n'ai jamais aimé personne comme lui. Ce n'est pas seulement du chagrin, je voulais vivre longtemps avec lui, et mourir avant lui, pour ne jamais avoir à le quitter. Maintenant, il est mort, c'est la réalité, il faut faire avec.

– Tu vas avoir son enfant.

– Ça m'est égal. J'ai tort, peut-être, mais c'est comme ça. Pour le moment, je préférerais ne pas être enceinte.

– Tu changeras d'avis à la naissance, dit Simon, d'une voix encourageante.

– C'est ce que tout le monde me dit, mais moi, je n'en sais pas plus que toi là-dessus. J'espère simplement que j'aimerai l'enfant, sinon je sais parfaitement ce qui va nous arriver.

Elle paraissait avoir retrouvé un peu de courage.

– Merci, Simon, dit-elle en lui prenant le bras. Merci de ton aide. J'ai de la chance. Ivy s'occupe de moi, Sid est très gentil, tout le monde d'ailleurs. Je ne le mérite peut-être même pas.

– Tout ce qu'on veut, c'est te revoir bientôt sur tes pieds. Oh, non ! s'exclama-t-il en regardant de l'autre côté de la salle.

Tom Allaun s'approchait d'eux.

– Molly, quelle surprise ! Heureux de te revoir. Comment ça va ?

– Bien. Je te remercie de ton petit mot, c'était gentil de ta part.

– J'ai été bouleversé en apprenant la nouvelle.

Simon le regardait d'un air sceptique. Il n'avait jamais aimé Tom, mais l'amitié qu'il manifestait envers Molly semblait sincère. On apportait le café, et Simon se sentit bien obligé de demander une chaise.

– Venez donc vous asseoir avec nous.

– Mère aurait aimé t'inviter à Framlingham, mais Mme Gates a été malade et nous n'aurions pas pu nous occuper de toi correctement. Elle pensait que ta mère était la mieux placée pour ça.

– Je n'aurais plus besoin que l'on s'occupe de moi pendant longtemps. Je vais retourner chez moi quand j'aurais l'enfant.

Aucun des deux hommes ne fut très convaincu lorsqu'ils l'entendirent prononcer sur un ton qui se voulait joyeux :

– Une nouvelle vie qui commence.

– Excuse-moi de te poser la question, Molly, mais on se connaît depuis longtemps. Tu as de l'argent ? Que vas-tu faire ?

– La maison est à moi, et puis, j'ai une pension de veuve de député. Je pourrais trouver un travail à mi-temps si je veux. Il n'y a pas de problème de ce côté-là. Joe avait même pris une assurance, je n'y avais pas encore pensé.

— Je suis content de le savoir, dit Tom.

Finalement, il la raccompagna à Beckenham. Il se montrait gentil, compatissant et plein de tact. Il l'invita à aller au théâtre un soir de la semaine. Molly, un peu surprise, mais conquise par sa gentillesse, accepta. Il y eut d'autres sorties. Tom l'aida à se réinstaller à Meakin Street. Il discutait joyeusement des petites choses de la vie, des films qu'ils avaient vus, des programmes de télévision. Mary, qui sortait d'une longue période de silence et de dépression, trouvait sa présence réconfortante. Il l'aidait dans les tâches ménagères, préparait le thé ou le café, faisait la vaisselle, rendait la vie plus agréable. Pourtant, elle fut très étonnée quand il demanda d'assister à l'accouchement.

— Dans la salle de travail ? Pourquoi ? Tu vas tomber dans les pommes.

— Je ne perds jamais mon sang-froid dans ce genre de situation. J'aimerais bien être présent. Bien sûr, si tu veux que je m'en aille à un moment ou un autre, je disparaîtrai.

— Mais c'est horrible ! s'exclama Ivy quand Molly lui parla des intentions de Tom. Pour moi, les hommes n'ont pas leur place dans des situations pareilles. C'est une affaire de femmes, et elles se rendent vite compte qu'on est bien mieux toute seule pour accoucher. Et Tom n'est même pas le père de l'enfant ! Il ne fait pas partie de la famille. C'est révoltant. Imagine un peu dans quel état il va te voir, avec les jambes en l'air et toute couverte de sueur. Je ne comprends vraiment pas pourquoi il veut venir. C'est sordide, si tu veux mon avis.

— Quoi ? s'exclama Simon, horrifié, en apprenant la nouvelle. Ecoute-moi, Molly, tu ne connais pas Tom.

— Je sais qu'il a été gentil avec moi. Qu'est-ce que j'aurais fais sans lui, à penser à Joe toute la nuit ? dit-elle en enfournant difficilement un plat.

Elle repensa à Tom, penché sur sa chaise, essuyant ses larmes d'un geste réconfortant.

— Il en a envie, je lui dois bien ça. Et puis, je serai peut-être contente d'avoir quelqu'un prêt de moi quand je me ferai enguirlander par les sages-femmes. De toute façon, j'ai peur. Je n'ai personne vers qui me tourner. Accoucher, ce n'est jamais une partie de plaisir, alors si je me mets à penser à Joe, imagine un peu !

— Oui, sans doute, dit Simon à contrecœur. Mais c'est quand même un peu bizarre, il faut bien l'admettre. Moi, je ne comprendrai jamais.

— Cela n'a pas d'importance.

Ce fut donc Tom qui accompagna Mary à la clinique, Tom qui lui parla pendant les premières contractions, Tom qui lui essuya le front et lui mouilla les lèvres quand les douleurs se firent plus intenses, Tom qui lui tint la main et l'encouragea tandis que son corps se tordait sous l'effort.

Ce fut à Tom que le médecin s'adressa en lui montrant un beau gros garçon.

– C'est un costaud ! Il doit y avoir des géants dans votre famille.

– Un futur champion de boxe, catégorie poids lourds, répondit étrangement Tom.

Sans savoir pourquoi, Molly fut horrifiée par cet échange de propos.

– Donnez-le moi, cria-t-elle.

Pendant des mois, cet enfant n'avait été pour elle que la source d'ennuis physiques et le présage de douleurs à venir, et à présent, il était réel. Il tenait à la fois de son père et de sa mère. Quand elle avait eu Joséphine, elle était jeune, et hébétée. Cette fois, elle comprenait ce qui lui arrivait, elle envisageait l'avenir avec son enfant. Tom ne comptait plus à ce moment-là.

Néanmoins, ceux qui allèrent lui rendre visite à l'hôpital furent surpris de trouver Tom toujours fidèle au poste. Il ne s'occupait pas de l'enfant, mais il apportait son aide par d'autres moyens. Pourtant, il faut reconnaître qu'à ce stade, Molly se chargeait de beaucoup de choses et que les attentions de Tom, bien qu'assidues, se limitaient à de légères tâches ménagères. Cissie Messiter ne cacha pas sa colère quand elle arriva un matin à l'improviste et qu'elle trouva Molly en train de nettoyer la salle de bain tandis que Tom finissait tranquillement son petit déjeuner Vigoureusement, elle prit l'éponge des mains de Mary.

– Enfin, je suppose que c'est toujours mieux qu'une dépression postnatale, grommela-t-elle.

Six semaines plus tard, Tom était toujours à Meakin Street.

– Ça ne me plaît pas, confia un jour Sid à Sam Needham au Marquis de Zetland. Qu'est-ce qu'il fiche ici ? Qu'est-ce qu'il attend ?

– Il attend exactement ce que vous et moi pensons qu'il attend.

– Ça me donne la chair de poule. Mais qu'est-ce que je peux y faire ? Il est gentil avec elle. Et puis, on dirait bien qu'elle a besoin de lui.

– J'espère simplement qu'elle ne prendra pas de décision stupide tant qu'elle n'est pas dans son état normal, répondit Sam.

Hélas..

370

Molly Allaun

Aujourd'hui encore, je revois tous les visages souriants quand nous avions annoncé que nous allions enfin nous marier, Joe et moi, se pincer quand je leur fis part de la même nouvelle à propos de moi et de Tom. Les gens semblèrent tous étouffer en retenant les mots qui allaient leur sortir instinctivement : « Non, surtout pas ! » ou « Réfléchis à deux fois », mais ils se contentèrent de dire : « Tu es sûre de ne pas te tromper ? » ou simplement : « N'est-ce pas un peu tôt ? »

Tom serait d'accord avec moi pour reconnaître aujourd'hui que c'était de la folie. D'ailleurs, difficile de dire lequel était le plus fou des deux. Pour être honnête, c'était probablement lui, car il n'était pas dans une situation aussi dramatique que la mienne. Il aurait dû être plus raisonnable. Moi aussi, mais j'étais dans un tel désespoir, que je ne voyais pas d'issue. Je savais à peine qui j'étais. Tout ce que je désirais, c'était la sécurité d'Allaun Towers pour moi et l'enfant, et pour Joséphine aussi quand elle viendrait nous voir. Je croyais que je finirais par aimer Tom. Après tout, de manières différentes, j'avais aimé tous les hommes avec qui j'avais vécu. Alors, pourquoi pas Tom ? Je me reposais déjà sur sa gentillesse.

Je ne savais vraiment pas très bien où je mettais les pieds. Bien sûr, tout aurait pu être différent si j'avais jeté un coup d'œil sur Charlie Markham pendant que Tom me faisait la cour. D'un seul coup, tous mes souvenirs me seraient revenus à la mémoire. De plus, lorsque Tom et Charlie étaient ensemble, on ne se faisait plus guère d'illusions sur la personnalité de Tom. Mais Charlie n'avait pas croisé mon chemin, un peu comme le chat et le renard de la fable qui se séparent pour ne pas éveiller les soupçons de Pinocchio. Sept mois après la mort de Joe, je me retrouvai donc devant l'autel. Mon Dieu, quel mariage, quelle réception ! Et surtout, quelle lune de miel !

Au cours du déjeuner au Savoy après la cérémonie, le seul visage vraiment gai était celui d'Isabel Allaun. Enfin, elle voyait son fils se marier, et se retrouvait dans une atmosphère qui lui manquait depuis longtemps, parmi les serveurs en queue-de-pie qui offraient du champagne sur des plateaux d'argent.

— Quel dommage que votre fils n'ait pas pu venir ! dit-elle à Ivy.

Elle avait déjà rencontré Shirley, Brian et leurs fils, mais le visage déprimé de Shirley et l'air désapprobateur de Brian ne lui avaient pas fait bonne impression. Elle espérait que Jack Waterhouse, en tant que député, même travailliste, serait plus sociable.

— Il a dû partir à l'étranger, répondit Ivy.

Elle ne précisa pas que Jack s'était bien arrangé pour être le plus loin possible ce jour-là. Le mariage hâtif de sa sœur avec un membre de la classe supérieure était une double trahison de Joe Endell et des principes qu'il avait défendus.

— Quel dommage ! Enfin, il verra toujours les photos.

« Et inutile de commander des photos pour moi », avait pris la peine d'ajouter Jack.

— Ça va, Ivy ? demanda Simon qui passait par là en remarquant sa pâleur. Vous ne voulez pas que j'aille chercher Sid ?

« Vous savez, Tom n'a pas débarqué au restaurant par hasard. Il avait téléphoné à ma secrétaire qui lui avait dit où j'étais et avec qui », avait raconté Simon à Ivy.

— Non, tout va bien, répondit Ivy.

Comme Jack, Sam Needham avait refusé de venir. « Je n'ai rien contre Molly, mais en ce moment, je crois qu'elle fait n'importe quoi. »

— Enfin, tout est bien qui finit bien, dit Isabel Allaun à Ivy.

Ivy se demandait vraiment pourquoi Isabel se réjouissait tant de voir son fils épouser une fille de la classe ouvrière. Se sentant de plus en plus faible, Ivy chercha Sid du regard pour le voir tourner les talons au moment où Charlie déclarait :

— J'avais peur que mon cousin ne se marie jamais. Et maintenant, il a une femme et un enfant, toute une famille, comme par enchantement...

Ivy fixait la porte par laquelle Sid était sorti en espérant le voir revenir bientôt. Du regard, elle chercha une chaise. Soudain, l'obscurité l'engloutit, et Simon lui passa le bras autour de la taille pour l'aider à s'asseoir.

Molly, derrière la pièce montée, vit sa mère s'évanouir. Le

regard anxieux, elle se tourna vers Tom qui riait à une plaisanterie de Charlie. Sid aurait dû prononcer un petit discours, mais il avait disparu.

– Un discours, un discours ! cria-t-on à Tom qui se contenta de se tourner vers Mary et de lui effleurer les lèvres des siennes.

Ensemble, ils découpèrent le gâteau. Tandis que la lame traversait le glaçage de sucre, Molly sentit sur sa main la paume de Tom, froide comme l'acier.

En voyant Ivy s'évanouir, Sid s'en aller et Charlie débiter ses plaisanteries de joyeux luron, je compris que j'étais fichue. J'aurais dû prendre mes jambes à mon cou sans plus attendre, mais je n'arrivais pas à admettre que j'avais commis une telle erreur. Si mon instinct m'avait dit que Tom était gentil, tendre et généreux, il ne pouvait me tromper. J'aurais dû me fier aux petits détails, comme le torchon qui n'était jamais accroché à sa place. Et puis, il ne m'avait jamais offert que quelques caresses, mais je croyais qu'il manisfestait une certaine timidité devant mon veuvage et la naissance récente de mon enfant. J'aurais été sûrement plus curieuse si je ne m'étais caché la vérité, si j'avais compris l'importance que j'attachais à élever mon enfant dans le confort de Framlingham, avec un père vivant, si j'avais compris à quel point j'avais besoin de retrouver une nouvelle identité après la mort de Joe. Le problème, c'était que nous recherchions tous deux des choses qui comptaient beaucoup pour nous, mais dont nous n'avions pas voulu parler. Mauvais débuts pour un mariage !

Les invités s'en allèrent. Tom et Molly avaient prévu de passer la nuit à l'hôtel et d'aller à Framlingham le lendemain matin. Sid et Ivy devaient s'occuper du bébé pendant une semaine avant de le ramener dans le Kent.

Molly, seule avec Tom et Charlie, regardait tristement le gâteau entamé et les confettis qui parsemaient le sol. Déjà, elle s'ennuyait de son enfant.

– Heureux ? demanda-t-elle à Tom.

Une fraction de seconde trop tard, il répondit à son sourire.

– Allez, ne restons pas là parmi les débris de la fête. Je vous offre un verre au bar, proposa Charlie.

Ils y passèrent l'après-midi. Tom s'enivrait de plus en plus. Molly non plus n'avait pas envie de rester sobre. Charlie luimême semblait déconcerté par la scène. Il se pencha vers Tom qui commandait une autre tournée et lui murmura quelque chose à l'oreille. Le visage de Tom s'enflamma d'un éclair de colère, qui disparut aussitôt quand il proposa à sa nouvelle épouse :

– Tu dois être fatiguée. Tu ne veux pas monter te reposer ?

Molly acquiesça d'un signe de tête. Elle croyait qu'ils allaient faire l'amour. Elle avait envie de sentir un corps près du sien. Elle avait besoin de passion, d'intimité, de détente. Mais, dans leur suite, Tom la conduisit près du gros bouquet de fleurs, face à la fenêtre qui donnait sur la Tamise, et lui lâcha la main devant la porte de la chambre.

– Tu veux que je te fasse couler un bain ?

– Non, merci, je vais m'étendre un peu.

Tom lui déposa un léger baiser sur les lèvres.

– Dors bien.

Il sortit et referma la porte. Quelque peu abasourdie, encore sous l'effet du champagne, Molly décida que peut-être il valait mieux se reposer. Elle s'endormit. A six heures, elle se réveilla, seule, souffrant terriblement de l'absence de Joe Endell. Tom n'était pas non plus dans l'autre pièce. Elle s'effondra sur le divan et pleura. « Est-ce une erreur ? Est-ce vraiment une erreur ? » dit-elle à voix haute. Mais elle repensa à Allaun Towers, aux murs de briques rouges étincelants sous le soleil. Elle imagina son enfant pétulant de santé faire ses premiers pas sur la pelouse, courir dans les blés plus grands que lui, apprendre à ramer sur le lac. Lui sans père et elle sans Joe auraient malgré tout quelque chose à eux. Sans doute Tom s'était-il ennuyé à attendre qu'elle se réveille. Il avait plus de quarante ans, il n'avait jamais été marié, c'était normal qu'il se sente mal à l'aise. Elle n'aurait peut-être pas dû s'endormir. Et pourtant, c'est lui qui le lui avait suggéré. Du simple tact. De la gentillesse. Pourquoi se précipiter à faire l'amour en plein après-midi, à moitié ivre, dans le simple but de consommer le mariage ?

Morose, elle commanda du café, et ensuite un whisky. Elle regarda la télévision et réfréna le désir de s'en aller immédiatement. Non, il fallait qu'elle lui laisse une chance. Elle se souvenait de ses attentions, de sa gentillesse. Soudain, Charlie Markham appela, l'air mal à l'aise.

– Excuse-moi, Molly. Tom est là. Il est venu à l'improviste à une petite soirée que j'avais organisée. Il s'est évanoui, je te le ramène.

– Merci, Charlie.

– Les conséquences naturelles d'une soirée entre célibataires...

– Merci, Charlie, répéta Molly.

Elle se mordit les lèvres pour contenir sa rage. La sollicitude de Charlie empirait encore les choses. Ensemble, ils mirent Tom au lit. En regardant la jeune mariée vaincue et le marié ivre mort, Charlie tenta de dissimuler sa pitié. Il accepta le verre que Molly lui proposa.

– Les mariages, c'est toujours affreux. Tout le monde est content quand ça se termine.

– Oui, dit Molly.

— Pourtant, elle s'inquiétait de voir tant de gentillesse chez Charlie, elle ne le connaissait pas sous cet angle, et cela n'annonçait rien de bon.

— Il va avoir une bonne gueule de bois demain matin. Ne sois pas trop dure avec lui.

— Non. Merci encore Charlie. Viens nous voir quand tu veux.

— Avec plaisir, cela fait des années que je ne suis pas allé là-bas. Bonne chance, Moll.

Il l'embrassa sur la joue et partit.

Après son départ, Molly ne ressentit que plus cruellement la mort de Joe et l'absence de son bébé. En même temps, elle était très inquiète. Elle prit un bain, puis sortit brusquement de l'eau, comme si elle se précipitait vers une urgence. Elle était à demi endormie devant la télévision dans la chemise de nuit brodée qu'elle avait achetée juste avant le mariage, quand il la rejoignit enfin, très pâle.

— Quelle heure est-il ?

— Onze heures et demie. Ça va mieux ?

— Euh... pas vraiment, dit-il d'une voix brouillée avant de se précipiter à la salle de bain.

— Excuse-moi, j'ai été malade, dit-il en revenant.

— J'ai commandé des sandwiches et du café. Ça te va ?

— Oui, je m'en moque. Oh, mon Dieu, le jour de notre mariage ! Oh, Molly, je fais un drôle de mari.

— Je suis impatiente d'aller à Framlingham. Ce n'était pas une bonne idée de passer la nuit à l'hôtel.

— Ce n'est plus comme avant, dit prudemment Tom.

Molly lui trouvait des airs de conspirateur, il tentait de dissimuler un sourire railleur.

— Que veux-tu dire ?

— Notre vieille demeure, ce n'est plus comme avant. Les droits de succession. Cela ne fait rien. Cela s'arrangera bientôt.

Il la regardait, toujours la même expression sur le visage. Le garçon apporta le plateau.

— Prends un café et mange quelque chose.

— Nous ferions mieux d'avoir une petite conversation, dit-il en levant les yeux de son assiette. Oui, les droits de succession. Et puis, deux ou trois petites choses. Ce n'est plus aussi facile qu'avant d'entretenir ce genre de demeure. Et dans l'ancien temps, elles étaient financées par des plantations de caoutchouc ou je ne sais quoi. Papa n'est jamais redevenu le même après la guerre. De toute façon, il n'avait jamais eu le sens des affaires. Et ma mère, elle, elle n'a pas changé. Aucun sens des réalités. C'est sûrement la même chose pour moi, du moins, cela ne m'étonnerait pas. Charlie dit toujours...

— De quoi parles-tu ? Tu veux dire que vous allez être obligés de vendre la maison ?

— Vendre ? Vendre ? Mais elle est hypothéquée jusqu'au cou ! Ça ne fait rien, Molly, nous arrangerons tout ça.

Il ferma les yeux et sombra dans une sorte de somnolence.

Molly se resservit une deuxième tasse de café. Voilà enfin qui expliquait l'attitude de Tom. Il avait honte de ne pas lui avoir parlé de la situation qu'elle trouverait à Framlingham. Tant pis. Elle trouverait un travail. Mme Gates s'occuperait du bébé. Ils trouveraient bien une solution. En fait, elle se sentait même soulagée d'avoir de vrais problèmes à affronter plutôt que de se laisser ronger par les incertitudes d'un mariage malheureux.

Tom souleva les paupières et commença à murmurer quelque chose.

— Tom, j'ai réfléchi. Je trouverais un travail, et Mme Gates s'occupera du bébé.

— Un travail ? Pour quoi faire ? Je te demande simplement de quoi tu disposes. Excuse-moi d'être si brutal, mais nous devons en parler maintenant que nous sommes mari et femme. Sers-moi un café, tu veux, ce sera gentil.

Elle lui servit le café, et lissa un sourcil hérissé.

— Mon pauvre Tom.

Etait-ce une illusion, ou avait-il délibérément repoussé sa main ?

— Alors ?

— Je ne comprends pas bien de quoi tu parles, dit-elle en approchant sa chaise de lui. Si tu veux savoir combien j'ai d'argent, eh bien, quelques centaines de livres, l'assurance de Joe et la maison, je crois. Pourquoi tiens-tu tant à savoir ?

— Parce que tu es ma femme. Et parce que nous devons faire quelques projets, dit-il comme s'il parlait d'une évidence. Voyons, Molly, tu te conduis comme si tu étais saoule, mais ce n'est pas le cas, pour moi non plus d'ailleurs, plus maintenant.

— Je trouve ça choquant, dit Molly. Nous ne sommes pas mariés depuis cinq minutes et tu veux voir mon compte en banque et savoir combien Joe m'a laissé. L'assurance se monte à deux cents livres, pas grand-chose en fait, il avait l'intention de l'augmenter après la naissance du bébé.

— Oh, mon Dieu ! dit Tom, visiblement dégoûté. Allez, dis-le, où est l'argent du vieux Endell ?

— Quel ar... ? commença Molly avant de comprendre brusquement. Ah, Joe n'a pas voulu l'accepter. Il n'appréciait pas la façon dont il avait été gagné, et en plus, il était contre les héritages. C'est pour ça qu'il ne voulait pas profiter de cet argent.

Tom la regardait avec une expression que Molly, elle-même dans un moment de terreur, reconnut comme de la peur.

— Tu mens, dit-il lentement. Non ! hélas ! Non ! Endell n'a pas voulu de l'argent, c'est vrai ? N'est-ce pas ?

Soudain, Molly se sentit épuisée. Elle ne supportait pas d'enten-

378

dre répéter ainsi le nom de Joe, elle ne supportait pas de savoir son enfant loin d'elle et surtout, elle comprenait que Tom l'avait épousée en croyant qu'elle était une riche héritière !

— Tom, je n'arrive pas à croire ce qui se passe. Je ne me sens pas très bien.

Mais Tom se redressa dans un cri et, de rage, renversa le plateau et son contenu, cafetière, pot de lait et tasses.

— Mon Dieu, quelle mauvaise scène d'opéra ! Ah, tu as bien gardé ton secret, ça, on peut le dire ! hurla-t-il devant le visage de Molly.

Finalement cette attitude menaçante la revigora. Elle était scandalisée, bien que plus tard, elle repensât à ce moment, où pour la dernière fois Tom manifesta un éclat de passion, avec une certaine nostalgie. Si Tom n'avait pas mis une telle énergie dans ses attaques, elle serait probablement partie tout de suite, mais là, elle sauta sur ses pieds et cria à son tour :

— Ne sois pas stupide ! Je ne t'ai jamais rien caché. Je ne savais pas que tu me croyais riche. Tu n'as jamais fait la moindre allusion au grand-père de Joe. Si tu en avais parlé, je t'aurais tout de suite mis au courant. Je ne t'ai jamais forcé à te marier. Mais bravo ! Je croyais que tu m'aimais, je croyais que je t'aimais et il n'y a que l'argent qui t'intéresse. Eh bien, tu ferais mieux d'aller chercher ailleurs. Je retourne chez moi. Tu n'as qu'à divorcer, comme cela, tu pourras te mettre en quête d'une héritière, une vraie, cette fois.

Molly courut dans la chambre et commença à ôter des ceintres les quelques vêtements qu'elle avait apportés.

— Molly, Molly, dit Tom en lui prenant le bras. Excuse-moi. Nous sommes bons amis. Nous nous aimons, rien n'est perdu, ajouta-t-il en lui passant le bras autour de la taille.

— Non, Tom, ça ne sert à rien. Regardons la réalité en face. Tu me voulais pour ma fortune, pour remettre un toit sur la maison et un sourire sur le visage d'Isabel. Et moi, j'avais besoin de ta maison et de ta situation, pour moi et pour l'enfant. Et maintenant, il n'y a plus d'argent pour toi, et plus de maison pour moi. Alors, restons-en là. Nous n'avons que nous-mêmes à blâmer. Autant limiter les dégâts. Bon, je m'en vais. Je réglerai la note avant de partir, cela va de soi. Nous pourrons faire annuler le mariage.

— Je voulais l'enfant, dit Tom.

— Quoi ? demanda Molly, sortant de la salle de bain, avec sa trousse de toilette à la main. L'enfant, c'est ça que tu as dit ?

Mal à l'aise, Tom acquiesça. Les mots semblaient sortir difficilement.

— Oui, il me faut un héritier.

— Voilà la meilleure ! Mon propre fils. Tom, tu me dégoûtes. Pourquoi ne fais-tu pas un enfant, s'il t'en faut un à tout prix ?

Elle marqua une pause, toujours incapable de croire ce qu'elle entendait.

— Mon Dieu, je croyais que ces histoires n'avaient plus cours.

— Toi aussi, c'est ce que tu voulais, tu l'as dit.

— Non, moi, je voulais du grand air, répondit Molly, indignée. Pas de maison en ruines ni de titre idiot. Je voulais qu'il vive la même enfance que moi, qu'il coure dans les champs..., dit-elle en reniflant.

Lentement, elle s'agenouilla pour boucler sa valise. Une larme coula sur sa joue.

— Molly, ne pleure pas.

Elle se retourna et se leva. Tous deux se regardèrent, se demandant s'il ne valait pas mieux souder une alliance amicale plutôt que de se retrouver seuls.

— Ça s'arrangera peut-être, dit Tom.

— Tu serais mieux sans moi, tu trouveras mieux ailleurs.

— J'ai besoin d'un héritier, répéta-t-il.

— Qu'est-ce qui t'en empêche ?

— Ce n'est pas mon genre.

— Qu'est-ce que cela veut dire ?

Elle comprit soudain ce qu'il voulait sans doute insinuer.

— Oh, mon Dieu, pourquoi ne m'as-tu rien dit ? Pourquoi n'ai-je pas deviné ?

— Ce n'est pas si terrible que ça.

Molly alla dans l'autre pièce et se jeta sur une chaise. Tom avait pensé, et Charlie avait sans doute contribué à le rassurer sur ce point, que Molly, qu'ils avaient déculottée pendant l'enfance, saurait réveiller une virilité chancelante. Elle ne s'était doutée de rien tant elle avait été troublée par son chagrin pour Joe et son amour du bébé. A présent, la situation était pire qu'elle ne le croyait, mais comment espérer que Tom la désire, puisqu'elle ne le désirait pas ?

Tom, qui l'avait suivie, s'assit lui aussi. Il attendait sa décision.

— J'aurais dû m'en douter. Qu'est-ce que tu suggères, Tom ?

— Ça aurait pu marcher. Je m'y suis mal pris.

— De toute façon, je ne serais pas plus riche pour autant. Bon, voilà, je n'ai pas d'argent, mais j'ai un enfant. Tu n'as pas d'argent, mais tu as la maison que je voulais.

Tom, l'air épuisé, se passa les mains sur le visage.

— Pourquoi ne vendez-vous pas la maison ? Même si elle est hypothéquée, vous en tirerez toujours quelque chose.

— Personne n'en veut.

— Eh bien, faites-en un hôtel ou des appartements.

— Et où trouverons-nous le financement ? Nous avons cinq mille livres sur un fonds en fidéicommis auquel nous ne pouvons pas toucher, et il faut vivre sur les intérêts. Maman ne supporte pas...

– Elle va être déçue ! dit Molly sans complaisance.

– Molly, je suis trop fatigué pour parler plus longtemps. Il faut absolument que je dorme. Tu peux prendre le lit si tu veux.

Molly réfréna sa colère et remit sa décision à plus tard. Mais quand elle retourna à Meakin Street, dans le lit froid qu'elle avait partagé avec Joe Endell, elle ne savait plus que faire. Elle se leva à l'aube, prépara une tasse de thé qu'elle but là où elle avait l'habitude de s'installer avec Joe. Elle ne voulait pas rester ici avec les souvenirs d'un bonheur disparu. Elle ne voulait pas non plus remplacer Joe, mais elle voulait élever son fils à Framlingham, à la campagne. Elle pourrait toujours louer Meakin Street, travailler à mi-temps, et peut-être trouverait-elle un moyen de sauver Allaun Towers. Et Tom, elle ne serait sans doute jamais amoureuse de lui, pourtant elle l'aimait bien. Ce ne serait jamais comme avec Joe, mais ce n'était pas ce qu'elle cherchait. « Joe, Joe, que vais-je faire ? » murmura-t-elle, allongée sur le divan.

Comme si la voix de son ancien mari lui répondait dans la lumière qui filtrait par les fenêtres, il lui sembla entendre : « Emmène l'enfant à Framlingham. »

Le lendemain matin, sur la route du Kent, Tom et Molly bavardaient tranquillement, comme s'il n'y avait eu ni mariage ni révélations, ni réconciliation en début de matinée. Tom essaya bien de remettre le sujet sur le tapis, mais Molly refusa d'en parler. Elle ne pensait qu'à l'avenir.

– Essayons toujours. Nous n'avons rien à perdre.

Pourtant, Tom ne fut pas très content de voir qu'elle ne voulait pas vendre la maison de Meakin Street.

– Non, d'ailleurs, je crois que le fruit du loyer ne sera pas de trop.

– Une goutte d'eau dans la mare.

– Voyons, j'ai deux cents livres sur moi, alors, inutile de pleurer avant d'être battu. Je serais bien contente de revoir Mme Gates et de lui montrer mon bébé.

Tom ne répondit pas.

– Ne fais pas cette tête. Une nouvelle vie commence.

Pourtant, malgré elle, elle eut un coup au cœur en franchissant les portes rouillées, apparemment toujours ouvertes à présent. Ils longèrent l'allée sous les branches mal taillées. Tout semblait sinistre. Bien qu'on ne fût pas encore en septembre, une feuille jaunie annonçait déjà l'automne.

A première vue, l'aspect de la maison n'était guère reluisant. Sous le soleil éclatant de la fin août, on voyait que des tuiles étaient tombées à certains endroits du toit. Les gouttières étaient brisées, il manquait des vitres aux fenêtres des mansardes, la vieille peinture se craquelait. Une longue crevasse courait du toit au sommet de la porte d'entrée.

Isabel les attendait sur le seuil. Sous la lumière du soleil, son visage paraissait fatigué. A l'intérieur, les preuves de négligence abondaient. Là aussi, les peintures étaient défraîchies et les dalles de marbre tachées. Molly se souvint que Mme Gates passait des heures à genoux pour les nettoyer avec un produit spécial, du vinaigre ou de l'ammoniaque... enfin quelque chose qui empestait et qui la mettait de fort mauvaise humeur. Le tapis qui couvrait l'escalier était tout râpé et les dragons, à la base de la rampe, couverts de poussière. Dans le salon, le soleil qui se déversait à travers les vitres projetait sa lumière sur les trous du capitonnage des fauteuils.

— Je vais préparer du thé, proposa Isabel Allaun.

Tom s'assit. Molly alla ouvrir une des portes-fenêtres qui ouvrait sur le jardin. Elle marcha sur la pelouse baignée de soleil, traversa les buissons broussailleux et se retrouva près du lac. Une pellicule de mousse verdâtre recouvrait les eaux basses entourées de roseaux secs et de grandes herbes désordonnées. Elle repartit vers la maison. Après la noce, la nuit de dispute avec Tom, la longue réflexion solitaire à Meakin Street, Molly se sentait exténuée. Elle retrouvait le paradis de son enfance, pourtant, tout semblait différent. Elle se demandait toujours si elle avait eu raison de revenir. Et pourtant, si délabrée qu'elle fût, la maison offrait toujours ses grandes pièces aux plafonds hauts, l'air était toujours aussi pur, les oiseaux chantaient joyeusement, comme autrefois. Tandis qu'elle rentrait par la fenêtre ouverte, Lady Allaun revenait avec un plateau.

— Tom ! s'écria-t-elle sévèrement.

Il se leva pour lui reprendre le plateau en demandant :

— Où est Mme Gates ?

Molly allait poser la même question.

— Elle est malade depuis une semaine. Elle a eu une légère attaque, le médecin ne sait pas très bien. Il voulait l'envoyer à l'hôpital, mais elle a refusé. Elle est dans son appartement dans les écuries. Vera Harker vient deux fois par jour pour s'occuper d'elle.

— Il faut que j'aille la voir, dit Molly.

— Et le thé ?

Anxieuse, Molly refusa pour se précipiter vers le potager, où ne poussaient guère plus que quelques petits pois dégénérés, et traversa la cour couverte de mousse qui conduisait aux écuries. Le bâtiment était entouré de quatre murs. D'un côté, se trouvaient les anciennes stalles surmontées d'une grange à foin, et de quelques pièces où vivaient autrefois le palefrenier et sa femme. Le dernier cheval était parti avant l'arrivée de Mary, si bien qu'elle ne se souvenait plus que du plancher rugueux et des quelques lithographies aux murs représentant des femmes aux épaules découvertes.

Que faisait Mme Gates là-haut ? Pourquoi ne logeait-elle plus dans la maison ?

Elle comprit immédiatement en entrant à l'intérieur. Le petit salon était toujours lambrissé du même bois sombre, mais tout avait été restauré et fraîchement repeint. La petite cheminée était bien entretenue, et les chenets de cuivre étincelaient. Elle sourit en voyant que Mme Gates avait fui l'atmosphère sinistre de la maison délabrée pour se réfugier dans un nid douillet.

— C'est mignon comme tout, dit-elle à la vieille femme installée sur sa chaise, une couverture sur les genoux.

— Mary ! Je t'attendais.

— Eh bien, je suis là. Vous voulez du thé ?

— Vera va arriver, elle s'en chargera. Tu te souviens d'elle ? Son frère t'avait poussée dans les ronces un jour, c'était elle qui t'en avait sortie.

— Non, pas vraiment, dit Molly en s'asseyant.

En entendant Mme Gates parler de la fillette qu'elle avait été, Molly avait l'impression de n'être jamais partie.

— Tu étais toute griffée.

— Je m'en doute. Mais vous ? Comment allez-vous ?

Molly observa attentivement le visage de Mme Gates. Bien sûr, elle s'attendait à la trouver vieillie, mais elle ne s'était pas préparée à la voir si amaigrie. Elle avait toujours été forte, avec son tablier qui semblait vouloir craquer aux hanches et ses jambes épaisses. Posées sur la couverture, ses mains paraissaient frêles et inutiles.

— Pas si mal que ça, répondit Mme Gates d'un ton relativement enjoué. Je suis fatiguée, j'ai besoin de repos.

— Cela ne m'étonne pas. Cette maison épuiserait n'importe qui. Dès que vous irez mieux, je vous emmène à Londres. Ivy vous a invitée, et je vous préviens, cette fois, elle n'acceptera pas un refus.

— Je ne sais pas comment ils se débrouilleront sans moi ici. Mais si tu es là, c'est que...

— Comme vous dites, je suis là. Après tout, c'est vous qui m'avez tout appris. Vous avez le droit d'en profiter maintenant. Et puis, mon bébé sera bientôt avec nous. Je veux que vous soyez là pour le baptême.

Pourtant, elle se sentait mal à l'aise et, en regardant Mme Gates, elle comprit qu'elle aussi se demandait si elle se rétablirait un jour.

— Josie va venir. Je suis sûre que vous ne pensiez pas que j'allais revenir ici avec tous mes enfants !

Soudain, Molly se rendit compte qu'elle parlait sur le ton jovial de quelqu'un qui s'adresse à un malade comme si, sous l'effet de la souffance, il avait perdu la raison.

— Je savais que tu reviendrais. Mais je ne croyais pas que ce serait pour épouser Tom.

Mme Gates ne lui présenta pas ses félicitations, et Molly lui en fut reconnaissante.

— A présent, le passé me semble aussi limpide qu'hier, plus limpide encore peut-être. Tu te souviens, la gitane... ? Elle t'avait prédit des choses... et c'est arrivé. Mon Dieu, mon Dieu..., dit-elle en regardant par la fenêtre comme si elle pouvait voir la grande bâtisse, pourtant, les fenêtres donnaient sur l'autre côté, vers le lac. Mon Dieu, comme cette maison s'est détériorée. Tout s'écroule.

Elle ferma les yeux et sembla s'endormir.

Molly resta encore un moment à écouter le tic-tac de l'horloge qui la fascinait tant petite fille. Elle observait le petit chat de faïence, la figurine rose et blanche d'une femme en costume du XVIIIᵉ, tous les objets qui ornaient le manteau de la cheminée comme ils avaient autrefois orné la commode de la chambre de Mme Gates sous les combles. Une fois encore, elle se tourna vers le visage paisible et parcheminé, puis, sur la pointe des pieds, elle descendit l'escalier de bois.

Elle croisa une femme rondouillette d'à peu près son âge.

— Lady Allaun ?

Pendant un instant, Molly se demanda où était Isabel Allaun, puis se souvint que Lady Allaun, c'était aussi elle, à présent.

— Oui, répondit-elle en étudiant les traits de la jeune femme pour voir si elle reconnaissait un des visages de son enfance. Nous ne sommes pas allées à l'école ensemble ?

— Je ne vous aurais pas reconnue.

— Moi non plus. Elle s'est endormie, dit Molly en indiquant la fenêtre de Mme Gates. Je n'ai pas eu le temps de savoir exactement ce qu'elle avait. Elle me paraît très malade, plus qu'on ne veut bien le dire.

— Oui, le docteur voulait qu'elle aille à l'hôpital, mais elle a refusé. Elle vous attendait.

Molly restait abasourdie.

— J'espère que je pourrai faire quelque chose pour elle. Je me demande s'il faut la laisser seule la nuit.

— Je reste là, j'ai ma chemise de nuit dans mon panier.

Molly avait envie de demander à Vera Harker à quel point Mme Gates était malade, mais elle retint sa question.

Assise devant les écuries sur une estrade de bois, Molly observait la façade rougeoyante dans le soleil couchant. A présent elle se souvenait de Vera Harker. Au village, tout le monde se moquait d'elle en disant que sa grand-mère était une romanichelle. Vera prétendait le contraire, mais les enfants avaient raison. Souvent, toutes deux suivaient les garçons qui allaient à la rapine dans les vergers. Molly n'avait guère envie de rentrer. Enfin, elle serait toujours là pour Mme Gates si celle-ci venait à mourir. C'était la première fois qu'elle envisageait consciemment une issue fatale, pourtant, elle n'avait cessé d'y penser depuis qu'elle avait croisé le regard de Vera Harker.

Elle n'alla pas directement au salon, mais se promena dans la maison comme elle aimait le faire enfant. Elle avait toujours admiré le grand escalier, les pièces immenses à peine meublées. Adulte, elle voyait à quel point les choses s'étaient détériorées. Au premier regard, ce n'était pas toujours évident, car visiblement Mme Gates avait fait de son mieux pour nettoyer et réparer ce qui pouvait encore l'être. Mais il y avait des ampoules grillées, un lavabo bouché, quelques imperfections par-ci par-là, si bien que les reprises dans les rideaux passés et les casseroles étincelantes à la cuisine n'apparaissaient que comme des cache-misère. Elle se demandait pourquoi Tom n'avait jamais rien fait, mais comme elle ne voulait pas qu'on la trouve en train de rôder dans la maison, elle ne s'attarda pas plus longtemps. Au salon, Tom et Isabel feuilletaient un vieil album photos.

— Je pensais que cela vous ferait plaisir de le voir. Quel dommage qu'il y ait si peu de photos de toi à l'armée ! Regarde, Tom, c'est toi qui marches sur les pieds de l'évêque au baptême de la sœur de Charlie.

Après avoir vu les murs moisis et les robinets qui fuyaient, Molly se sentit agacée par cette recherche du passé, pourtant, elle se pencha sur l'album, ce qui ne fit qu'augmenter sa fureur. Allaun Towers revenait trop cher. La vente de Meakin Street ne permettrait même pas d'effectuer les réparations nécessaires, et de toute façon, il ne resterait plus rien pour l'entretien. Autrefois, un jardinier soignait la pelouse sur laquelle ils pique-niquaient sur ces photos ; il y avait des serviteurs pour astiquer les pièces où les gens paradaient en tenue de soirée. A présent, il n'y avait plus d'argent, ni personne à qui demander un coup de main.

Isabel fit remarquer qu'il n'y avait rien à manger puisque Mme Gates était toujours malade. Molly prépara une omelette à la hâte. Elle passa la nuit avec Tom dans la chambre où ses parents dormaient autrefois. Isabel avait pris la précaution de préciser qu'elle avait ôté toutes ses affaires.

— Cela sera mieux pour vous, maintenant que vous êtes deux.

Il était hors de question de refuser la proposition. Mal à l'aise, Tom alla se mettre en pyjama dans la salle de bain. Molly se glissa dans le lit en déclarant qu'elle était fatiguée. Tom répondit qu'il se trouvait dans le même cas. Ayant ainsi clairement exprimé, à son avis, qu'elle ne voulait pas faire l'amour, Molly pensait qu'ils pourraient un peu parler. Les sujets de discussion ne manquaient pas. Elle espérait qu'il lui dirait en quoi consistaient à présent ses projets d'avenir, mais Tom s'endormit immédiatement. Elle se souvint que déjà à Meakin Street, il se préoccupait beaucoup de son sommeil. A présent elle comprenait que ce qu'elle avait pris pour un léger détournement de la conversation – « Il faut que je dorme ; j'ai fait des cauchemars toute la nuit » – était en fait pour lui le seul moyen de régler les problèmes. Molly passa une nuit blanche à se poser des questions sur la santé de Mme Gates, sur son avenir et celui de son enfant. Avait-elle vraiment entendu la voix de Joe lui dire d'aller à Framlingham ? Joe vivant lui conseillerait-il de rester ici ou de retourner à Londres le plus vite possible ?

Le lendemain matin, elle se leva très tôt. Le soleil brillait. Molly se promena dans le jardin et prit son thé sur la pelouse encore humide de rosée. Toujours sommeillante, elle s'adossa au tronc du pommier près de la cuisine. Des mourons écarlates parsemaient la terre aride. Isabel ou Tom aurait au moins pu cultiver quelques légumes, mais à part les petits pois dégénérés, il ne poussait plus rien dans le jardinet autrefois opulent. Elle se souvenait du vieux Benson qu'elle aidait à planter les pommes de terre. Elle ferma les yeux pour faire revivre les longues journées de son enfance où le temps semblait s'arrêter, pour entendre à nouveau le chant des bergeronnettes qui la réveillait le matin quand elle dormait dans son petit lit sous les combles, pour goûter une fois encore la saveur d'une pomme qu'on venait de cueillir, se promener le long de l'allée brumeuse...

– Lady Allaun ! appela une voix derrière le mur du jardin.

Vera Harker qui arrivait vit alors, non une jeune mariée, mais une femme de la trentaine, épuisée, qui se reposait sous un arbre.

– Tu ferais mieux de m'appeler Mary, comme avant, ou même Molly, c'est comme ça qu'on me surnomme à Londres. Inutile de faire des cérémonies. Tu te souviens, quand on allait à la rapine ensemble... ? Comment va Mme Gates aujourd'hui ?

– Je n'ai pas envie de la laisser toute seule trop longtemps, mais il faut que je conduise les enfants à l'école.

– Je vais te relayer. Tu pourras lui acheter de quoi déjeuner au village, je te rembourserai à ton retour. Mais au fait, qui te paie pour tout ce que tu fais ?

– Lady Allaun m'a dit qu'elle me ferait don d'une petite somme. Je ne demande rien, tu comprends...

– Oui, mais nous ferions mieux d'en parler à ton retour.

Il faudrait bien à un moment donné que Tom ou elle avoue à Isabel que Molly était sans le sou. D'après ce qu'elle pouvait en juger, le salaire qu'on avait promis à Vera reposait entièrement sur cette fortune imaginaire.

– Tu crois pouvoir être rentrée pour midi ? demanda Molly.

– Oui, le docteur passera un peu plus tard.

Molly se précipita chez Mme Gates. Elle était allongée dans son lit ; un visage grisâtre émergeait des draps d'une blancheur de neige. Elle semblait assoupie. Sur la table de nuit, il y avait une photographie de Molly enfant, avec Tom et Charlie sur la grande pelouse par une belle journée d'été. Ils paraissaient tous en bonne santé, bien que Tom fût un peu sombre ; Charlie, lui, brandissait comme un trophée son bat de cricket. L'autre photographie, elle aussi dans un cadre d'argent, représentait un homme et une femme rondelette et souriante, en tenue du début de siècle, tenant dans ses bras un bébé en robe de dentelle blanche ; Mme Gates sans doute avec son mari et son bébé qui allait bientôt mourir.

Molly s'installa sur une chaise à côté du lit et attendit calmement en écoutant le tic-tac de l'horloge et le chant des oiseaux.

— Tu te souviens de la gitane, dit une voix faible, Urania Heron ?

— Non, répondit Molly à voix basse.

— C'était la reine des gitans, du moins c'est ce qu'on disait, poursuivit Mme Gates, les yeux toujours fermés.

— Ah bon ?

— Elle prédisait l'avenir. Elle avait dit que tu serais là le jour de ma mort. Je n'aurais jamais cru que cela se réaliserait.

— Bon, ne pensez pas à des choses pareilles. Vous avez eu une légère attaque, c'est tout. Vous êtes fatiguée.

— J'ai soixante et onze ans, tu sais. Ma mère est morte à cinquante ans.

— Chut, vous travaillerez moins, à partir de maintenant.

Mme Gates ne répondit pas. Le médecin arriva et passa quelques minutes près de la malade.

— Le cœur est bien fatigué, dit-il à Molly, à l'extérieur de la chambre. On ne peut vraiment rien dire.

Si Molly s'était exprimée avec un accent plus distingué, il aurait sûrement compris qu'elle était la nouvelle maîtresse des lieux, mais en l'occurrence, il ne savait pas à qui il avait à faire.

— C'était ma gouvernante quand j'étais réfugiée ici pendant la guerre.

— Ah, dit-il. C'est une chance que vous soyez ici.

— Alors, vous ne savez pas si elle va guérir ?

— Non. Rendez-lui la vie le plus confortable possible, c'est tout ce qu'on peut faire.

Après son départ, Molly retourna dans la chambre. Elle s'assoupit un moment sur sa chaise et se réveilla dans la chaleur silencieuse, croyant avoir entendu de la musique en rêve.

— Oh, je me suis endormie, dit Molly à Mme Gates qui la regardait. Vous voulez du thé ?

— Non, le bassin.

Un peu effrayée, Molly aida la vieille femme, qui se repoussa bientôt sur les oreillers, épuisée par cet effort. Molly alla vider le bassin et revint s'asseoir près d'elle.

— Elle a dit que tu te marierais trois fois, mais que deux des mariages ne seraient pas de vrais mariages.

— Elle s'est trompée.

— Je l'ai revue un jour, elle m'a dit alors qu'un des mariages se terminerait au bout d'une corde.

— Mon Dieu ! s'exclama Molly.

— Comme pour les enfants, une fille et un garçon, du sang maudit, une mauvaise action faite sans mauvaises intentions. Proche d'une fortune, proche d'un royaume...

Mme Gates grommela encore quelques mots, mais si faiblement que Molly ne les comprit pas.

— Oh, n'y pensez plus, dit Molly, malgré tout impressionnée par la prédiction de la gitane sur son mari pendu. Reposez-vous avant le déjeuner, sinon, vous n'aurez pas faim.

« Du sang maudit... ? proche d'un royaume... ? » Molly se sentait mal à l'aise. Vera Harker ouvrit la porte.

— J'ai apporté du poisson, le poissonnier est passé aujourd'hui.

Molly retourna à la maison, prête à dire la vérité sur sa fortune fantomatique si Tom n'en avait pas encore parlé, ne serait-ce que pour régler la question du salaire de Vera Harker. Mais dès qu'elle entra dans le salon, elle comprit que Tom avait annoncé la mauvaise nouvelle. Isabel lisait. En entendant Molly, elle leva des yeux hagards pour se replonger immédiatement dans sa lecture.

— Isabel ? Combien payez-vous Mme Harker pour les services qu'elle rend ?

— Je ne pense pas que cette afaire vous concerne, répondit sa belle-mère.

— Il me semblait que vous aimeriez que ce soit moi qui la paie.

— Je n'en vois aucunement la nécessité.

— Il est évident que vous avez des difficultés momentanées, répondit Molly, essayant de respecter les formes. Je vis ici désormais, je pourrais peut-être vous aider. Je sais, ajouta-t-elle, abandonnant d'un coup tous ses efforts de diplomatie, que vous me croyiez riche, ce n'est pas le cas, mais si on fait tous un effort, je suis sûre que l'on pourra s'en sortir.

— Je trouve cette conversation des plus déplacées, se contenta de dire Isabel en reposant son livre. Molly, la femme de Tom restera la femme de Tom. Vous n'avez aucune raison de poser des questions sur le salaire de notre personnel. Pas plus que vous n'êtes habilitée à discuter de nos ressources, ou de notre manque de ressources. Si vous voulez bien m'excuser, je dois m'occuper du déjeuner.

Mortifiée, Molly finissait par croire qu'elle s'était vraiment montrée impolie et vulgaire. Pourtant, en voyant la peinture craquelée, elle fut de nouveau certaine d'avoir eu raison. Il fallait bien aborder les questions d'argent ! Tout d'un coup, elle se rendit compte qu'Isabel ne s'était pas même enquise de la santé de Mme Gates. Molly fit une grimace à la porte par laquelle Isabel avait disparu. Puis, elle monta prendre un bain, se changea, prit un panier et se rendit au village. Elle fit les courses pour le soir et acheta quelques graines pour le jardin. Elle reconnut parfaitement la marchande, la tante d'une de ses anciennes camarades de classe, mais fit semblant d'être pressée pour éviter d'engager la conversation. En revenant avec son panier chargé, elle regretta de ne pas avoir pris la voiture. A la maison, tout était silencieux. Isabel devait se reposer. Molly n'avait pas vu Tom de la journée. Elle retourna à l'écurie et trouva Vera Harker, un magazine à la main. Quelques morceaux de tissu gisaient à ses pieds.

— Il n'y a pas grand-chose à faire. Je ne voudrais pas la réveiller.

— Elle a mangé ?

— Je n'arrive même pas à lui faire boire un peu d'eau.

— Elle devrait aller à l'hôpital, dit Molly la citadine.

Vera Harker, qui en bonne fille des campagnes préférait voir les gens mourir dans leur lit, répondit du bout des lèvres.

— Tu as peut-être raison.

— Tu pourrais aller dire au médecin de revenir, je crois qu'elle en a besoin. Je reste ici.

— Oui, je lui demanderai de me ramener ici ce soir par la même occasion, répondit Vera en se levant et en rangeant ses tissus dans un sac de toile.

L'après-midi fut encore plus chaude que la matinée. Molly veillait sur Mme Gates. Elle étudiait les mouvements de la poitrine qui se soulevait au rythme de la respiration. C'était un peu comme surveiller un nourrisson, pourtant, il lui semblait attendre quelque chose. L'état de la malade restait stationnaire, mais la pièce s'emplissait d'une atmosphère inquiétante. Molly chassa une mouche de la vitre, puis elle alla dans l'autre pièce. Sur une étagère, elle trouva quelques livres parmi lesquels les *Contes* de Perrault qu'on lui avait offerts enfant. Il y avait encore son nom, Mary Waterhouse, Allaun Towers, Framlingham, inscrit d'une écriture soignée sur la jaquette. Elle se mit à lire près du lit.

Vers six heures, elle commença à s'inquiéter. Mme Gates n'avait pratiquement pas bougé de l'après-midi. Elle lui lava le visage, mais la vieille femme se contenta de murmurer « Mary » avant de resombrer dans le sommeil. Molly se demanda si elle ne devrait pas faire venir le médecin plus tôt. Elle songea même un instant à aller chercher conseil auprès d'Isabel, mais jugea que cela ne servirait à rien. Finalement, elle alla se promener un moment sur les rives négligées du lac où deux libellules batifolaient. Les grands chênes de la rive opposée avaient été abattus, il ne restait plus que les souches. On avait essayé de les remplacer, mais seuls quelques plants avaient difficilement survécu. L'endroit, autrefois verdoyant, se desséchait. Et c'était là qu'elle avait voulu amener son fils pour qu'il fasse ses premiers pas ! C'était là, sur les lieux qui avaient enchanté son enfance, qu'elle voulait se consoler de la perte de Joe ! Désormais, tout lui paraissait irrémédiablement corrompu et, d'une certaine façon, il lui semblait que Joe s'éloignait encore plus d'elle. La maison qu'elle avait voulu offrir à son enfant ne serait qu'un fardeau de plus sur ses épaules. Quelle lune de miel, passée à regretter son défunt mari, en compagnie de sa gouvernante agonisante, avec pour seule consolation un époux impuissant !

Les oiseaux commençaient à rejoindre leurs nids pour la nuit. Molly décida de retourner auprès de Mme Gates et de voir sur place s'il fallait appeler une ambulance. Elle la trouva essayant de se redresser sur ses oreillers.

— Attendez, attendez, je vais vous aider.

— Je te cherchais.

— Vous étiez endormie, je suis allée faire quelques pas. Vous voulez une tasse de thé, maintenant ?

Mais en voyant le visage gris, elle comprit que Mme Gates ne désirait rien. L'atmosphère pesante était encore plus lourde, pourtant ce n'était plus de la frayeur que Molly ressentait mais une sorte de crainte respectueuse.

— Je ne vous ai pas assez remerciée de vous être occupée de moi quand j'étais petite. Il faut être adulte pour se rendre compte des sacrifices que cela demande. Ce ne devait pas être facile avec un enfant, en pleine guerre.

— Cela m'a donné une nouvelle jeunesse. Je ne me suis plus jamais sentie jeune après ton départ. Je n'étais pas vieille, mais je n'étais plus jeune.

— Vous avez fait beaucoup pour moi, vraiment beaucoup.

— Les choses ont bien changé ici. Tu vas tout remettre sur pied.

Molly n'osa pas lui confier qu'elle n'était pas sûre de rester.

— Je ferai de mon mieux.

Le visage de Mme Gates se crispa. Elle souffrait.

— J'étouffe.

— Je vais vous ôter les oreillers.

— Non, je suis mieux assise.

Molly ne voulait pas la laisser seule, mais elle comprenait qu'il fallait aller chercher de l'aide. Si seulement Tom ou Isabel avait été dans les parages.

— Le médecin va bientôt arriver. On vous conduira peut-être à l'hôpital, vous y serez bien soignée.

— Je me sens un peu mieux, dit Mme Gates qui semblait respirer plus facilement. Prends tout ce que j'ai, je n'ai personne d'autre.

— Pas maintenant, je vous en prie.

Soudain, la respiration de la malade se fit plus rauque.

— Ne vous inquiétez pas, tout ira bien, le médecin sera là dans un instant.

390

Mme Gates paraissait plus détendue, mais son râle emplissait la pièce. Molly n'osait toujours pas la quitter pour aller chercher de l'aide. Un instant, la respiration sembla s'arrêter, puis reprit. Molly essuya la sueur du visage et fit boire un peu d'eau à la malade.

— Il faut que j'appelle une ambulance.

— Ne me quitte pas.

Mme Gates s'exprimait difficilement mais d'un ton assuré. Elle savait sans doute sa mort prochaine, mais elle savait aussi que Molly ne l'abandonnerait pas. Et, désespérée, suppliant intérieurement qu'on vienne à son secours, Molly lui parlait, à peine consciente de ses propres mots.

— Vous vous souvenez, quand vous me demandiez de vous aider à étendre le linge ? Je me suspendais au bout du drap pendant que vous le fixiez avec les pinces à linge. Après, on regardait la toile battre dans le vent, et on disait que c'était les voiles d'un navire. J'étais plus heureuse que je ne l'ai jamais été, à cette époque.

Soudain, elle sentit qu'elle devait marquer une pause pour laisser Mme Gates se reposer, mais elle reprit bientôt :

— Je suis impatiente de faire venir le bébé ici. Si vous allez mieux, vous pourrez le prendre dans vos bras. Ça doit faire longtemps qu'il n'y a pas eu de bébé dans cette maison. Ça vous fera sûrement plaisir.

— Oui, murmura Mme Gates, j'aimerais bien.

Il commençait à faire sombre. La vieille femme fut prise de spasmes convulsifs puis s'immobilisa. La tête étrangement posée sur l'oreiller, elle regardait Molly. Molly poussa un gémissement dans la pièce silencieuse. Elle se leva et, calmement, arrangea les oreillers. Elle ne savait pas si Mme Gates était morte. Ce n'était peut-être qu'une simple crise. Mais quand le médecin et Vera Harker entrèrent, elle murmurait :

— Oh, mon Dieu, oh, mon Dieu !

— Molly ?

— Je crois que c'est fini, dit Molly, comme un automate.

— Allez à côté avec Mme Harker, ordonna le médecin.

Dans l'autre pièce, Vera sortit une bouteille de cognac du placard. En claquant des dents, Molly but son verre.

— Tu crois vraiment qu'elle est morte ?

— C'est peut-être une bénédiction. Je ne crois pas qu'elle aurait pu sortir de ce lit, et elle n'aurait sûrement pas aimé finir grabataire. Et puis, elle n'était pas seule.

— C'est bizarre, elle m'a raconté une drôle d'histoire à propos d'une gitane qui avait prédit que je serais là le jour de sa mort.

— Elle m'en avait parlé aussi.

— Lady Allaun..., dit le médecin en entrant dans la pièce.

— C'est fini ?

— Hum. Je suppose que Sir Thomas s'occupera des funérailles.

Pourtant, Molly se demandait si Tom serait capable ou voudrait bien prendre la peine de téléphoner aux pompes funèbres.

– Oui, bien sûr.

– Vous feriez mieux d'aller chez vous, dit Vera, qui savait visiblement quoi faire dans ce genre de situation.

En rentrant, Molly trouva Isabel en train d'éplucher des pommes de terre, résolument, mais avec un manque d'expérience évident.

– Isabel...

– Comment va Mme Gates ?

Mais en voyant le visage des autres, Isabel comprit qu'il y avait de mauvaises nouvelles.

– C'est fini, j'en ai bien peur, dit Molly en prenant le bras de sa belle-mère. Elle n'a pas trop souffert. Je suis restée tout le temps près d'elle.

– Oh, mon Dieu, si j'avais imaginé...

– Tom est là ? demanda Molly.

– Pauvre Mme Gates, c'était une perle. Il n'y avait rien à lui reprocher.

– Je crois qu'il faudrait prévenir Tom, insista Molly.

– Il est à Londres. Il a dû vous le dire.. Oh, quel étourdi. Juste au moment où on a besoin de lui.

– Cela ne fait rien. Personne n'est indispensable. Je dois faire le certificat de décès.

– Vous serez mieux à la bibliothèque, dit Molly. Nous avons besoin de quelqu'un pour veiller le corps ? demanda Molly à Vera Harker.

– Je crois que Mme Twinning aura envie de venir. Je vais l'appeler.

– Suivez-moi, dit Molly au médecin.

– Asseyez-vous, madame Allaun, dit Vera Harker à Isabel.

Molly se sentait reconnaissante. A la mort de Joe, elle ne s'était occupée de rien. La présence de Vera, raisonnable et pleine de sens pratique, la soulageait.

Dans la bibliothèque, Molly regarda les livres qu'on avait laissés s'empoussiérer.

– Vous vous intéressez aux livres, madame Allaun ? demanda le médecin.

– Pas vraiment. Mais je crois qu'il faudra bientôt faire quelque chose de tout ça.

– Si vous décidiez de vous débarrasser de certains volumes, faites-moi signe. Je suis collectionneur à mes heures. Si jamais vous avez besoin de conseils...

– Je m'en souviendrai, répondit Molly en dégageant un coin du bureau poussiéreux.

– Je pense que la mort est due à un infarctus. Cela fait longtemps que le cœur donnait des signes de faiblesse.

392

— Je ne savais pas.

— Voilà, dit-il après avoir rempli le formulaire.

En retournant à la cuisine, Molly trouva Vera Harker devant une tasse de thé.

— Cela ne t'ennuie pas ? J'attends Mme Twinning.

— Bien sûr que non.

En voyant les casseroles et les poêles étincelantes, le sol impeccable, Molly ne put retenir un mot d'adieu pour la défunte.

— Elle aura travaillé dur toute sa vie.

— On n'en fait plus des comme ça.

Pauvre Mme Gates, pensait Molly, cet endroit l'avait tuée. Pas de mari, pas d'enfant, et les Allaun ! Elle avait astiqué les horribles chandeliers, pièce par pièce, nettoyé à genoux chaque dalle de la cuisine, repassé, cuisiné, mais toujours pour d'autres. Elle ne possédait rien à part la figurine de porcelaine qui ornait encore la cheminée. Et les enfants dont elle s'était occupée, Tom, faible, qui n'avait même pas été près d'elle, Charlie, vaniteux et brutal, et elle-même qui avait erré dans les rues sans se rendre compte que sa vie partait à vau-l'eau ! Tout ce travail en valait-il la peine ?

— Pour elle, c'était une question de devoir et de respect de soi-même, continua Vera Harker.

— Il faudrait l'écrire sur sa tombe, dit Molly.

« Je viendrai à bout de cette maison. Je le ferai pour elle, pour qu'elle n'ait pas travaillé en pure perte », songea Molly. Vera, un peu déconcertée par le tour qu'avait pris la conversation, baissa les yeux en se demandant quelle nouvelle folie allait encore dévaster Allaun Towers sous l'égide de cette nouvelle maîtresse peu appropriée aux lieux.

Il y eut un soudain regain d'intérêt pour Mary Waterhouse à l'époque de son mariage. Ceux qui avaient besoin de savoir ce qui lui arrivait vivaient eux aussi des conflits familiaux, et d'une étrange manière, cela les incita à concentrer leur attention sur elle. Son mariage avec Joe Endell n'avait provoqué qu'un enthousiasme modéré, car si Molly semblait se stabiliser, elle se mettait entre les mains d'un contestataire notoire, et d'un homme qui, par sa position, avait une place de choix pour entendre tous les ragots. Dans les hautes sphères, on fut donc soulagé d'apprendre sa mort, mais bien sûr, cela signifiait aussi que Molly risquait de retomber dans ses excès de jeunesse. Quand elle épousa Tom Allaun, toutes les parties concernées purent enfin respirer librement. Un avenir décent s'offrait à Molly et son enfant. Et bien que personne n'en parlât ouvertement, l'un des grands avantages de sa nouvelle position, c'était qu'elle serait loin de Londres. Plus de prison, vagabondage et autres mauvaises fréquentations. Et puis, dans la mentalité britannique, on reste encore fortement persuadé que la vie à la campagne est plus saine que la vie à la ville. La nature serait une sorte de monastère naturel qui favorise la rédemption et évite de succomber à la tentation.

Ce fut ma femme Corrie qui ébranla ces illusions. Elle me fit remarquer qu'élever un enfant dans le milieu d'anciens propriétaires terriens désargentés serait peut-être encore pire que de le laisser apprendre un honnête métier à la ville. D'après elle, tous ceux qui imaginaient que Molly allait passer le restant de ses jours à la campagne, sans le sou, mariée à un incompétent notoire aux orientations sexuelles un peu troubles, se berçaient d'illusions. Je lui rétorquai que Molly n'était plus une gamine puisqu'elle approchait désormais la quarantaine et qu'elle avait sûrement eu assez d'ennuis pour ne pas courir au devant d'autres. Et puis, elle avait un enfant à élever.

— Tu sous-estimes les femmes, Bert, comme toujours. Elles sont capables de n'importe quoi, tu sais, n'importe quoi. Ah, vous êtes vraiment des handicapés mentaux de croire encore qu'elles ne réagissent pas comme vous. Il faudra bien que vous vous réveilliez un jour. Mais si tu veux qu'une femme reste tranquille, la première chose à faire, c'est de lui trouver de l'argent. Laisse-la sombrer dans la pauvreté, et le pire est à craindre ! Elle s'est déjà trouvée dans des milliers de situations où elle n'avait plus qu'à enjamber un pont sur la Tamise, en criant : « Que la vie est cruelle ! » Mais elle a toujours trouvé d'autres solutions, comme un enfant turbulent qu'on laisse tout seul une minute. Il en profite pour ouvrir la cage aux oiseaux ou pour se couper les cheveux lui-même. Si ton travail consiste à empêcher Molly Allaun d'avoir ce genre d'idées, il vaudrait mieux trouver un arrangement financier. Tu crois que c'est possible ?

— Je ne vois pas comment, et je ne pense pas qu'ils seraient d'accord.

— Ce genre de choses étaient mieux organisées autrefois. Oh, bien sûr, il fallait parfois supporter la présence d'espions dans sa propre maison ou même redouter la possibilité d'un déplorable accident, mais ce n'était pas trop cher payer pour les compensations. La pauvre Molly, elle, n'aura eu droit qu'aux espions !

Nous prenions le thé devant le feu dans notre maison de campagne. Dehors, une brise automnale bruissait dans les feuilles. J'étais contrarié par la dernière remarque de Corrie. Elle n'avait jamais ouvertement critiqué mon rôle dans l'affaire Waterhouse. Si elle faisait parfois quelques réflexions, je les mettais sur le compte d'une légère jalousie devant ma vieille affection pour la jeune Molly. Et les femmes avisées ne prennent même pas la peine de parler de ces choses. Mais cette fois, sa pitié pour Molly avait pris le dessus sur la rancœur, et sur la retenue qui lui dictait de ne pas se mêler de cette affaire. Corrie était littéralement indignée, et cela me touchait d'autant plus que pour moi, c'était un sujet sensible.

— Je n'ai fait que mon devoir. J'ai toujours fait ce qu'on m'a dit.

— Oui, tu t'es contenté d'obéir aux ordres. Excuse-moi, Bert, mais je ne supporte pas que tu te sois associé à cette machination, sans jamais te soucier des conséquences, sans jamais rien faire pour arranger les choses.

— Je sais. Mais je n'avais pas vraiment le choix.

— Tu as toujours le dossier ?

J'étais très inquiet. Je redoutais même que Corrie songe à passer à l'action.

— Bien sûr que non, je n'avais pas à le garder.

— Mais tu l'as toujours, Bert. Tu as tout photocopié. Je l'ai trouvé dans une chemise bleue au grenier en recherchant la vieille robe de baptême pour la fille de Laura.

— Euh, oui, bon, effectivement, avouai-je. J'ai fait un double que j'ai emporté quand je suis parti.

Quelques années auparavant, à la mort de mon beau-père, j'avais repris la direction de son entreprise. Et je dois dire que j'étais assez heureux d'avoir pu me libérer de l'affaire Mary Waterhouse sans faire de scandale.

— Pourquoi m'as-tu menti ? Tu ne m'estimes pas digne de confiance ?

— C'est un réflexe. C'est mon père qui m'a transmis le secret, et puis, je l'ai gardé si longtemps...

— Alors, pourquoi faire un double ? Si jamais nous étions cambriolés, Dieu sait où il pourrait finir ? C'est vraiment chercher les ennuis...

— Je n'y avais pas pensé.

— Bert, ton attitude est on ne peut plus ambiguë. D'un côté, tu ne veux rien dire à ta propre femme, et de l'autre, tu fais un double que tu laisses traîner n'importe où. Au grenier, quelle idée ! C'est là que les voleurs et les curieux vont chercher en premier. On dirait un patient chez un analyste qui cherche à la fois à révéler et à dissimuler un traumatisme d'enfance.

Je fus piqué par la remarque qui n'était pas dépourvue de vérité.

— Bon, peu importe, mais j'aimerais le lire.

— C'est impossible ! protestai-je.

— Tu les as mis dans mon grenier. J'aurais pu le lire n'importe quand sans te le dire.

Effectivement, je ne pouvais aller là contre. Et pourtant, je ne pouvais imaginer mon épouse, la mère de mes trois enfants, en train de fouiller dans mes papiers, de remuer mon passé et mes souvenirs . C'était un peu comme si elle m'avait annoncé qu'elle voulait lire de vieilles lettres d'amour envoyées par une autre femme. Pourtant, je savais que Corrie ne manquait pas de tact et qu'elle comprenait de mes sentiments de jeune homme, à peine sorti de l'adolescence. Elle ne se moquerait pas de moi, j'en étais certain. Cela peut paraître étrange pour un homme adulte de faire autant de simagrées pour une liasse de vieux papiers. Mais en fait, un secret d'importance pour une génération semble souvent absurde à la suivante, qui elle-même considère comme confidentielles des informations présentées ouvertement par la précédente. Et puis, je connaissais parfaitement l'histoire que révélaient ces documents, qui, effectivement, n'avaient rien à faire dans les mains de ma femme. J'avais été complètement idiot de garder ça chez moi.

– Il nous reste quelques heures avant le dîner, le ragoût est déjà sur le feu, je vais lire ça tout de suite.

En la voyant feuilleter les première pages, je ne me rendais pas vraiment compte de toute l'étendue de la trahison que cela représentait.

– Mon Dieu, je n'aurais jamais imaginé qu'il y avait autant de détails sordides ! s'exclama-t-elle quelques minutes plus tard.

Sortir de vieux documents mène souvent à la nostalgie, à la culpabilité. « Et dire que je ne l'ai pas revu avant sa mort ! Mon Dieu, quel imbécile je faisais ! » Que ces secrets ne fussent pas les miens aggravait encore la situation.

– Oui, comme tu dis, il n'y a pas une ligne qui ne trouverait sa place au tribunal.

– « Abbé des Frères chrétiens », continua-t-elle à lire. Il a une écriture plutôt ferme pour un vieillard. Mais, il était peut-être encore jeune lorsqu'il a fait sa déposition ?

– Oui, c'est exact. C'est sans doute pour cela qu'il s'est retrouvé dans cette affaire, d'ailleurs.

– Il est peut-être encore en vie ?

– Cela m'étonnerait.

– Une photo de mariage, tu ne m'avais pas dit qu'il y avait des photos.

– Je ne t'avais rien dit.

– Oui, mais une photo !

– Ce n'est qu'une photo du village. Mon père s'était rendu sur place pour obtenir des informations, c'est là qu'il s'est procuré la photo, et le négatif.

– Où il est ?

– Je l'ai rendu.

– Je me demande ce qu'ils en ont fait.

– Je ne pense pas qu'ils en aient tiré un agrandissement pour l'album de famille.

– Ils ont l'air d'un couple heureux.

– J'ai souvent pensé à ça. Je me demande s'ils ont jamais été aussi heureux plus tard.

– C'est une véritable tragédie, dit ma femme tristement.

– Un sac de nœuds du début à la fin. Mensonges, cachotteries, injustices.

396

Corrie, un peu plus calme à présent, poursuivait sa lecture.

– Qu'est-il arrivé à l'autre enfant ?

– Il est mort.

– Ce n'est marqué nulle part.

– Tous les autres sont morts, lis le rapport.

– C'est fait, on ne mentionne sa mort nulle part.

Le vent redoublait de violence et hululait dans la cheminée, faisant vaciller les flammes. Pendant un instant, je regardai Corrie lire le récit des anciens crimes et mensonges dont je m'étais fait le complice par sens du devoir. Cela me rendait nerveux. Le vent semblait exprimer une plainte accusatrice. Au fur et à mesure que Corrie avançait dans sa lecture, il me semblait entendre ses commentaires intérieurs. C'est sans doute aussi pour cette raison que je ne voulais pas qu'elle sache exactement de quoi il s'agissait. Le jugement d'une femme intelligente peut jeter une lumière sans complaisance sur les activités des hommes qui obéissent à des valeurs prédéterminées. A côté du sens pratique féminin, bien des hommes font figure de pantins. Finalement, je me refugiai devant la télévision, en regrettant un peu que nous soyons seuls tous les deux ce soir-là.

– Alors, que penses-tu de tout ça ? lui demandai-je au dîner.

– Finalement, je me demande comment on a osé vous impliquer à ce point-là, toi et ton père. Et puis, même après que tu aies abandonné, on a fait appel à toi pour te demander conseil, du moins, c'est comme ça que j'analyse les choses maintenant.

– C'est une vieille tradition.

J'avais plus ou moins l'impression que la discussion était close, mais, une fois dans la chambre, Corrie me confia :

– Bert, j'ai l'impression que cette histoire est loin d'être finie. Et si l'enfant était encore vivant ?

Il me semble que je m'en suis tiré avec un « Si on en reparlait demain matin ? » ou une remarque du même goût, mais Corrie a insisté.

– L'affaire pourrait exploser à tout moment.

Et cette fois, je me souviens très bien d'avoir répondu :

– Ecoute, je n'apprécie guère ce genre de remarque en plein milieu de la nuit. Dormons maintenant.

– J'ai l'impression que tu as passé la moitié de ta vie à dormir.

Sur le moment, j'ai pris ça pour une remarque désobligeante, mais avec le recul, il me semble que, d'une certaine manière, elle avait raison.

A peu près à la même époque, Molly Allaun et sa précédente belle-mère, Evelyn Endell, bavardaient au bord du lac, à côté du landau de Frederick, ainsi nommé en souvenir de son grand-père.

– Ça se couvre, dit Evelyn en levant les yeux vers le ciel.

– C'est gentil d'avoir fait tout ce chemin pour nous voir.

– C'est plus facile de me déplacer, pour moi, et puis, ça me change.

En fait, elle avait sûrement eu envie de savoir où et comment son petit-fils était élévé.

– Tout part à vau-l'eau, dit Mary. C'est encore pire depuis la mort de Mme Gates. Je me demande si Isabel se rend compte de tout le travail qu'elle abattait.

– Sans doute pas.

– Il est possible que je retourne à Meakin Street.

Elle ne précisa pas que dans ce cas, elle partirait sans Tom.

– C'est dommage, dit Evelyn, tristement. C'est un endroit charmant. On ne pourrait demander mieux pour un enfant.

Elle sortit une grosse enveloppe de papier kraft de son sac à main.

– J'espère que cela ne vous fera pas trop de peine, ce sont les papiers de Joe. Tout est là, j'ai fait des doubles pour moi. Je pensais que vous aimeriez les avoir pour l'enfant quand il sera plus grand. Il y a ses carnets scolaires, son premier article dans le journal local, toutes sortes de choses...

– Oh, merci, merci beaucoup, Evelyn.

Absorbée dans son propre chagrin, elle ne se souvint qu'un peu plus tard qu'elle parlait à la mère de Joe et essuya ses larmes.

– Au moins, il me reste l'enfant. J'ai encore ça.

– Oui, répondit Evelyn Endell avant de se moucher.

– Je ne l'oublierai jamais. Je me suis remariée trop vite, pour le bien de l'enfant.

– Je sais. Aucun de ceux qui vous ont vue avec Joe ne pourrait penser le contraire. Pour dire la vérité, Fred l'a mal pris au début. Mais je lui ai dit que vous agissiez sûrement pour le mieux. J'espère que vous êtes heureuse, un enfant a besoin d'un foyer heureux.

– Je ferai de mon mieux.

– J'en suis sûre. Mais si vous devez ramener le petit Fred à Meakin Street, ne vous inquiétez pas, je ne crois pas que cela puisse lui faire de mal. Et puis, ce serait logique, car vous ne le savez sans doute pas, mais Joe est né tout près de Meakin Street. Je ne crois pas qu'il vous en ai parlé.

– Dans le quartier ? Je n'arrive pas à y croire. Comment se fait-il qu'il ait atterri dans le Nord ?

– Vous verrez, tout est dans les papiers. Nous l'avons adopté dans un orphelinat de Londres. On l'a retrouvé dans un immeuble bombardé. Je ne sais pas exactement ce qui lui est arrivé auparavant, mais le rapport de l'orphelinat est à fendre le cœur. J'avais envie de vous en dire plus la dernière fois que nous avons parlé de tout ça. J'ai toujours su qu'il y avait quelque chose dans l'esprit de

Joe qui restait bloqué et qui devait sortir pour son propre bien. Je pensais qu'un mariage heureux aurait permis à la vérité de s'exprimer, mais j'avais peur que vous ne soyez trop pressante. Je crois que s'il avait eu la chance de voir son enfant, cela aurait accéléré les choses. Une naissance, ça réveille toujours le passé. Je ne voulais pas que Joe ait à affronter des événements auxquels il n'avait jamais réfléchi avant de s'y être préparé. Ce n'est pas comme s'il avait été malheureux.

— Non, ce n'était pas le cas.

Les deux femmes se tenaient côte à côte dans les derniers rayons du soleil. Au-dessus de leurs têtes, les oiseaux prenaient leur envol vers le sud. Le bébé se mit à pleurer et elles l'emmenèrent à l'intérieur.

Molly n'ouvrit pas l'enveloppe brune. Elle la rangea dans un tiroir de la commode où elle l'oublia presque. Elle avait vécu des moments difficiles et savait que d'autres l'attendaient.

Après la mort de Mme Gates, Sid et Ivy étaient venus apporter l'enfant. Ensuite, il y eut l'enterrement, et, une semaine plus tard, le baptême du bébé. Il avait donc fallu organiser deux réceptions. En fait, tout en se sentant coupable, Molly avait été soulagée d'apprendre que les Endell ne pouvaient pas venir pour le baptême. Ils seraient restés plusieurs jours et auraient souffert du manque de confort de la maison.

— J'ai passé le dernier mois à regarder une vieille femme mourir, à baptiser mon enfant et à faire du ménage à longueur de temps, confia Molly à sa mère après la cérémonie. Drôle de lune de miel !

— Je ne trouve pas ça très drôle, répondit Ivy. Eh bien, il faudra arranger tout ça, dit-elle en regardant le plâtre écaillé du plafond de la bibliothèque. Sid t'aidera. Ce n'est pas la peine de demander à Jack, il est trop occupé en ce moment.

— Et surtout, il ne s'est pas remis du mariage.

— Ça s'arrangera, dit Ivy. Grâce à Dieu, il te reste toujours Meakin Street, ajouta Ivy de manière quelque peu incongrue.

Le lendemain, Molly alla trier les affaires de Mme Gates. Elle laissa le bébé dormir dans son landau dehors tandis qu'elle fouillait tristement les tiroirs et les placards bien rangés. Isabel et Tom ne lui avaient pas proposé de l'aider. Tous deux savaient à merveille se réfugier dans le silence dès qu'une situation exigeait un peu d'initiative. On ne les voyait donc jamais refuser leurs responsabilités, mais ils étaient rarement forcés de les assumer. Ce devait être cette habitude de ne jamais lever le petit doigt en temps de crise qui les avait rendus sourds aux avertissements qu'on n'avait pas manqué de leur donner. Pour Isabel, c'était presque explicable, elle n'avait pas été élevée pour devenir une femme d'action, mais pour Tom, cela tenait de l'énigme. Il avait un diplôme de droit, bien qu'un petit diplôme, et il avait travaillé chez un agent de change, ancien ami de Sir Frederick, puis dans un cabinet juridique. À chaque fois, sa mission s'était terminée mystérieusement. Charlie Markham lui avait trouvé un autre travail dans un cabinet de conseil juridique auquel ses entreprises faisaient appel.

Tom allait à Londres le mardi et revenait le vendredi soir. Il était mal payé, mais c'était déjà un grand soulagement pour Molly de le voir travailler. Hélas, elle se sentait aussi soulagée de partager si rarement son lit. Le mariage était consommé à présent. Le soir du baptême, Tom, affectueux et un peu émoustillé par le champagne, avait trouvé une Molly tout heureuse de voir son enfant accepté dans sa nouvelle famille prête à répondre à ses avances. Pour une fois, Tom fut capable d'avoir une érection, et pendant quelques instants, ils commencèrent à faire l'amour. Molly, plus soulagée de ce que cela pouvait signifier pour l'avenir que comblée, retrouvait sa joie. Mais hélas, des débuts aussi désespérés sont peu propices à l'amour sincère. Tom, le visage torturé, s'était affairé un instant au-dessus d'elle et avait joui quelques secondes plus tard avant de s'endormir presque immédiatement, très content de lui, laissant Molly insatisfaite. Le lendemain, il avait tenté de recommencer, mais échoué. Mal à l'aise, Molly songeait que si Tom lui avait menti, au fond d'elle-même, elle savait qu'elle lui avait rendu la monnaie de sa pièce. Elle ne l'aimait pas, ne le désirait pas, sauf peut-être comme un simple soulagement physique. Pourtant, le mariage aurait pu être sauvé par une bonne entente sexuelle, et à présent, sauf miracle, tout était perdu. Une vie morne, essentiellement consacrée aux travaux ménagers et à la solitude, commençait. Pour seule consolation, elle n'avait que son gros bébé pétulant de santé.

C'était l'automne, et, tandis qu'elle retirait les effets de Mme Gates des tiroirs, un nuage de feuilles vint battre la vitre. Comment supporterait-elle un long hiver dans la sombre demeure de Framlingham ?

Déjà, elle était à court d'argent. « Va-t'en, arrête le massacre et va-t'en ! » Elle abandonna la pile de chemisiers et alla ouvrir le petit bureau dans l'autre pièce, dans le vague espoir d'y trouver l'adresse d'un parent inconnu de tous. Il y avait des lettres dont certaines avaient dû être écrites par le mari de Mme Gates à l'époque des fiançailles, d'autres envoyées par son père pendant la Première Guerre mondiale. Dans une enveloppe, elle trouva un certificat de mariage daté de 1927, ainsi qu'un certificat de décès d'un enfant, de 1930. Une des boîtes à biscuits du placard était pleine de vieilles photographies, femmes en crinoline et hommes en queue-de-pie, des bébés inconnus dans des bras de femmes, deux jeunes filles, bras-dessus bras-dessous en robe blanche sur la plage. Molly trouva également une enveloppe contenant une mèche de cheveux blonds, les siens peut-être. Molly ne se résignait pas à jeter ces vestiges d'une autre vie. Elle referma le tiroir du bureau et entendit des voix dans l'escalier. Vera Harker arrivait avec Elizabeth Twinning.

— Oh, Vera, madame Twinning, je suis contente de vous voir. J'essaie de trier tout ça. J'espère que cela pourra vous servir à quelque chose. Et toutes ces photos, je ne sais pas quoi en faire, dit-elle en faisant un geste désespéré.

Les deux femmes la regardaient sans complaisance, d'un air de dire qu'elles avaient plus d'une fois dû faire face à ce genre de situation.

— Au moins, tu as essayé, dit Vera Harker pour adoucir les choses, en sortant une enveloppe de son panier. Tiens, c'est pour toi. La veille de ton arrivée, elle m'a envoyée retirer ses économies de la poste. Elle voulait en donner la moitié à toi et l'autre à Elizabeth. Elle a dit que tu en aurais besoin, mais qu'il fallait absolument que tu utilises cet argent pour toi ou pour ton enfant.

— Elle n'a personne d'autre, plus proche ? demanda Molly, inquiète.

— Il y a cinq cent quatorze livres. Tu ferais bien de recompter devant nous. Je n'aime pas tellement prendre ce genre de responsabilités, mais elle était mal en point, je ne pouvais pas refuser.

Molly hésitait toujours.

— Elle voulait que ce soit pour vous, dit Elizabeth Twinning.

— Mais savait-elle encore... ce qu'elle faisait ?

— Oh, que oui, répondit Vera. Elle a dit ce qu'il fallait faire de l'horloge et de tout le reste. Je lui disais de ne pas être si morbide, mais ça ne servait à rien. Elle était bien décidée à mourir, à mon avis.

Molly prit l'enveloppe et compta la somme à voix haute.

— Et surtout, n'oubliez pas, Mary, c'est pour vous, pour vous toute seule, dit Elizabeth Twinning.

Et Molly qui songeait fortement à quitter Framlingham se sentit coupable.

— Il faudra que j'en fasse quelque chose, se dit-elle, comme à elle-même.

Mais elle mit l'argent dans la boîte à biscuits avec les photographies et la rangea dans le placard.

— Allez vous reposer, dit Elisabeth Twinning, vous avez l'air épuisée. Allez, donne-lui, ajouta-t-elle à Vera.

Vera Harker sortit un drôle de petit épouvantail, habillé de vêtements rapiécés avec des cheveux de paille.

Très touchée, Molly admirait le sourire un peu niais et les yeux en boutons.

— Ne t'attendris pas trop. J'en fais des milliers, je ne sais plus à qui les donner, tous les gosses du village en ont.

— Ne l'écoutez pas, dit Elizabeth. Ils sont célèbres à des lieues à la ronde. Il y a de tout, des chats, des chiens, des drôles de bonhommes et je ne sais quoi encore. Lou Gates disait toujours qu'elle aurait dû aller les vendre au marché.

— Qui les achèterait ? Ce ne sont que des vieux bouts de tissu.

— Je n'ai jamais rien vu de pareil. Comment as-tu eu l'idée ?

— Oh, comme ça, parce que je m'ennuyais. Enfin, cela me remonte le moral d'entendre tous ces compliments. Maintenant, tu devrais aller te reposer, je finirai avec Elizabeth.

Molly s'en alla, son épouvantail serré sur son cœur. Elle donna le biberon à son bébé et, en allant le coucher, trouva Tom allongé sur le lit.

— Tu ne te sens pas bien ?

— J'ai décidé de prendre mon après-midi. Le travail m'ennuie.

— La vie n'est pas toujours gaie, dit Molly, un peu amère d'avoir passé tout son après-midi chez Mme Gates à essayer de ne pas pleurer.

— Molly, je ne veux pas que tu t'en ailles, Molly.

Il avait dû passer toute la journée à préparer sa phrase. Il était étrange d'entendre Tom toujours si muet affronter directement les problèmes.

— Je ne comprends pas pourquoi tu as envie que je reste. Tu ne m'aimes pas, du moins, c'est ce qu'il semblerait. Il n'y a rien entre nous, même pas ce qu'il y avait quand nous étions encore à Meakin Street.

— Je n'ai pas l'habitude d'être un mari. D'ailleurs, je ne crois pas que je sois un très bon mari, mais j'ai envie que tu restes. Je ne supporterai pas un hiver de plus ici avec maman, explosa-t-il soudain.

Molly décida qu'il valait peut-être aussi bien qu'elle reste un peu plus longtemps. Elle n'avait pas envie de refaire sa vie tout de suite, surtout pas après une tentative aussi désastreuse.

— Bon, je reste. Peut-être pas pour toujours, mais je reste. Ce serait sans doute plus facile pour tous les deux si je dormais seule. Je ne dors pas bien à côté de toi. J'ai toujours peur que Fred te réveille. Je reprendrai ma vieille chambre dans la mansarde. Elle m'a toujours plu.

Pourtant, Tom s'inquiétait de la réaction de sa mère.

— Dis-lui que le bébé te réveille toute la nuit et que tu en deviens fou. Elle ne te posera pas de questions.

— De toute façon, parfois, j'ai vraiment l'impression de devenir fou.

— Je ne comprends pas. J'ai déjà vécu des situations impossibles, mais ici, c'est pire que tout. Vous devriez vous débarrasser de cet endroit. Ça vous ruine au fur et à mesure des années. Laissez-le pourrir sur place s'il le faut.

— Maman ne voudra jamais.

— Montre-toi un peu autoritaire. C'est criminel. Avoir abattu les chênes ! s'exclama Molly en regardant par la fenêtre.

— Je sais.

— De toute façon, j'ai pris ma décision. Je vais gagner un peu d'argent avant Noël.

— Comment ?

— Je vais travailler avec Vera Harker. Je pourrais m'occuper de Fred en même temps.

Ce soir-là, elle alla examiner les jouets de plus près chez Vera, les arlequins tricotés, les bonhommes de velours rouge avec des yeux bleus en boutons, les fox-terriers, le chat noir et blanc, les jolies dames en frou-frou. Elle persuada Vera et sa mère de les lui prêter pour qu'elle aille les montrer à Londres le lendemain.

— J'essayerai de décrocher des commandes. Ça pourrait nous rapporter un petit peu, avant Noël.

Les deux femmes restaient sur la défensive. Mme Harker posa son journal et déclara :

— Bonne chance. Je lui ai toujours dit qu'ils étaient trop bons pour donner.

— Si j'ai trop de commandes, est-ce que quelqu'un pourra t'aider ?

— Tu auras bien de la chance si tu réussis à en vendre un seul, dit Vera, usant de ses prérogatives de créateur.

— Il n'y a pas une femme qui refusera de donner un coup de main, ajouta Mme Harker. C'est la saison morte pour le travail en ce moment.

Le lendemain, donc, Molly mit tous les jouets à l'arrière de la voiture à côté du bébé et obtint une commande importante d'un magasin chic de Londres. Elle retourna à Framlingham avec des tissus, du fil et des boutons, achetés avec l'argent laissé par Mme Gates.

— Ils vont revenir à trois livres chacun et on nous les achète sept, en moyenne. Ils en veulent cent pour Noël, ce qui veut dire que nous devrons les faire dans les six semaines. Mais je préférerais qu'on livre la commande en deux fois, car si ça se vend bien, on nous en demandera peut-être d'autres. Et puis, nous trouverons peut-être un autre acheteur. Je prends une livre par pantin, et le reste des bénéfices sera à partager entre celles qui les fabriquent. Il faudrait trouver huit ou neuf femmes. C'est possible ?

Molly avait utilisé l'héritage de Mme Gates pour acheter les matériaux. Les femmes n'hésitèrent pas un instant. Pendant l'automne, Molly fit le tour du village pour suivre le travail et soumettre les pantins à l'approbation de Vera.

— Je suis incapable de coudre, dit-elle comme pour s'excuser, mais apparemment, je sais vendre.

Une quinzaine de jours plus tard, elle était de retour à la boutique avec sa première livraison. Le directeur n'était pas très chaud pour mettre les pantins en vitrine et les vendre avant Noël.

— Ils prennent de la place, et j'ai peur qu'ils se défraîchissent.

Désespérée, Molly alla dans trois autres magasins. L'un d'eux lui en commanda cent cinquante, à condition qu'ils soient deux fois plus petits. Molly accepta, bien qu'elle sût que le prix de revient serait proportionnellement plus élevé. Vera, un peu inquiète devant l'immensité de la tâche, travailla sur de nouveaux modèles.

— Laisse les autres les fabriquer, lui dit Molly qui la voyait perdre son enthousiasme. Concentre-toi sur la création de nouvelles poupées. As-tu pensé à un footballeur ? Les gens pourraient les acheter pour des garçons sans craindre d'en faire des poules mouillées. Ils ne veulent plus acheter de peluches dès que les gosses ont plus de trois ans, mais ils ont toujours besoin d'un fétiche pour dormir.

Le charmant footballeur de Vera fut vite surclassé par son joueur de cricket dégingandé avec sa casquette et sa grande écharpe.

— C'est génial ! Ils ont l'air malin comme des singes. Tu as vraiment du talent, cela devait dormir en toi depuis longtemps.

— Tu sais, j'ai toujours été très calme. Comme on était neuf, il valait mieux ne pas faire trop de bruit à la maison. Quand elle te voyait, maman disait toujours que si Lady Allaun voulait s'occuper d'un enfant, elle n'avait pas besoin d'aller chercher si loin. Elle était un peu jalouse quand tu venais me chercher avec tes socquettes blanches et tes robes amidonnées. J'imagine qu'il y a pas mal de choses qui ne se débloquent jamais dans une famille nombreuse où on a du mal à joindre les deux bouts.

Pendant tout le mois d'octobre, Molly tint la comptabilité du commerce de jouets, et harcela les femmes pour qu'elles poursuivent le travail malgré une épidémie de grippe. Elles lui étaient reconnaissantes, mais en fait peu l'aimaient. Pour elles, Molly n'était qu'une citadine qui gagnait de l'argent sur leur dos, et s'était arrangée, malgré une enfance dans la pauvreté et un passé douteux, pour devenir Lady Allaun.

— La vieille gitane avait bien dit qu'elle se marierait trois fois, dit la ronde Clarisse Smith à Vera Harker, en lui soumettant une dizaine d'arlequins et de colombines en tricot. Elle ne s'était pas trompée. Mais l'enfant ? Du sang maudit ? Il doit bien y avoir du vrai là-dedans ?

— Sornettes que tout ça ! rétorqua Vera, en arrachant un fil qui dépassait d'un chapeau. Ça ne sert à rien d'écouter les romanichelles, sinon à s'attirer des ennuis.

— Oui, mais quand même, elle avait deviné juste, répondit Clarisse.

— Elle avait dit aussi qu'elle deviendrait riche. Alors, autant s'accrocher à ça et continuer le travail, remarqua la mère de Vera.

– Ah, du sang maudit ? Ça donne froid dans le dos.

– Ne t'inquiète pas, l'enfant a l'air en bonne santé. Maman a raison, attelons-nous à l'ouvrage, que je puisse bientôt acheter mon frigo.

– Pourtant, je ne donnerais pas cher de son couple, dit la mère. Il n'y a qu'à regarder les yeux de son mari pour avoir des frissons. Je suis contente qu'aucune de mes filles ne se soit mise avec lui, tout titré qu'il soit.

– Je ne crois pas qu'il m'ait jamais fait la cour, dit Vera. Et toi ? Il est déjà venu frapper à ta porte ? demanda-t-elle à Clarisse.

A Noël, Molly avait déjà gagné cent cinquante livres, de quoi passer des fêtes confortables et régler quelques factures. Elle était bien trop préoccupée par les problèmes de son nouveau commerce de jouets pour se rendre compte de l'atmosphère sinistre masquée par une gaieté apparente, et de l'absence de Joe à ses côtés. Elle s'épuisait dans ses calculs, dans les tâches ménagères, dans la décoration de la maison. D'une certaine manière, sans le savoir, elle avait renoncé au bonheur. Pour elle, la vie n'était plus qu'une question de survie.

Des mois moroses suivirent. Les bénéfices du fonds irrévocable permettaient tout juste de régler les intérêts des emprunts hypothécaires. Les fermes, les tableaux et même une partie de l'argenterie avaient été vendus il y avait déjà bien longtemps. Tom ne recevait qu'un maigre salaire, car en fait, il était plus clerc de notaire qu'avocat. Bientôt, les gains de Molly furent épuisés et elle dut entamer l'argent de l'assurance de Joe. Les Twinning se montraient très gentils et pleins de tact. Elizabeth apportait des œufs, des pommes ou des légumes, en prenant bien la peine de préciser que si Molly ne les acceptait pas, ils seraient gâchés. Son mari envoyait son fils bêcher le jardin et donner des conseils sur ce qui avait des chances de pousser. Le garçon, Rob, restait sceptique.

– Je crois que je vais élever des poules, lui confia un jour Molly.

– A votre place, je me consacrerais aux affaires.

Sans rien dire aux Allaun, Molly écrivit à Sam Needham pour lui demander s'il ne connaissait pas un locataire éventuel pour Meakin Street. Sam, sur le point de se marier, se proposa et Molly accepta. Elle savait que Tom et Isabel avaient très envie de la voir vendre Meakin Street pour financer les réparations d'Allaun Towers, mais elle avait remarqué qu'Isabel ne s'était pas séparée de ses bagues qui scintillaient toujours à son doigt. C'étaient les derniers objets de valeur de la maison, et visiblement ils étaient indispensables à Isabel étant donné la conception qu'elle se faisait d'une grande dame de campagne, tout comme ses visites hebdomadaires en ville. Elle allait voir de vieux amis auxquels elle faisait un récit idyllique de la situation. « Ma belle-fille adore le jardinage. » Et tous de s'imaginer Molly en train de tailler les rosiers et non de patauger dans la boue par tous les temps, avec Fred emmitouflé dans son landau à côté d'elle qui ne cessait de s'enrhumer. Le soir, quand Isabel revenait de ses périples, Molly devenait folle de rage en l'entendant raconter : « J'ai passé une journée si agréable que j'en avais oublié l'heure du train, j'ai dû prendre un taxi », ou encore : « Nous sommes allés à une matinée, comme au bon vieux temps. »

En rentrant dans sa chambre, Molly fulminait en essayant de tenir des comptes impossibles, car l'argent qui provenait de différentes sources était dépensé par des personnes différentes, si bien que les Allaun refusaient d'assumer leurs responsabilités. Et pendant ce temps, Vera, Clarisse et les autres se tuaient à la tâche.

Les femmes du village avaient très envie de poursuivre leur activité, surtout si elle était aussi lucrative qu'avant Noël. Pourtant, les boutiques et magasins avec qui Molly avait signé des contrats n'étaient pas très chauds pour passer de nouvelles commandes. Il s'avérait extrêmement difficile de trouver de nouveaux clients. Seul un magasin lui avait commandé cinquante poupées. Elle en était à se demander si cela valait encore la peine de continuer en espérant des temps meilleurs. Après un mois de mars froid et pluvieux, elle ne voyait toujours rien venir. Elle pressentait aussi que Tom n'allait pas tarder à perdre son emploi. Depuis plus de six mois, elle vivait dans une maison glacée, à part la cuisine et le coin de la cheminée où l'on trouvait un peu de chaleur, et elle et Fred étaient constamment grippés. Un jour, un peu fiévreuse, le bébé à côté d'elle bien au chaud sous les couvertures, elle écoutait le vent hostile hurler sous les toits quand Charlie Markham entra dans la chambre en costume de tweed.

— Oh ! dit-il, surpris par l'apparence peu avenante de Molly avec son nez rouge et son gros pull gris. Isabel m'a dit que tu étais malade... Je voulais te présenter mes vœux.

— Tu es en avance pour l'an prochain, dit Molly, furieuse d'être vue à son désavantage.

— Ne le prends pas mal, Molly. C'est toujours de la visite, et la maison ne doit pas regorger d'invités par les temps qui courent. J'ai apporté une bouteille de gin, et puis je suis passé voir Simon Tate avant de venir, il m'a remis un cadeau pour le bébé. Tiens, voilà.

— Merci, dit Molly de meilleure humeur. Va donc m'attendre au chaud dans la cuisine. Prépare du thé, si tu trouves la bouilloire. J'arrive tout de suite.

Elle enfila un pantalon de lainage gris et essaya de brosser ses cheveux desséchés. Après tout, Charlie avait raison, tous les visiteurs étaient les bienvenus, même s'ils se montraient aussi désagréables que Charlie ne manquerait pas de l'être.

— Où est Isabel ? demanda-t-elle en arrivant à la cuisine avec son bébé changé.

— Elle est montée se reposer. Je la verrai plus tard. Brrrou, quel froid !

— Les charmes de la vie à la campagne ! Regarde-moi, mes cheveux sont tout secs, j'ai des engelures plein les mains. Je suis tout le temps malade...

— Qu'est-ce que c'est que les paquets qui sont dans le couloir ? demanda Charlie sans tenir compte de sa remarque.

Molly lui parla des jouets et lui dit qu'elle était arrivée à un tournant, et qu'il fallait soit arrêter, soit envisager une expansion, c'est-à-dire acheter des machines à coudre. Charlie, bien que peu compatissant, était intelligent, et, comme il était le seul à qui elle puisse parler, elle lui dit également qu'elle envisageait de retourner à Londres.

— Pour le moment, l'argent des poupées et de Meakin Street suffit à peine à entretenir la misère.

— Je ne crois pas qu'une banque te prêterait de l'argent à la simple vue de ces pantins de chiffons, dit Charlie en se resservant une part du gâteau qu'il avait apporté.

En mâchonnant ainsi, avec son costume et sa cravate, il avait l'air d'un gros écolier.

— Je suppose que c'est toi le gros malin qui a raconté à Tom que je roulais sur l'or ? T'es content du résultat, j'espère ?

— Rends-moi justice, Molly. Je n'aurais rien dit de pareil sans vérifier. Il y avait une rumeur qui courait au Frames, parmi les clients qui s'intéressaient à toi. Il me semble que c'est Tate qui a mis le feu aux poudres. Il devait croire que c'était la vérité, et il n'a sûrement pas imaginé qu'il y aurait un type assez fou pour le croire et pour agir en conséquence. Il ne savait pas ce qu'il faisait.

— De toute façon, c'est toi qui as voulu que j'épouse Tom.

— Je crois comprendre, dit Charlie en fronçant les sourcils, que ton mari ne te donne pas entière satisfaction.

— Tu le sais bien. Tu aurais quand même pu me prévenir.

— Comment l'aurais-je su ? Tout allait bien avec son ancienne petite amie, celle qu'il a failli épouser, du moins, il me semble. Et puis, sois raisonnable, Molly, tu étais assez grande pour t'en rendre compte par toi-même. Moi, j'avais simplement envie de le voir se caser. Comment voulais-tu que je sache qu'il te prenait pour une multimillionnaire ? Et je ne croyais pas que tu allais te laisser passer la bague au doigt avant de le faire passer à la casserole. J'avais une très vague idée de ses capacités...

— J'étais au trente-sixième dessous. Je venais de perdre Joe, et de mettre un enfant au monde.

— C'est la vie, dit Charlie sans grand sentimentalisme. Mais en fait, Moll, je crois que tu ne lui laisses pas beaucoup de chance. Tu es plutôt jolie, malgré ton nez rouge, mais tu es dure avec lui, tu ne parles que de factures, et comme la virilité de Tom est un peu chancelante, ça n'arrange rien.

— Ici, ce n'est pas le genre d'ambiance qui te pousse à rester allongé sur un sofa, avec une fragrance de Diorissimo pour tout vêtement !

— Oui, effectivement, tu as peut-être raison. Après tout, je suis le cousin de Tom, ce n'est pas que je ne comprenne pas ton point de vue, mais tu as épousé un homme que tu n'aimais pas, tu dois bien le reconnaître. Et ce pauvre Tom est toujours en concurrence avec le fantôme de Joe, et l'enfant de Joe. Il faudrait être un véritable Tarzan pour surmonter tout ça.

— Et Tom n'a rien d'un Tarzan. Enfin, quoi qu'il en soit, c'est la catastrophe.

— Ça s'arrangera peut-être, avec l'été...

— Oh, Charlie, ça suffit, dit Molly, qui savait que Charlie s'amusait de voir un tel désastre. Tu n'aurais jamais dû m'encourager, tu aurais dû me prévenir. Tu savais très bien qu'on faisait une erreur tous les deux.

— J'ouvre le gin. Ecoute-moi, j'ai quelque chose à te dire avant qu'Isabel descende. Je n'ai jamais voulu faire de tort à ma famille. J'ai trouvé un travail à Tom, et il s'est arrangé pour tout gâcher. Je me suis retrouvé dans une situation embarrassante. Maintenant, il recommence, et je dois avouer que j'en ai assez. Toi, tu as l'air de réfléchir. Les poupées sont charmantes. Si jamais tu avais une bonne idée et que tu aies besoin de capital, n'hésite pas à m'en parler...

Molly en restait abasourdie. Charlie le voyou, Charlie le sado-masochiste, lui proposait de l'argent !

— Mais en as–tu le pouvoir ?

— Le pouvoir ? Je fais partie du conseil d'administration d'un groupe qui représente plus de vingt millions de livres de capital ! Je suis directeur de trois sociétés. Tiens, dit-il en lui tendant une carte de visite. Planque ça dans ton soutien-gorge, tu en auras peut-être besoin. Et surtout, pas un mot là-dessus.

— D'accord, dit Molly, mais pourquoi à moi ?

— La famille, ça passe avant tout.

— J'ai du mal à te croire.

— Disons que ta carrière un peu excentrique a dû te faire connaître beaucoup de choses. Tu as appris ta leçon à dure école, avec les Rose et les Nedermann pour professeurs. Tu sais sûrement où tu mets les pieds. Et puis, je t'ai toujours bien aimée, ma petite Molly. Je pense souvent à toi. Maintenant je me rends compte à quel point notre petite aventure..., dit-il en lui posant la main sur le genou.

— Charlie, il fait un froid de canard ici. Ça refroidirait un régiment de lapins en chaleur. Et puis, j'entends Isabel dans l'escalier.

– Comme tu voudras. Tiens, le thé est prêt, ajouta-t-il d'un ton de neveu bien poli tandis qu'Isabel entrait.

Dix minutes plus tard, Tom rentra de Londres plus tôt que d'habitude et tout le monde bavarda gentiment dans la cuisine. Bientôt, il fut l'heure de l'apéritif ; les Allaun burent quelques whiskies avant de dîner joyeusement.

Molly n'avait pas passé une mauvaise journée, pourtant, toujours fiévreuse, elle songeait à l'avenir à côté de son fils qui respirait difficilement dans son lit. Il était peu probable que Charlie se mette à courir les conseils d'administration pour trouver les capitaux nécessaires à l'installation d'une entreprise de jouets. Le projet était un peu risqué et il y avait peu de chance qu'il se révèle un jour très lucratif. Et puis, c'étaient les hommes qui détenaient le pouvoir, et ils rechigneraient sans doute à investir dans une entreprise dirigée par une femme, qui fabriquait des objets destinés aux fillettes. Il faudrait arriver à leur faire croire qu'elle était prospecteur de pétrole, qu'elle avait inventé un élixir de jeunesse, un super-robot, n'importe quoi qui puisse la faire sortir de la nursery et éveiller des fantasmes de fortune, d'immortalité, de puissance sexuelle. Il lui fallait un projet, un vrai, un grand projet, songea Molly avant de sombrer dans un sommeil agité.

Une quinzaine de jours plus tard, le soleil se montra enfin, éclairant Allaun Towers et ses problèmes d'une lumière plus clémente. Comme Molly se sentait mieux, elle décida d'aller à Beckenham avec l'enfant. Ivy, qui avait été très malade, prétendait se sentir mieux, pourtant, elle avait toujours le teint gris et effroyablement pâle.

– Tu as fait venir le médecin ?
– Pour un rhume ?
– Non, pour un bilan général.
– Un bilan ? Je ne suis pas un directeur d'entreprise qui souffre de trop nombreux repas d'affaires ! C'est la fin de l'hiver, ça ira mieux avec les beaux jours.
– Tu es vraiment têtue ! Je vais en parler à Sid.
– Oh, je me fais vieille, c'est tout, dit Ivy en toussant et en allumant une cigarette.
– Vieille ? A soixante et un an ? En Californie, tu viendrais juste de te remarier.
– Oui, eh bien, on n'est pas en Californie. Grâce à Dieu, vous êtes tous en bonne santé, toi, Jack et Shirley, et mes petits-enfants aussi, c'est ça qui compte. Je n'ai pas à me plaindre. Le ménage de Jack est brisé, et j'ai Shirley en larmes au téléphone tous les matins. Elle semble s'en tirer pas trop mal avec sa comptabilité. Finalement, elle a quand même réussi à se faire payer le cours par la famille, dit Ivy en riant. Mais ils espèrent qu'ensuite elle travail-

lera pour leur magasins gratuitement, pour eux ce n'était qu'un investissement rentable. Mais dans mon idée, dès qu'elle aura terminé, elle prendra la poudre d'escampette avec les gosses.

Molly faisait marcher le bébé autour de la table de la cuisine en le tenant par la main. Elle l'assit sur ses genoux, mais il se débattit aussitôt pour descendre.

— Il est éveillé, dit Ivy. Enfin au moins, il ne passe pas son temps à grimper partout, comme Joséphine. Elle grimpait avant de savoir marcher, cette gamine. Je me souviendrai toujours du jour où elle et tombée en escaladant sa petite chaise. Je la croyais à moitié morte, mais elle riait aux éclats. Ah, j'avais encore de l'énergie à l'époque ! Il a l'air en bonne santé, ce doit être l'air de la campagne.

— Là-bas, c'est marche ou crève. Je n'ai jamais eu si froid de ma vie. Pourtant, quand j'y étais pendant la guerre, ce devait être pareil, avec les rationnements de fuel.

— Oh, ils trouvaient sûrement un moyen de s'arranger. A la campagne, c'était plus facile. De toute façon, je n'imagine pas Mme Gates te faire dormir dans une chambre glacée. Elle ne t'aurais pas laissée avec une écharde dans le doigt plus de trente secondes. On n'en fait plus des comme elle.

— Elle n'a jamais été récompensée pour sa peine. Un enfant mort, un dur labeur toute sa vie, et mourir dans l'écurie ! Elle se serait sûrement retrouvée seule si je n'avais pas été là. Isabel ne s'inquiétait même pas. Elle pensait que ce n'était pas grave... en fait, c'est ce qu'elle a dit après, mais je me le demande. Elle a un talent fou pour refuser de voir la réalité en face.

— Tu sais, tu peux toujours reprendre Meakin Street.

— Oh, ne crois pas que je n'y ai pas pensé. Mais j'ai loué à Sam. Il accepterait sûrement de partir si je le lui demandais, mais ce ne serait pas juste. Et puis, je n'en ai pas tellement envie. J'ai trop de souvenirs dans cette maison. Et qu'est-ce que je ferai ? Travailler ? Et Fred ? La crèche ? Tu sais comment c'est pour les femmes seules. Ça vaut à peine le coup de travailler, mais si tu restes sans rien faire, c'est le Valium qui te guette. Avec un peu de chance, on frappe à la porte, et coucou ! c'est un Johnnie Bridges quelconque qui se ramène. Et voilà les ennuis qui commencent, non, je suis mieux comme je suis.

— Tu as peut-être raison.

— De toute façon, je dois rester jusqu'à Pâques. George Messiter a trouvé un travail, mais j'ai reçu un coup de téléphone de Cissie qui m'a demandé si je pouvais le prendre en vacances une semaine parce qu'il a mauvaise mine. Il réparera des bricoles. Pourquoi ne viendrais-tu pas avec Sid ? Ça te ferait du bien. Le grand air. J'aimerais que tu reprennes des couleurs.

— J'en parlerai à ton père. Si on faisait goûter Fred maintenant, on aurait le temps d'aller à Bromley, tu t'achèterais une robe. Tu vis peut-être à la campagne, mais ce n'est pas une raison pour te laisser aller comme ça.

— J'ai tout laissé dans le grenier à Meakin Street.

— Si tu voulais te faire bonne sœur, ce n'était pas la peine de te remarier. On dirait que le pauvre Tom a gagné le gros lot avec toi ! Tu te négliges, ma fille.

— Maman, il n'y a pas un sou dans cette maison. Et il fait un froid de canard.

— N'empêche, regarde-toi, on dirait un homme. Ce pantalon et cet horrible pull, c'est affreux. Secoue-toi un peu.

— Je vais faire un œuf pour Fred.

Dans la cuisine, Molly mit de l'eau sur le gaz en écoutant Fred trottiner.

— C'est bien, mon chéri, allez, va chercher maman.

Le petit Fred passa la tête par la porte ouverte, un grand sourire sur les lèvres.

— C'est un brave gosse, dit Ivy qui le suivait.

— Si seulement Joe avait pu le voir, dit Molly, soudain envahie par la tristesse.

— Il te faut absolument une robe, dit Ivy, ignorant les états d'âme de sa fille.

Pourtant, Molly ne trouva rien qui lui plaisait.

— Qu'est-ce qu'il faut que j'achète, pour avoir l'air à la fois d'une mère, d'une maîtresse de maison, d'une jardinière, et du soutien de famille de deux aristocrates déchus ? Et puis, je crois que Tom va perdre son travail, dit-elle.

— Quelles andouilles ! Ils sont fous ou quoi ? Tu es trop faible avec eux, Molly.

— C'est de ma faute, j'ai été trop ambitieuse, et j'en voulais trop pour Fred.

— Rien n'est trop bon pour mon Freddie, dit la grand-mère indulgente en se penchant sur la poussette.

— Vi, dit l'enfant aux joues roses.

— Je l'ai entendu, ou c'est une illusion ?

— J'ai entendu aussi. Oui, Fred, oui, dit Molly, encourageante.

— Vi, répéta Fred.

— Je n'en crois pas mes oreilles ! s'exclama Ivy, il n'a que neuf mois ! Mais toi, on dirait que tu ne trouveras rien aujourd'hui.

— Tu as raison, je ferais mieux de rentrer. Excuse-moi, maman.

— Enfin, Fred a compensé tout ça, son premier mot ! Dis oui encore une fois pour ta mamie.

— Vi.

— Allez, maman, on bouche le passage, et j'ai mal aux pieds. Rentrons.

Isabel n'était guère enchantée par la perspective d'une visite de Sid et Ivy pour les vacances de Pâques. Pourtant, elle ne pouvait guère opposer une véritable objection. Finalement elle décida de répondre à une vieille invitation d'une amie qui habitait Hove. Après avoir insisté pour que son fils prenne une journée de congé pour l'accompagner, car cela faisait meilleur effet d'arriver avec un fils aimant plutôt qu'avec une belle-fille exténuée, elle partit juste avant l'arrivée de Sid, Ivy et George.

— On reconnaît tout de suite les gens qui ont été bien élevés. Ils sont toujours si polis ! s'exclama Ivy en déballant le poisson qu'elle avait apporté.

— Sid demande où sont les bêches et tout le matériel, interrompit George. Il veut s'occuper du jardin avant de dîner.

— Là, dans la remise, répondit Molly en indiquant un endroit proche de la cuisine.

George, qui avait vingt-deux ans, était une grande asperge pâlote. Il portait des lunettes à présent.

— Je me demande si George va t'être utile à quelque chose, dit Ivy lorsqu'il fut reparti. Il est toujours dans les nuages. Il ne revient sur terre que lorsque tu lui donnes quelque chose à réparer. Il a fait des merveilles avec notre chauffage central. Il est mécanicien auto. Tiens, je n'ai pas eu vraiment le temps de voir la maison au baptême, fais-moi faire le tour du propriétaire.

Molly et Ivy se promenèrent de la cave au grenier, parmi les flaques d'eau, les tentures délavées, les éclats de plâtre qui tombaient du plafond, les traces plus claires sur les murs à la place des anciens tableaux.

— Cela a dû être joli, autrefois, commenta Ivy.

Dans le grenier, les malles rouillaient, les piles de livres moisissaient. Quand elles entrèrent, un étourneau s'envola, un morceau de soie noire arrachée à un vieux parapluie dans le bec.

— Ils viennent chercher des matériaux pour faire leur nid, dit Ivy. Ils sont intelligents, ces oiseaux. Mais quel gâchis, tout ça ! s'exclama-t-elle en fouillant dans un tas de vieux vêtements. Regarde, du Molineux ! C'est un scandale. Tu aurais pu tout revendre si on ne les avait pas laissés pourrir. Quel dommage, avoir tout eu et en être réduit à ça ! Et il en fraudrait des travaux pour restaurer ! Pourquoi n'essaient-ils pas de transformer la maison en appartements.

— Il y a trop d'hypothèques, les banques ne prêteraient pas d'argent.

— Cela m'étonnerait.

— C'est ce que Tom m'a dit. Les Allaun n'ont peut-être pas envie de prendre des risques.

— Ils n'ont pas l'air d'aimer les responsabilités. Ils n'ont pas pour deux sous de bon sens. Molly, tu devrais t'en aller avant de devenir comme eux, et d'attendre la suite des événements, les bras croisés. Il faut que tu penses à Fred, après tout.

412

— Tu sais, il préfère sûrement la vie au grand air plutôt qu'une crèche à Londres.

En fait, au fur et à mesure que les mois s'écoulaient, Molly envisageait de rester à Allaun Towers. La petite entreprise de jouets se maintenait, sans faire de véritables progrès. Sans savoir pourquoi, il lui semblait que si elle s'accrochait, la solution se présenterait toute seule, sans même qu'elle la cherche.

Ce soir-là, Sid, Tom, George et Molly allèrent au pub pendant qu'Ivy gardait le bébé. Le vieux piano que Molly entendait comme un écho lointain dans son enfance en rentrant à la maison au crépuscule avait été remplacé par un juke-box. Après quelques bières, la langue de George se délia un peu.

— Cissie a raison, je perds trop de temps avec ma motocyclette, et je fais des taches d'huile dans toute la maison.

— Tu fais de la moto ?

— Non, c'est une de mes inventions. C'est plus léger qu'une moto, et le moteur est amovible. Il est tout petit, on peut même l'emporter avec soi. Je m'amuse un peu avec, le problème, c'est que je commence à avoir des ennuis avec mon patron.

— Tu fais ça sur ton temps de travail ?

— Un peu, et surtout, je récupère des pièces par-ci par-là. Wayne, un de mes copains au garage, s'y intéresse aussi. Le patron a horreur de son boulot, il déteste sa femme, en fait, d'après Wayne, il ne supporte pas de voir les gens aimer ce qu'ils font.

— Franchement, je ne vois pas à quoi ça peut servir, dit Tom. Si on veut une moto, on ne manque pas de choix. Et si on veut une mobylette, eh bien, on s'achète une mobylette !

— Ça revient sans doute moins cher qu'une mobylette. Et puis on peut se contenter d'acheter la bicyclette au début, et acheter le moteur ensuite, ou bien s'en servir comme bicyclette et n'utiliser le moteur que dans les côtes, commenta Molly. Ça marche ?

— On est en train de faire quelques modifications. Tom a peut-être raison. Je dois reconnaître qu'on ne dépasse guère les vingt-cinq kilomètres heure, sinon, il faudrait alourdir le moteur. Ce qui me plairait, c'est d'utiliser l'énergie électrique.

— Dixit l'inventeur fou, dit Sid.

— Tu peux retourner à Londres ce week-end pour aller chercher Wayne et ta motocyclette ? Je paierai le voyage.

George la regarda d'un air surpris, mais immédiatement il imagina des convois de motocyclettes multicolores grimpant les collines avec leurs petits moteurs.

— Wayne pourra passer le week-end avec nous. J'ai envie de voir cette petite merveille.

— D'accord, Moll, répondit George qui avait l'habitude d'obéir aux ordres des femmes qui savaient généralement mieux que lui ce qu'il fallait faire.

413

Tom eut un regard furieux pour Molly, et, plus tard, dans la chambre, sa colère n'était toujours pas passée.

— Qu'est-ce qui t'a pris de demander à ce gosse d'amener son ami ici ? Sans me demander la permission ? Ni à Isabel. Tu es folle ?

— Pas forcément, dit-elle, visiblement épuisée dans sa vieille robe de chambre. Tom, je voudrais te demander quelque chose. Est-ce que tu pourrais me laisser tranquille un moment ?

— Seulement si tu me dis ce que tu manigances.

— Tom ? Ton travail ? Comment ça va ?

— Je suis très touché de cette soudaine marque d'intérêt, c'est plutôt rare. Mais puisque tu me poses la question, cela ne va pas du tout. Je suis sur le point de donner ma démission. Le vieux ne m'apprécie pas, et l'autre avocat est un incompétent notoire. J'ai demandé une augmentation qu'on m'a refusée, et c'est plus que je ne peux en supporter.

Molly, sans chercher à démêler le vrai du faux, répondit simplement :

— C'est bien ce que je pensais. Si cela ne t'ennuie pas, Tom, je vais me coucher. Je suis fatiguée et Fred me réveille à six heures en ce moment. Ne t'inquiète pas, Wayne sera parti avant que ta mère ne rentre.

Tom, à son désavantage à présent, ne protesta pas plus avant et ne fit plus allusion à la visite de Wayne. Celui-ci, un grand Noir athlétique, arriva avant l'heure prévue sur sa motocyclette mais Tom ne le rencontra pas. En le voyant, Molly espéra pourtant qu'il ne croiserait pas Isabel par un malheureux hasard.

Tôt le matin, George et Wayne allèrent aux écuries. George donnait des coups de marteau dans une pièce du cadre tandis que Wayne s'occupait du moteur, au son du rock and roll du transistor qui hurlait à tue-tête. Fred observait dans sa poussette, une grande trace de graisse noire sur la joue.

En voyant ce qui se passait dans la cour, Tom retourna immédiatement à la maison et alla trouver Molly qui préparait un fond de tarte dans la cuisine.

— Qu'est-ce que c'est que ce travail ? Tu veux transformer la maison en porcherie ?

— Quoi ? Deux gosses qui réparent une bicyclette à deux cents mètres de la maison ? En quoi ça te dérange ?

Elle continuait à travailler sa pâte, tout en sachant que cette dispute n'était qu'un prétexte. C'était la couleur du jeune homme et la classe sociale des invités du week-end qui déplaisaient tant à Tom.

— Ça a commencé par la visite de ta famille, et ça finit avec tous les voyous de Londres ! Et Fred est tout barbouillé de cambouis et de chocolat ! Dis-leur de s'en aller, sur-le-champ.

— De toute façon Wayne s'en va demain.

414

Elle ne voulait pas lui parler de ses projets avant d'être sûre de son coup, pourtant, elle avait besoin de sa collaboration, sinon, ils ne verraient jamais le jour. Elle voulait également éviter une confrontation dont elle sortirait gagnante et qui prouverait, une fois de plus, ce que tous deux savaient déjà, que Tom n'était plus le maître chez lui.

— Franchement, Tom, ce ne sont que des gosses. Ne les oblige pas à partir. Ils ne dérangent pas Isabel au moins. S'il te plaît...

— Bon, très bien. Je vais chez Sebastian Hodges, mais j'espère qu'au retour, Isabel aura droit à une maison calme.

— Merci, Tom, répondit humblement Molly.

Elle avait donc réussi à éviter le conflit grâce à une attitude conciliante. Charlie avait peut-être raison de la trouver trop autoritaire et dominatrice.

— Maman, dit-elle quand Ivy entra dans la cuisine, tu crois que je suis trop dure avec Tom ?

— Tu pourrais peut-être essayer de le valoriser un peu, dit Ivy sans grande passion.

— Ce n'est pas facile. Et puis, pendant que je perds mon temps à le pousser, je ferais mieux de faire des choses moi-même.

— Prends-le comme un défi à relever. Donner à Tom une image plus virile, dit Ivy en riant.

— Ouais, tu aurais plus vite fait de prendre de la laine et des aiguilles et de t'en tricoter un autre, dit Sid.

— Sid ! réprimanda Ivy.

Mais Sid qui venait juste de retourner la terre du jardin avait déjà prévu de colmater les fuites de la tuyauterie au premier et regrettait un peu la partie de pêche à laquelle il devait se rendre avec ses amis de Beckenham. Ici, il n'avait même pas eu le temps de sortir ses lignes.

Néanmoins, le week-end se passa agréablement et Sid alla malgré tout taquiner le goujon sur les rives du lac. Ivy reprisa les rideaux et nettoya le tapis du salon tandis que George et Wayne perfectionnaient leur engin, jusque tard dans la nuit. Finalement, le dimanche soir à la nuit tombante, ils furent enfin prêts pour un nouvel essai. Molly savait qu'Isabel ne tarderait plus à rentrer, mais elle brûlait d'impatience et n'eut pas le courage de reporter l'expérience.

— Il faut l'essayer sur l'allée, dit Wayne.

Sid, Ivy et Molly, groupés sur l'escalier du perron, attendaient.

— Ça marche ? demanda Molly.

— On va voir, répondit Wayne en procédant aux derniers réglages.

George et Wayne se penchaient sur la motocyclette au cadre de métal dentelé. Le moteur ne formait qu'une légère bosse devant la chaîne. Le guidon assez large rétablissait l'équilibre de l'ensemble.

En fait, il rappelait plutôt de longues cornes de bovin. Molly se demandait si les clients seraient attirés par un véhicule aussi étrange. Le moins qu'on puisse dire, c'est qu'il ne semblait guère aérodynamique.

Un pied encore à terre, George enfourcha la machine. Il tira sur le démarreur, le moteur hoqueta, puis se tut. Anxieuse, Molly se mordit les lèvres. Soudain, George roulait dans la pénombre de l'allée ; bientôt, il disparut sous les arbres. Dans le silence de la campagne, on l'entendit couper le moteur. Il revint en pédalant, et remit le moteur en marche en arrivant près du petit groupe. Un taxi le suivait.

— Hourra ! s'écria Wayne. Coupe voir le moteur.

George obéit et tomba sur la pelouse, devant les roues du taxi. Isabel en sortit.

— Que se passe-t-il ? demanda-t-elle à Molly. Où est Tom ? Il devait venir me chercher à quatre heures.

— Il n'est pas venu ?

A l'étage, le bébé se mit à pleurer. Le regard d'Isabel passait de George à Wayne.

— On se croirait chez les sauvages, dit Isabel. Peut-être daignerez-vous prendre la peine de m'expliquer ce qui se passe ? A l'intérieur, Molly, si cela ne vous dérange pas.

Elle prit sa belle-fille par le bras et passa devant Sid et Ivy sans même les saluer.

— Isabel, je crois qu'il faudrait payer le chauffeur de taxi.

— C'est fait. Et je suis sûre que votre mère sera enchantée de s'occuper du bébé.

— Allez donc fêter ça au pub, dit Molly à George et à Wayne, le bras toujours prisonnier de l'étreinte d'Isabel.

— Nous vous rejoindrons plus tard, dit Ivy, furieuse.

Après avoir calmé le bébé, Molly servit un apéritif à Isabel, s'excusa du désordre devant la maison, en prenant garde de ne rien révéler de ses projets. Elle se sentait nerveuse, mais sûre d'elle. Elle espérait pouvoir obtenir un capital grâce à l'aide de Charlie pour se lancer dans la fabrication des motocyclettes. La machine marchait, consommait peu, permettait de se servir du moteur à volonté. Le prix de revient serait assez faible, et puis, cette apparence quelque peu bizarre serait peut-être un atout. Si ce n'était pas élégant, c'était original, en rupture totale avec l'agressivité ambiante et la course acharnée aux chevaux-vapeur. Mais si elle confiait la moindre bribe de ses pensées, dans son humeur actuelle, Isabel s'y opposerait. Et Molly avait besoin des écuries.

Elle avait aussi besoin d'argent. Si Isabel avait vent de fonds prêtés par Charlie, on verrait immédiatement une flopée de fournisseurs avec meubles et vêtements, et toute une équipe d'ouvriers envahir la maison avant qu'elle ait pu faire installer l'atelier. Les factures, discrètement mais sûrement, seraient là avant que l'argent n'ait été encaissé.

Le manque d'explications décupla encore la colère d'Isabel. Tom arriva, furieux lui aussi. Isabel l'accusait de s'être attardé chez Hodges. Pendant la dispute qui s'ensuivit, Molly mit la table pour le dîner et alla rejoindre les autres au pub en espérant que la colère serait retombée au moment du repas.

Elle confia à George et à Wayne qu'elle aurait peut-être une source de financement et que, dans ce cas, elle serait heureuse de les aider à se lancer dans la fabrication d'un prototype et dans la production de bicyclettes.

— Je suis sûr qu'il y a assez de place pour construire un atelier de l'autre côté de la cour. Et si ça marche, on pourra vite s'étendre.

— Qu'en penses-tu, Wayne ? demanda George.

— Ça vaut le coup d'essayer, de toute façon, j'en ai marre du garage.

— Il faudra que nous soyons tous associés. Avec des salaires minimaux et un pourcentage des bénéfices. On fera rédiger les contrats par des avocats.

— C'est à toi de décider, dit Wayne, après tout, c'est ta machine.

— Ils habiteront où ? Je ne les vois pas vivre chez toi, dit Ivy.

— Il y a des gens ici qui seraient très heureux d'avoir des locataires.

— Même noirs ? demanda Wayne.

— Le pasteur te prendra avec lui. Un exemple de lutte contre le racisme. Et puis, il y a quelques maisons vides, ce n'est pas un problème.

— George ? demanda Wayne en voyant son camarade repartir dans sa rêverie coutumière. George ? Ça te dit ?

— Euh... oui, bien sûr, répondit George, comme surpris de se voir poser la question. Surtout si on a une maison, on pourra stocker les cadres dans une pièce. Ça prend de la place.

Molly offrit une tournée.

— Eh bien, si j'ai l'argent, au Messiter ! dit Molly.

— Il va sûrement falloir que vous ayez une petite explication avec les autres, dit Wayne en hochant la tête en direction d'Allaun Towers.

Le soir, après un dîner peu cordial, Molly téléphona à Charlie Markham pour prendre rendez-vous deux jours plus tard en faisant bien attention que personne ne l'écoute. Epuisée par l'excitation de cette nouvelle aventure, elle alla s'allonger.

Dans la pénombre, à côté du bébé endormi, elle s'interrogeait sur les chances de succès. Elle avait impliqué deux autres personnes dans l'aventure, et s'embarquait dans un domaine auquel elle ne connaissait rien. Charlie ne s'était pas trompé sur un point. Elle avait vu manœuvrer des hommes comme Nedermann et les

Rose et en avait tiré la leçon. Elle avait vu Joe discuter en comités, analyser des problèmes, discuter des contrats, et cela aussi lui avait beaucoup appris.

Elle dut sommeiller, car soudain, elle se retrouva dans la buanderie de la prison. Elle sortait de la lessiveuse des mètres de draps emmêlés quand elle vit une silhouette familière à travers l'atmosphère embuée. La femme s'approcha d'elle et lui dit à voix basse :

— Bonjour, Moll. On m'a dit que tu étais là, toi aussi.

C'était Peggy Jones, beaucoup plus grosse que la dernière fois qu'elle l'avait vue sur le trottoir de Soho. Peggy l'aida à sortir les draps pour éviter les réprimandes de la gardienne.

— Pourquoi es-tu là ? demanda Molly.

— Prostitution, comme d'habitude. Ce n'est pas la première fois, et sûrement pas la dernière.

— Taisez-vous et au travail ! hurla la gardienne.

En fait, Molly n'appréciait guère cette rencontre, elle faisait tout son possible pour s'isoler du monde de la prison. Elle passait ses journées dans un état de semi-conscience sans prendre garde aux insultes de ses consœurs d'infortune ni aux brutalités du personnel. Elle ne se faisait pas d'amis et évitait de se faire des ennemis. Elle ne regardait personne dans les yeux et ne parlait que si on lui adressait la parole. Elle ne s'intéressait guère à sa propre détresse, et ne voulait pas partager celle des autres. Elle fut récompensée par une tranquillité relative, et une remise de peine maximale, mais elle fut châtiée, car une fois libre, elle ne put se débarrasser de l'état de torpeur dans lequel elle s'était elle-même plongée. Le bref séjour de Peggy la sortit malgré elle de son inertie. Un jour que toutes deux regardaient la télévision, Peggy lui rappela les souvenirs du temps passé à Framlingham.

— On n'aurait jamais dû nous envoyer là-bas. On était presque tous rentrés au bout d'un an, bombardements ou pas. Oh, cette horrible bonne femme, la Templeton, elle me hante toujours. Encore une chance que j'aie été avec Cissie. Je ne sais pas ce que je serais devenue autrement. Ma mère ne m'aurait jamais envoyée là-bas sans ce bombardement à Meakin Street. Tu sais, la maison juste à côté de l'écurie de Tom Totteridge. Enfin, je ne suis pas sûre. Ma mère se faisait une fortune avec les G.I. mais je crois que ça l'avait quand même inquiétée.

— De quoi parles-tu ?

— Tu n'es pas au courant ? Le vieux Tom a sauvé deux pauvres gosses. La maison avait été touchée tôt le matin, et il n'y avait que Tom dehors. Lui, il s'en fichait des alertes. Alors, un jour, il conduisait sa charrette, et vlan, une bombe qui dégringole ! Tout près de son écurie. Il y avait plein de poussière, et pendant qu'il essayait de calmer son cheval, la maison a pris feu et on entendait des cris. Alors, le vieux Tom a grimpé l'escalier, qui pouvait s'écrouler d'un moment à l'autre. Il n'y avait plus de toit, toutes les pièces du fond étaient en flammes. Il a ouvert une porte, et il a trouvé une femme, allongée sur le lit, elle brûlait déjà. Et sous le lit, un petit garçon, encore vivant, mais sa chemise avait pris feu. C'est de là que venaient les cris. Le vieux Tom l'a attrapé...

— Taisez-vous, on entend plus rien, dit une femme.

— Et puis, il s'est aperçu qu'il y avait un autre gosse en dessous du premier. Alors, il les a pris tous les deux, et juste au moment où il passe la porte d'entrée, patatras, l'escalier s'écroule !

— Oh, mon Dieu, je n'aurais jamais cur que le vieux Tom était un héros.

— Moi non plus, c'était un vieux cochon.

— Que sont devenus les gosses ?

— Je sais pas. Mais sans cette histoire, on ne m'aurait sûrement pas envoyée à la campagne.

En se réveillant, Molly eut du mal à se souvenir qu'elle était à Framlingham, dans la chambre qu'elle occupait déjà enfant et que son fils dormait à côté d'elle. Elle avait oublié cette rencontre avec Peggy, cela faisait partie d'une époque qu'elle voulait enterrer. L'odeur de la prison lui revenait aux narines. Instinctivement, elle se leva, et, comme si elle avait eu des intentions précises, elle alla fouiller dans le premier tiroir de la commode et en sortit une enveloppe brune. Elle prit le premier papier, une lettre à en-tête d'un orphelinat, datée du 21 septembre 1941. « ... L'enfant, désormais appelé Joseph, fut apparemment amené à l'orphelinat par un certain Thomas Frederick Totteridge, demeurant à Meakin Street, Londres. Il doit avoir six ans. On l'a trouvé sous un lit en feu dans une maison bombardée, à côté du corps d'une femme, la mère vraisemblablement. Les brûlures du bras gauche sont assez légères, et en bonne voie de guérison, mais l'enfant est en état de choc. Il ne bouge pratiquement pas et ne prononce pas une parole, bien qu'il semble comprendre ce qu'on lui dit. Les propriétaires de la maison ont péri lors du bombardement, et, d'après le voisinage, la femme avait emménagé récemment.

« La police a été informée, et a fait passer des annonces pour tenter de retrouver la famille de l'enfant. Une figure familière l'aiderait sûrement à sortir de sa torpeur. Je ne pense pas qu'il souffre de troubles mentaux profonds. » Le rapport était signé d'un médecin.

Molly frissonna en s'imaginant l'orphelinat de Saint Barnabas dont elle avait vu la plaque en passant à Routledge Street, sous la garde de terrifiantes matronnes en robe noire. C'est là que Joe avait commencé sa vie... Non, pas tout à fait commencé. Elle tourna les pages du dossier, impatiente d'en savoir plus sur les origines de Joe. Il y avait d'autres rapports du médecin. Une quinzaine de jours après son arrivée, l'enfant ne parlait toujours pas, ne se liait pas d'amitié avec ses camarades, pourtant, il semblait mieux accepter les sœurs qui s'occupaient de lui. Personne ne l'avait réclamé. Le médecin fut surpris de voir que l'enfant savait lire couramment, car il l'avait trouvé avec un volume des *Voyages de Gulliver* qu'il semblait comprendre. Les observations suivantes étaient plus encourageantes. L'enfant s'était mis à parler, mais ne répondait à aucune question concernant sa famille ou le bombardement. Huit mois plus tard, il fut adopté. Comme le retraçaient ses livrets scolaires, il avait alors mené une vie normale de petit garçon dans un foyer équilibré au nord de l'Angleterre. Il y avait encore un programme de concert, avec Joe Endell à la trompette, ainsi qu'un article du *Yorkshire Post* signé par Joe Endell : « Comment sauver nos chemins de fer ? »

Plus fatiguée que jamais, Molly replaça l'enveloppe dans le tiroir et la dissimula sous une pile de linge. Elle ne comprenait pas pourquoi Joe ne lui avait jamais parlé de ce passé. Avait-il oublié tout ce qui lui était arrivé avant l'âge de six ans ? Peu probable. Souffrait-il encore trop pour pouvoir réveiller les vieilles blessures, ou ne gardait-il le silence que par simple habitude ? L'image de l'homme énergique et enthousiaste qu'elle avait connu ne coïncidait pas avec celle d'un adulte toujours déchiré par les traumatismes de son enfance. Quel concours de circonstances avait empêché sa famille de prendre de ses nouvelles ? La mère s'était-elle enfuie de chez elle, pour s'abriter dans un refuge inconnu de tous ? Son père était-il mort au combat ? Peut-être n'y avait-il pas de père. Mais sans père, sans famille, pourquoi une femme aurait-elle éprouvé le besoin de s'enterrer dans une chambre sordide de Meakin Street ? Etait-ce une réfugiée, coupée du reste du monde ?

Il n'y avait guère de chance de retrouver les véritables origines de Joe Endell. A présent, pensa Molly, elle ferait mieux de descendre pour empêcher les membres encore vivants de la famille de son fils de s'entre-tuer ! Soudain, elle se demanda pourquoi elle n'avait jamais entendu parler de l'exploit de Tom Totteridge. Si Peggy était au courant, Sid et Ivy devaient l'être aussi. Qu'était devenu l'autre gosse dont Peggy avait parlé ? Puisque cette histoire était un peu celle de leur petit-fils, Molly décida d'interroger ses parents. Pourtant, les éclats de voix qui montaient du salon l'en dissuadèrent. Quand elle entra dans la pièce, elle s'aperçut que, toujours aussi naïf, George avait commencé à parler des projets de Molly. Isabel et Tom la regardèrent d'un air horrifié. Finalement, Sid se décida à rompre le silence dans lequel son arrivée les avait tous plongés.

— George nous a dit que tu voulais transformer les écuries en atelier ? Je crois que tu nous dois quelques explications.

— Tom, Isabel..., dit Molly en s'asseyant. Le problème, c'est avant tout de trouver des fonds. C'est pour ça que je n'ai parlé de rien. Si je ne n'obtiens pas de financement, il ne se passera rien de toute façon. Je ne voulais pas mettre cette histoire sur le tapis inutilement.

— J'aurais pensé que la première chose à faire, c'était de me demander mon accord, dit Isabel. Car sans ça, tout l'argent du monde ne servira à rien. Et cet accord, je ne le donnerai pas. Je ne comprends même pas comment vous avez pu penser qu'il en serait autrement. Transformer mes écuries en usine, c'est à peine croyable ! Vous avez perdu la raison.

— Mais cela pourrait marcher, dit Molly. Cette motocyclette est extraordinaire. Et il y a cent mètres carrés qui ne servent à rien. Ce n'est pas si stupide quand on y réfléchit.

— Vous arrivez ici, et six mois plus tard, vous vous permettez de faire des projets sur mon domaine sans même me consulter. Je n'ai jamais vu une telle effronterie ! Si vous me prenez pour une vieille gâteuse que l'on peut mener par le bout du nez, laissez-moi vous dire qu'il n'en est rien.

— Excusez-moi, Isabel. Mais je voulais éviter de vous donner des soucis avant que cela n'en vaille la peine.

— Et cet argent ? Où espérez-vous l'obtenir ? Si c'est à la banque, vous vous faites des illusions, ma chère.

— Je ne pensais pas à la banque.

— Alors ?

Molly garda le silence. Pourtant, Isabel, alléchée par l'espoir d'un capital, insista pour en savoir plus.

— Je vous ai demandé où vous espériez trouver un financement.

— Je préfère ne pas en parler pour le moment.

— Ah, oui, vraiment ? dit Isabel, folle de rage. Je vois, vous êtes prête à transformer un lieu paisible en une usine pleine de bruit, de gadoue et d'ouvriers crasseux, mais quand je pose une question toute simple, on me refuse la réponse. Cette situation est franchement intolérable.

— Voyons, Molly, intervint Tom, dis-nous ce que tu as en tête.

Il était encore plus difficile de dire à Tom qu'elle voulait traiter avec son cousin que d'annoncer à Isabel que son neveu était impliqué dans l'affaire. Dès qu'elle aurait mentionné le nom de Charlie, Tom et Isabel se mettraient à la surveiller comme si elle était un voleur sur le point de faire un mauvais coup. Sid brisa le silence pesant qui suivit :

— Viens avec moi, Molly, j'aimerais te dire deux mots.

Dans la bibliothèque, Sid regarda les livres poussiéreux.

— Peu accueillant comme endroit pour une petite conversation.

— Alors ? demanda Molly.

— Bon, où espères-tu trouver cet argent pour ta folle entreprise ?

— Ce n'est pas si fou que ça.

— Ne me raconte pas de bêtises. Bon d'accord, ce n'est pas complètement fou, c'est à moitié fou seulement. Mais je t'ai posé une question. J'ai peur que tu veuilles vendre ta maison, et, à mon avis, ce serait une sacrée bêtise.

— Non, je vais aller trouver Charlie Markham, répondit brutalement Molly. Il m'a proposé son aide si jamais j'avais une bonne idée. Mais il ne voulait pas que j'en parle à Tom et Isabel.

— Charlie Markham ! Après ce que tu racontes sur lui depuis des années !

— Ce sont les affaires. Il a de l'argent à investir, et moi, j'ai un projet.

Sid s'installa dans le fauteuil de cuir râpé en face de la cheminée.

— Eh bien, Molly, je dois avouer que tu ne manques pas de cran, dit-il en souriant.

— Ecoute, papa, il est grand temps de faire quelque chose ici, et ce n'est pas la peine de te moquer de moi. Je ne suis pas sûre de mon coup. Je ne demande rien à personne, mais je n'ai pas envie qu'on me mette des bâtons dans les roues.

— Je ne sais pas du tout si ça peut marcher, ton Charlie pourra peut-être t'en dire plus. Mais tu prends un gros risque avec George et Wayne. Il faudra qu'ils laissent tomber leur travail.

— Oh, papa, ils s'en moquent. Et puis, ils retrouveront toujours une place dans un garage. Personne n'a rien à perdre, alors, cela vaut le coup d'essayer.

— Peut-être. Mais j'espère que tu comprends mon point de vue. Tu n'as pas un sou, tu es une femme, et tu t'embarques dans une affaire à laquelle tu ne connais rien.

Molly se sentait découragée. Bien sûr, son père disait la vérité, mais elle n'avait pas envie de l'écouter.

— Bon, très bien, dit-il en voyant l'expression de sa fille. Mais je ne vois pas comment tu peux t'en tirer sans rien dire à ta belle-mère. C'est un peu fort d'envahir sa maison sans lui en parler...

Ivy entra brusquement dans la pièce.

— J'ai la gale ou quoi ? Je n'ai plus le droit de savoir ce qui se passe ?

Molly lui fit un rapide résumé de la conversation.

— Mais tu es folle ! On se croirait dans un asile ici. Je savais bien que tu deviendrais comme eux. Si tu veux mener une vie normale, tu n'as qu'à revenir à Meakin Street et te trouver un travail.

— Merci du conseil, maman, dit Molly en quittant la pièce.

Ses propres parents ne voulaient pas la comprendre, George ne se rendait pas compte de ce qui se passait, Isabel et Tom étaient furieux, si bien que Molly ne voyait plus guère de raison de garder son secret. Ella alla s'asseoir au salon et annonça à brûle-pourpoint :

— Je vais demander à Charlie Markham de me financer.

— Sublime ! Je te souhaite bien du plaisir ! Autant arracher des larmes à un rocher ! Qu'est-ce qui te fait croire qu'il va t'aider ? dit Tom.

Molly n'avoua pas que son cousin lui avait fait des propositions.

— Gagner de l'argent, c'est son métier. S'il pense que cela peut rapporter, il investira.

— Je vais me coucher annonça Isabel. Je crois que cela suffit pour ce soir. Vous avez déjà rendez-vous avec Charlie ? demanda-t-elle avant de sortir.

— Oui, mardi.

Isabel sortit.

— Tu dois déjeuner avec lui ? demanda Tom.

— Oui.

— Bon, je peux me libérer mardi.

— Je préfère y aller seule.

— Deux avis valent mieux qu'un. Et puis, tu es une femme, et tu n'as pas l'habitude de traiter avec des hommes d'affaires comme Charlie.

— J'y vais seule, ce sera mieux.

Ce soir-là, passablement éméché, Tom entra dans la chambre de Molly et la réveilla.

— Je veux que tu viennes dans ma chambre.

Molly avait peur. Elle savait que ses nouveaux projets changeaient radicalement leur relation. En refusant de se laisser accompagner elle avait prouvé son manque de confiance en son mari.

— Non, Tom, pas ce soir. Ce n'est pas le moment.

— Lève-toi, dit-il en la prenant par le bras.

Elle le laissa la bousculer le long du couloir, résistant juste assez pour éveiller son désir. Dans la chambre glaciale, elle se soumit lorsqu'il lui arracha sa chemise de nuit. Feignant la terreur, elle eut un mouvement de recul quand il la poussa sur le lit. Tom la pénétra rapidement, et, presque immédiatement, perdit son érection. Il lui mordit l'épaule, Molly lui lacéra le dos de ses ongles. Ensuite, Tom lui lança un regard plein de haine et s'écarta brusquement.

— Salope ! grogna-t-il. Toi, une femme ? Ça m'étonnerait !

Molly n'eut guère de mal à pleurer.

— Tom, je t'en supplie, murmura-t-elle.

Elle avait envie d'adoucir les défaillances de Tom par une attitude d'humilité, mais en fait, elle se sentait vraiment bouleversée. Cette scène, comme tout autre échec, lui rappelait ce qu'elle avait connu autrefois et qu'elle ne trouverait jamais avec son mari. Elle essaya d'éveiller son désir mais ne réussit qu'à l'énerver un peu plus.

— Tom, pleure. Cela pourrait nous sauver.

– Il n'y a pas de quoi pleurer.

– Ça ne peut pas continuer.

Tom prit une cigarette sur la table de chevet et l'alluma.

– Mon Dieu ! Mais pourquoi t'ai-je épousée ?

– Tu voulais ce que j'étais autrefois, ou plutôt ce que je paraissais être. Et Fred aussi. Tu pensais peut-être qu'une jolie blonde bien faite... J'imagine que c'est le fantasme de tous les hommes et que tu croyais que c'était le tien aussi. Qu'est-ce que tu veux faire maintenant ?

– Faire ? Que veux-tu dire ?

– Il faut regarder la réalité en face. Il y a peu de chance que nous formions jamais un couple. On peut divorcer, tu trouveras quelqu'un d'autre. Ou bien il faut accepter la situation telle qu'elle est. Si jamais je rencontre quelqu'un, je ne te le jetterai pas à la figure. C'est la même chose pour toi. Ça m'est égal que ce soit un garçon ou une fille, mais je ne veux rien savoir. Ne proteste pas, c'est pour ton bien.

Puis, le voyant prêt à répliquer, elle ajouta :

– Tom, je t'ai vu regarder Wayne hier. Tu le désirais, c'était évident. Wayne s'en est aperçu aussi. Le mieux, c'est d'essayer d'être aussi heureux que possible, et de ne pas faire d'histoires quoi qu'il arrive. Nous deviendrons peut-ère amis, si nous ne pouvons pas être amants.

– Je ne vois pas ce qu'on gagne à rester ensemble.

– J'ai besoin de beaucoup de place pour mon projet, dit Molly brusquement, et puis, ton nom sera un atout non négligeable. Lady Allaun, ça sonne bien.

– Et moi ?

– Une part des bénéfices, et ta liberté. De toute façon, tu ne perds rien.

Ecrasée de fatigue, les paupières et les jambes lourdes comme du plomb, Molly se demandait si elle avait réellement parlé ou si tout n'était qu'illusion.

– A quoi tu faisais allusion, financièrement parlant ? lui demanda Tom.

– Dix pour cent pour toi et cinq pour Isabel.

– Je ferai faire un contrat, si l'affaire s'arrange avec Charlie, d'accord ? demanda-t-il en donnant un petit coup de coude à Molly pour la réveiller.

– D'accord.

Ce dut être à peu près à cette époque que mon ex-employeur m'invita à prendre le thé. Ce n'était pas exceptionnel, mais cette fois, il me semblait qu'il avait des intentions précises, intuition qui se confirma dès mon arrivée. Il y avait là également un poète taciturne et un professeur de biochimie fort sympathique. En fait, je me levais sur le point de prendre congé quand quelqu'un vint me demander si j'aurais l'obligeance de passer dans la pièce voisine pour examiner quelques vieilles lettres sur lesquelles mon hôtesse aimerait avoir mon avis. Pour être vieilles, elles l'étaient ! Il s'avéra qu'elles avaient été adressées à l'abbesse de Whitby par son frère. J'étais fort intéressé par les documents, mais sur le moment, je ne pus certifier leur authenticité. Soudain, la porte s'ouvrit et je me rendis compte que les lettres avaient peut-être simplement servi de prétexte pour me retenir, ce que mon hôtesse reconnut aisément :

— A vrai dire, je tente de clarifier la situation en vue de la prochaine cérémonie, et je me suis soudain souvenue de Mary Waterhouse. Auriez-vous de ses nouvelles par hasard ?

— Pas du tout. D'après ce que je sais, elle mène toujours une vie paisible à la campagne avec son mari. Il y a peut-être eu des changements, bien sûr.

— Il semblerait que tout ce qui peut l'empêcher d'apparaître à la une des journaux est en soi une bénédiction. Mais j'aimerais connaître sa situation plus en détail.

— Je peux me renseigner, répondis-je, puis, me souvenant des paroles de Corrie, j'ajoutai : J'imagine qu'ils ont toujours des problèmes financiers, cela pousse parfois les gens à modifier le cours des événements.

Je m'aperçus que bien que mon hôtesse se composât une attitude, elle n'était pas aussi à l'aise qu'elle aurait aimé le paraître.

— Vous n'avez jamais vraiment apprécié la manière dont toute cette affaire a été conduite. N'ayez crainte de répondre franchement.

J'hésitai un instant, tentai de soulever quelques objection et finis par admettre que la tactique employée ne s'était guère montrée efficace et n'avait pas même soulevé l'ombre d'une solution. Je pris pourtant la précaution d'ajouter que moi-même, je n'aurais su dire quelle était la meilleure attitude à adopter et que souvent, pour résoudre un problème, le mieux, c'était encore de le laisser mourir de sa propre mort.

Songeur, je rentrais voir ma femme, me demandant si j'avais été sincère ou si j'avais simplement pris quelques précautions oratoires. Corrie eut une réaction beaucoup plus tranchée.

— Attends qu'elle découvre l'existence du garçon ! dit-elle sur un ton vindicatif.

— Corrie, il n'y a pas de garçon, répondis-je d'une voix ferme. Il est mort, ce n'est que le fruit d'une imagination débordante.

— Attends, tu verras bien.

Si Charlie n'avait pas suggéré que nous finissions de discuter affaires au dîner, je n'aurais sans doute pas eu le temps d'aller voir Peggy Jones. En effet, j'avais passé la matinée dans les magasins de jouets pour chercher des commandes avant de venir lui présenter des dessins de la nouvelle bicyclette à moteur, ainsi que quelques estimations qui prouvaient que l'opération s'avérerait rentable. Il me proposa d'aller contacter des gens l'après-midi et suggéra que nous nous revoyons le soir même pour analyser ensemble les résultats de ses démarches. J'aurais dû me méfier. Une telle précipitation est toujours inquiétante. Il y a une grande différence entre ne pas faire traîner les choses et produire soudain contrats et carnets de chèques comme s'ils sortaient d'un chapeau de magicien. Mais je me suis laissé avoir comme un bleu. Cela me donnait l'après-midi libre et, dès la fin du repas, je pris un taxi pour le Rose and Crown, un pub de Kilburn High Road.

J'arrivai à trois heures moins dix, pratiquement l'heure de la fermeture, la salle était encore bondée.

— Je cherche Peggy Jones, vous pourriez me dire où je pourrais la trouver ? demanda Molly à la serveuse.

Comme prévu, celle-ci se montra réticente. Avec ses bottes et son manteau de fourrure, Molly ne ressemblait pas à une femme policier, mais on ne savait jamais.

— Nous avons grandi dans le même quartier, tout près de Wattehblath Street. Je me demandais si vous ne connaîtriez pas son adresse, par hasard.

Le patron, un peu plus loin, entendit la conversation.

— Vous êtes la veuve de Joe Endell, n'est-ce pas ? Une grosse perte pour tout le monde, permettez-moi de vous présenter mes condoléances.

— Merci.

Ce n'était guère le moment rêvé pour expliquer qu'elle s'était remariée.

— Vous cherchez Peggy ? Elle habite à Murchison Street. Elle doit être dans l'annuaire. Vous devriez l'appeler.

Cinq minutes plus tard, Peggy entrait dans le pub. Elle, qui avait toujours été ronde, était plutôt maigre à présent. Elle portait une jupe très courte, des escarpins à talons aiguilles, et ses yeux étaient lourdement soulignés de noir. Elle avait vraiment tout de la prostituée qui prenait de l'âge, pourtant, elle paraissait assez contente d'elle.

— Molly ! Alors, Lady Allaun vient revoir ses anciennes connaissances ! s'écria-t-elle en s'asseyant.

Molly alla chercher des boissons au bar. Le patron la servit à contrecœur, et souligna qu'il enfreignait la loi. Apparemment, il avait appris la nouvelle de son mariage prématuré et avait perdu toute sympathie pour Molly.

— Alors, Molly, à la tienne ! Tu as l'air en pleine forme.

— Ce n'est plus comme avant. J'essaie tout juste de me maintenir à flot.

— Ne te laisse pas démoraliser par ces zozos, c'est ça, je ne me trompe pas ? Mais ne me raconte tout de même pas que tu es à court d'argent. Tu n'es pas venue pour le plaisir de me voir, qu'est-ce que tu veux ?

— Oh, pas grand-chose. Quelques informations.

— Ah, dit Peggy sur la défensive. Ça dépend quoi.

— Rien de compromettant. Tu crois que je voudrais t'attirer des ennuis ?

— Tu en as eu assez toi-même, dit Peggy d'un ton neutre. Peu importe, mon horoscope prévoit une année merveilleuse pour moi.

— Et qu'est-ce que ça donne ?

— Je me suis acheté un appartement. Trois pièces, du velours rouge partout et une pendule dorée sous une cloche de verre...

— Fantastique !

— Tout le monde dit que cela devient plus dur en vieillissant, mais c'est faux. Il y a plein de clients qui préfèrent les femmes mûres, ils se sentent plus en confiance. T'as plus d'habitués.

— Voilà, Peg, tu te souviens de l'histoire du vieux Tom qui a sauvé deux gosses à Meakin Street.

— Ah oui, bien sûr, c'est maman qui m'a raconté. Je savais pas quand j'étais petite. C'est drôle, hein ? Toi, tu es une grande dame, et moi, je fais le trottoir !

— Il y a moins de différence que tu ne le crois.

— Quand même, c'est pas la même chose, dit Peggy.

— Ta mère, qu'est-ce qu'elle t'a raconté exactement ? demanda Molly qui s'impatientait.

Peggy fit un signe à la serveuse qui vidait les cendriers de la table voisine.

— Tu nous sers quelque chose, ma chérie ?

— On ne sert plus, répondit-elle.

— Hé, je suis avec une grande dame.

— Et alors, elle pourrait bien êre l'impératrice Joséphine.

— Voyons, sois gentille.

— Attendez la fermeture.

Molly, qui avait déjà parlé épouvantails et arlequins avec les marchands de jouets, et cadres, guidons et chevaux-vapeur avec Charlie Markham, réprima son impatience. Il était assez étrange qu'elle veuille ainsi découvrir un secret enterré depuis plus de trente ans tout en se demandant si Charlie allait lui trouver vingt mille livres en un après-midi. Comme si Peggy avait deviné la nature des pensées de Molly, elle se mit à parler.

— Je ne me souviens plus très bien, c'était il y a longtemps. Et puis, en fait, on n'en parlait pas souvent. Le vieux Tom n'avait pas osé attendre les secours, parce que l'escalier pouvait s'écrouler d'une seconde à l'autre. Et puis, il entendait des cris, il y avait des flammes, ça faisait un vacarme épouvantable. Surtout qu'à l'époque, Londres était plus tranquille qu'aujourd'hui. Quand on était gosses, c'était presque comme vivre à la campagne. A part les bus évidemment, les gens n'avaient pas tous des voitures comme maintenant. Tu as une voiture, toi ?

— Oui. Qu'est-ce qui s'est passé ? demanda Molly pour que Peggy ne perde pas le fil de son récit, une fois de plus.

— Il fallait qu'il les fasse sortir avant que tout s'écroule. Il a risqué sa vie, lui aussi. Il les a pris dans ses bras, et puis il a couru pour les mettre dans sa charrette. Et en route pour l'orphelinat ! Je crois qu'il n'avait pas envie d'aller au commissariat pour faire une déposition. Tu sais, les alertes, c'était une bonne aubaine pour lui. On pouvait toujours récupérer des trucs quand on arrivait le premier sur les lieux. Il a laissé quinze mille livres, c'est pas mal, surtout pour un mec qui n'avait jamais une paire de chaussures correcte. Il voulait faire hériter son cheval, mais le bourrin est mort le premier.

— Et les enfants ? demanda Molly.

— Il paraît que le garçon ne pouvait même pas dire son nom, tellement il était sous le choc. En fait, c'est la petite fille qui criait. Elle était en dessous du lit, avec son frère par-dessus elle, mais son visage était libre. Et la pauvre mère, qui brûlait sur les draps... J'espère que les gosses ne se sont pas rendu compte à quel point c'était atroce.

— Je me le demande. En fait, il semblerait que le garçon, c'était Joe Endell, mon mari. Sa sœur est peut-être encore vivante. Sûrement même, elle doit être encore jeune.

— A ta place, je n'essaierais pas de la retrouver. On ne sait jamais ce qu'on trouve à ce jeu-là. J'ai eu une petite fille un jour, je ne veux pas savoir ce qu'elle est devenue, et j'espère bien qu'elle ne me retrouvera jamais. Mieux vaut enterrer le passé, c'est ce que ma mère me disait toujours. Enfin, chaque fois que je demandais où était mon père. Tu es un ange, Harry, dit-elle au patron qui arrivait avec deux verres.

— Voilà, j'espère que vous voudrez bien m'excuser, mais nous ne pouvons pas rester ouvert tout l'après-midi, nous n'avons pas que cela à faire.

— Non, vraiment, poursuivit Peggy, moi, je n'irais pas rechercher ma famille, sauf si je peux en tirer quelque chose. C'est bizarre pourtant, cette histoire. Moi aussi, je pensais que je n'étais pas la fille de ma mère et qu'un jour une belle dame viendrait me chercher pour m'emmener dans un château... Et puis, j'aurais rencontré un prince charmant. Ça aurait drôlement changé les choses. Pas de clients... Oh ! là là, les choses ne se passent jamais comme on le voudrait... Oh, mon Dieu, quelle heure est-il ? J'ai un type qui vient à quatre heures.

— Je te raccompagne en taxi. Je n'ai rien à faire, alors je vais aller chez le coiffeur.

— C'est quand même drôle que le vieux Tom n'ait pratiquement jamais parlé du sauvetage. Il a risqué sa vie, il y avait de quoi être fier. Et puis, c'était pas le genre discret. Il n'en parlait que lorsqu'il était saoul.

— Il a peut-être pris autre chose que les enfants dans cette maison, de l'argent ou des bijoux, ce serait une explication.

— Tu as sans doute raison. Il y a plein de gens qui ne se sont pas conduits comme on le raconte aujourd'hui dans les journaux, des héros et tout ça. C'est comme ma mère, je me souviens encore des billets qu'elle cachait dans ses bas.

Chez le coiffeur, Molly se mit à trembler. L'effet de l'alcool sans doute, à moins qu'elle ne fût anxieuse dans l'attente de la réponse de Charlie. Mais quand on lui demanda si elle avait froid, Molly répondit instinctivement :

— Non, je repensais aux bombardements.

— Quelle drôle d'idée à notre époque !

Un peu plus tard, elle alla au cinéma et s'endormit pendant le film. Bientôt, elle se retrouva au restaurant avec Charlie.

— Une salade composée, mais je commencerai par une friture et, comme elle venait de parler des Rose avec Charlie, elle lui dit : Les petits poissons ne se mêlent pas aux requins, sinon, ils se font dévorer.

— C'est fini maintenant, cette histoire. Buvons au présent. L'homme que j'ai vu cet après-midi est d'accord pour investir dans ton affaire. Si tu montes une société, il achètera des parts.

— Combien ?

— Vingt, vingt-cinq mille livres.

— Quel pourcentage ? insista Molly.

— Soixante-cinq. Comme ça, tu bénéficieras de tous les avantages d'une association avec le groupe.

Molly reposa son verre et regarda l'assiette de petits poissons que le serveur venait de placer devant elle.

— Il y a déjà George et Wayne, et puis, il y en aura d'autres. Comment pourrais-je m'occuper d'eux correctement si quelqu'un qui possède les deux tiers de la société me met le couteau sous la gorge ? Ce type pourra manipuler le personnel à sa guise et me mettre à la porte quand ça lui chantera. Et que deviendrons-nous si jamais il faisait faillite ?

Soudain, elle regarda Charlie et comprit.

— C'est toi ! C'est toi, ce mystérieux bienfaiteur !

Il ne répondit pas. Molly se sentit flancher, Charlie était sa seule source de financement possible.

— Bon, très bien, Molly, oui, c'est moi et un de mes associés, Adrian Trelawney. Il est membre du conseil d'administration du groupe pour lequel je travaille, la Lauderdale. Nous en avons parlé ensemble et il trouve que cela vaut la peine d'investir dans ton projet. Mais tu ne peux pas nous demander de te signer un chèque en blanc.

— Au cas où je le redonnerais immédiatement à Johnnie Bridges ! Parce qu'on ne peut pas faire confiance à une femme quand il y a un homme dans les parages, répondit Molly, furieuse. C'est exactement ce que disaient les Rose.

— Nous pensons que tu as une bonne idée en mains, mais tu n'as aucune expérience. Je ne voudrais pas te vexer, Molly, mais c'est la vérité, il faut bien l'admettre.

— Et ensuite ta Lauderdale fait le plongeon, et ma bicyclette se noie avec ! A moins qu'elle ne soit sacrifiée en premier parce que, après tout, il ne s'agit que d'une petite société dirigée par une femme et deux gosses !

— Ne sois pas ridicule, Molly.

Une fois de plus, elle retrouvait le méchant garçon de son enfance qui s'amusait à la tourmenter.

— Lauderdale est solide comme le roc. Le problème, c'est que tu as acquis toute ton expérience dans les bas-fonds londoniens.

— Solide ou pas, cela n'a pas la moindre importance. Avec une grosse société, c'est peut-être même pire. Ou tu te laisses écraser, ou tu vas au casse-pipe. Il y a une autre solution. Une petite société indépendante. Si toi et Trelawney, vous êtes si intéressés, vous pourrez avoir cinquante pour cent à vous deux. Pas de groupe qui magouille en bourse, simplement trois personnes qui font un investissement commun.

— Et où trouveras-tu l'argent de ta part ?

— Je peux trouver dix mille livres. Et vous apporterez vingt-cinq mille à vous deux, moi en plus, je fournis les locaux.

— Et comment rassembleras-tu une somme pareille ?

— Ça me regarde.

Molly songeait à hypothéquer lourdement Meakin Street, mais elle ne voulait pas confier ses projets à Charlie de peur de se trouver à son désavantage. Elle se sentit malade, mais se mit néanmoins à manger. Un instant plus tard, elle se rendit compte que, quels que soient les termes du contrat, elle aurait son argent. Charlie n'avait pas protesté, ce qui signifiait qu'il la soutiendrait jusqu'au bout.

— Alors, à nos succès, dit-elle en levant son verre.

— A tes succès. Je n'aurais jamais imaginé que nous deviendrions associés.

— Il y une femme qui n'arrête pas de me regarder, dit Molly.

— C'est Caroline, mon ex-femme. Je l'ai vue quand nous sommes entrés. Je lui ai fait un signe, mais je me suis installé à cette place pour ne pas avoir à la regarder.

— Moi, je la vois. Elle est plutôt jolie.

— Oui, mais quel caractère de cochon ! Tu ne peux pas t'imagi-

430

ner les trucs qu'elle a pu me jeter à la figure. Elle a une force incroyable.

– Tu l'as sans doute provoquée.

– Tout ça, c'est du passé. C'était la numéro 2. La numéro 3 vient de me quitter. Ça n'a pas eu l'air de la chagriner beaucoup.

– Qu'est-ce qu'elle devient ?

– Elle est à Rome, avec un Italien.

– Elle reviendra peut-être.

– Je ne sais pas si j'en ai envie. Non, ce n'est pas vrai. Je la reprendrais tout de suite. Elle est très jeune. J'espérais qu'elle me tiendrait compagnie dans mes vieux jours et qu'elle me préparerait des tisanes ! Elle avait tout ce qu'elle voulait. Ça me coûtait une jolie fortune, je peux te l'assurer. Mais il n'y a pas d'avenir avec ces filles. Elles préfèrent les Johnnie Bridges qui les cognent et dévalisent leurs économies. Je me demanderai toujours pourquoi.

– En fait, on se sent plus libre quand on n'a pas besoin d'être gentille à chaque instant avec le mari qui rapporte le salaire. Et puis, c'est une vie plus intéressante que d'avoir toujours tout sur un plateau. S'ennuyer, c'est plus grave qu'on ne le pense.

– Je sais qu'on ne devrait pas proposer des choses pareilles, surtout pas à la femme d'un proche cousin, mais est-ce que cela te dirait de passer la nuit avec un pauvre célibataire ?

– La dernière fois, tu m'as poursuivie avec un fouet ! répondit Molly qui y avait déjà songé.

– J'étais jeune, je ne savais pas ce que je faisais. Cela ne se reproduira plus.

– Pourtant, c'est ce que tu essaies de faire.

– Ce sera toujours mieux que de s'ennuyer dans les tours branlantes des Allaun et de s'arracher les cheveux en regardant les factures. Garçon, champagne, s'il vous plaît !

Molly ne mit pas longtemps à comprendre que la chambre qui donnait sur Hyde Park où Charlie habitait n'avait pas entièrement perdu l'aspect sinistre de la pièce qui l'avait terrorisée des années plus tôt. L'effet s'était estompé, mais il restait présent. Néanmoins, ils firent gentiment l'amour, et se réveillèrent le lendemain de bonne humeur. Molly appela Sam Needham un peu plus tard dans la matinée.

– Sam, je monte une affaire, j'aimerais que Dick Richards s'occupe des contrats...

– Molly, dit Sam immédiatement, lui coupant la parole. J'ai de mauvaises nouvelles pour toi. Isabel a appelé hier soir. Elle n'a pas pu te joindre à ton hôtel...

– Que se passe-t-il ? s'écria Molly, inquiète pour son fils.

– C'est Ivy. Elle est très mal. Sid a appelé à Framlingham.

– Qu'est-ce qu'elle a ?

– Elle s'est évanouie. C'est grave. Elle s'en remettra mais...

— Mais quoi ? Dis-le moi, Sam.

— Cancer.

— Mon Dieu ! Elle allait de plus en plus mal. Je lui avais dit d'aller chez le médecin ! Merci de m'avoir prévenue, Sam, je vais aller la voir.

Elle prit un taxi pour retrouver sa voiture au parking et se rendit à Beckenham. Elle n'arrivait pas à croire à la gravité de la maladie d'Ivy. En sonnant à la porte, elle entendit le bruit de l'aspirateur. Ivy vint ouvrir, un foulard sur les cheveux, l'embout de l'appareil encore à la main.

— Maman ! Qu'est-ce que tu fais ? Tu ne devrais pas...

— Où étais-tu passée ? Tout ça c'est la faute de Sid. J'avais appelé Isabel pour qu'elle te dise de ne pas venir. Tiens, tu es allée chez le coiffeur ? remarqua Ivy dans le couloir. Ça te va bien.

— Maman, il faudrait que tu prennes quelqu'un pour le ménage.

Elles s'installèrent dans le salon qui embaumait la cire fraîche.

— Que t'arrive-t-il ? demanda Molly en étudiant le visage pâle et fatigué de sa mère.

— Où étais-tu ?

— Peu importe. Toi, comment vas-tu ?

— Je suis bonne pour le cancer. J'ai passé des examens. On va m'opérer, tout ça pour un simple évanouissement ! Le médecin a dit qu'il fallait s'y attendre.

— Bonjour, Moll, dit Sid qui entrait dans la pièce. Eh bien, ça n'a pas été facile de te joindre.

— Oui, et quand je me précipite ici, c'est pour la trouver en train de passer l'aspirateur !

— La municipalité va nous envoyer une aide ménagère. C'est pour ça qu'elle s'agite comme une forcenée. Il ne faudrait pas que la femme de ménage trouve un grain de poussière ! Elle veut la traiter comme une princesse.

— Dites donc, ce n'est pas parce que je suis malade que je n'ai plus le droit à la parole dans ma propre maison.

— Je vais faire du café. Tu ne devrais pas tant t'agiter, dit Molly à sa mère.

— Je ne cesse de lui répéter, dit Sid qui suivit Molly à la cuisine.

— Que dit le médecin ?

— Ce sont les glandes qui déraillent. Il faut opérer, ensuite, il y aura un traitement.

— Bien.

Pourtant, chacun pouvait lire le doute et l'anxiété dans le regard de l'autre.

— Oh, papa..., murmura Molly en préparant le café.

— Bon, je vais te dire la même chose qu'à Jack et Shirley, dit-il brusquement en posant le sucre sur le plateau. Je ne veux pas voir de visages longs comme un jour sans pain. Les jérémiades, cela n'a jamais aidé personne.

— Elle a peur ? demanda Molly.

— Parfois, mais elle n'en parle pas beaucoup.

— Il faut que quelqu'un vienne l'aider.

— Oui, c'est pour ça que je regrette d'avoir quitté Meakin Street. Les femmes s'entraident là-bas. Une Lil Messiter nous serait bien utile. Je fais ce que je peux, mais elle n'a jamais voulu que je mette les pieds dans sa cuisine, et chaque fois que je fais quelque chose, elle trouve à redire.

— Vi Hutton pourrait venir une quinzaine de jours. Ça lui permettrait de se reposer, dit Molly en parlant de l'ancienne belle-mère de Jack.

— Jack est en plein divorce. Je ne sais pas si Vi...

Molly lui téléphona donc.

— Elle va venir. Elle m'a demandé de venir la chercher ; seulement, elle aimerait que tu répares ses volets avant. Elle n'a pas envie d'être cambriolée. Ses fils sont restés chez elle pendant quinze jours, mais ils n'ont rien voulu faire.

— Il n'y a pas de problème.

— Eh bien, je vois qu'on ne me demande plus mon avis, dit Ivy, en chemise de nuit à présent.

— Cela ne te dérange pas que Vi vienne passer un moment ici ? Tu l'avais invitée depuis longtemps de toute façon. Et puis, elle te fait rire. Je vais faire des provisions de vodka et de jus de tomate. Vi ne crache pas sur le Bloody Mary.

— Je crois que cela lui fera plaisir de la voir, confia Sid à Molly pendant le trajet vers l'est de Londres.

Sur le siège du passager, Molly se laissait envahir par l'horreur. Elle sentait partout l'odeur de la mort.

— Ça va, Molly ?

— Ça m'a fait un choc.

— À moi aussi, au début. Mais cela ne sert à rien de se laisser abattre.

— C'est difficile de faire comme si de rien n'était.

Ils allèrent dans un pub où ils commandèrent des sandwiches et de la bière en regardant la Tamise couler paisiblement.

— Tu te souviens ? Autrefois, il y avait toujours des bateaux, et les docks grouillaient d'activité. Je me demande ce que va devenir cette ville. Il n'y a plus que des bureaux. Plus de commerce, plus rien. Cela me déprime de voir les entrepôts laissés à l'abandon. A quoi ça ressemble de laisser péricliter les affaires ?

— Bof, je ne sais pas, il faudrait mieux demander à Jack. Euh, ajouta Molly après une pause, j'ai été une piètre fille pour elle, je voudrais qu'elle me voie faire quelque chose de ma vie.

— Ne t'inquiète pas pour ça. Au moins, toi, tu lui as remonté le moral. Pas comme Shirley. Au fond d'elle-même, elle a toujours pensé que tu y avais échappé, que tu étais libre.

– Echappé à quoi ?

– Aux responsabilités d'un foyer, des enfants. Tu sais comment sont les femmes, toujours en train de ronchonner. Elles se prennent toutes pour des reines, et disent que leur mari et leurs enfants les empêchent de faire ce qu'elles veulent. S'il y en a une qui prend la clé des champs, c'est : « Eh bien, je lui souhaite bonne chance, si seulement j'en avais eu le courage... » Mais si c'est le mari qui fiche le camp, on le traite de salaud. Elles sont toutes pareilles. Quoi que tu aies fait, c'est Shirley qui la déprime. Et bien sûr, maintenant, elle se fait du mouron pour Jack. Il s'est mis en ménage avec une femme qui travaille pour la télévision. Cela ne lui plaît guère.

Sid reposa son verre vide. Molly alla chercher deux autres bières au bar.

– Mais si jamais tu avais une mauvaise nouvelle à lui annoncer, poursuivit Sid, il vaudrait mieux ne rien lui dire.

Molly lui parla de son rendez-vous avec Charlie Markham.

– Ça me paraît correct, dit Sid, sceptique malgré tout. N'oublie pas que j'ai toujours une paire de bras et que je m'y connais un peu en mécanique. Je pourrais te donner un coup de main.

– Je ferai appel à toi si je suis débordée.

Dès la semaine suivante, Molly se lança dans la transformation des écuries. Elle avait obtenu sans peine un emprunt en hypothéquant Meakin Street. Tom lui fit observer qu'à sa place, il ne compterait pas trop sur Charlie Markham, mais Molly ne tint pas compte de ses remarques. Pourtant, pendant toute la semaine, elle essaya de joindre Charlie, qui refusa de prendre la communication. Et, quand elle réussit malgré tout à l'obtenir, il lui annonça qu'une nouvelle difficulté s'était présentée et qu'ils devaient se rencontrer le plus vite possible. Nerveuse, Molly prit immédiatement sa voiture pour se rendre à Londres. A présent, elle était endettée, et si les deux autres se retiraient, elle devrait soit trouver un autre financement de toute urgence soit vendre sa maison pour couvrir ses pertes.

– Trelawney n'a pas confiance, lui dit Charlie. Il ne se voit pas investir dans une petite société indépendante. D'abord, c'est trop compliqué, et ensuite, les petites entreprises sont écrasées par les impôts. Il tient absolument à créer une filiale de Lauderdale, lui annonça Charlie le soir même au restaurant.

Molly se sentait découragée. La soirée avait mal commencé. En le voyant boire son whisky au bar, Molly s'était rendu compte que Charlie avait les yeux cernés et le teint gris d'un homme qui ne croit plus en la vie. Tout allait bien quand il était de bonne humeur, mais dès qu'il se laissait entraîner dans sa dépression permanente, il devenait sinistre et agressif. Elle ne fut donc guère surprise de voir que ni lui ni Trelawney n'avaient renoncé au contrôle de l'entreprise.

— Apparemment, toi aussi tu veux garder tes parts sous le parapluie de Lauderdale. Comme ça, s'il se met à pleuvoir, tu ne te feras pas mouiller. Et moi, qu'est-ce que je deviens dans tout ça ?

— Toi, tu restes libre.

Molly n'était pas sûre de le croire.

— Ce n'est pas ça le problème. Tu veux monter un petit atelier. Avec Lauderdale, tu auras la possibilité de prendre de l'expansion, d'augmenter ton capital quand ce sera nécessaire, et tu ne vois pas les avantages que cela représente ? Tu as une mentalité de gagne-petit. On ne peut pas raisonner ainsi en affaires.

— Charlie, nous en avons déjà parlé, inutile de revenir là-dessus. Je n'ai pas confiance dans les grandes sociétés, ni dans les gens qui possèdent l'argent mais n'ont pas de réelles responsabilités.

— Allez, assieds-toi avec moi, et nous verrons tout ça en mangeant. Le vin arrive.

— Non, merci.

— Voyons, Molly, tu ne vas pas me laisser manger tout seul ! Sois un peu courtoise pour une fois, tu n'en mourras pas.

— Non, écoute, je préférerais qu'on aille acheter des plats tout préparés, on pourrait manger chez toi. Quant au reste, si tu refuses de m'aider, je ferai tout pour que le prototype soit prêt le plus vite possible et j'irai chercher ailleurs.

Soudain, elle lut une expression d'angoisse sur le visage de Charlie. Il avait sûrement espéré pouvoir prendre le contrôle de la société à bon compte, et s'inquiétait de voir cette chance lui filer entre les doigts. Bêtement, Molly voulut profiter de son avantage.

— Et puis, George a déjà une autre idée. C'est un véritable inventeur, comme toi, il y a des années. Wayne se chargera des problèmes pratiques pendant que lui travaillera sur de nouveaux projets.

— Bon, si tu préfères comme ça, dit Charlie dans l'expectative.

— Oui, tout à fait.

Morose, Charlie avalait son plat indien à la lumière des candélabres. « Pourquoi est-il si sombre ? se demandait Molly. Ce n'est qu'une bicyclette après tout. Il fait partie du conseil d'administration d'une entreprise géante et il est déjà sur la liste d'attente pour sa nouvelle Rolls Royce. » Après le repas, Charlie se leva, vint se placer derrière sa chaise et lui pinça le bout du sein.

— Tu n'as pas envie d'un gros câlin ?

— Aïe, tu me fais mal !

Une fois au lit, quand Charlie l'enlaça, elle sentit son corps froid et raide contre le sien. « Il souffre d'une maladie du cœur et de l'esprit », se dit Molly en essayant de le réchauffer, de le réconforter.

435

— Molly, tu es merveilleuse, lui dit-il.

— Tu n'es pas mal non plus, répondit-elle.

Pourtant, elle restait incompréhensiblement sur la défensive avec lui.

Au cours des semaines qui suivirent, les arbres se mirent à verdir, et l'herbe commença à pousser sur les pelouses de Framlingham. Et le bébé n'allait plus tarder à faire ses premiers pas.

— Ayne, Ayne ! criait-il quand Wayne traversait la cour sans faire attention à lui.

Molly, qui versait un salaire à Vera Harker, payait George et Wayne, et, en cette période de creux, ne donnait qu'à contrecœur les cinquante pour cent de bénéfices qu'elle avait promis aux femmes du village. Les ouvriers travaillaient déjà à la réfection des écuries, et il fallait acheter du matériel pour construire le prototype. Ses fonds s'épuisaient rapidement tandis que le train de vie à Allaun Towers grimpait considérablement. Isabel passait de monstrueuses commandes d'épicerie, et quand Molly signait les chèques, il lui semblait écrire avec son propre sang.

Une semaine plus tard, le téléphone sonna pendant que Molly battait précautionneusement les tapis râpés, de peur de les déchirer. C'était Shirley qui appelait de la gare et demandait qu'on vienne la chercher.

— Les enfants sont avec toi ? demanda Molly.

— Oui, répondit Shirley d'une voix étouffée.

— Oh, mon Dieu ! se dit Molly.

A la gare, elle trouva sa sœur en larmes à côté de ses trois énormes valises. Brian et Kevin qui avaient à présent dix et huit ans étaient toujours aussi pâles. L'aîné avait l'air ahuri, et le plus jeune était visiblement turbulent.

— Tu peux rester une semaine, lui dit Molly à brûle-pourpoint devant la table de la cuisine où tout le monde avalait les sandwiches préparés à la hâte. Tu le vois bien par toi-même, il y a des ouvriers partout. Je n'ai plus un sou. J'essaie de monter l'affaire avec un emprunt sur Meakin Street. J'ai un bébé, et une belle-mère pas facile.

— Molly, je ne savais pas où aller. Ivy est malade, Jack habite dans un tout petit appartement et sa petite amie ne veut pas être dérangée. Mais je n'en pouvais plus. Je suis sous Valium depuis trois ans...

— Et moi, je n'ai plus que six semaines avant de voir venir les huissiers. Je marche sur la corde raide, Shirley, je ne te mens pas.

— Ivy a toujours été là pour toi et elle s'est occupée de Joséphine, dit Shirley, comme si elle n'avait rien entendu.

— C'est lequel, le robinet d'eau chaude ? demanda Brian qui entrait, un seau à la main.

– Celui avec le point rouge. Mais pourquoi ne prends-tu pas l'eau dans la cour ?

– Allan veut de l'eau chaude. Il nous donne quinze pence par jour, à moi et à Kevin, si on l'aide.

– C'est un de nos ouvriers, il est très gentil, dit Molly à sa sœur.

Shirley se remit à pleurer.

– C'est grand ici. Si seulement j'avais eu de la place. Cette horrible famille a eu raison de mes gosses. J'aurais tant voulu qu'ils soient en bonne santé.

Si inopportune que fût l'arrivée de Shirley, ce n'était pas le pire. Un peu plus tard, Charlie Markham appela. Molly l'écouta dans dire mot, et se précipita dans la cour dès qu'elle eut raccroché.

– Wayne ! Wayne ! Viens tout de suite, il faut que je te parle.

Il était sur le toit et aidait les ouvriers à remplacer les tuiles. Il descendit immédiatement par l'échelle.

– C'est au sujet de George ?

– Tu es déjà au courant ?

– M. Markham a appelé un jour que vous n'étiez pas là. Il voulait parler à George, il a pris rendez-vous avec lui. Je lui avais dit de ne pas y aller, mais il n'a pas voulu m'écouter. Ça ne me disait rien de bon. Que s'est-il passé ?

– Il l'a acheté, dit Molly d'un ton neutre. Il lui a fait signer un contrat. J'imagine qu'il lui a proposé un gros salaire et toutes les facilités qu'il voulait. Un travail de concepteur. S'il travaille pour Charlie, il n'aura jamais un sou sur aucune de ses inventions. Tu le sais, toi. Apparemment, George essaie de te faire embaucher aussi.

– Non, ce Markham ne voudra jamais de moi. Pour lui je ne suis qu'un sale nègre, avec des muscles et rien dans la tête. De toute façon, je ne veux pas travailler pour lui. Dès que j'en ai entendu parler, j'ai compris qui il était. Mais, il ne faut pas en vouloir à George. Il ne comprend rien. Tout ce qui l'intéresse, c'est d'avoir un atelier et de pouvoir continuer à travailler. C'est un gosse, il avale tout ce qu'on lui dit. Je l'avais prévenu pourtant !

– Wayne, pourrais-tu dire à Allan et à ses ouvriers qu'il faudra arrêter le travail à la fin de la semaine ? Je leur verserai deux semaines d'indemnités, je n'ai pas le courage de leur annoncer la nouvelle moi-même.

– Vous avez fait de votre mieux, dit Wayne.

« Quelle idiote ! » songea-t-elle en retournant à la cuisine. Pourquoi avoir entrepris les travaux sans avoir les fonds nécessaires ? Elle avait été stupide de croire que Charlie allait se résigner sans réagir devant une femme qui lui bloquait le chemin. Elle s'assit lourdement et plongea la tête dans ses mains.

– Que se passe-t-il ? demanda Shirley.

— Charlie Markham m'a doublée.

— Comment ?

Molly, d'une voix neutre, lui fit un bref résumé de la situation en pensant que Shirley, toujours le nez dans son mouchoir, n'était guère capable de s'intéresser aux ennuis des autres.

Wayne vint les rejoindre.

— Tu leur as dit ?

— Non, j'ai réfléchi. Il y a une autre solution. Venez avec moi à Londres, on va parler à George.

— Le problème, c'est qu'il a signé, répondit Molly, découragée.

— Et alors ? Ce n'est qu'un bout de papier. Il n'a pas touché d'argent, il n'a pas commencé le travail. Qu'est-ce qu'ils peuvent contre lui s'il annonce qu'il a changé d'avis ? Ils ne peuvent pas le tuer. On ne va pas rester là sans rien faire.

Devant la perspective d'annoncer une mauvaise nouvelle aux ouvriers et de faire face à sa pleurnicharde de sœur, Molly préféra suivre les conseils de Wayne. Au pire, elle pourrait toujours se venger en allant casser toutes les fenêtres de Charlie.

— Après tout, George a peut-être eu raison, dit-elle à Wayne pendant le trajet.

— Avec un type comme Charlie ? Il va se faire exploiter jusqu'à ce que cela ne marche plus, comme un cheval de course, et ensuite...

Il sortit un revolver imaginaire de sa poche et fit le geste d'appuyer sur la détente

— Oui, sans doute. Le moins qu'on puisse faire pour lui, c'est de regarder le contrat qu'il a signé.

Ils trouvèrent George au garage en train de collecter ses dernières affaires. Appuyé sur une camionnette dans la pâle lumière du soleil, Molly examina le contrat.

— Je suis en train de discuter avec M. Markham pour qu'il t'embauche, disait George à Wayne un peu plus loin.

— Laisse tomber, je préfère encore retourner ici.

En poursuivant sa lecture, Molly ne pouvait s'empêcher de se souvenir du pauvre George aidant sa mère à monter l'escalier. C'était à lui que Charlie avait offert sept mille livres par an et toutes les facilités pour poursuivre ses recherches, en évitant soigneusement toute allusion à un quelconque pourcentage sur les ventes.

— Je ne peux pas t'en empêcher, dit-elle, malgré tout furieuse en rendant le contrat à George, mais il faut que tu renégocies tout ça. Si jamais tu avais une idée de génie, tu n'aurais rien de plus. Ils vont te presser le citron pendant un an ou deux, et ensuite, ils pourront te flanquer à la porte quand ils en auront envie. Tu comprends de quoi je parle, au moins ?

— Euh, oui, bien sûr.

— Bien sûr que non, dit Wayne.

Wayne ne perdait pas son sang-froid. Alors qu'elle était furieuse, que George se sentait trop mal à l'aise pour la regarder en face, seul Wayne paraissait maîtriser la situation. Pourtant, il aurait lui aussi eu des raisons d'être en colère, puisque George avait signé sans penser à lui.

– George, écoute-moi. Je ne te reproche pas d'avoir essayé de trouver la meilleure solution pour toi. Je te reproche de t'être fait avoir.

– Cissie m'a dit de signer.

– Evidemment ! cria Molly, folle de rage. Vous n'avez jamais connu que la misère dans votre famille, et maintenant, tout ce que vous souhaitez, c'est un peu de sécurité, peu importe qu'on vous vole ! Et il n'y a rien de mieux que l'aile protectrice d'une societé comme Lauderdale. J'espère simplement que cela se passera bien pour toi, parce que les types du genre de Charlie n'hésiteront pas à te passer à la moulinette !

Il y eut un silence pesant. George fixait obstinément le sol.

– Wayne, essaie de lui faire comprendre, dit Molly en s'éloignant.

Sur le chemin du retour, Molly se sentait si épuisée qu'elle dut s'arrêter. Assise près d'un taillis sur le bas-côté, elle essayait d'inspirer profondément. A son actif, elle avait à présent deux maisons hypothéquées, une pile de factures qu'elle pouvait payer, mais tout juste, et des écuries à demi transformées. Il faudrait qu'elle annule les commandes de matériel et qu'elle revende, à perte sans doute, ce qui avait déjà été livré. Elle aurait aimé s'endormir, là, sur la terre humide et ne pas se réveiller avant longtemps. Mais elle se souvint qu'elle avait promis à Vera Harker de venir chercher Fred de bonne heure. Tous ses efforts ne servaient à rien. La petite entreprise de jouets ne suffirait pas à sauver la demeure. Il faudrait qu'elle retourne à Londres, trouve un travail, cherche un appartement en attendant que Sam ait déménagé, et surtout, qu'elle économise pour rembourser son emprunt. Epuisée, elle arriva à Framlingham, redoutant de retrouver Isabel et ses récriminations, Shirley et ses larmes, et Tom qui ne manquerait pas de se moquer d'elle en apprenant le vilain tour que lui avait joué son cousin.

Pourtant, quand elle croisa Shirley sur les marches, sa sœur ne pleurait pas, bien au contraire. Elle virevoltait dans une robe multicolore.

Molly reconnut immédiatement les tissus. Le bustier vert venait des pantalons des épouvantails, et la jupe était un mélange de poupées, de renards et de perroquets. Pourtant, elle remarqua que la robe de Shirley était bien coupée et très originale. « Mon Dieu, pensa Molly, l'égoïsme de ces gens n'a-t-il donc pas de limites ! Les Markham, les Allaun et à présent les Waterhouse ! »

– Je vais coucher Fred, dit-elle, abattue. En redescendant, je te donnerai une dernière pinte de mon sang et je fiche le camp, ça t'ira ?

— Molly, qu'est-ce qui te prend ? Je croyais que tu serais contente de me voir comme ça.

— Je ne suis pas ton mari, répondit Molly froidement. Je ne suis pas du tout ravie de te voir dans une jolie robe fabriquée avec nos stocks.

— Idiote ! cria Shirley en courant derrière elle. J'ai fait ça dans les chutes. Et puis, dans le bureau j'ai regardé cette horreur que tu appelles ton livre de comptes. Vous avez trop de stocks et vous continuez à produire des objets que vous n'arrivez pas à vendre. La robe, tu pourrais la vendre.

Molly se retourna. Le bustier était relié souplement à une jupe ample et longue, aux couleurs chatoyantes avec des volants froncés, une tenue de gitane luxueuse.

— Tu as peut-être raison, dit Molly en retrouvant difficilement sa bonne humeur. Viens avec moi.

— Excuse-moi, Shirley, poursuivit-elle en faisant prendre son bain à Fred. Tu pourrais en faire combien en utilisant les chutes ?

— Une ou deux, pas plus, mais à moins que tu n'obtiennes rapidement des commandes, tu pourrais aussi bien utiliser les tissus. Ça se vendrait sûrement bien.

— Tu crois ?

— Cela vaut la peine d'essayer. Et puis, je vais mettre un peu d'ordre dans tes comptes, ce sera toujours ça de fait.

— Merci. Mais moi, je suis fichue. Tu as vu ce que m'a fait Charlie ? J'ai hypothéqué Meakin Street pour faire les travaux. La seule chose qui me reste à faire, c'est de payer mes dettes. Tu peux rester jusqu'à ce que je parte, mais maintenant, nous n'avons plus de maison, ni l'une ni l'autre.

Soudain on entendit la voix d'Isabel dans le couloir.

— Eh bien, c'est exactement à cela que je m'attendais, disait-elle devant la porte ouverte.

— Ce que vous attendiez, Isabel, c'était une petite fortune que je vous aurais apportée sur un plateau ! J'ai fait de mon mieux, maintenant, je m'en vais. Et si cela ne vous plaît pas, c'est le même prix.

— Je suppose que vous ne continuerez pas à vous faire appeler Allaun. Après tout, en matière de nom, vous avez le choix.

— Ne vous inquiétez pas, je veux vous oublier aussi vite que possible.

Molly alla dans sa chambre et coucha le bébé dans la pièce attenante à la sienne. Sur le palier, Shirley et Isabel chuchotaient. Etendue sur le lit, elle pensait qu'au moins, quand elle aurait un appartement à Londres, elle pourrait mener une vie paisible avec son enfant, loin des messes basses, des cachotteries et des brusques silences. Dans son sommeil, elle entendit la mélodie que Madeleine, la prostituée fançaise, lui chantait en prison. Elle reconnaissait certains mots sans les comprendre. Envahie par le son de la musique, elle se sentait en sécurité, bien à l'abri. Soudain, elle revit Meakin Street avec ses lampadaires qui éclairaient les vieilles maisons. Une silhouette s'approchait d'elle, Joe Endell. Il y avait quelqu'un avec lui, elle ne le reconnaissait pas, mais elle savait qu'elle aimait cette personne.

La mélodie se faisait toujours entendre, mais les silhouettes s'évanouirent dans le brouillard. Elle se réveilla, plus paisible. Elle observait le plafond, le papier peint délavé dans la lumière du crépuscule. Soudain, elle comprit qu'elle n'était pas en sécurité, et que son enfant non plus, pas ici....

Des temps difficiles s'annonçaient, mais sans doute avait-elle déjà connu pire. Les Allaun poursuivraient leur chute jusqu'à ce qu'une âme charitable offre un nouvel emploi à Tom et qu'on propose une nouvelle maison de campagne à Isabel. On s'occuperait d'eux, mais Mary Waterhouse, elle, n'aurait pas cette chance. Elle n'avait pas assez de relations.

— Tu ferais mieux de rester dans ta chambre, dit Shirley en apportant une tasse de thé. Je te monterai le dîner.

— Non, il faut que je rencontre le directeur de la banque.

— Il vient demain après-midi. Il a téléphoné, je lui ai donné rendez-vous. Mais reste ici, Tom vient d'arriver et il est au courant. Je ne pense pas que tu aies envie de le voir. Il est dans une humeur !

— Il doit fulminer, mais je vais lui dire de quel bois je me chauffe, et tout de suite.

— Non ! N'y va pas, c'est idiot !

Mais déjà, Molly dégringolait l'escalier et se précipitait au salon.

— Alors, il y a de mauvaises nouvelles, commença Tom d'un ton lugubre.

— Oui, mais autant reposer ce verre pour le moment. Ça m'étonnerait que ce soit le premier, et jusqu'à nouvel ordre, c'est moi qui paie.

— Molly, je voulais te dire à quel point j'étais désolé. Si je te servais un whisky et que nous discutions calmement ?

— Ça ne changera rien, c'est avant qu'il fallait m'aider. Mais tu n'en étais même pas capable. La seule chose que tu sais faire, c'est des grimaces derrière mon dos pendant que je me bats comme une forcenée.

— C'est toi qui m'as empêché de venir à ton rendez-vous avec Charlie, ne l'oublie pas. Tu voulais te débrouiller toute seule.

— Parce que je ne supportais pas l'idée que tu te fasses encore inviter pendant que je me tapais tout le travail.

A ce moment-là, Lady Allaun entra dans la pièce. Elle essaya de parler, mais finalement s'assit en silence.

— Et puis, si tu étais venu, Charlie ne m'aurait sans doute rien proposé du tout. Effectivement, cela aurait été la meilleure solution, il n'aurait pas pu me doubler, malheureusement, je ne pouvais pas le savoir. Mais, Tom, si tu avais été un homme, et je ne parle pas de sexualité, il n'aurait jamais osé faire une chose pareille. Il en a profité parce que je suis une femme, et qu'il n'y a personne pour me soutenir. Alors, inutile de se lamenter et de chercher à me consoler. Moi, au moins, j'ai essayé, c'est beaucoup plus que tu ne peux en dire. Maintenant je m'en vais, tant pis pour toi. Tu n'as qu'à jouer les Cendrillon et attendre la princesse charmante !

Sur ce, Molly sortit en claquant la porte et alla à la cuisine.

— Encore une chance que j'aie préparé un ragoût, ça pourra continuer à cuire pendant que vous vous disputerez !

— Tu en veux un ? demanda Molly en sortant une bouteille de cognac à moitié vide.

— Non, merci. Je préfère garder les idées claires et m'occuper de Fred quand il voudra sortir de son lit, il risque de tomber dans l'escalier.

— Oh, Shirley, excuse-moi de tout ce cirque mais...

— Ça me rappelle Meakin Street. De toute façon, c'est toi qui as raison. Les Allaun ne font rien d'autre que se plaindre du bruit et des inconvénients. Et puis ces notes d'épicerie dans le tiroir, c'est franchement ridicule !

— Molly, je sais que tu es bouleversée, dit Tom en venant les rejoindre.

— Fiche le camp, il n'y a plus rien à dire.

Il la regarda et resta immobile un moment avant de sortir. Molly se servit un cognac. Soudain, elle se leva et partit comme une flèche.

— J'ai une idée !

Les larmes aux yeux, Shirley appela Kevin et Brian. « Autant les faire manger avant la prochaine dispute », pensa-t-elle.

De nouveau au salon, Molly s'adressait à Isabel :

— Pourquoi ne demanderiez-vous pas un permis de construire pour transformer les écuries en appartements. Vous pourriez vous servir des fondations existantes et agrandir de l'autre côté pour faire des maisonnettes par exemple. Ensuite, vous pourriez vendre le lotissement et me rembourser les travaux que j'ai commencés.

— Molly, voudriez-vous me servir un whiky avec de l'eau, je suis extrêmement fatiguée. Oui, poursuivit-elle alors que Molly lui tendait son verre, je crois que c'est une excellente idée. Et comme le directeur de la banque vient demain, je pense que nous devrions toutes les deux lui faire visiter les locaux et lui parler de notre projet. S'il veut bien m'accorder un prêt, je n'aurais plus qu'à vous remercier d'avoir commencé le travail. Vous avez eu tort de faire confiance à Charlie Markham, et je dois avouer que j'ai toujours éprouvé des doutes concernant votre affaire, mais au moins, vous avez tenté quelque chose. Et je suis furieuse contre Charles. J'ai téléphoné à sa mère pour lui expliquer ce qui s'était passé et je lui ai également dit que je lui serais reconnaissante de bien vouloir annoncer à son fils qu'il n'était plus le bienvenu dans cette maison. Après tout, vous êtes la femme de Tom, et il s'est conduit comme un malotru.

Molly était aussi surprise qu'impressionnée.

— Merci, Isabel, je ne pensais pas que vous alliez me soutenir. Je vais partir bientôt.

Isabel baissa les yeux, pour prouver sa satisfaction devant cette décision. Molly détourna la tête pour dissimuler un sourire involontaire. Elles savaient toutes deux que Molly, en tant qu'épouse de Tom, avait le droit de revendiquer sa part sur la maison, et Isabel espérait sans doute secrètement que cette idée n'était pas venue à l'idée de sa belle-fille.

— Isabel, connaissez-vous cet air ? demanda Molly en fredonnant la chanson qu'elle entendait si souvent en songe.

— Il me semble que oui, mais je ne m'en souviens pas exactement, répondit Isabel en reprenant la mélodie avec quelques erreurs qu'elle corrigea bien vite.

— C'est ça, oui. Qu'est-ce que c'est ? Je l'entends souvent en rêve.

— En rêve ? Mais où l'auriez-vous appris ? Cela date des années trente, vous n'étiez pas née... En rêve ? Il fait froid, Molly, pourriez-vous mettre ces bûches dans la cheminée.

Elle regarda Molly comme si elle allait lui poser une question puis se ravisa.

— La vie est étrange, parfois. Qui aurait pensé que nous nous retrouverions un jour dans la même pièce, après toutes ces années ? Mais au fait, vous parlez français ?

— Non, répondit Molly en repensant soudain à l'histoire de Peggy et au sauvetage du petit Joe Endell.

« Joe, que dois-je faire, maintenant ? » Mais elle réprima immédiatement cette pensée.

— Que comptez-vous faire à présent ? demanda Isabel.

— Payer mes dettes, retourner à Londres et trouver un travail.

Molly résista à la tentation d'assurer à Isabel qu'elle ne revendiquerait pas ses droits sur la maison. Elle ne voulait rien mais elle ne se sentait pas assez généreuse pour libérer Isabel d'une telle inquiétude.

— Vous avez essayé de sauver une situation désespérée. C'était vraiment désespéré, une fois qu'il a été clair que vous ne disposiez d'aucune fortune.

— Cela aurait peut-être été possible sans Charlie Markham.

– Ce n'est pas sûr. Vous étiez trop optimiste en croyant que Charlie serait beau joueur.

– Je ne l'imaginais pas aussi fourbe.

– Mon expérience m'a prouvé que les gens changent très peu après leur enfance. Charlie était déjà odieux petit garçon, et il a continué sur la même voie adulte, dit-elle en soupirant. Molly, voudriez-vous me resservir un autre whisky ? Les choses se seraient sans doute mieux passées sans la mort de Sir Frederick. Il aurait maîtrisé la situation. Tom manquait de maturité...

Elle laissa retomber sa voix. Molly la servit. Isabel se montrait amicale à présent qu'elle était certaine du prochain départ de sa belle-fille. Elle ne disait pas toute la vérité – l'avait-elle jamais dite ? – pourtant, il y avait des accents de sincérité dans ses propos.

– J'ai toujours regretté de vous avoir laissée partir ainsi à la fin de la guerre. C'était largement de ma faute, je dois le reconnaître. Sir Frederick voulait vous adopter. Mais je crois que j'étais un peu jalouse, à cause de Tom, bien sûr. Nous étions tous un peu perturbés à cette époque. La guerre nous avait épuisés.

– C'est une vieille histoire maintenant, tout est oublié et pardonné depuis longtemps, dit Molly en espérant couper la parole à sa belle-mère.

C'était trop facile de s'excuser à présent qu'il était trop tard. Les paroles de Lady Allaun faisaient penser à une litanie, comme si elle s'était souvent justifiée intérieurement.

– Frederick était si étrange à l'époque. La guerre... On aurait dit qu'il n'y avait qu'à vous qu'il avait envie de parler. Avec le recul, il me semble que c'était normal, mais à l'époque, j'avais du mal à le comprendre. J'ai sans doute pris une décision trop hâtive.

Il était trop tard, bien trop tard ! Les excuses d'Isabel n'avaient plus la moindre raison d'être. Molly se sentit soulagée de voir Shirley arriver.

– Prenez donc un verre avec nous, dit Isabel. Nous bavardions. Cette chanson... soudain, je m'en souviens, jusqu'au dernier mot. C'est bizarre, on vous fredonne quelques notes, et une demi-heure plus tard, la mélodie vous revient. Je me rapelle même les paroles.

– Qu'est-ce que c'est ?

Les plaisirs et les ennuis,
Se sont évanouis,
Comme le vent dans les blés
De mon pays.

» C'est une chanson de cabaret des années trente. L'amour perdu et emporté par le vent, dans les champs et les blés...

– Je me demande vraiment pourquoi j'entends en rêve une chanson que je ne connais pas, dans un langage que je ne comprends pas.

– Un autre mystère, dit Isabel.

Tom fut bientôt de retour.

– J'ai été noyer mon chagrin au pub, dit-il.

– Nous, nous faisions des projets d'avenir.

– Si vous n'y voyez pas d'inconvénients, je vais me joindre à vous.

– Je ne crois pas que nous ayons les mêmes problèmes à régler. Vous devez songer à la conversion des écuries, et Shirley et moi, à notre nouvelle vie à Londres. Si nous habitions ensemble, Shirley, qu'en dirais-tu ?

– Je ne vois pas pourquoi vous ne vendriez pas Meakin Street pour vous installer ici de manière permanente, suggéra Isabel. Après tout, vous faites partie de la famille maintenant.

Molly se mit à glousser, sans doute était-elle plus saoule qu'elle le pensait. Mais l'idée qu'elle, Isabel, son fils à demi homosexuel et l'enfant de Joe Endell constituaient une famille avait de quoi l'amuser.

– Lady Allaun, je ne suis pas sûre que cela serait dans l'intérêt de Molly, dit Shirley.

– Pourquoi pas ?

– Parce que d'après ce que j'ai vu, l'argent de Meakin Street fondrait comme motte de beurre au soleil dans cette maison.

– Je pense que vous feriez mieux de tenir votre langue.

Molly réprima une nouvelle envie de rire.

– Je parle en tant que sœur, bien sûr, mais aussi en tant que comptable. Enfin, si jamais j'ai réussi mon examen, mais je n'ai pas encore les résultats.

– Ah bon ? Tu es comptable, maintenant ? demanda Molly.

– C'est pour ça que je suis partie. Je venais de finir mes examens, mais on continuait à me faire couper le jambon à l'épicerie, et je me suis coupée. On ne m'a pas laissée arrêter, Brian se plaignait sans cesse du désordre, mais si je mettais les mains dans l'eau chaude, la blessure se rouvrait. Alors, j'ai le choix, ou je reste une maîtresse de maison mal traitée, ou je deviens comptable, c'est encore à voir.

– Cela n'excuse pas ce que vous venez de dire, répliqua Isabel. Je crois que l'heure est venue d'aller me coucher.

– Non, restez encore un peu, dit Molly qui commençait à apprécier le cours que prenait la conversation menée par des êtres si différents au beau milieu d'une série de catastrophes.

– Merci, Molly, mais il est tard. Et je n'apprécie guère les remarques de votre sœur dans une discussion purement familiale. Si elle n'a pas assez de tact pour quitter la pièce, elle pourrait au moins se passer de ses commentaires.

Molly observait le tapis, se souvenant des jours passés dans les night-clubs, des promenades dans des voitures luxueuses, de ses nuits d'amour avec Johnnie Bridges. Mauvaise époque, toujours en compagnie de gangsters, d'agents immobiliers marrons et de truands en tout genre. A présent, elle voulait monter une usine de bicyclettes, et on l'empêchait de se lancer dans une activité honnête. Qui était la plus bête ? Molly Waterhouse, la compagne des gangsters, ou Lady Allaun, la propriétaire d'usine mise en échec ?

— Il faudra que tu te trouves une autre femme, dit-elle méchamment à Tom. Cette maison tombe en ruines.

— C'est bien à toi de parler ainsi, tu t'es fait entretenir toute ta vie.

— Moi, je suis une femme, c'est ce qu'on attend de moi. Les hommes font la queue pour ça. De toute façon, tu as eu plus de chance que moi, tu aurais pu devenir avocat ou médecin. Cela n'a pas d'importance. Les faits sont là. La maison tombe en ruines, et je m'en fiche, je m'en vais.

— C'est exactement ça le problème, tu t'en fiches ! Tu vis ici quand c'est facile, et à la première difficulté, tu te sauves.

— Dis donc, c'est un des vôtres, qui vous a trahis, dit Shirley.

— C'est un des vôtres qui s'est laissé acheter, rétorqua Tom. Ah, ça te ressemble bien de ramener les problèmes de classe sur le tapis, comme si ce n'était déjà pas assez compliqué sans ça.

— Quelle importance, de toute façon, dit Molly d'un ton las.

— Je monte me coucher.

— Mon Dieu, ces deux-là ! dit Shirley après le départ de Tom. Et dire que c'est nous qui sommes censés être vulgaires !

— Ça m'est égal. J'ai un enfant à élever, et je n'aurais jamais dû fréquenter des gens pareils. Cela ne m'a même pas fait oublier Joe, bien au contraire. Quand je serai partie, je serai moins malheureuse en pensant à lui. Je n'aurais jamais dû essayer de changer les choses. J'aurais mieux fait de rester à Meakin Street, à pleurer tout mon saoul. C'était un rêve, j'ai essayé de retrouver un rêve. D'ailleurs, toute ma vie n'a été qu'un rêve. Une maison, la campagne, une vie confortable. Je me suis fait avoir, et maintenant je suis plongée dans la réalité. Dès que je suis arrivée ici, tout s'est transformé en cauchemar. Mme Gates qui meurt dans les écuries, une maison pourrie, et des gens qui ne valent guère mieux. Vivement que tout ça soit fini.

— Il faut que tu demandes un arrangement pour le divorce.

— Pouh, qu'ils se les gardent, leurs vieilles briques. Je n'aurais jamais dû épouser Tom. Ça aussi, cela faisait partie du rêve.

Après que Shirley fut montée se coucher elle aussi, Molly resta un instant à admirer le crépuscule qui tombait sur la pelouse où les étourneaux sautillaient toujours comme autrefois, lorsqu'elle jouait avec sa précieuse corde à sauter. A présent, toute la maison craquait comme pour protester contre les années de négligence qu'on lui avait infligées. Quand elle alla se coucher, les premières lueurs de l'aube filtraient déjà à travers les rideaux fanés.

446

Le lendemain, elle commença à rassembler ses affaires dans un coin de la chambre. L'après-midi, elle reçut le directeur de la banque.

— Voilà, je vous demanderais de poursuivre le prêt pendant que je cherche un moyen de vous rembourser.

— J'essaierai, Lady Allaun, répondit James Davidson, mais vous comprenez bien que cela ne dépend pas uniquement de moi.

— Attendez une seconde, je crois qu'il se passe quelque chose dehors, dit Molly en apercevant une silhouette courbée passer devant les portes-fenêtres.

Wayne arrivait, la bicyclette sur son dos.

— Alors, c'est ça, cette fameuse bicyclette ! dit Davidson.

En ouvrant la fenêtre, Molly se tourna un instant vers lui, il avait l'air fasciné.

— Venez voir ! Remarquez, elle ne doit pas être en bon état si Wayne est obligé de la porter et non l'inverse.

— Salut, dit Molly, qu'est-ce que tu fais là, viens donc prendre le thé avec nous.

— Je vais me laver un peu avant. J'ai marché pendant la moitié du chemin.

— Elle est en panne ?

— Non, nous avons eu une discussion démocratique, et nous avons décidé que c'était à son tour de se reposer. Au fait, le téléphone est en dérangement.

Sur la pelouse, Davidson avait pris la motocyclette en main.

— C'est léger, enfin, tant qu'on n'a pas besoin de la porter ! Il y quelque chose qui ne va pas sur la roue arrière.

Molly s'agenouilla sur la pelouse.

— Le moteur pèse environ deux kilos, on dirait qu'il a glissé de la broche pour heurter la roue arrière. George et Wayne se demandaient depuis longtemps si les broches était assez solides pour soutenir le moteur sur un long trajet.

— Où est-il maintenant ?

— Dans le sac que Wayne porte en bandoulière, j'imagine.

— Ah, oui, si petit que ça ?

— Tout l'intérêt est là. Avec le moteur, on peut aller jusqu'à vingt-cinq kilomètres heure, et quand on en veut pas, on peut le laisser sur une étagère, ou même l'emporter avec soi. On voit bien où la broche a cédé. Il faut en mettre une plus grosse ou utiliser un alliage plus résistant. Enfin, peu importe, ce n'est plus mon problème maintenant.

— Eh bien..., dit Davidson en la suivant à contrecœur à l'intérieur, je comprends pourquoi votre associé était si intéressé. C'est pratique, cela conviendrait à une large clientèle, et puis, ça n'aurait pas mauvaise allure avec une couche de peinture.

— Oui, je rêvais de voir des files et des files de motocyclettes rouges, noires et or grimper les collines, comme une flotte de voiliers sur l'océan... Cela aurait fait un beau spot publicitaire pour la télé.

— Hum hum, acquiesça Davidson.

— Je vais refaire du thé. Wayne, sers-toi une part de gâteau. Je te présente M. Davidson, le directeur de la banque. Nous venons de jeter un coup d'œil à la bicyclette. Monsieur Davidson, Wayne, mon ancien associé.

— Eh bien..., commença Wayne

Dans la cuisine, Molly n'entendit pas la suite de la phrase, mais elle eut soudain l'impression que Wayne apportait de bonnes nouvelles.

Quand elle revint avec la théière, Wayne et Davidson étaient en grande conversation.

— Les anciennes motocyclettes sont dépassées. Il n'y a plus aucune raison pour qu'elles soient si lourdes. Elles n'ont besoin d'un cadre imposant que pour rééquilibrer le poids du moteur. Avec notre nouvel alliage, c'est inutile. George a conçu les choses différemment, en oubliant tout ce qui s'était fait avant. Il est comme ça. Quand il examine un problème, il ne s'occupe jamais de ce qui a été dit ou fait avant lui. Molly, George arrive, il est dans le train. Nous avons essayé d'appeler.

— Je n'ai pas payé la facture, dit franchement Molly. Et comme personne d'autre ne s'en est chargé...

— Eh bien, il faudrait songer à faire rétablir la ligne, car George a déchiré son contrat avec M. Markham. Il revient.

Molly osait à peine y croire.

— Ça marche toujours ? demanda Wayne.

— Si M. Davidson est d'accord, moi je suis toujours partante.

— Il faudrait que vous veniez me voir demain avec un projet détaillé et une estimation des coûts. Vous avez déjà songé au prix auquel vous voulez vendre votre bicyclette à moteur ?

— Pas vraiment, qu'en pensez-vous en tant que client potentiel ?

— Eh bien, si la machine est fiable, qu'elle consomme peu, et qu'elle a une durée de vie d'au moins deux ans, disons environ cent cinquante livres.

— Tant que ça ?

— A combien ça va revenir ?

— Environ soixante-cinq livres, répondit Wayne.

— Il faut y ajouter le prix de votre travail, les frais de distribution, vous ne pouvez guère les vendre à moins si vous voulez réaliser un bénéfice. Bien sûr, c'est encore un jeu de devinette, en fait tout dépend de la capacité de production. Il faudrait voir ça plus en détail. Si vous vous lancez, dit Davidson à Molly, il faudra prévoir une ou deux années difficiles. Il faut y réfléchir sérieusement.

— Je crois que cela vaut la peine, dit Molly.

448

— Eh bien, je crois que nos avons vu l'essentiel pour le moment. Trois heures demain à mon bureau, cela vous irait, Lady Allaun ?

— Oui. Au revoir, monsieur Davidson.

Après le départ du banquier, Molly s'assit.

— Tu as vu comme il était enthousiaste ? dit-elle à Wayne. Alors, que s'est-il passé ? Comment se fait-il que George ait changé d'avis ?

— Je lui ai dit deux mots. Et apparemment, Cissie lui a expliqué pourquoi tu pensais que Charlie voulait l'exploiter. Elle a dit qu'on pouvait te faire confiance.

— Mais maintenant, je ne sais plus jusqu'à quel point on peut faire confiance à George.

— Ouais, il vaudrait mieux lui faire signer un contrat, dit Wayne en haussant les épaules.

— Oui, il faudra conclure un accord, mais je ne veux pas l'attacher comme un esclave.

— Il a besoin d'une femme compréhensive et intelligente.

— Finalement, il plaira peut-être à Shirley, sait-on jamais ? Et puis, il vaudrait mieux que je lui mette la main dessus. Diplômée ou pas, c'est la seule comptable dont je dispose, et je ne crois pas pouvoir en trouver d'autre d'ici demain. Il faut que nous préparions un projet cohérent. Isabel va devenir folle en apprenant qu'on ne va plus transformer les écuries en jolis appartements.

— Vous croyez qu'elle va refuser ?

— Non, elle acceptera, répondit Molly, convaincue qu'une menace de divorce, accompagnée de revendications sur sa part de la maison, suffirait à persuader Isabel.

— Shirley ! cria-t-elle, amène ta calculatrice, nous reprenons les affaires.

C'est ainsi qu'en fin d'après-midi, la carrière de Mary Waterhouse se poursuivit.

Au cours de l'été 1978, nous avons passé une semaine dans la Loire chez une vieille amie de ma femme, et c'est pendant le trajet du retour, sur la route poussiéreuse, que je remarquai un panneau de signalisation indiquant Poulaye-sur-Bois. Je ne réagis pas immédiatement, mais quand je me souvins de ce que ce nom évoquait, la seule chose que je fis, c'est d'accélérer. Pourtant, Corrie, assise à côté de moi, intervint :

— Si tu tournes à droite et encore à droite, on pourra déjeuner à Poulaye-sur-Bois.

— Tu en as vraiment envie ? Tu crois que cela vaut la peine ?

— Le guide Michelin indique un joli village avec une abbaye très pittoresque, sur une colline, dans les bois. Certaines parties remontent au xɪvᵉ siècle. Et l'auberge de l'Hôtel de ville a une étoile.

Nous avions passé l'année précédente à résoudre les problèmes que pose une famille avec trois enfants à l'adolescence. Sans jamais l'exprimer, nous avions tous deux le sentiment d'avoir échoué dans notre couple et dans l'éducation de nos enfants. Tout l'amour et les efforts des années passées semblaient être partis à vau-l'eau. Je sais que tous ces doutes sont partie intégrante de la vie de famille, néanmoins, j'avais tenu à emmener Corrie loin de tous nos conflits dans l'espoir de réconcilier nos vies et nos sentiments. Et je n'avais guère envie d'une querelle au sujet de Poulaye-sur-Bois. En fait, cela m'amusait un peu de la voir si désireuse de visiter le village. Bien sûr, je savais qu'elle n'avait jamais apprécié de me voir impliqué dans l'affaire Mary Waterhouse. J'avais l'impression qu'elle m'imaginait un peu dans le rôle d'un médecin dirigeant une clinique spécialisée dans les avortements ou d'un directeur à la tête d'une société marron. Je trouvais son attitude un peu injuste, mais, malheureusement, je savais aussi qu'en général, elle faisait preuve d'une grande impartialité dans ses jugements. Si bien, donc, qu'en tournant deux fois à droite, je souriais intérieurement en voyant que les rancœurs de Corrie contre toute cette histoire s'étaient changées en simple curiosité féminine. Quelle stupide naïveté !

Nous nous arrêtâmes sur la place du village entourée de petites maisons très anciennes, et nous descendîmes. En face de nous, l'auberge avait installé les tables à l'ombre de grands arbres. Nous nous assîmes, heureux de ce répit et demandâmes conseil au patron pour le menu.

— Nous aimerions aussi voir l'abbaye, c'est par là ? demanda Corrie en indiquant un passage entre deux maisons qui menait visiblement vers les bois.

— Oui, on ne peut pas la voir d'ici, mais on aperçoit le toit des chambres du haut.

Il ajouta que le bâtiment n'était plus une abbaye aujourd'hui bien que la chapelle attenante soit toujours en service, car il n'y avait pas d'autre église à Poulaye-sur-Bois. L'ancienne église, détruite pendant la guerre, n'avait jamais été reconstruite. A ce moment de la conversation, la mère de l'hôtelier, en robe et bas noirs, arriva et nous dit que si nous voulions visiter l'abbaye, il fallait qu'elle téléphone à la gouvernante du curé qui avait la charge des clés. Nous protestâmes un peu, en disant que nous ne voulions pas imposer un tel dérangement, et obliger la gouvernante à grimper une colline escarpée, mais, très fière des richesses de son village, la vieille femme insista.

Effectivement, à peine avions-nous terminé notre repas, qu'une femme assez forte de la soixantaine arriva en bicyclette, elle aussi toute vêtue de noir. Elle refusa le café que nous voulions lui offrir et d'une démarche sûre et rapide, elle nous conduisit le long du sentier jusqu'à une clairière. L'abbaye, un bâtiment bas de pierre sombre, se dressait devant nous. La femme en noir, qui avait grimpé avec l'agilité d'une chèvre, monta les quelques marches qui menaient à la lourde porte de bois aux poignées et heurtoir de cuivre. Elle sortit une énorme clé de sa poche et nous ouvrit. Le monastère formait une cour carrée autour d'une fontaine au centre de la pelouse. Tout était silencieux. Cela sentait bon l'herbe et la pierre chaude. Tous les trois, la vieille, Corrie et moi, nous visitâmes l'ancien cloître avec son réfectoire autrefois blanchi à la chaux et ses petites pièces carrées où les moines avaient dormi. A travers les minuscules fenêtres, nous apercevions les vestiges d'un ancien potager, où les anciennes cultures ne se distinguaient plus que par des lignes de mauvaises herbes aux nuances de vert différentes. Dans le silence et le calme des murs, le chant des criquets emplissait l'air. Nous sortîmes du cloître pour retourner vers la fontaine tarie. Je suggérai d'aller visiter la chapelle, mais Corrie, de la manière un peu brusque des femmes qui n'hésitent pas à aller directement au cœur du sujet, ce qui a souvent pour effet que les hommes se sentent dans leurs petits souliers, demanda :

– Et l'abbé Benoît, madame, est-il toujours en vie ?

Soudain, la femme nous regarda comme si elle comprenait où nous voulions en venir. Visiblement, elle savait quelque chose, ne serait-ce simplement qu'il y avait quelque chose à savoir. Elle répondit qu'effectivement l'abbé Benoît vivait toujours et habitait avec un curé, membre de sa famille, depuis la fermeture de l'abbaye. Corrie, très déterminée et fascinée de rencontrer quelqu'un qui s'était occupé de l'abbé Benoît, s'informa sur la santé de celui-ci. La gouvernante du curé nous répondit que bien qu'il approchât les quatre-vingts ans, il était encore en pleine forme. Sûre d'elle, ma femme déclara qu'elle était heureuse de l'entendre. Elle ajouta qu'elle ne le connaissait pas personnellement mais qu'elle en avait entendu parler par des amis. Bien souvent les femmes ont le talent de faire passer pour banals les faits les plus extraordinaires quand elles en ont envie, en en parlant comme si c'était la chose la plus naturelle du monde. Généralement, elles parviennent ainsi à tromper les hommes qui finissent par accepter l'existence d'un amant, ou un déménagement impromptu. Malheureusement, les autres femmes ne se laissent pas aussi facilement berner par ces astuces. C'est exactement ce qui se produisit. La gouvernante du curé toisa Corrie des pieds à la tête, elle me jeta également un coup d'œil et nous répondit, en français bien sûr :

– La vieille dame anglaise va à la messe tous les dimanches.

Cette remarque désorienta complètement Corrie qui avait imprudemment abattu son jeu sur la table. Quant à moi, je n'osai comprendre de quoi elles voulaient parler.

– Vous la cherchez ? poursuivit la vieille.

– Nous devons rentrer en Angleterre demain, dit Corrie, en tentant de contrôler l'expression de son visage. Elle va bien ?

– Oh, oui, pour son âge. Cette région est très bonne pour la santé.

Je restai immobile, me demandant toujours à qui elles faisaient allusion. Finalement, nous allâmes dans la petite chapelle aux épais murs de pierre vieux de six cents ans. En sortant, Corrie se retourna vers la lueur rouge qui brûlait sur l'autel.

– Une lumière qui brûle depuis six cents ans a dû se voiler la face plus d'une fois, dit Corrie poétiquement.

La gouvernante répondit dans la même veine.

– Oui, devant bien des secrets !

Je me sentis soulagé de retrouver la voiture, de faire mes adieux à la vieille gouvernante en lui laissant un peu d'argent pour la paroisse. Cette visite avait été pénible pour moi. Pendant la conversation de Corrie avec la vieille gouvernante française, j'avais eu la même impression que le propriétaire d'un chien qui s'inquiète en voyant l'animal réagir à des sons qu'il n'entend pas. Est-ce un lapin qui s'agite dans un fourré ou un homme qui s'approche, revolver à la main ? Pendant que nous roulions en gardant le silence, j'essayais de me souvenir que nous étions en vacances, et que bientôt nous retrouverions notre maison. Corrie parla la première :

– Eh bien, je me demande qui d'autre est encore au courant.

– Je ne sais pas.

– Ne devrais-tu pas plutôt dire que tu ne comprends pas très bien ?

– Je comprends parfaitement, je regrette simplement d'être allé là-bas, dis-je, me souvenant encore de l'odeur de l'herbe et du chant des criquets.

– Pourquoi ?

– Parce que nous nous immisçons dans des histoires qui ne nous concernent pas.

– En es-tu si sûr ?

– Je ne vois pas ce que tu insinues.

Elle précisa donc sa pensée. Je continuai à conduire en silence, puis je lui demandai ce qu'elle attendait de moi. Elle répondit que la décision m'appartenait. J'insistai et lui demandai ce qu'elle ferait à ma place.

– J'irai voir Molly, c'est la seule solution.

– Peut-être, je vais y réfléchir.

Pourtant, de retour en Angleterre, nous fûmes à nouveau totalement absorbés par nos problèmes familiaux. Je ne suis pas allé voir Molly.

1979

Les trois ou quatre ans qui suivirent le jour du retour de George et Wayne s'écoulèrent dans un tourbillon. A l'époque, je ne m'en suis guère rendu compte, mais je suis encore abasourdie par la quantité de travail que j'ai dû abattre et les milliers de difficultés que j'ai pu surmonter. Ce qui est sûr, c'est que je ne recommence-rai pas. Je marchais sur la corde raide, pendant toute cette période. Ni les livres, ni les locaux, ni la force de travail n'auraient résisté à un quelconque contrôle gouvernemental. Je n'avais aucun projet d'avenir, sinon éviter la faillite et payer les salaires coûte que coûte. Un jour, on m'a envoyé un charmant garçon qui devait retracer l'histoire de la grandeur de l'Industrie britannique, je crois que c'est comme ça que devait s'intituler l'ouvrage, mais Josie avait raison, c'est de grandeur de l'infamie britannique qu'il fallait parler. J'ai été folle d'accepter, car lorsqu'il a commencé à me poser des questions, je ne me souvenais plus de rien. Les comptes, pour leur plus grande part, n'étaient qu'une invention de Shirley, et elle m'avait assuré que l'Etat n'avait aucun moyen de retrouver la trace des véritables livres qu'elle avait mis en sûreté dans une banque suisse. Ceux-là en disaient assez long pour nous envoyer tous en prison à perpétuité. Finalement, je dus renvoyer ce pauvre garçon qui sembla plutôt soulagé d'éviter cette corvée. Le projet a été annulé, ce qui ne m'a guère étonnée, car ces célè-bres industriels qu'on était censé interviewer avaient à peu près tous les mêmes histoires louches à cacher. C'était un peu comme dans l'ancien temps, où l'on vous considérait comme un pirate, jusqu'à ce que vous fassiez fortune. A ce moment, on vous accor-dait le titre honorable de marchand britannique. En fait je me suis lancée dans les affaires, juste un peu avant que les temps ne deviennent vraiment difficiles, alors inutile de venir me raconter que ceux qui ont survécu en commençant plus tard n'ont pas uti-lisé les mêmes expédients que moi. La moitié de mes employés étaient officiellement au chômage ou en congé maladie. On pou-vait me considérer comme un pionnier du « je vous règle en liquide, et inutile de poser des questions ».

Je ne payais jamais les charges sociales, pas même pour ceux qui ne recevaient aucun revenu de l'Etat, jusqu'à ce qu'on me demande des comptes, en 1981. J'enfreignais les lois sur l'embauche, je fraudais le fisc, je versais les salaires en liquide. J'offrais des pots-de-vin aux fonctionnaires pour contourner les diverses réglementations. J'avais quatre sociétés qui tournaient en même temps, avec des comptes bancaires différents bien sûr, et je faisais une étrange gymnastique avec des comptes au nom de Shirley et de Tom Allaun. La plupart du temps, je ne savais pas même quelle loi j'enfreignais. J'avais un peu l'impression de me trouver dans une voiture sans freins et de continuer à filer à toute allure en espérant ne pas avoir d'accident. Les seules règles que je suivais, c'étaient les miennes. Payer les salaires et les fournisseurs. Au début, je ne comprenais pas comment j'arrivais à passer à travers les mailles du filet, et ensuite, je crois qu'on fermait volontairement les yeux. L'économie avait besoin de moi, et peut-être même qu'on m'aimait bien.

Nous construisîmes assez vite le premier prototype du Messiter, et au printemps suivant, tandis que nos ressources se réduisaient à une peau de chagrin, nous avions déjà deux mille unités prêtes pour le lancement sur le marché. Je faisais travailler tout le monde, même Sid qui venait pendant le week-end, et, croyez-moi ou pas, Tom en personne qui chargeait les camions. Le problème, c'est qu'il fallait immédiatement envisager une expansion car nous avions besoin d'entrepôts pour stocker les pièces détachées, d'un véritable bureau pour centraliser les commandes et de milliers de choses. Quand j'ai dit à Isabel qu'il faudrait installer des préfabriqués au fond de la pelouse, elle faillit en devenir folle. Finalement, je dus me résoudre à acheter le champ des Twinning, de l'autre côté du lac, et croyez-moi, ils ne m'en ont pas fait cadeau ! Mais bientôt, la situation à Framlingham devint inextricable. Il n'y avait pas assez de logements pour les travailleurs que je faisais venir, et il était inutile d'espérer une quelconque amélioration. Les gens du village n'appréciaient guère l'équipe de Wayne formée de neuf jeunes gens, tous noirs. On ne les laissait pas entrer à la discothèque, ce qui provoquait des bagarres, et souvent la police intervenait. Les relations se seraient sûrement améliorées à long terme, comme autrefois entre les petits réfugiés et les enfants du village. Pourtant agrandir Framlingham, cela signifiait une nouvelle invasion de nouveaux venus, de plus graves problèmes de logement, et une confrontation culturelle qui aurait pu mener à des mariages mixtes et je ne sais quoi. Les gens n'auraient jamais accepté que je transforme leur campagne en une petite ville industrielle. Déjà les écologistes du Kent m'avaient à l'œil, et je n'avais pas intérêt à ce qu'on vienne fouiller d'un peu trop près dans mes affaires.

Il ne faut pas oublier qu'en même temps, les femmes du village étaient toujours penchées sur leurs machines à coudre électriques prêtées par la firme. Le commerce de jouets continuait et nous fabriquions beaucoup de robes. Vera Harker était responsable de toute l'opération, et elle allait à Londres dans sa Mini pour rencontrer les acheteurs de chez Harrods. On ne sait jamais de quoi les gens sont capables tant qu'ils n'ont pas l'occasion d'exprimer leurs talents. Je songeais donc à me tourner vers les grands centres industriels. La magouille est plus facile quand on n'est pas seul à y avoir recours, en plus on se fait moins remarquer. J'abandonnais donc une partie des écuries à George pour son département Recherche et Développement. De toute façon, il me semblait qu'avec le Messiter, George avait joué sa première et dernière carte. D'ailleurs, il a effectivement passé quelques années à se reposer sur ses lauriers sans rien faire de constructif. Je ne savais pas très bien ce qui lui passait par la tête ni ce que cela allait nous rapporter. Je pensais simplement qu'il avait besoin de repos et qu'il nous sortirait bien un nouveau tour de sa manche le moment venu.

J'acquis donc un vieil atelier à moitié en ruines du côté de la voie ferrée à Wattehblath Street. Je me souvenais encore de l'époque où les gamins s'amusaient à sauter les barrières et à donner des coups de pied dans les bassines et les cuvettes qui traînaient toujours dans la cour, pour le seul plaisir du tintamarre. Ensuite, avec le développement du plastique, l'usine s'était reconvertie en fabrique de jouets bon marché. Quand j'ai repris l'endroit, il ne restait plus que quatre vieux salariés, dont l'un faisait office de directeur. Je l'ai eu pour une bouchée de pain, de plus, étant donné le précédent usage, il était peu probable que j'aie des ennuis avec les lois sur la pollution et la préservation de l'environnement. J'avais aussi l'avantage de connaître quelques-uns des fonctionnaires de la ville que j'avais rencontrés grâce à Joe Endell. Wayne commença le travail, et il tripla la production en un an, d'ailleurs, je n'avais pas envie d'aller plus vite. Le plus merveilleux, c'est qu'avec l'augmentation du prix du pétrole, la mode des motocyclettes et les grèves de transport, nous n'avions jamais aucun problème pour vendre nos machines. Pourtant, il fallait que je réduise les coûts au minimun, si bien que je n'employais pratiquement que des travailleurs à temps partiel. Vous ne le croirez jamais, mais j'avais même embauché une fillette qui n'avait rien d'autre à faire que de se promener toute la journée et de s'assurer que personne ne venait fouiner dans les ateliers. Le reste du temps, elle organisait des tours de rotation extrêmement compliqués pour que personne n'ait d'horaires réguliers et que toute vérification devienne impossible. C'était diabolique. Je vivais en permanence dans la terreur d'un accident du travail. Je faisais tout mon possible pour assurer la sécurité du personnel, mais on ne peut jamais totalement éviter une bagarre ni qu'une femme qui s'est battue avec son mari se venge sur vous si elle se coupe le doigt. Mon usine n'était qu'une énorme farce. J'embauchais des femmes enceintes, des travailleurs en retraite ou des écoliers. Tant que je les payais, il me semblait ne pas faire de mal. S'ils percevaient des revenus de l'Etat en même temps, eh bien, ils auraient sans doute trouvé un moyen de tricher autrement, alors, pourquoi se faire du souci ? Cela m'arrangeait, et eux aussi. J'avais également une fabrique de vêtements un peu plus loin, dirigée par une mère de trois enfants. J'employais quelques femmes à temps complet, ainsi qu'un garçon, tous les autres travaillaient au noir. Là non plus je n'y voyais pas de mal, je fournissais du travail, et la seule à en pâtir, c'était moi, car je ne me sortais pas de mon endettement, et je me demandais même comment j'arrivais encore à fermer l'œil avec tous ces soucis. Bien sûr, quand Jack a entendu parler de tout ça, il a explosé.

Cela devait être en 1979, car il avait failli perdre son siège et je me trouvais à Beckenham. La première opération d'Ivy avait échoué, et elle sortait juste de la seconde. Elle croyait que tout allait s'arranger, mais ni Sid ni les autres n'étaient aussi optimistes. A cette époque, Jack avait divorcé et s'était marié avec cette femme de la télévision. Ils avaient eu un bébé, Jasper, mais son épouse disait qu'elle ne le laisserait pas entraver sa carrière. Je préférais encore le voir avec Pat, toute communiste et dogmatique qu'elle fût. Parfois, Pat venait me voir à Framlingham avec leurs deux enfants adoptifs. Jack, lui, n'avait pas hésité à briser la carrière de sa première épouse, en fait, elle n'en avait même jamais eu pour préserver celle de son mari. A présent, après avoir joué les secrétaires bénévoles et les hôtesses pour un groupe d'activistes politiques, elle n'avait plus rien vers quoi se tourner. A la fin, elle a monté une petite imprimerie avec quelques femmes, alors ça allait mieux. Pourtant, comme j'étais toujours restée liée avec elle, cela créait parfois des tensions entre Jack et moi car l'épouse numéro deux voyait cette amitié d'un mauvais œil. Au début, je pensais que c'était pour ça que Jack avait l'air de m'en vouloir.

— Qu'est-ce que tu as à me regarder de travers ?

Bien sûr, il me répondit que je me faisais des idées, je posai donc la question à Sid, qui nous ordonna de nous taire tous les deux.

— Je n'ai pas envie de mettre ça sur le tapis tant qu'Ivy est malade.

— On ne va pas se battre. Mais si c'est parce que tu trouves que je vois Pat trop souvent, je la connais depuis longtemps, et je ne vais pas changer d'amis à chaque fois que tu te remarieras.

— Ce n'est pas ça du tout, dit Jack, mal à l'aise.

— Ce sont tes affaires, dit Sid. C'est pour ça qu'il fait toutes ces simagrées. Et si tu veux mon avis, Jack, ce n'est pas que les Waterhouse tiennent compte de l'avis des autres, mais quand même, je te conseille de ne pas t'en mêler. Molly fait de son mieux, et elle a un enfant à élever.

— C'est toujours ce qu'on dit, mais cela n'excuse pas le travail au noir. Cela fait des années qu'on se bat contre ça. Ce sont les employeurs comme Molly qui détruisent des années de lutte.

Je lui répondis que je ne pouvais pas faire autrement, que sinon, je ferais faillite.

— Et en plus, je ne peux pas me permettre de payer les cotisations sociales, ni les temps de pause légaux. C'est pour cela que j'emploie tant de travailleurs à mi-temps. Ils mangent et ils prennent leur douche sur leur temps de loisir, pour moi, ils travaillent.

— Tu n'es qu'un négrier.

— Je suis désolée, Jack, mais je n'ai pas le choix. Je prends des gens qui habitent sur place, comme ça, ils ne perdent pas de temps dans les transports. Tu peux les traiter de jaunes si tu veux, moi je pense que ce sont simplement des gens qui ont envie de travailler. C'est encore mieux pour les femmes, elles ne sont pas obligées de faire une double journée en s'occupant des gosses et du ménage en rentrant du boulot. Elles s'entraident, quand il y en a une qui n'est pas de service, elle s'occupe des gosses de tout le monde, ensuite c'est une autre qui prend la relève. Ce n'est pas l'Etat qui va leur construire des crèches, et moi, je n'en ai pas les moyens. Et puis, ça marche.

— Et pendant ce temps-là, Shirley trafique les livres pour que l'on croie que tu embauches trois fois moins de personnel que tu en as effectivement, et toi, tu graisses des pattes pour échapper aux impôts.

— On a offert à Shirley le double de son salaire dans deux autres sociétés, elle est très demandée. Qu'est-ce que tu vas faire ? Nous dénoncer ?

— C'est le principe que je ne supporte pas, dit-il en haussant les épaules. Ce sont les gens comme toi qui font baisser les salaires. Tu pilles l'Etat. Tes travailleurs ont des revenus qu'ils ne déclarent pas. Tu ne paies même pas tes charges sociales, ni tes impôts. Et tu profites de tous les avantages. Si tout le monde était comme toi, nous retournerions deux siècles en arrière.

— Je crée des emplois, et dans quelque temps, je me lancerai dans l'exportation.

— Tant mieux pour toi, mais cela ne rapporte pas grand-chose aux autres.

— Tu crois que je ne le sais pas ? Je sais que pour toi ce serait gênant, si jamais je me faisais prendre, mais rassure-toi, cela n'arrivera pas. Pas si je vais vite. Il faut que je prenne de l'expansion pour pouvoir rentrer dans la légalité et vivre dans un monde où un pot-de-vin s'appelle honoraires. Pour le moment, je n'ai pas envie d'écouter ton baratin de syndicaliste. J'emploie des gens de la classe ouvière, les plus démunis même, tous ceux dont tes syndicats ne s'occupent pas. Et je continuerai à le faire, le plus possible. Pourquoi pas ? Ils font partie du même monde que moi.

— Et tu paieras des impôts.

— Oui. Je cotiserai avec les autres pour payer les armes nucléaires, les fonctionnaires et les salaires de la famille royale et des députés...

— Et les routes, les hôpitaux, les écoles...

— Ça suffit, dit Sid, j'en ai assez.

— Mais j'ai raison, papa, non ? dit Jack.

— Bien sûr que tu as raison, mais je me demande à quoi cela va servir bientôt d'avoir raison. Les temps changent.

— Il y a des choses qui ne changeront jamais.

— Très bien, monsieur Oliver Cromwell !

Nous étions tous épuisés, Jack sortait d'une campagne électorale, et nous savions qu'Ivy était en train de mourir, si bien que nous n'eûmes pas la force de poursuivre notre querelle.

Ivy ne se remit pas de sa seconde opération qui fut suivie d'un nouveau traitement aux rayons X et d'une chimiothérapie. La famille, bernée par les propos ambigus des médecins et spécialistes, l'information ou la désinformation propagée par les journaux et la télévision, oscillait entre crainte et espoir. Tous espéraient qu'Ivy guérirait ou qu'elle mourrait rapidemenent et sans souffrances, tout en redoutant de la voir mourir. Ils craignaient une guérison partielle suivie d'une longue agonie. Ils la savaient en danger, tout en voulant l'ignorer, comme les enfants continuent à croire au Père Noël tout en sachant depuis longtemps qu'il n'existe pas.

Par chance, Ivy souffrait peu. La maladie l'affaiblissait et la plongeait petit à petit dans un monde inconnu du reste de la famille. Un jour, elle divaguait, le lendemain, elle sombrait dans une étrange torpeur, puis, soudain, bien que fatiguée, elle redevenait elle-même, et s'inquiétait pour Sid, se plaignait de la machine à laver toujours en panne.

Sid fit ce que beaucoup d'autres font dans les mêmes circonstances, il devint un héros. Il s'occupait de la maison, et supportait les récriminations d'Ivy devant son incompétence. Il résista à la tentation d'embaucher une femme de ménage, et n'acceptait qu'à contrecœur l'aide de la municipalité. Il se montrait patient et gardait son chagrin et ses angoisses pour lui. Au cours de la dernière année, Ivy maigrit, et, sous l'effet de la chimiothérapie, perdit ses cheveux, qui repoussèrent malgré tout. Sid se voûtait, son expression devenait douce, patiente et grave.

Jack sembla être plus affecté que les autres par la maladie de sa mère, du moins son attitude ne fit qu'empirer. Molly et Shirley allaient souvent à Beckenham avec des petits cadeaux pour distraire Ivy, des savons parfumés, des confiseries, des gadgets. Elles apportaient souvent des plats tout préparés pour soulager Sid des corvées ménagères. Jack, lui, ne venait que rarement, et jamais sans son épouse, Helena qui rendait Ivy mal à l'aise.

— Je me sens ordinaire à côté d'elle, confia un jour Ivy à Shirley.

— Nous le sommes tous pour elle.

Shirley dit un jour à Molly que Helena avait passé trop de temps à préparer des émissions sur les démunis, les pauvres, les handicapés, les parents d'enfants anormaux, si bien qu'elle abordait tout le monde comme un nouveau sujet de reportage.

— Elle ne cesse de demander à Ivy comment elle va, mais ce qu'elle veut savoir, c'est comment elle ressent l'approche de la mort. Bien sûr, Ivy ne comprend pas, mais elle sent bien qu'il y a quelque chose de pas normal.

— Aujourd'hui, tout devient problème, répondit Molly. Comment vivre le mariage, comment surmonter l'avortement... Pour Helena, il faut qu'Ivy se réconcilie avec l'idée de la mort. Alors, chaque fois qu'elle vient, elle cherche à savoir si maman a fait des progrès ! Rien d'étonnant à ce qu'Ivy se sente mal à l'aise.

— J'espère qu'on me laissera mourir en paix. Helena me fait penser à un grippe-sou qui attend sa part d'héritage, mais elle, ce qu'elle veut, ce sont des informations. Si seulement Jack avait la bonne idée de ne pas l'amener !

— Il a trop peur de venir seul. Pour nous, ce n'est pas pareil, nous sommes des femmes, nous savons accepter ces choses.

Joséphine entra. A présent, c'était une belle jeune femme de vingt-huit ans. Elle vivait à Kensington avec un acteur, au chômage la plupart du temps, et qui semblait ne pas faire grand-chose quand il ne jouait pas. Joséphine était souvent absente, car elle rassemblait des informations sur le tiers monde pour un journal du dimanche. Elle était en contact avec les groupes radicaux du monde entier, et Molly craignait toujours d'apprendre que sa fille était détenue dans une prison de Bolivie ou de Thaïlande. Ivy lui disait souvent :

« Mais qu'est-ce que tu espérais ? Qu'elle devienne fonctionnaire ? C'est ta fille, après tout.

— Elle fait tout ça par esprit de contradiction. Défendre les droits de la femme ! Moi, je n'ai jamais eu de principes dans ma vie. Je ne sais même pas ce que c'est.

— Oui, mais au moins, maintenant, tu as une petite idée de ce que c'est de rester éveillée toute la nuit à te demander ce que ta fille va encore bien inventer ! Pourtant, je n'aime pas trop ce type avec qui elle vit. Il ne fiche rien de la journée, pendant qu'elle va courir le monde pour dénoncer les guerres et la famine.

— Tout ce que je désire, c'est que Fred entrera dans une banque ! »

1980

En avril, Joséphine épousa James Kingsbury. Molly avait organisé une fête à Allaun Towers qui, au fil des ans, avaient retrouvé une certaine prospérité, bien que Molly fût toujours inquiète pour l'avenir. Néanmoins, plus d'une centaine d'invités se pressaient dans les pièces et sous le chapiteau dressé sur la pelouse. Il faisait une journée radieuse. Les serveurs apportaient des plateaux chargés de coupes de champagne. Tout le monde était là, acteurs et journalistes amis du couple, travailleurs des usines de Framlingham, Evelyn et Frederick Endell, qui aimaient beaucoup leur petit-fils. Simon Tate arriva en compagnie d'Arnie Rose. « Il a insisté », s'excusa Simon, navré. La première épouse de Jack, Pat, vint également avec ses deux enfants adoptifs et un syndicaliste des docks au visage austère. Jack et Helena avaient amené leur fils, Jasper, dans son landau. Au fond du chapiteau, le futur mari de Pat accusait Jack de ne pas être assez combatif sur les problèmes cruciaux. Molly, se demandant si l'association des conflits personnels et politiques n'allait pas conduire à la bagarre, s'approcha en compagnie d'Arnie Rose. Cela ne suffit pas à détendre l'atmosphère, car Arnie lui aussi semblait inquiet.

— La police commence à se retourner contre eux, lui dit Simon. Les frères Rose sont finis.

— J'espère que personne ne se fera arrêter aujourd'hui.

A ses côtés, Richard Mayhew, le garçon d'honneur, semblait s'amuser de la situation.

— Ça mettrait un peu de piment à la fête.

Molly le regarda. Il avait six ou sept ans de moins qu'elle. Elle ne le connaissait que depuis que James Kingsbury, le mari de Joséphine, le lui avait présenté juste avant la cérémonie. Grand, les cheveux noirs dont une mèche retombait sur ses yeux bleus, il ressemblait plus à un acteur de cinéma qu'à un auteur de pièces de théâtre.

— Je préfère m'en passer, répondit Molly en souriant. Du champagne ?

— Pas pour le moment.

— Je crois que je ferais bien d'aller voir ma mère, dit Molly.

Richard l'accompagna et ils s'installèrent dans le salon où Ivy se reposait.

— La fête est charmante, disait Ivy à Isabel. Pourtant, il me semble que Josie était un peu crispée pendant la cérémonie.

— La nervosité, sans doute, répondit Richard Mayhew, moi, j'étais terrifié, les deux fois.

— Quand même, les gens se marient facilement de nos jours.

Molly, qui savait pertinemment que sa fille ne resterait pas avec son mari, déclara :

— Oh, les choses ne sont plus comme avant.

— Les hommes ne sont plus ce qu'ils étaient, ajouta Isabel. On ne peut pas dire que le marié semble vouloir lui offrir la sécurité.

Elle était très distinguée dans sa robe de soie bleu marine, avec ses bagues qui scintillaient toujours à ses doigts.

— C'est elle qui sera obligée de s'occuper de lui, murmura Ivy.

— Tout ira bien tant qu'il n'y aura pas d'enfant, dit Isabel.

— Si elle en a un, poursuivit Molly.

— Oui, si, dit Ivy d'un ton sombre.

— Comment ça va, mon cœur ? demanda une voix derrière Molly

On lui passait la main dans les cheveux.

— Charlie !

— Tom m'a invité, expliqua Charlie. Il m'a dit que tu n'étais pas du genre à tenir rancune.

— Je n'en suis pas si sûre, répondit sincèrement Molly. Mais puisque tu es là, qu'est-ce que tu veux boire ?

— Je savais bien que tu me pardonnerais.

— Viens avec moi, le buffet est par là. Maman, Isabel, vous voulez quelque chose ?

— Non, ma petite Molly, je m'occuperai d'Ivy, proposa gentiment Isabel.

— Bien, Charlie, je te présente Richard Mayhew. Richard, Charlie Markham, un vieux concurrent malchanceux, dit Molly en s'éloignant avec eux. Alors, Lauderdale est en train de plonger ?

— Oui, j'ai eu de la chance de prendre mes distances l'an dernier.

— Cela ne m'étonne pas de toi.

— J'ai fait un tour dans les ateliers. Ça me semble très prometteur. Ça a été le deuxième choc de la journée...

— Qu'est-ce qui se passe ? demanda Molly, inquiète.

— Le premier, ça a été de tomber sur Arnie et Norman Rose. Le troisième, c'est que cela, ce n'est pas du champagne ! Tu devrais protester.

466

– Oh, les voleurs ! s'exclama Molly. Je vais régler ça à la cuisine.

– Est-ce qu'il a bien dit Arnie et Norman ? demanda Molly à Richard qui la suivait. Je croyais qu'Arnie était venu seul, ajouta-t-elle en prenant une bouteille.

– Si ça c'est du Bollinger, moi, je suis pape ! dit Richard au garçon.

– Un erreur regrettable, dit le garçon.

Dehors, Frederick Endell, Sid Waterhouse et leur petit-fils âgé de cinq ans se promenaient au bord du lac. Molly apercevait le visage épanoui de son enfant.

Au salon, Isabel regardait son ancienne ennemie droit dans les yeux.

– Vous devriez lui dire.

– J'ai failli le faire.

– Vous êtes très malade, vous savez.

– Pourquoi croyez-vous que j'y repense à présent ?

– Tom, voudrais-tu aller nous chercher du champagne ? dit Isabel sévèrement.

Tom bavardait avec un ami un peu plus loin dans le salon.

– Oui, maman, répondit-il avant de reprendre sa conversation.

– Tout de suite, s'il te plaît.

De mauvais gré, Tom vint prendre les verres vides.

Sous le chapiteau, Simon observait les invités et les serveurs en queue-de-pie.

– Quel succès, Molly ! Tu ne cesses de me surprendre. Un chapiteau sur la pelouse, c'est fantastique.

– Oui, tant qu'il ne pleut pas. Et puis, tout ce qui brille n'est pas or. Mais..., demanda-t-elle soudain, pourquoi Norman est-il là ? Je croyais que tu n'avais amené qu'Arnie ?

– Il s'est invité tout seul. Et entre nous, tu n'as plus qu'à espérer qu'Arnie et Norman se passent de compagnie pour partir.

– Quoi ? dit Molly. Mais s'ils ont la police aux trousses, que font-ils ici ? Pourquoi ne sont-ils pas déjà en Amérique du Sud ?

– Ils se croient en sécurité. Ils ne savent pas encore que l'on va témoigner contre eux. Et surtout, ne parle de rien, ni à eux, ni à personne !

– J'espère que la police ne va pas débarquer ici, cela gâcherait la journée.

Dans la bibliothèque, Joséphine bavardait avec une vieille amie.

– Je vais sûrement aller passer trois mois en Amérique latine.

– Mais, enfin, tu viens de te marier !

– L'occasion est trop bonne pour la refuser.

– Qu'en pense James ?

– Il n'est pas encore au courant, dit la jeune mariée.

Dans le hall, sous le portrait d'un lord, Simon Tate parlait avec Jack Waterhouse.

– Qui est le type avec qui Tom a passé tout l'après-midi ?

– Un acteur, un ami du marié, répondit Jack. Un de ceux qui ont fait la cour à ma sœur.

Au même instant, Tom traversa le hall avec l'homme en question.

– Je vais te montrer le lac, lui disait Tom.

– On dirait que c'est le grand amour, commenta Simon.

– Molly est au courant ? demanda son frère.

– Ça serait aussi bien qu'il poursuive dans cette voie, dit Simon.

Pendant ce temps, la police avait investi les appartements des Rose et attendait sagement leur retour. A Framlingham, Arnie faisait ses adieux à Joséphine en fumant un énorme cigare.

– Bonne chance, Josie. Que penses-tu faire, maintenant ?

– Je vais aller en Amérique latine.

– C'est l'endroit rêvé pour une lune de miel.

Joséphine acquiesça d'un signe de tête.

Vers six heures du soir, Joséphine et son mari reprirent la route de Kensington. Arnold et Norman Rose, dans leurs limousines noires, se précipitaient dans les bras de la police. Jack Waterhouse, à côté de Helena, songeait nostalgiquement à Pat et à leurs deux enfants adoptifs. Helena savait à quoi il pensait, ce qui la rendait triste et furieuse.

Tom Allaun et son acteur attendaient le train sur le quai de la gare. Sur les bords du lac, ils s'étaient regardés. Donald, l'acteur, avait soudain pris Tom par le bras. Tandis que celui-ci tremblait légèrement, il lui avait simplement dit : « J'ai envie que tu viennes vivre avec moi à Londres. » Sans rien dire, Tom s'était contenté d'acquiescer d'un signe de tête.

Une heure plus tard, tandis que Molly saluait des invités, il était venu la voir et lui avait annoncé d'une voix mal assurée :

« Je vais vivre à Londres. Avec Donald Jacobson. Excuse-moi, il va falloir que tu te passes de mon aide. »

Molly, qui avait conservé le sourire figé qu'elle avait adressé aux invités s'était soudain retournée.

« D'accord, je n'ai rien à te reprocher. »

Tom avait remarqué que sa femme avait passé presque toute la journée en compagnie de Richard Mayhew. Pendant un instant, le couple s'était regardé, plein de compréhension mutuelle. Peut-être même intérieurement se souhaitaient-ils bonne chance.

« Bon, je vais préparer mes bagages.

– Euh, Tom, est-ce que cela t'ennuierait de passer par la porte de service ? »

Tom avait été surpris de cette réaction, mais en voyant un petit groupe s'approcher, il avait compris ce qu'elle voulait.

« D'accord. Autant sauver la face.

— Toute l'histoire de notre mariage ! » remarqua Molly.

Tandis que les jeunes mariés et les derniers invités s'en allaient, Ivy reposait sur le lit installé pour elle dans la bibliothèque et observait les dernières traces d'animation sur la pelouse. Evelyn Endell vint lui apporter une tasse de thé.

— Je vous tiens compagnie ? A moins que vous ne préfériez être seule ?

— Je dois vous dire quelque chose, à vous et à Molly. J'aimerais savoir comment vous pensez que ma fille va réagir.

— Bien sûr, répondit Evelyn en approchant une chaise afin d'entendre la voix très faible. Cela a été une excellente journée. Cela fait plaisir de voir que Josie est devenue une ravissante jeune femme. Et Fred, il est adorable. Et tellement beau. Qui aurait pensé qu'il deviendrait si mignon ?

Ivy but un peu de thé en regardant le visage rond et posé de la mère de Joe Endell.

— C'est Isabel qui m'a dit de vous en parler.

— Vous êtes sûre que vous ne feriez pas mieux de vous reposer ?

— Je suis malade, Evelyn, mais j'ai toute ma raison.

Le soleil était très bas dans le ciel.

— C'est beau, dit Ivy. Le soleil à travers les arbres qui bourgeonnent... Cela vous concerne vous aussi, puisque Molly est la mère de Fred. Mais ce n'est pas facile, après avoir gardé le secret si longtemps. Molly n'est pas ma fille. Je l'ai adoptée, d'une certaine manière.

— Que dites-vous ?

— Voilà, commença Ivy en fixant toujours les grands arbres.

La soirée s'écoulait calmement. Sid Waterhouse et Fred Endell buvaient tranquillement leur bière à la cuisine tandis que leur petit-fils mangeait un œuf à la coque. Molly et Simon discutaient au salon devant des sandwiches au poulet. George Messiter, qui n'était pas un grand buveur, se reposait sur un banc devant la fenêtre, les yeux fermés. Sur la pelouse, des hommes démontaient déjà le chapiteau.

— C'est aussi bien que Tom s'en aille, disait Molly. Il menait une vie d'enfer ici.

— Je vous conseille de compter les bouteilles de champagne qui restent, dit Richard Mayhew qui entrait dans la pièce. Ils remballent à toute vitesse.

Sam Needham entra lui aussi.

— Ça y est, ils viennent de l'annoncer à la radio. Les Rose sont arrêtés.

Mais dans la bibliothèque, horrifiée, Evelyn Endell écoutait ce qu'Ivy avait à lui dire.

Molly n'entendit jamais parler de la conversation entre les deux femmes. D'ailleurs, elle était totalement absorbée par la production du Messiter et de plus, elle était amoureuse de Richard Mayhew. Mais si elle ne sut rien de ce qui s'était raconté dans la bibliothèque le jour du mariage de Joséphine, c'est surtout parce que l'approche de la mort d'Ivy obscurcissait tout le reste.

Désormais, elle avait quitté Beckenham pour une chambre dans un hôpital parmi les bois, à quelques kilomètres de là. Les deux fenêtres à l'angle du bâtiment donnaient sur les arbres aux feuilles rougeoyantes. Elle ne souffrait pas, mais son corps s'épuisait dans la lutte contre son ennemi intérieur qui l'entraînait inexorablement vers la fin. Elle ressemblait à un pays en guerre qui repoussait héroïquement une défaite inévitable. A certains moments, les autres, Sid y compris, souhaitaient la voir mourir en paix, sans que son corps ne résiste, sans que les traitements médicaux prolongent l'agonie. Pourtant, ils reconnaissaient que tant qu'Ivy avait besoin qu'on maintienne une fiction à laquelle elle ne croyait plus guère, il fallait continuer à vivre comme avant.

Un jour, Molly se trouvait près de sa mère endormie, se souvenant avec nostalgie de la femme énergique au rouge à lèvres criard, capable de se déchaîner dans des crises de colère terrifiantes. Elle se rappelait les mots acerbes, les gifles vigoureuses, les élans d'affection qui avaient animé leur taudis quand sa mère ouvrit ses yeux délavés.

— Mary, je suis très malade.

— Je sais, maman, répondit Molly en regardant le visage décharné.

— Sid est là ?

— Il va venir, dans une demi-heure.

— Il veut que je te dise... Sinon, il le fera lui-même. Cela fait des années qu'il veut le faire, mais je l'en ai toujours empêché. J'ai gardé le secret si longtemps...

— Cela ne fait rien, maman, dit Molly en se demandant si les médicaments n'avaient pas eu raison de la santé mentale de sa mère.

Une infirmière entra.

— C'est l'heure des soins, dit-elle, signifiant ainsi à Molly qu'il fallait qu'elle sorte.

— Pas maintenant, dit Ivy d'une voix faible.

— J'en ai pour cinq minutes.

— Je vais revenir, dit Molly.

Dans le parc, d'un air coupable, elle sortit sa calculatrice et refit quelques comptes. En fait, c'était inutile, tous les chiffres étaient

470

gravés dans son esprit. Une fois encore, il fallait qu'elle prenne de l'expansion, et qu'elle commence à respecter les lois du travail. Elle avait besoin d'une usine sur la côte Atlantique, à présent qu'elle devait satisfaire des commandes des Etats-Unis. Plus la production augmentait, plus les problèmes de réparations et de stockage des pièces détachées se compliquaient. A Framlingham, elle débordait déjà largement sur les limites de son territoire. Le statu quo ne pouvait pas durer plus longtemps, il fallait grandir ou mourir. Et à présent, elle avait plus de cinq cents personnes sous ses ordres. Elle avait trouvé une ancienne usine près de Liverpool, très bon marché, car là-bas, bien des entreprises avaient fait faillite. Mais de nouveau, il lui faudrait emprunter. Y aurait-il assez de logements pour les ouvriers qui accepteraient de déménager ? L'usine ferait-elle assez de bénéfices la première année pour payer les intérêts de l'emprunt ? Assez dans la seconde pour rembourser une partie du capital ? Et suffisamment dans la troisième pour réaliser quelques profits ? L'aventure valait-elle la peine ? Parfois, elle avait envie de tout abandonner et de persuader ses principaux associés, George, Wayne, Shirley, Tom et Isabel, de vendre et de profiter de l'argent gagné. Finalement, ce n'était pas seulement une affaire de chiffres, mais aussi de décision personnelle. Les autres avaient envie de la voir continuer. Shirley manifestait un optimisme prudent. Mais elle seule devait savoir si elle était prête à poursuivre le combat.

Elle se leva pour retourner auprès d'Ivy, tout en poursuivant sa réflexion en chemin. Il y avait encore la fabrique de vêtements, et les boutiques de Covent Garden. « Si tu ne faisais pas tout ça, lui avait dit un jour Tom d'un ton morose après un rendez-vous chez l'avocat, tu trouverais le moyen de recueillir des petits chats perdus ! ». Pourtant, elle n'avait pas le choix. « Je sais que c'est idiot de se démener comme ça, mais ce serait encore pire si j'avais accepté de faire partie d'une grande société, avec tous les problèmes des conseils d'administration, des actionnaires et des syndicats ! Non, elles sont trop gourmandes, et elles ne résisteront jamais aux temps difficiles. Moi, je dispose d'une structure plus souple, c'est peut-être ce qui me sauvera. Ne t'inquiète pas, Tom, tu es avocat, et je crois que tu ne manqueras pas d'affaires à démêler au cours des années à venir. »

Tom avait acquiescé. Le couple avait engagé une procédure de divorce. Tom vivait avec son petit ami dans un appartement à Londres. Il avait un nouveau travail. Les deux hommes avaient un chien, appelé M. Brown, et parfois, Molly enviait le bonheur tranquille du couple.

« Est-ce que cela t'ennuie si je continue à porter ton nom après le divorce. Un lord, cela sonne toujours bien pour les Américains.

— Bien sûr que non. Je dois y aller, avait-il ajouté en jetant un coup d'œil à sa montre. Tu as l'air en forme, j'espère que tu es heureuse.

— Oui. Pour toi aussi, tout va bien, ça se voit. »

Ils s'étaient séparés. Tom était retourné à son travail et Molly avait pris la route de Framlingham.

Elle se souvint de cette scène en montant l'escalier ciré qui menait à la chambre de sa mère. Elle et Tom avaient suivi des routes différentes, mais pour Ivy, il ne restait plus que le chemin qui conduisait dans un autre monde. Sa mère avait les yeux fermés, apparemment, les soins l'avaient épuisée.

— Mary ? Sid est arrivé ?

— Pas encore. Il ne va plus tarder.

— Je croyais que c'était l'heure.

Le ton de sa voix inquiéta Molly.

— Je vais téléphoner pour voir s'il est en route.

— Tu n'es pas encore parti ? dit-elle à Sid.

— J'enfilais mon blouson. Elle est plus mal ?

— Je ne sais pas, elle ne cesse de te demander.

— J'arrive.

Molly retourna dans la chambre de sa mère.

— Sid arrive.

— Bon, c'est bien. Tu sais ce que je voulais te dire...

— Oui ?

— Soulève-moi un peu, dit Ivy, une certaine urgence dans la voix.

Avec précaution, Molly remonta le corps frêle sur les oreillers. Elle avait peur de briser les os qui saillaient sous la peau.

— Je vais être directe, tu n'es pas ma fille.

— Maman ? dit Molly en observant le visage ravagé.

Ivy devait délirer sous l'effet des analgésiques. Mais quelle idée épouvantable ! Molly se sentait blessée de voir que l'imagination perturbée de sa mère avait produit un rêve où elle rejetait sa fille.

— Tu crois que je perds la tête, pourtant, c'est la vérité.

Molly, ne sachant que penser, inspira profondément.

— De toute façon, cela n'a pas d'importance. Tu as été ma mère, une bonne mère, c'est tout ce qui compte.

— J'espère, j'ai fait de mon mieux. Mais parfois, avec tout ce qui t'est arrivé, j'ai pensé que tu aurais eu une vie plus heureuse ailleurs.

— Mais je suis très heureuse, maman, dit Molly, bouleversée.

A ce moment-là, il lui importait peu d'être ou non une enfant adoptée. Seul le présent comptait. Pourtant, à chaque instant, Ivy s'enfonçait un peu plus loin dans le mystère. Mais il n'y avait guère de temps pour se pencher sur le passé.

— Ne t'inquiète pas, maman, tout va très bien. Dis-moi ce que tu as envie de dire, mais surtout ne te fatigue pas. Une mère, c'est

472

celle qui t'élève, tu as été la mère de Josie aussi, la plupart du temps. Tu t'es occupée d'elle quand je n'étais bonne à rien. C'est toi qui l'as sauvée.

— Elle est ravissante.

— Merci, maman.

— Tu ne me crois pas, Mary ?

En fait, ce fut l'insistance d'Ivy à l'appeler par son véritable prénom oublié depuis longtemps qui suggéra à Molly que sa mère disait peut-être la vérité.

— Tom Totteridge t'a trouvée dans une maison bombardée, et il a rencontré Sid en chemin. Il t'avait mise sur sa charrette. Il t'avait prise dans ses bras, et il t'avait descendue. Tu étais une jolie petite fille, toute sale, à cause de la fumée. Il n'y avait personne d'autre dans la rue.

Molly regardait sa mère, horrifiée.

— Sid t'a ramenée à la maison. J'avais perdu mon bébé à cause des bombardements. Un obus est passé tout près de moi, et je suis tombée. Je me suis relevée, et puis, je me suis évanouie. Un homme m'a emmenée à l'hôpital, mais toutes les rues étaient bloquées. J'ai failli mourir. Et après, j'en suis quasiment devenue folle. Je n'arrêtais pas de taper sur Jackie. Il a fallu qu'on nous sépare. Il est allé vivre chez ma sœur. Tu comprends, je voulais une fille, et le bébé aurait été une fille. Je n'avais plus ma tête. Je ne savais pas ce que j'allais devenir. Et puis, il n'y avait pas tous ces médicaments à l'époque. On ne pouvait rien y faire. Le vieux Tom savait dans quel état j'étais. Un jour, il m'avait trouvée en larmes dans la rue, et il m'avait raccompagnée à la maison. Et quand il a rencontré Sid, ce matin-là, il a dû penser que cela me ferait du bien. Au début, je croyais même que tu étais ma fille. Après, j'ai compris que ce n'était pas vrai. Mais personne n'est jamais venu te réclamer, alors je t'ai gardée...

L'autre... L'autre enfant ! Mon Dieu ! Soudain, Molly se souvenait de ce que lui avait raconté Peggy dans le pub : « C'est la petite fille qui criait. Elle était en dessous du lit avec son frère par-dessus elle, mais son visage était libre. Et la pauvre mère qui brûlait sur les draps. »

— J'espère que les pauvres gosses ne se sont pas rendu compte à quel point c'était atroce.

— Qui ? demanda Ivy.

— Les enfants, répondit Molly, sachant à peine ce qu'elle disait.

Elle ne pouvait pas dire toute la vérité à sa mère. Comment Ivy se pardonnerait-elle en sachant ce qui s'était produit plus tard ? Molly ne savait que dire ni que faire. Ivy lui avait révélé le secret si bien gardé pendant des années, et à présent, il ne restait plus à Molly qu'à garder le secret caché derrière le premier.

L'atmosphère lourde de la pièce sentait déjà la mort. Molly respirait difficilement.

— Merci de m'avoir dit la vérité, maman. Mais je suis toujours ta fille. Cela n'a pas d'importance, dit Molly en retenant ses larmes. Cela n'a pas d'importance. Tu m'as sauvée de l'orphelinat, comme tu as sauvé Josie...

Elle fatiguait Ivy, enfoncée dans les oreillers, les yeux grands ouverts, le regard fixe, complètement exténuée. Molly souffrait du contraste entre sa propre vitalité et le corps de sa mère dont la dernière étincelle de vie s'était pratiquement éteinte. Ivy, à demi conscience revoyait Lil Messiter s'approcher d'elle à Meakin Street.

— Bonjour, Lil..., murmura Ivy.

Molly se pencha pour comprendre les mots, mais elle n'entendit rien.

La porte s'ouvrit. Molly se retourna en mettant un doigt sur la bouche et hocha tristement la tête.

— Elle m'a raconté comment Tom Totteridge m'avait trouvée... C'était plutôt une bonne affaire pour un chiffonnier !

Molly se leva, embrassa son père et sortit tranquillement de la pièce, mais Sid la suivit.

— Je ne cessais de lui dire que tu devais savoir. Mais elle en devenait folle, réagissait comme avec les Flanders après la mort de Jim. C'est à ce moment-là qu'elle s'en est souvenue. Elle aurait dû te le dire plus tôt.

— Cela n'aurait rien changé. Les enfants, ce sont ceux qu'on élève, pas vrai, papa ?

— Je dois y retourner.

Dans le couloir, Molly rencontra l'infirmière.

— Elle est très faible, dit Molly. Vous croyez...

— Elle est heureuse, c'est ce qui compte.

— Combien de temps lui reste-t-il à vivre ? demanda brutalement Molly.

— Difficile à dire. Elle ne souffre pas, mais cela ne durera plus longtemps maintenant.

— Une question de jours ?

— Non, même pas.

— Merci, dit Molly.

En descendant dans le hall, elle croisa son frère Jack.

— Bonjour, je croyais que tu venais demain.

— Je suis passé en revenant d'une réunion. Comment va-t-elle ?

— Plutôt mal. J'ai parlé à l'infirmière. Elle dit que c'est pour bientôt, même pas une question de jours.

— J'ai dû avoir une intuition, soupira Jack. Tu vas appeler Shirley ?

— Ce n'est pas la peine pour le moment. Tu veux qu'on aille boire quelque chose ? Sid est déjà avec elle et elle dort.

474

Ils allèrent au bar et commandèrent du thé. Jack paraissait désespéré.

— Elle ne souffre pas, dit Molly.

— Oui, mais elle va mourir. Qu'est-ce qu'elle nous a donc fait, pour que nous soyons tous agités comme ça ? explosa-t-il soudain. Tu t'es déjà mariée trois fois, et maintenant tu fabriques des motocyclettes. Moi, j'attends la révolution au Parlement, et Shirley a épousé un Chinois maintenant, pourtant, c'était elle la plus calme. Pourquoi ne menons-nous pas des vies tranquilles de fonctionnaires ?

— C'est peut-être un peu la faute d'Ivy, mais il ne faut pas oublier que nous sommes des enfants de l'après-guerre. Beaucoup plus de possibilités s'offraient à nous. Ivy a sûrement joué aussi un rôle, avec tous ces cris...

— Nous devons avoir de drôles de gènes quelque part.

— Parle pour toi. J'ai une nouvelle à t'annoncer. Je ne suis pas ta sœur et donc, tu n'es pas mon frère. On m'a trouvée dans une maison bombardée.

Jack la regardait, se demandant si elle plaisantait.

— Ivy vient juste de me le dire.

— Elle délire !

Soudain, son visage se crispa.

— Mais au fait, c'est peut-être bien vrai. J'étais chez tante Win quand on m'a annoncé que j'avais une petite sœur. Et quand je suis revenu, tu étais là et tu suçais ton pouce. Je m'en souviens, maintenant.

— Tu n'as pas demandé pourquoi je n'étais pas un vrai bébé ?

— Si, si, ça aussi, je me le rappelle. Je crois que j'ai reçu une gifle pour la peine. Je me demande si c'est vraiment arrivé. Tu sais, je n'ai pas beaucoup de souvenirs d'enfance, dit-il comme pour s'excuser. Je ne me souviens pratiquement pas des bombardements par exemple. Je me rappelle quand même qu'on m'enfermait dans la cave à charbon et que je me demandais si on me laisserait sortir. Mais après, Ivy m'a juré que ce n'était pas vrai, alors je n'ai jamais été sûr de rien.

Jack alla chercher deux autres tasses de thé.

— C'est quand même bizarre, dit-il en revenant. C'est possible que j'aie tout oublié, mais les autres ? Tu ne vas quand même pas me dire que personne n'était au courant, pas dans cette rue ! J'ai l'impression qu'elle a tout inventé. C'est affreux.

— Ça n'a pas d'importance. Moi, je la crois. Tu sais, c'était la guerre. Les hommes étaient partis au combat, les femmes travaillaient, tout était sens dessus dessous. Ivy avait fait une fausse couche, elle en avait perdu la tête. C'est pour ça que le vieux Tom lui a donné la petite fille, un peu comme on offre une poupée. Et tu connais Meakin Street, ceux qui étaient au courant devaient se taire, pour ne pas faire de peine à Ivy. Les voisins n'étaient pas toujours très tendres, mais ils avaient des limites, comme ne jamais rien dire aux propriétaires ou à la police. Mais c'est peut-être pour ça que maman a si mal traité Elizabeth Flanders, après la mort de Jim. Elle avait peut-être peur qu'elle crache le morceau et qu'elle hurle dans la rue que de toute façon personne ne savait d'où je venais.

— Je ne sais vraiment pas quoi en penser. Je ne sais pas ce qui m'inquiète le plus, qu'Ivy délire ou que tu la croies si facilement.

— Peu importe, Jack.

Finalement, Jack sembla décider que Molly ne réagissait pas normalement sous le coup des émotions. Il lui caressa gentiment le bras.

— Tu veux rentrer avec moi à Pimlico, ce soir ? Tu retourneras dans le Kent demain matin.

— Non, merci, je me suis arrangée pour passer la nuit à Londres.

— Je vais voir maman.

En fait, Molly n'avait rien prévu, mais elle redoutait terriblement la sollicitude de sa belle-sœur. Elle téléphona à Sam Needham qui l'invita à passer la nuit à Meakin Street.

Molly se trouvait donc au 19, Meakin Street, dans la maison où elle avait grandi, où elle avait vécu avec Joe Endell et conçu son enfant quand Sid téléphona à trois heures du matin.

Elle s'était endormie en songeant que, selon toute probabilité, Joe était son frère. Si Ivy disait vrai — et ses propos étaient corroborés pas le récit de Peggy Jones et les papiers qu'Evelyn Endell lui avait montrés —, on les avait trouvés tous les deux dans la même maison. Rien ne prouvait qu'ils étaient frère et sœur, mais cela semblait logique. Pourtant, cela ne l'inquiétait guère. Pour elle, elle était toujours l'enfant de Sid et Ivy Waterhouse et peu importait l'identité de ses véritables parents. Et, selon le même raisonnement, elle était sœur de Jack et Shirley, et non pas de Joe. Le reste faisait partie du passé et n'avait pas grande signification. L'important, c'était son mariage avec Joe, et non pas un quelconque certificat de naissance. Elle dormit donc paisiblement jusqu'à ce que le téléphone la réveille. Immédiatement, elle sut ce qu'on allait lui dire.

— Molly, c'est fini, dit Sid.

— Oh, papa ! papa !

— Elle a eu une mort très douce. Elle est sortie du coma, je crois qu'elle savait... Elle t'a envoyé tout son amour, elle t'a dit au revoir...

— Ce n'est pas juste.

La vérité était difficile à admettre. Elle ne la reverrait plus jamais !

— Tu veux que je vienne ? Tu préfères venir ici ?

– Je suis fatigué. Je vais aller dormir dès que j'aurai téléphoné à Jack.

– Je passerai demain matin.

– Je suis content que cela se soit passé maintenant. Elle a lutté trop longtemps. Il fallait que cela arrive. Il y avait longtemps que je m'y attendais, j'étais prêt.

– Elle est soulagée, maintenant. A demain, papa.

Assise sur le divan du salon, Molly respirait difficilement, comme si elle était elle-même menacée de mort. Elle se sentait vide. Elle ne parvenait pas même à pleurer.

Par une froide journée de novembre, on enterra Ivy dans le cimetière de l'ouest londonien. Il n'y avait plus une feuille sur les arbres. Dans la voiture, Richard Mayhew passa le bras autour de la taille de Molly. Fred se blottissait contre Joséphine.

On fit descendre le cercueil dans la terre fraîchement creusée. Puis la petite compagnie s'en alla, abandonnant Ivy, seule, dans la terre. Sur le chemin, Molly s'adressa à Sam Needham et à sa femme.

– Merci d'être venus.

– C'était une brave femme, ce n'était pas facile d'élever des enfants à Meakin Street.

– Oui, en fait tout le problème est là. Avant de mourir, elle m'a dit que je n'étais pas sa fille. Elle m'a dit qu'un vieil homme m'avait trouvée dans une maison bombardée.

– J'ai déjà entendu une histoire comme ça, mais je pensais qu'il s'agissait de Joe...

Sa voix retomba. Une bourrasque de vent glacé fit venir les larmes aux yeux de Molly.

– Oui, c'est bien ça l'ennui. Je pense que nous étions deux.

Sam comprit immédiatement.

– Oh, mon Dieu ! s'exclama-t-il avant de regarder sa femme qui ne semblait pas écouter. Mieux vaut ne pas en parler. Je peux faire une enquête, Molly, mais es-tu sûre de vouloir...

– Oui, répondit Molly d'un ton ferme. J'ai un pressentiment. J'ai l'impression que c'était un dernier message. Ivy voulait que je sache la vérité.

– Bon, très bien. Il y a peut-être des gens qui sont au courant.

Jack, Helena et Richard Mayhew les rejoignirent.

– Jack, j'espère que cela ne vous ennuie pas que nous soyons venus. Votre maman nous manquera beaucoup.

– Nous allons manger quelque part, vous voulez venir avec nous ?

Finalement, cet enterrement dans l'intimité n'allégea pas le chagrin de Molly. Cette nuit-là, elle se réveilla en larmes à Framlingham avec l'impression de s'être débarrassée d'Ivy à la va-vite. Au lieu de réveiller Richard qui dormait paisiblement, ses cheveux noirs plutôt longs étalés sur l'oreiller, elle se leva. Soudain, elle se sentit très loin de lui. Il n'avait que cinq ans de moins qu'elle, mais elle ne pouvait s'empêcher de penser, qu'en termes d'expérience, il était beaucoup moins mûr. C'était bizarre, en tant qu'auteur, il était censé comprendre les choses, mais des gens plus jeunes comme Joséphine ou Wayne semblaient avoir plus de prise sur la vie. « Comment pouvait-il comprendre Ivy ? » se demanda Molly en descendant l'escalier dans l'obscurité. Ivy, qui n'avait pratiquement aucune culture, qui avait passé toute sa vie à surmonter des situations qui ne dépendaient pas d'elle. Ivy dont l'épitaphe pouvait seulement dire qu'elle avait élevé ses enfants, soigné son mari, sans jamais faire le moindre mal à quiconque. Malgré sa pauvreté, elle avait adopté la fille d'une autre femme, qu'elle avait nourrie, grondée, embrassée, aimée. Et Ivy, qui ne cessait de récriminer, ne s'était jamais plainte de cela, pas même dans les pires moments de la vie de Molly. Jamais elle n'avait rejeté la responsabilité des erreurs de sa fille sur un sang qui n'était pas le sien. Elle avait passé sa vie à soigner les rhumes, à faire la lessive et la cuisine pour une fille et ensuite une petite-fille qui n'étaient pas les siennes. Oui, Ivy avait été une bonne mère. Ce n'était pas une sainte, son expression était rarement placide, mais elle avait été bonne et généreuse. Richard ne voyait pas les choses de cette façon, pensa Molly et, tandis que le vent hurlait sur Allaun Towers, Molly pleura la mort de sa mère.

Bras dessus bras dessous, deux petites vieilles aux cheveux gris s'aidaient mutuellement à grimper la colline vers l'abbaye de Poulaye-sur-Bois. En humant les fumées d'un feu de bois dans l'air frais du matin, l'une d'elles se souvint d'une maison noire de fumée, d'un tas de briques carbonisées, de vieux meubles qui se consumaient, puis de bras qui la soulevaient et la portaient sous un abri au toit béant, ouvert au ciel bleu et calme. En inspirant l'air pur de la Loire, elle sentait encore l'âcreté d'un taudis en flammes, un drame de la guerre parmi tant d'autres.

Molly, se demandant toujours si elle allait ouvrir une usine dans le Nord, regardait à travers les trous d'un autre toit.
– Non, excusez moi, monsieur Donnelly. Il y a trop de réparations à faire, et avec le prix de la main-d'œuvre en ce moment... Il faudrait une entreprise plus solide que la mienne pour remettre cette banlieue sur pied.
De la fenêtre de l'usine en ruines qui fabriquait autrefois des pièces détachées pour des aspirateurs, des chariots et des ascenseurs, on apercevait quelques petites maisons écrasées par les gratte-ciel de la municipalité. Il y avait encore quatre ou cinq boutiques, mais deux seulement étaient éclairées en ce sombre

après-midi de novembre, une pharmacie et un marchand de vins et spiritueux.

— Pas de boutiques, des tours pleines de vandales et de voyous. Comment vivre ici quand on a des enfants ? poursuivit Molly. Il faut rester enfermé chez soi dès six heures du soir.

Donnelly, un petit homme en chemise rayée à l'accent distingué, lui répondit :

— Vous l'avez déjà fait ailleurs, madame Allaun.

— Oui, mais ici, il s'est produit un vrai désastre. Deux mille emplois perdus à la fermeture de l'usine, avec toutes les conséquences que cela entraîne. Je ne peux pas réhabiliter cet endroit avec une entreprise à petite échelle. Regardez cette femme qui entre chez le pharmacien, elle a peur, ça se voit.

— Cela ne durera pas toujours.

Debout près de la fenêtre, Molly se sentait écrasée de fatigue. Tout le pays semblait s'endormir sous un épais nuage d'inertie, comme autrefois il fourmillait d'activité sous un épais nuage de fumée. Parfois, elle était désespérée d'avoir à combattre une telle situation. Et les optimistes invétérés comme Donnelly n'arrangeaient rien.

— Non, il y a trop de misère ici.

Donnelly la suivit. Elle devina un regard admirateur derrière elle. Elle suscitait plus d'admiration aujourd'hui en tant qu'un des rares industriels qui réussissaient encore, que la jeune et jolie Mary Waterhouse, veuve d'un assassin, petite amie d'un gangster. « Le monde a la mémoire courte quand ça l'arrange ! » pensa Molly.

— Je suis désolée de vous avoir fait perdre votre temps, monsieur Donnelly. Je me doutais que cela ressemblerait à ça, mais il fallait que je voie par moi-même.

— Ce n'est rien, dit poliment Donnelly.

— Est-ce que cela vous ennuierait de me raccompagner à Meakin Street ?

Shirley insistait pour que Molly prenne un bureau au centre de Londres. Il devenait impossible de gérer les affaires de Framlingham et de se déplacer sans cesse pour rencontrer les clients, à moins que ce ne fussent eux qui se déplacent. Molly trouvait que les locaux de la capitale étaient beaucoup trop chers, que le quartier regorgeait de cadres en costume trois-pièces qui abusaient de leurs privilèges et de secrétaires qui passaient leur temps à arroser les pots de fleurs. Pour elle, s'installer là-bas signifiait la ruine. Finalement, elle transforma le rez-de-chaussée de Meakin Street en bureau, tout en conservant un minuscule appartement dans les pièces du haut. Shirley et son nouveau mari, Ferdinand Wong, habitaient à quelques kilomètres de là. Wayne, qui s'était marié avec une fille du village, s'était fait construire une coquette maison à l'extérieur de Framlingham. Les sentiments racistes à l'époque du mariage s'étaient vite évanouis devant les revenus de

Wayne et son titre de directeur. Ses enfants allaient à la crèche avec les autres, car, comme le lui avait dit Molly : « Quand nous sommes arrivés ici avec nos guenilles et nos têtes pleines de poux de petits réfugiés, nous étions au moins aussi noirs que toi. Mais tout s'est arrangé, et ce sera pareil pour tes enfants. » Comme d'autres travailleurs noirs s'étaient installés et mariés dans la région, les sociologues de l'université du Sussex s'intéressèrent au phénomène et vinrent sur place analyser les tensions raciales. Le seul incident grave ayant été l'agression du directeur du supermarché par la femme indienne de l'un des ouvriers noirs, ils en conclurent que les problèmes étaient moins exacerbés que dans les villes.

Molly qui avait insisté pour que Donnelly la dépose devant le Marquis de Zetland remonta la rue à pied. Donnelly l'avait saluée avec une admiration respectueuse. Molly avait passé la quarantaine à présent, mais elle était grande et bien faite, et très peu marquée. Elle portait un ensemble bleu à jupe ample, des bottes, et un béret rose. « Bon, eh bien, ce sera Liverpool », pensa-t-elle en avançant dans l'obscurité. Soudain, elle revit la silhouette de Johnnie Bridges l'attendant devant la porte sous la pluie et l'entendit lui murmurer : « Moll ? » A cette époque, elle était serveuse au Marquis de Zetland, et aujourd'hui, les ordinateurs l'attendaient. Elle se sentit écrasée sous le poids des responsabilités, Allaun Towers, la famille, les affaires... C'est toi qui l'as voulu, se dit-elle.

— Du nouveau ? demanda Molly à l'homme qui se tenait derrière le bureau.

— Pas grand-chose. Il y a un monsieur Sam Needham qui vous attend en haut. Et les gens de Liverpool veulent que vous les appeliez le plus vite possible.

— Je vais voir Sam d'abord.

— Sam ! dit-elle en entrant au salon. C'est du thé ?

— Je viens de le faire. Content de te voir, Molly. Alors, il paraît que Jack dirige la commission Défense du parti ?

— Oh, ne me parle pas d'eux ! Ils sont toujours en train de mettre des bâtons dans les roues aux hommes d'affaires en difficulté et ils ne cessent de se plaindre que l'industrie s'écroule !

— Ah, nous ne serons jamais d'accord là-dessus, ma chère Molly. Tu n'es qu'une capitaliste. Je sais que tu fais de ton mieux, mais si toi, tu ne respectes pas les règles, personne ne le fera. Il y a une limite entre la philanthropie et l'exploitation. De toute façon, je crois que tu vas avoir un choc.

— Impossible, j'en ai déjà trop vu. Essaie toujours.

— C'est à propos des gosses du bombardement. J'ai parlé à une vieille dame de l'hôtel de ville. Elle se souvenait d'une histoire que Lil Messiter lui avait racontée un jour où elle était saoule, Lil bien sûr. En fait, elle lui a dit que le vieux chiffonnier avait bel et bien rencontré Sid dans la rue et qu'il lui aurait confié une petite fille. Le garçon, il l'a conduit à l'orphelinat.

— Mais les gens de la rue devaient être au courant ? dit Molly en ouvrant un paquet de biscuits. Certains au moins. Comment ça se fait que rien n'ait jamais transpiré ?

— Aucune idée. J'imagine que la vie était déjà bien assez agitée sans cela. Et puis, tu as été évacuée peu de temps après et quand tu es revenue avec Jack, tout le monde devait avoir oublié que vous n'étiez pas frère et sœur. Les hommes revenaient du front, tout le monde changeait de vie...

— Oui, mais après, ça n'a pas arrêté de jaser. Le bébé qui était né dix mois après le départ du père, le vase qu'on avait trouvé à un endroit où il n'aurait jamais dû être, la femme qui s'était trimbalée avec des G.I. Alors, pourquoi m'aurait-on oubliée dans la série ?

— Oh, on a dû en parler, mais jamais devant Ivy. Tu sais comment elle était quand elle se mettait en colère.

— Je me demande qui est ma mère. Je pourrais peut-être le savoir.

— On m'a dit qu'elle était toujours en vie quand on l'a conduite à l'hôpital.

— Ah ! Effectivement, pour être un choc... Elle est peut-être toujours vivante, alors ?

Il y eut un moment de silence.

— Oh, mon Dieu, finit par dire Molly.

Sam Needham hocha gravement la tête.

— N'essaie pas d'en savoir plus, Molly. Si elle est toujours vivante, elle a peut-être de bonnes raisons pour ne pas chercher à retrouver ta trace. Et puis, si elle confirmait que Joe et toi étiez bien frère et sœur ? Pense aux conséquences pour Fred.

— J'y ai pensé, cela ne change rien, on ne l'a pas fait exprès ! Dans quel hôpital l'a-t-on emmenée après l'incendie ?

— L'hôpital Saint-Mary. J'ai demandé si l'on pouvait consulter les dossiers, mais la réponse est non. L'annexe où se trouvaient tous les papiers a été bombardée en 1944. Il ne reste plus rien. Vingt ou trente ans de dossiers partis en fumée. Plus aucune trace de son entrée ni de sa sortie. Elle est sans doute morte. Molly, sois raisonnable, elle aurait sûrement recherché ses enfants si elle avait été encore en vie. La police aurait fait une enquête, on aurait retrouvé Joe en premier et toi ensuite.

— Pauvre femme, pas de mari, pas de famille, pas de nom... Je me demande ce que cela signifie.

— Il y a une chose qui va t'étonner. Lil avait dit à la vieille de l'hôtel de ville, qu'Ivy recevait de l'argent pour toi jusqu'à ce que tu partes à Framlingham. Des billets dans une enveloppe. Jamais un mot. Elle pensait que c'était pour toi, elle t'achetait de la nourriture au marché noir, et cela permettait aussi d'améliorer l'ordinaire du reste de la famille.

— C'est impossible, dit Molly.

Soudain, elle se souvint de l'œuf qu'elle devait manger en cachette.

— Apparemment, Ivy s'est mise à avoir des soupçons, et a pensé que cet argent allait lui attirer des ennuis. Elle avait peur qu'on vienne lui demander des comptes un jour. Alors, quand les enveloppes ont refait leur apparition après la guerre, elle les a renvoyées avec la mention « N'habite pas à l'adresse indiquée ». Mais elle avait raison de croire que c'était pour toi, parce que les versements se sont arrêtés pendant ton absence et ont repris à ton retour. C'est bizarre, non ? Il y avait peut-être un père quelque part, un homme marié ou je ne sais quoi, qui cherchait à apaiser sa conscience. Ou simplement un excentrique charitable qui avait entendu parler de ton histoire.

— Sam, tu sais aussi bien que moi, que la charité publique n'était guère de mise à Meakin Street. Tout le monde crevait de faim, mais les seules âmes bienveillantes, c'était l'Armée du Salut, et encore, les jours de chance. Il y avait sûrement quelqu'un qui était au courant. Tu as sans doute raison pour le père qui n'avait pas la conscience tranquille. Je suppose que personne ne savait d'où venaient les enveloppes ?

— S'il y avait eu le moindre indice, Ivy aurait retrouvé la piste de l'expéditeur, le contraire serait étonnant.

— Eh bien, cela restera sans doute le mystère du siècle, je ne vais sûrement pas me mettre à remuer ciel et terre. J'écrirai tout cela pour Fred, ça l'intéressera peut-être quand il sera plus grand.

— Effectivement, ce serait mieux comme ça. Bon, je dois y aller, nous allons choisir les candidats pour les élections municipales ce soir.

— Merci, Sam. Surtout, ne parle de rien.

— Ne t'inquiète pas. Joe me manque toujours, ajouta-t-il.

— A moi aussi.

« Je n'ai ni famille ni ami, pensa Molly, et j'ai changé si souvent de nom que je ne sais plus lequel est le mien. » Et si Mary Waterhouse n'était même pas Mary Waterhouse, Molly Flanders et Lady Allaun lui semblaient encore plus étrangers qu'auparavant. Avec ces sombres pensées à l'esprit, elle descendit vérifier des comptes déjà annotés par Shirley et Ferdinand Wong.

Un peu plus tard, Richard Mayhew vint la rejoindre pour dîner, après une répétition de sa dernière pièce qui s'était assez mal passée. Il était très irritable et Molly avait la tête ailleurs. Il lui parla un peu de ses problèmes puis lui demanda :

— Il y a quelque chose qui ne va pas ?

— J'ai envie de manger une part du pudding d'Ivy, tout d'un coup, dit Molly en reniflant.

— Oh, là, là !

Soudain, Molly songea qu'elle avait peut-être toute une famille, frères, sœurs, oncles, tantes et cousins. Le père coupable pouvait très bien être encore vivant. Son père, et celui de Joe aussi !

— Demande à Shirley de t'en faire un, Ivy lui a sûrement passé la recette. Et puis, tu pourras en mettre un dans chaque poche, comme ça, tu seras plus lourde pour aller te jeter dans la Tamise ! dit Richard qui commençait à se lasser du manque d'énergie de Molly.

« Il s'éloigne de moi, rien d'étonnant, car moi aussi, je m'éloigne de lui », pensa Molly.

Tout avait commencé lorsque Richard lui avait téléphoné le lendemain du mariage de Joséphine et l'avait invitée à venir voir sa pièce à Shaftesbury Avenue avant d'aller dîner. Molly avait accepté, mais elle avait trouvé le spectacle totalement incompréhensible. Une foule de personnages entraient et sortaient d'un salon d'une maison de campagne pendant les années trente, se lançant d'étranges remarques que Molly n'avait jamais entendues auparavant.

Pendant l'entracte, elle lut le programme pour avoir une idée de ce dont parlait la pièce. Gênée, elle alla rejoindre Richard Mayhew et fut obligée de lui avouer qu'elle trouvait les dialogues très hermétiques.

— Je ne suis pas très cultivée, expliqua-t-elle. Je ne comprends même pas de quoi ça parle, mais je crois que le public est intéressé.

— Oui, je sais, répondit Richard en tournant ses yeux bleus vers elle. J'ai bien peur de ne m'adresser qu'à un petit groupe d'intellectuels.

Après le spectacle, Molly avait rencontré les acteurs dans les loges.

— Intéressant, n'est-ce pas ? dit-elle à un vieil homme.

L'acteur tourna son visage ruiné par l'alcool.

— Une nullité prétentieuse, ma chère.

Soudain, Molly reconnut Christopher Wylie, mais lui ne savait pas à qui il s'adressait.

— Alors, pourquoi y jouez-vous ? demanda Molly, se souvenant des vieux jours avec un sourire amusé.

— Je dois entretenir huit personnes ! dit-il en prenant une énorme liasse de billets dans son tiroir.

A ce moment, Richard Mayhew arriva en riant.

— Si jamais vous arrivez à vous débarrasser de lui, n'oubliez pas qu'il y a mieux à faire que de consoler un vieil homme.

— Oui, oui, je m'en souviendrai, dit Molly en riant elle aussi.

Au cours du dîner, Molly demanda à Richard, plus par politesse que par réel intérêt :

— Ce sont les idées de gauche qui vous intéressent ?

— Plus ou moins.

— Cela m'a étonnée de voir tous ces riches se lever et applaudir.

Vous savez, moi, je fais partie d'une famille de prolétaires, ils sont travaillistes comme Jack. Et les gens des classes aisées, on les trouve au parti conservateur. Mais tous ces gens habillés comme des conservateurs et qui pensent travailliste, ils ne comprennent pas que c'est eux qui souffriraient si on redistribuait les revenus. Ils paieraient plus d'impôts, par exemple.

— Je ne connais pas la réponse. Mais vous avez déjà dû en recevoir avec votre mari qui était député.

— Non, non, jamais.

C'était sans doute le genre d'individus que Joe évitait soigneusement.

Leur liaison avait commencé comme un rêve. Pendant quinze jours, Molly avait oublié ses problèmes de femme d'affaires, ses questions sur une installation éventuelle à Liverpool. Elle s'abandonnait aux joies des longues nuits d'amour, des journées passées au soleil, des sorties au théâtre, à l'insouciance d'une aventure amoureuse dans un monde qui n'était pas le sien. C'est en retournant progressivement à la vie quotidienne, en allant chercher Fred qui revenait de colonie de vacances, en écoutant Isabel se plaindre des nouvelles fenêtres déjà disjointes, en remarquant que soixante cadres de motocyclettes s'étaient abîmés à force d'être restés trop longtemps dehors, qu'elle commença à avoir les premiers doutes sur cette aventure. Richard avait renoncé à son appartement londonien pour venir vivre avec elle à Framlingham. Molly se mit à se poser des questions sur la femme et les enfants de Richard qui vivaient à Hove. Mal à l'aise, elle jouait les femmes d'affaires et les hôtesses campagnardes pour les amis artistes de Richard, pourtant, Isabel semblait heureuse et apparemment adorait sa nouvelle vie.

Finalement, elle avait installé une usine à Liverpool, et ces fêtes permanentes la fatiguaient. Elle se sentit soulagée d'aller passer une semaine en Ecosse ; et, en coiffant un chapeau qu'elle avait trouvé dans les affaires d'Ivy, elle claironna joyeusement devant son miroir :

— C'est bien vrai, je suis comme Lazare, ressucitée des morts, une fois de plus. Comment fais-tu, Lady Allaun, pour être si belle et si insouciante alors que ta nouvelle usine va peut-être se mettre en grève, que tu as cent mille livres de dettes et que si cela ne s'arrange pas bientôt, la faillite te guette au tournant ?

— Je ne comprends pas pourquoi tu as accepté cette invitation à Aberdeen, lui dit Richard.

— Cela fera une sortie pour Fred, répondit Molly, ignorant la morosité de son amant.

— Eh bien, j'espère que tu apprécieras la compagnie de ceux qui détruisent notre environnement.

— Oh, j'en ai assez de ces propos de la gauche bien-pensante. Ce sont des paroles en l'air. Et puis de toute façon, il y a un type qui m'a proposé des prix intéressants pour le nouveau moteur si je passe des commandes importantes. Alors, j'y vais pour les affaires aussi bien que pour le plaisir, c'est encore pire, je suppose, mais il n'y a rien de nouveau.

— Alors, tu continues à employer des travailleurs au noir, lui avait dit quelques jours plus tôt son frère Jack. C'est incroyable. Tu ouvres une nouvelle usine, mais tu ne renonces pas à tes vieilles pratiques.

— Tu sais à quelle époque nous vivons ? Nous sommes en octobre 1982, il y a trois millions de chômeurs. Alors, qu'est-ce qu'il faut faire ? Une chose est sûre, toi, tu ne perdras pas ta place. Le jour où on rassemblera les circonscriptions pour diminuer le nombre de députés, tu pourras me traiter de négrier !

— En fait, pour le gouvernement, des gens comme toi, c'est le paradis.

— Et vous, les politiciens, vous n'êtes que des rêveurs.

— Tu ne comprends pas que tu fonctionnes sur des modèles archaïques. Tu t'adaptes pour survivre.

— Comme les rats ?

Ils se promenaient sur les bords du lac dans le crépuscule. Sur l'autre rive, on apercevait de jeunes plants d'arbres protégés par un grillage.

— Non, j'exagère, pour moi aussi, cet endroit était un rêve autrefois.

Jack avait acquiescé d'un signe de tête. Fred arriva en courant, ses boucles blondes sautillant sur son visage rose de santé.

— Je vais jouer au foot avec Richard au village.

— J'espère qu'il est de bonne humeur, dit Molly en retournant vers la maison. Et surtout, ne commencez pas à vous battre à propos de politique.

— Bon, très bien, admettons que c'est son tempérament d'artiste qui le rend si agressif.

— Ça et tes maudits principes !

Dans la cuisine, Molly préparait un café avant de partir. Fred, impatient de prendre l'avion pour Aberdeen, était déjà prêt. Molly se sentait un peu morose. Cela faisait neuf mois à présent qu'elle connaissait Richard. Lors de la première nuit qu'ils avaient passée ensemble, il avait presque fait renaître le corps qui s'était éveillé dans les bras de Johnnie Bridges. Ce n'était pas le même que celui qu'elle avait donné à Joe Endell. Avec lui, faire l'amour se confondait avec la personnalité de Joe, avec la vie elle-même, avec l'enthousiame et l'optimisme qui les animaient tous deux. Pendant des années, elle avait dormi avec Joe pour lui exprimer son amour, pour parler avec lui, pour se sentir plus proche. Leur lit était un monde à eux, dans un univers où ils manquaient d'intimité. Avec Richard, comme avec Johnnie, la relation sexuelle ne les rapprochait pas. Elle ne l'avait pas compris au début, mais à présent, en lui apportant son café au lit, son chapeau toujours sur la tête, elle sut qu'ils n'iraient pas plus loin ensemble. Il n'avait rien à lui donner, il n'était là que pour prendre.

Elle était contente de s'éloigner et d'aller voir sa nouvelle usine.

Avant l'ouverture, George Messiter était très inquiet :

— Je ne veux pas aller là-bas, ce sont des sauvages.

Wayne, qui n'avait pourtant guère envie de se transplanter dans une autre région, s'était montré plus philosophe.

— George, il est comme vous, il pense toujours que la civilisation s'arrête à dix kilomètres au nord de Londres. Mais nous, on nous a trimbalés d'Afrique aux Antilles, et des Antilles à Londres, alors nous sommes plus malléables.

En fait, Wayne avait partiellement raison d'accuser Molly de ne pas vouloir quitter le sud de l'Angleterre, néanmoins, elle répondit :

— Ouf, il y aura quelqu'un de chez nous pour y aller. Je serai quitte d'avoir à embaucher un ivrogne pour directeur ou un jeune ambitieux plein d'idées préconçues avec toute une bande de syndicalistes qui empêcheront les choses d'avancer. Avec eux, on serait en faillite en moins de trois mois. Ça me rend malade. Je ne crois pas avoir envie de me retrouver à la tête d'une grande société, je n'ai vraiment pas les épaules assez solides pour ça.

Shirley qui arriva à l'appartement de Meakin Street au beau milieu de cette discussion haussa les épaules.

— Si tu avais un peu de plomb dans la cervelle, tu te ferais coter en bourse. Ouvre l'usine, et vends des actions. Sinon, tu seras obligée de faire des emprunts partout.

— Oui, et comme ça mes usines seront dirigées par une bande de bureaucrates incompétents, et moi je serai prise entre les grévistes et le conseil d'administration. Toi et ton Chinois, vous voulez m'entraîner à la faillite ou vous préférez que je finisse dans un asile de fous ? Tes histoires de bourse, ça ne me dit rien de bon. Ça représente exactement tout ce dont j'ai horreur dans le système industriel. Des fainéants de directeurs, des syndicats, et une bande de rapaces d'actionnaires qui ne pensent qu'à leurs dividendes. Et pour couronner le tout, autant prendre des lords et des généraux à la retraite pour diriger le conseil d'administration. J'ai mieux, on n'a qu'à faire appel à Charlie Markham ! Ce sera le bouquet ! Et puis, pendant que j'y suis, la gouvernante de Framlingham se plaint d'avoir Brian et Kevin sur les bras depuis dix jours, elle se demande quand tu vas venir les chercher.

— Si tu penses que c'est le moment de se demander qui met du beurre dans les épinards, moi, je ne suis pas de cet avis. Je sais que tu es surmenée et que tu te venges sur moi et sur Ferdinand, qui entre parenthèse n'aime pas se faire traiter de Chinois, surtout par sa belle-sœur, mais on ne pourra pas continuer à t'éviter les ennuis

486

éternellement. Il faut que tu prennes au moins un semblant de légalité, sinon, Ferdinand et moi, on laisse tomber.

— Eh bien, laissez tomber, bande de traîtres ! cria Molly.

— Tout de suite, ma chère, dit Shirley en prenant son manteau.

— Oh, là, là, dit Molly à Wayne, une fois sa sœur partie, je suis fichue si Shirley s'en va ! Il n'y a qu'elle et Wong pour me tirer d'embarras.

— L'ennui, c'est que ce que vous avez dit est juste.

— L'ennui, c'est que je ne peux plus reculer, mais que je ne veux pas aller de l'avant.

— Alors, il faut envisager une autre solution.

— Eh bien, toi qui vas là-bas, si tu as une idée...

— Distribuez des actions au personnel. Ils travailleront si c'est dans leur intérêt.

Molly prit le téléphone et composa le numéro de Shirley. Il n'y eut pas de réponse. Elle laissa un message sur le répondeur automatique, en expliquant la proposition de Wayne. « Est-ce que Wong et toi accepteriez de nous rencontrer pour en parler ? »

Shirley appela le lendemain, visiblement excédée.

— Cela n'a jamais été fait, enfin, jamais correctement. Alors, si tu veux te lancer dans la nouveauté, c'est le meilleur moyen de tout gâcher. Ce n'est pas une solution, c'est une fuite en avant.

Le cœur battant, Molly entendait une conversation en sourdine avec Ferdinand qui reprit l'appareil.

— Allez en discuter là-haut avec les syndicats.

— Je viens avec toi, dit Shirley en reprenant la ligne, sinon tu serais capable de signer n'importe quoi.

Avant même que le nouveau projet de coopérative fût mis en place, une grève des transports menaçait.

Que de soucis, que de soucis ! songeait gaiement Molly en se parfumant dans la chambre désormais luxueuse d'Allaun Towers. Et un amant boudeur en plus ! Elle le quitta à moitié endormi et alla boire un autre café. Peut-être que Richard n'était pas le seul responsable de la situation. Au fils des mois, elle s'était laissé envahir par les problèmes. Lui, fils unique de parents dévoués, n'était guère prêt à passer en second après une usine de motocyclettes. Il devait secrètement rêver à l'actrice, la scénariste, la romancière, qui discuterait avec lui de ses oeuvres et partagerait sa vie. Elle alla lui dire au revoir dans la chambre. « Je t'appelle dès que je serai arrivée. » Néanmoins, elle était contente de quitter cette maison où l'on ne cessait de lui faire des reproches. En prenant l'avion, Molly était presque aussi enthousiaste que Fred qui allait souvent en vacances à l'étranger avec ses grands-parents. Un chauffeur les attendait à l'aéroport, et les conduisit à travers les petites routes de campagne vers l'imposante demeure où ils devaient séjourner.

– Regarde, maman, des vaches ! s'exclama Fred.

– Oui, M. Monteith aime bien en avoir quelques-unes. Nous attendons deux veaux. Vous serez peut-être encore là pour la mise à bas.

– Je pourrais vous aider, je l'ai déjà fait, dit Fred.

– Je ne crois pas que le vétérinaire et le vacher autoriseront qui que ce soit à assister à la naissance.

Pourtant, dès qu'ils descendirent de voiture, un garçon se précipita vers Fred.

– Dépêche-toi ! Papa a dit que tu pouvais venir voir la naissance du petit veau. Ah, oui, dit-il en se tournant vers Molly, papa demande que vous l'excusiez, une vache va mettre bas.

– Merci, dit Molly alors que les deux garçons couraient déjà vers l'étable.

L'épouse de Donald Monteith, Jessica, accueillit Molly dans le hall. D'un œil incrédule, Molly regardait les têtes de cerfs qui ornaient les murs.

– Je vais vous conduire à votre chambre, dit Jessica.

C'était une très grande femme aux cheveux blond-roux.

– Je crois que Willy a déjà embarqué votre fils ?

– Ils sont à l'étable. Willy est votre fils ?

– Oui. Nous sommes au salon, venez nous rejoindre quand vous serez prête. Votre fils dormira dans la nursery, à côté de la chambre de Willy. Je suis sûre qu'il s'y plaira beaucoup. La pièce est pleine de jouets.

Après le départ de Jessica, Molly observa sa chambre, stupéfaite. Le plafond entièrement peint représentait des hommes et des femmes en habits romains, version revue et corrigée dans le style XVIIIe siècle, entourés de taureaux, de chèvres et de cygnes. Par la fenêtre, au-delà des arbres, on apercevait les collines environnantes. Fred et Willy couraient sur la pelouse. Ils s'arrêtèrent en chemin pour examiner quelque chose. Molly se coiffa, se lava les mains, et retoucha son maquillage. Elle laissa son chapeau sur le lit et descendit au salon. Il y avait six personnes dans la grande pièce où d'énormes bûches crépitaient dans l'âtre. De l'autre côté, un piano à queue se détachait sur le mur pâle. Les fenêtres donnaient sur le jardin et les collines.

– La maison n'est pas très belle, architecturalement parlant, dit Donald Monteith en costume de tweed, mais nous l'avons depuis longtemps, et nous venons aussi souvent que possible. J'aime beaucoup profiter de la nature quand j'en ai l'occasion.

Molly, qui savait qu'il passait la plupart de son temps dans des allers et retours entre la Cité et Miami, répondit :

– C'est agréable d'avoir un endroit où se reposer. Et ce veau ?

– Fausse alerte, dit-il d'un air déçu.

Il y avait deux autres couples dans la pièce, les Floyd et les Jamieson.

— Vous habitez dans le Kent, je crois, dit Mary Floyd, une jolie petite brunette.

— De temps en temps, en fait, je passe beaucoup de temps à Londres. Le problème, c'est que j'ai une usine à chaque endroit.

— Ce ne doit pas être facile, d'être ainsi déchirée, dit Mme Floyd.

Souvent, comme elle, les femmes regardaient Molly avec un mélange de reproche et d'envie. Elles n'avaient guère de raisons de se plaindre de leur vie consacrée à leur foyer, pourtant, elles se demandaient si elles n'auraient pas pu faire autre chose.

— Oui, parfois, répondit sèchement Molly en songeant à ses cent mille livres de dettes et à la menace de grèves de transports.

— Vous êtes très occupée, dit Harold Jamieson, qui s'approchait de Molly, une lueur de défi et de crainte dans les yeux.

Sans doute devait-il savoir que Molly avait eu une vie sentimentale des plus compliquées et que la moitié de ses affaires étaient louches, sinon totalement illicites. Effectivement, Molly ne pouvait le contester. Soudain, en voyant Harold Jamieson dans son costume de ville, et Donald Monteith en tweed, elle crut reconnaître Norman et Arnie Rose, leur verre à la main, dans un bar douteux.

— Oh, je vends simplement des motocyclettes, et je fournis du travail à quelques ouvriers. Par chance, pour le moment, je n'ai jamais licencié personne, sauf pour détournement de matériel.

— J'espère que vous n'aurez jamais à le faire, répondit Jamieson qui venait de fermer une usine de pièces détachées et avait licencié deux cents ouvriers. Ce n'est pas une expérience très agréable.

— Ni pour les uns, ni pour les autres, commenta Molly.

— Vous prendrez un autre apéritif ? proposa Jessica. Oh, je crois que le déjeuner est prêt, ajouta-t-elle en voyant une femme en tablier vert apparaître à la porte.

Molly se retrouva à côté de Colin Floyd qui lui dit sur un ton enthousiaste :

— Cela fait longtemps que j'avais envie de vous rencontrer, toute cette histoire de Messiter est un véritable tour de force. Je me demande comment vous avez pu réussir.

C'était un petit homme, assez bien de sa personne, principal actionnaire et directeur d'une société d'électronique florissante.

— Je ne suis pas encore sortie de l'auberge, dit Molly. Cette grève des transports m'inquiète beaucoup.

— Comme tout le monde. C'est plus facile pour les entreprises comme celles des Monteith qui bénéficient de gros supports à l'étranger. Mais moi, je ne travaille qu'en Angleterre, et je dois m'accommoder de tous les caprices de la société britannique. Enfin, ne nous faisons pas trop de souci, avec un peu de chance, il n'y aura pas de grève.

— S'il y en a une, j'ai décidé de demander aux ouvriers de

conduire eux-mêmes les motocyclettes aux docks. On va me traiter de briseur de grève, et mon frère Jack n'appréciera sûrement pas – il est député –, mais chacun son métier, et les vaches seront bien gardées. Si les syndicats ne se mêlent pas de mes affaires, je ne me mêlerais pas des leurs. Tout le problème, c'est de savoir si les travailleurs accepteront.

– On n'en finit pas avec les grèves dans ce pays. Pas étonnant que les capitaux filent à l'étranger. Vous aimez l'opéra ? demanda Caroline Jamieson à Molly.

– Pas vraiment. Je suis beaucoup allée au théâtre ces derniers temps.

Pendant un moment, ils discutèrent des différents spectacles de Londres, jusqu'à ce que Monteith annonce bruyamment :

– Un toast aux grands de l'industrie britannique.

– Tout le problème, c'est qu'en ce moment, ils battent de l'aile, dit Molly.

– Je suis sûr que vous n'avez rien à craindre, répondit-il.

– Vous savez que j'adore le golf, interrompit Colin Floyd, mais il n'y a sans doute pas de terrain dans le coin ?

– Si. On y vole après le café. C'est bizarre, j'étais justement en train d'y penser. Vous n'auriez pas apporté vos clubs par hasard ?

– Si, j'y ai pensé au dernier moment.

– Fantastique. C'est exactement ce qu'il nous faut pour éviter l'ulcère à l'estomac. Jamieson ?

– Ne comptez pas sur moi pour rester à la traîne ! répondit l'homme au visage rougeaud.

« Et voilà ! songea Molly. Ce ne sera pas cet après-midi que j'aurai la chance de te coincer à la bibliothèque. Qu'à cela ne tienne, tu ne perds rien pour attendre ! »

Elle passa donc le reste de la journée à se baigner avec les enfants sous le dôme vert de la piscine. Ensuite, Willy l'emmena visiter la ferme, avec ses granges à foin impeccables, ses étables aux vaches opulentes et bien proprettes, ses poulaillers fraîchement repeints. On aurait dit une ferme modèle, construite tout exprès pour que les enfants de la ville puissent aller la voir au cours d'une sortie éducative. Fred parla d'un air savant avec le fermier, et, en ramenant des œufs tout frais, tous retournèrent à la maison. Fred et Willy parlaient de leurs voyages respectifs à Disneyland. Ils traversèrent le jardin à la française où une brume légère planait au-dessus des ifs taillés en forme d'oiseaux et de couronnes. Le soir, dans sa chambre, Fred annonça à sa mère qu'il resterait ici une semaine ou deux.

– Gavin aura besoin de quelqu'un pour s'occuper des faisans, ajouta Willy sur un ton important.

– Fred, tu n'as pas été invité, et en plus, tu dois retourner à l'école.

Il y avait une dizaine d'autres invités pour le dîner aux chandelles. Molly était entourée de Colin Floyd et d'un voisin des Monteith, Sir Graham Keyes. Elle avait à présent la certitude que tous ces étangs et ces prairies n'étaient pas sans relations avec des histoires de gratte-ciel et de voyages en Concorde à New York, et ne fut pas surprise de découvrir les industriels cachés sous des apparences de gentilshommes campagnards. « Que fais-je ici ? » se demanda-t-elle en regardant les bougies dans leurs chandeliers d'argent et les portraits des ancêtres des Monteith dont certains dataient du xviie siècle. Elle était presque effrayée de voir les bijoux des femmes, de reconnaître dans le regard des hommes une étincelle de terreur, sous des apparences de quiétude, un peu comme dans celui des joueurs du Frames. Soudain, la pièce s'emplit des visages de chômeurs et de démunis, avec leur teint livide, leurs manteaux râpés, leurs souliers éculés. Croyant avoir perdu la raison, elle reporta son attention sur Graham Keyes.

— Mon domaine n'a qu'un seul défaut, disait-il, la lande a assez de sentiers pour qu'on puisse rouler à bicyclette, mais les côtes sont suffisament escarpées pour vous rendre la tâche impossible à moins d'avoir des mollets de coureur de marathon ! Alors, devinez ce que les gens font ?

— Ils achètent des motocyclettes à faible puissance, dit Molly en riant.

— Exactement, et ils terrifient les faisans ! J'ai essayé de le leur interdire, mais mon garde-chasse a détroussé deux braconniers l'autre jour, et c'est ce qu'ils utilisaient. Rapides et maniables, c'est l'idéal sur ces chemins.

— La nuit dernière, j'ai rêvé de motocyclettes silencieuses, elles semblaient flotter dans l'air.

— Qu'est-ce que cela signifie ? La célèbre intuition féminine ?

— Je ne sais pas. A votre avis, comment ça va évoluer dans les prochaines années ? Des motocyclettes volantes ?

— Sait-on jamais ! Barnabas ? demanda Keyes en se penchant au-dessus de la table. Que dit ton voyant ? Lady Allaun aimerait beaucoup le savoir.

— Tout le monde en est là, dit Jessica Monteith.

— Eh bien, il me conseille de porter des sous-vêtements propres au cas où je me fasse renverser à Picadilly Circus, répondit l'homme de l'autre côté de la table. Ecoute, Keyes, je ne paye pas ce type cinq cents livres par an pour qu'il me prédise l'avenir des autres. Le mien, c'est déjà bien assez cher !

— Cinq cents livres ! Vous croyez que ça en vaut la peine ?

— Pour moi, oui.

— Je vous imagine mal en face de quelqu'un qui lit dans sa boule de cristal dans une vieille roulotte.

– Une vieille roulotte ! Mais il roule sur l'or, mon cher.

Molly dériva à nouveau dans l'univers des visages silencieux des pauvres. Plus rien ne lui semblait réel, ni les bougies, ni les plats d'argent, ni les bijoux... « Il va se passer quelque chose », murmura une voix intérieure. Soudain, elle s'aperçut que Colin Floyd s'était interrompu en plein milieu d'une phrase tandis que Jessica Monteith essayait d'attirer l'attention de Molly. C'était ça, Isabel lui en avait parlé... Les femmes se retiraient.

– C'est un peu absurde, dit Jessica dans le petit salon. En fait, nous ne le faisons jamais à Londres, car la moitié des invités viennent des Etats-Unis ou de pays où cette coutume n'a jamais existé ou est tombée en désuétude depuis longtemps. Les hommes sont censés échanger des tuyaux sur les prochaines courses et nous, nous devons parler des enfants. J'ai toujours l'impression qu'ils passent leur temps à se raconter des histoires cochonnes. D'ailleurs, cela nous arrive aussi et je trouve cela plutôt drôle.

Se sentant brimée, Molly déclara :

– C'est exactement ce que font les truands quand ils préparent les plans de leur prochain coup. Les filles, pourquoi n'iriez-vous pas vous coiffer et vous maquiller pendant que nous bavardons entre hommes ?

Il y eut un moment de silence que Jessica brisa bien vite :

– Moi, je trouve que c'est une coutume charmante, dit Jessica.

Mais, Molly comprenait qu'à cause d'elle, les femmes se sentaient exclues, comme si tout d'un coup leurs soiries et leurs bijoux avaient perdu tout leur éclat. Avant que Molly eût le temps de s'excuser, Jessica annonça :

– J'attendais Bert Precious, mais il a été retenu à Londres, il arrive demain matin.

– Corrie vient avec lui ? demanda la femme de Graham Keyes.

– Non, elle est toujours au Canada.

– Elle s'occupe de son père ?

– Non, je crois qu'il est mort. Je pense que c'est ce qui est arrivé à leur fils qui les a éloignés l'un de l'autre. Quelle tragédie !

– Ils n'ont rien à se reprocher, ils ont fait tout ce qu'ils ont pu. C'est comme pour les Fellowes. Des parents dévoués, une fille charmante, intelligente. Quelle mort stupide !

– C'est la faute des dealers, dit Mary Floyd, d'un ton furieux. Et on ne fait rien contre eux !

De nouveau, Molly se sentait lointaine. Elle imaginait les collines derrière les rideaux tirés. Il y avait un gouffre entre elle et ces femmes qui parlaient de gens qu'elle ne connaissait pas. Comment en serait-il autrement ? Ce n'était pas tant une question de milieu social que de vies trop différentes. Elle devait leur paraître bien marginale à faire un travail généralement réservé aux hommes.

Jessica traversa la pièce et alluma une lampe.

492

– C'est très calme, ici, dit-elle à la silencieuse Molly.

– Oui, très calme.

– Ces vieilles maisons sont extraordinaires, dit Mary Floyd. On sait que la famille y habite depuis des centaines d'années. On imagine déjà Willy vivre ici avec sa femme, plus tard.

– Oui, dit Jessica.

Pourtant, l'enthousiasme de Mary Floyd, qui vivait dans un couple très uni, semblait déplacé aux autres femmes. Secondes épouses elles-mêmes pour certaines, elles savaient qu'un divorce et la naissance d'autres enfants signifiaient qu'il leur faudrait quitter la place et peut-être même voir leurs propres enfants déshérités. Tous ces gens étaient bien nerveux, pensa Molly qui, de ce côté, n'avait jamais rien eu à perdre.

De nouveau, un changement s'annonçait, une sorte d'animation rendait toute concentration difficile. Bientôt les hommes, tout joyeux, un peu plus saouls qu'ils ne l'étaient à table, vinrent les rejoindre.

– Tu avais dit que cela ne durerait pas longtemps, dit Jessica en prenant le bras de son mari, et vous nous avez fait attendre.

– Bon, nous nous sommes assez ennuyés comme ça, c'est avec soulagement que nous vous retrouvons.

Sans doute avaient-ils parlé affaires. Molly avait absolument besoin d'avoir une conversation avec Jamieson à propos de son moteur, mais elle commençait à comprendre que, dans ce monde, les femmes n'avaient pas toujours leur place. Pourtant, elle luttait encore contre le rêve dans lequel elle restait plongée, depuis un moment. Une demi-heure plus tard, elle déclara qu'elle se sentait fatiguée et alla se coucher.

Elle s'endormit bien vite entre les draps frais et se réveilla le lendemain matin en entendant une voix chantonner en français : « Comme le vent dans les blés de mon pays. »

Plus tard, dans la journée, elle se promena sur les collines venteuses derrière la maison avec Colin Floyd. Par rafales, le vent apportait l'écho des voix de Fred et Willy.

– Ouf, dit Molly, car la montée avait été dure. C'est magnifique !

– Oui, splendide.

Assis sur l'herbe en silence, ils admiraient la vallée. En contrebas, derrière une petite sapinière, on apercevait les eaux du lac.

– Il devait y avoir une ferme, ici, bien avant qu'on ait fait construire la maison. Cela me fait penser à quel point j'aurais envie d'une maison de campagne, dit Floyd. Oh, mais vous, vous en avez une.

– Oui, j'ai épousé un domaine en ruines et je l'ai transformé en usine. Il ne faut pas trop compter sur moi pour respecter les traditions. De toute façon, je n'en ai pas les moyens.

493

Floyd se mit à rire. Ils observaient les deux garçons qui jouaient. Soudain, Floyd se leva.

— Bert ! C'est toi ?

La fine silhouette qui s'avançait sur le chemin leur fit un signe. Bientôt Molly put discerner un visage long, et de grands yeux noisette. Les sourcils étaient très marqués, pourtant, il avait les cheveux châtain clair.

— C'est Bert Precious, dit Floyd. Un vieil ami, vous le connaissez ?

— Non.

Bert Precious sourit et serra la main de Floyd. Il avait presque un visage de clown, un visage oblong, très mobile, dont émanait une certaine innocence. Il lui rappelait vaguement quelque chose, mais Molly n'était pas sûre de l'avoir déjà rencontré.

— Vous connaissez Lady Allaun ? Molly, Bert Precious.

— Ouf, dit Bert en retrouvant sa respiration. J'ai perdu la forme. Le sol est mouillé ?

— Pas trop.

— Eh bien, si vous voulez bien m'excuser, dit-il en s'asseyant. Je crois que nous nous sommes déjà rencontrés, ajouta-t-il à Molly. Au Frames.

— Ah ? dit Molly. Je connaissais beaucoup de gens là-bas.

— Sans doute, répondit-il sèchement.

Molly se mit à rire et annonça :

— Je ne serai pas contente tant que je ne serai pas parvenue au sommet de cette colline, là-bas.

— Eh bien, allons-y, dit Bert Precious en se levant.

— Moi, j'abandonne, dit Colin Floyd.

Bert et Molly grimpèrent donc le sentier accidenté qui menait à la colline balayée par le vent. Les deux garçons étaient arrivés avant eux.

— Il vous ressemble, dit Bert en étudiant le visage de Fred.

— J'ai toujours trouvé qu'il ressemblait à son père.

Depuis un certain temps, elle n'avait plus pensé aux vrais parents de Joe, ni aux siens, par la même occasion. Pourtant, à présent, ce souvenir la rendait grave.

— Votre mari et vous, vous vous ressembliez peut-être, dit Bert Precious en regardant successivement Fred et sa mère.

— Oui, peut-être, dit Molly d'un ton qu'elle voulait léger.

« Plus que nous l'aurions voulu », pensa-t-elle intérieurement.

— C'est magnifique, n'est-ce pas ? dit Molly qui s'aperçut que ce n'était pas le paysage que Bert regardait, mais elle.

Pendant ce temps, les deux garçons qui jouaient aux cow-boys et aux Indiens tombaient l'un sur l'autre. Soudain, dans un grand cri, Fred disparut de l'autre côté de la colline. Molly et Bert se précipitèrent vers lui. Le garçon, quelques mètres plus bas, les regardait en riant aux éclats.

494

– Ah, c'est malin ! dit Molly.

Elle se tourna vers Bert qui avait gardé un visage impavide. La veille, Molly avait appris que son fils aîné était mort d'une overdose deux ans plus tôt.

– Venez, il est temps de descendre, c'est bientôt l'heure du déjeuner, dit-elle.

Ils redescendirent la colline, prenant Colin Floyd au passage. Molly ressentait une sorte de paix intérieure, comme si le temps s'était arrêté. Elle ne comprit pas qu'elle allait tomber amoureuse de cet homme au visage long, incapable de dissimuler ses émotions, elle ne voulut pas se l'avouer, mais pourtant, d'une certaine façon, elle savait déjà que c'était inévitable.

Ils traversèrent le jardin, avec ses plates-bandes rectilignes.

– Drôle d'idée, dit Bert en regardant les ifs en forme de pivert, un jardin à la française en plein cœur de l'Ecosse !

Le soir était prévu un dîner plus décontracté où chacun s'installerait à sa guise. Bert et Molly s'assirent l'un à côté de l'autre, tandis que Jessica Monteith se plaça tout près d'eux, à côté de Fred.

Au cours de la conversation, Molly s'aperçut que Bert avait des problèmes d'argent. Il parlait de vendre sa maison pour s'installer dans un appartement plus modeste. Ses deux enfants, un garçon de quinze ans et une fille de treize ans, vivaient avec lui, et il devait entretenir une bonne. Il menait une vie assez morose qu'il semblait accepter, sans même se rendre compte de sa tristesse. Il paraissait assez évident que Jessica avait des visées sur lui.

– La prochaine fois que je vais à Londres, dans une quinzaine de jours, je débarquerai chez toi pour t'aider à résoudre tes problèmes.

– La dernière fois, la femme de ménage a donné sa démission, et il m'a fallu plus de deux heures pour la persuader de rester. Je serais très heureux de te voir, mais j'aimerais autant que tu ne te mettes pas à compter les draps et à vérifier le réfrigérateur. J'apprécie ta compagnie, et tu es toujours la bienvenue, ne crois pas que je ne suis qu'un ingrat.

– Franchement, Bert, je ne comprends pas comment tu peux t'en sortir tout seul, avec les enfants qui ne sont même pas en pension. Molly, vous qui avez élevé une fille, vous n'êtes pas d'accord avec moi ?

– En fait, c'est plutôt ma mère qui l'a élevée. J'ai peur de ne pas savoir grand-chose sur l'éducation des enfants.

– Eh bien, il faudrait que nous passions un moment en famille, avec Bert. Que diriez-vous de Pâques ?

– Simon et Anne seront au Canada.

– Alors, viens seul, sinon, tu t'ennuieras dans ta maison vide, avec cette vieille bonne qui n'arrête pas de rouspéter.

– Merci, Jessica, j'y songerai. Donald, crois-tu qu'il serait possible de louer une barque pour faire un tour sur le lac, cet après-midi ?

– Si Ian veut bien. Chaque fois que je lui en demande une, elles sont toutes en réparation.

– J'aime bien ramer, dit Bert. On pourrait emmener les garçons, qu'en penses-tu, Jessica ?

– Je viens avec vous. J'espère que tu es bon rameur !

– Non, mieux vaut prévoir un ciré et des bottes de caoutchouc !

– J'écoperai, dit Molly.

– Vous savez nager, Molly ? Sinon, ce n'est vraiment pas prudent.

Molly se demandait si Jessica cherchait à protéger son amie Corrie, l'épouse absente, ou, comme il était plus vraisemblable, si elle signifiait par là que Bert était chasse gardée.

– Oui, je sais nager.

– J'ai mon brevet, dit Fred.

– Alors, c'est parfait.

Molly croyait que Bert avait prétendu être un piètre rameur par pure galanterie, mais il n'avait dit que la vérité. Il les aspergeait de l'eau glacée qui descendait directement de la montagne.

– Brrou... les gosses sont trempés, Bert, donnez-moi donc une rame.

Molly alla s'asseoir à côté de lui. Sid, lorsqu'il les emmenait en promenade sur la Serpentine le long de Hyde Park, insistait pour que Molly et Jack rament avec la précision de professionnels. Ils traversèrent le lac jusqu'à la sapinière. Fred sauta sur la rive et hala l'embarcation.

– N'est-ce pas ravissant ? dit Jessica, de meilleure humeur à présent. C'est une petite île, on peut la traverser en cinq minutes.

– Je vais voir la tombe d'Andy ! s'écria Willy.

– Qui est Andy ? demanda Bert.

– Un vieux chien dont Willy se souvient encore. Nous les enterrons toujours sur l'île.

– A Meakin Street, là où j'ai grandi, on se contentait de les jeter au canal.

Les deux garçons revinrent bientôt du bois dans lequel ils s'étaient enfoncés, et, soudain, l'air vibra au son d'une musique de tango.

– Willy, tu n'as tout de même pas apporté ta radio !

Les deux garçons dansaient malgré leurs bottes de caoutchouc. Bert Precious prit Molly dans ses bras et dansa avec elle. Il se pencha et lui déposa un baiser sur la joue. Il se redressa et s'inclina devant Jessica.

– M'accorderez-vous cette danse ?

— Mon carnet est plein, mais je vais faire un effort pour vous.

Tandis qu'ils évoluaient sur l'herbe, Jessica lança un regard noir à Molly. Cette rivalité lui rappelait celle qui opposait autrefois les filles des boîtes de nuit qu'elle fréquentait avec Johnnie Bridges. Simplement, les femmes étaient plus jeunes et les enjeux plus élevés, en cas d'échec, c'étaient le retour à l'usine, ou pire, le trottoir.

Soudain, la musique s'arrêta et la voix du présentateur annonça : « Bon, fini pour les souvenirs, maintenant, passons à quelque chose de plus moderne. »

— Oh, ferme cette radio, Willy, dit Jessica d'un ton impatient.

Molly songeait toujours aux menaces de grève.

— On peut faire le tour de l'île ? demanda-t-elle.

— Si vous n'avez pas peur de perdre l'équilibre, répondit Jessica.

— Ça devrait aller, répondit Molly.

Si la première livraison de Messiter pour les Etats-Unis ne pouvait pas prendre le bateau à temps, il faudrait attendre deux mois pour être sur le marché américain. Et le retard dans les rentrées d'argent inciterait peut-être les banques à refuser des crédits supplémentaires. On ne pourrait pas commander de nouveau matériel. Molly voyait déjà ses usines en chômage technique pour huit semaines.

Ils se mirent donc à marcher tout autour du lac. Parfois, ils avançaient sur de grandes étendues herbeuses, parfois, ils devaient enjamber des troncs d'arbres tout près de l'eau. Molly glissa et se mouilla le pied.

— Dommage qu'elle soit un peu fraîche pour se baigner !

D'un côté, l'eau claire s'étendait jusqu'à l'autre rive, de l'autre, une épaisse couche d'aiguilles de sapins couvrait le sol. Le petit groupe s'assit sur un coin d'herbe près du bateau. Les enfants jouaient dans les arbres.

— Fred s'amuse comme un fou, dit Molly à Jessica, et j'aime beaucoup cet endroit.

— Cela fait un camarade à Willy. Il s'ennuie souvent pendant les vacances.

— Mon Dieu, s'exclama Bert Precious, il se met à pleuvoir ! Oh, ce n'est peut-être qu'une averse.

— Cela m'étonnerait, ici, quand cela commence, cela ne s'arrête plus.

— Alors, autant y aller. Je vais chercher les garçons.

Jessica et Molly restèrent sous la pluie jusqu'à ce que Bert sorte du bois avec les deux enfants, visiblement contrariés.

— Nous étions en train de construire une cabane.

— Oui, eh bien, nous préférons ne pas devoir nous y abriter pendant deux heures en attendant qu'il cesse de pleuvoir.

Fred et Willy insistèrent pour ramer. La pluie tombait à verse.

Jessica mit un foulard tandis que Molly sentait ses cheveux ruisseler dans son cou. Ils accostèrent sur la rive, et se précipitèrent à la maison, complètement trempés.

— Tu te souviens, dit Jessica à Bert, un jour nous avons cherché *Les Mémoires de Montespan,* eh bien, je les ai retrouvés dans une chambre d'amis. Viens avec moi à la bibliothèque, je pourrais te les prêter.

Molly alla dans sa chambre et s'allongea sur le dessus-de-lit immaculé de satin vert. « C'est un homme marié, se dit-elle. Peu importe que sa femme fasse semblant de s'occuper d'un père mort au Canada. Leur fils est mort, et, comme une overdose ressemble toujours à un suicide, tout le monde se sent coupable, les parents surtout. Alors, pourquoi se laisser embarquer dans la vie d'un homme marié, d'une épouse en deuil et de deux parents rongés par la culpabilité ? De plus, Bert Precious est un gentleman, un vrai, le dernier peut-être de toute l'Angleterre. Rien à voir avec les Charlie Markham ou même le vieux Monteith. Il est sûrement attaché à son mariage, et ce n'est pas parce que cela fait deux ans que tu n'as pas pris de vacances qu'il faut te conduire comme une secrétaire aux Baléares. Tu es trop vieille pour ça. Et puis, tu as des usines dont tu dois t'occuper. »

Molly se leva, changea ses vêtements mouillés, se coiffa, remit du rouge à lèvres et descendit.

Par une porte entrebâillée, elle regarda Jamieson et Colin Floyd jouer au billard.

— Eh bien dites donc, remarqua Floyd joyeusement en posant sa queue sur la table, vous êtes un as !

— Vous voulez jouer avec nous ? proposa Jamieson en remarquant Molly. Je vous accorde des points d'avance.

— Ça ne sera pas inutile.

— Bien qu'elle ne fût pas aussi habile que lui, Molly jouait très honorablement.

— Où avez-vous appris tout ça ? dmanda Jamieson.

— C'est vrai ce qu'on raconte, répondit Molly. C'est le signe d'une jeunesse dépravée. J'allais dans un club douteux à Edgware Road quand j'étais adolescente. En minijupe et talons hauts, précisa-t-elle, pour rendre la description plus explicite. La plupart du temps, c'étaient les garçons qui jouaient. Nous, les filles, nous nous contentions de ricaner pour attirer leur attention. Mais parfois, mon petit ami me laissait jouer. Un an d'entraînement, et on commence à se débrouiller. Les champions étaient adulés comme des héros.

« ... Et celui qui m'a appris à jouer a fini ses jours au bout d'une corde », ajouta intérieurement Molly.

— Ah, je vois. Vous étiez exactement le genre de fille que je rêvais de rencontrer en revenant de la pension en taxi.

Jamieson toucha six boules d'un seul coup.

498

— Vous êtes presque aussi fort que Lester O'Dowd d'Edgware Road. Et je vous jure que c'est un compliment.

— Au fait, demanda Jamieson en se penchant sur la table, vous n'avez jamais songé à utiliser nos moteurs pour votre Messiter ?

« Enfin, songea Molly, enfin ! »

— Si, bien souvent, même, répondit Molly en ratant son coup.

— Parfait. Bon, eh bien, Lester O'Dowd peut aller se rhabiller, je sors le grand jeu !

Jamieson gagnait aisément la partie.

— Nous parlerons affaires en détail un peu plus tard, si vous voulez bien. Il faut que je sache si cela vaut la peine de revoir entièrement l'usinage.

— Mon concepteur en est persuadé. En fait, c'est le comptable qui en a eu l'idée, après avoir parlé au concepteur...

— Messiter ? Je pensais qu'il était fini ?

Molly, qui essayait de se défendre honorablement au jeu, réfléchit intensément. Elle ne savait pas très bien où en était George. Depuis deux ans, il travaillait sur un projet dont il ne parlait pratiquement jamais. A Framlingham, il vivait avec Wayne et sa femme qui s'occupaient de lui. « C'est un vrai bébé », disait la femme de Wayne.

Wayne expliquait ces deux années strériles comme un temps de recherche sur un projet qui avait des chances d'aboutir. Pourtant, apparemment, le bruit courait que George avait perdu la forme, et peut-être même l'esprit !

— Oh, je ne sais pas, il est bizarre. Il faut le laisser aller à son rythme.

— Oh, ces zozos de concepteurs, il faut les avoir à l'œil, sinon ils vous font croire que lire les résultats des courses, c'est un moment de pause créative. Bravo ! s'exclama-t-il, tandis que Molly envoyait deux boules dans deux poches différentes.

— Je ne l'ai pas fait exprès ! dit-elle en se plaçant pour le coup suivant qu'elle rata. Moi, j'ai confiance en George.

Plus tard, elle alla se promener dans le jardin à la française, tandis que les deux garçons regardaient la télévision. Bert devait toujours être dans la bibliothèque avec Jessica. Elle les imaginait, le visage penché sur le livre français. Soudain, Bert arriva, s'assit à côté d'elle, la prit dans ses bras et l'embrassa. Molly s'écarta.

— Je vous croyais à la bibliothèque.

— J'y étais, dit-il en l'embrassant encore.

Elle regarda le visage oblong trop pâle, les yeux noisette et murmura :

— Oh, Bert, Bert !

— Corrie ne reviendra pas avec moi, Molly, je me sens seul. J'ai envie de toi, dit-il en insistant sur ce dernier mot.

Molly lui passa le bras autour de la taille.

— Il y a une tradition à la campagne qui consiste à aller se reposer avant le dîner.

Côte à côte, ils firent le tour de la maison, pour entrer par la porte de service et empruntèrent l'escalier qui conduisait à la chambre de Molly.

— On dirait que tu es un habitué.

— Je l'étais, jeune homme.

Plus tard, apppuyée sur le coude, elle regarda le visage endormi à coté d'elle. Il avait l'air paisible. En fait, Bert avait presque toujours un visage calme, ce devait être sa naïveté qui lui donnait ce regard ouvert, transparent. Molly se leva, prit un bain rapide et rejoignit les enfants qui dînaient. Mme Mooney, la gouvernante, parlait de son grand-père, le plus grand braconnier de la région.

— Mais comme ce qu'il faisait était mal, et interdit par la loi, disait-elle, sans doute pour le bénéfice des deux propriétaires qui mangeaient leur crème à la vanille, il alla en prison, pour six mois.

— Je peux emmener Fred voir le nid du merle ? demanda Willy.

— Non, il est trop tard, il fait noir.

— On regardera juste d'en bas, on le voit quand les lumières du salon sont allumées.

— Bon, d'accord, mais un aller-retour, dit Mme Mooney.

— Demain, on ira faire les nids ? demanda Willy.

— Cela dépendra de votre mère.

— Le braconnage, ça fait partie du passé dans la région ? demanda Molly.

— Vous plaisantez, dit Mme Mooney en riant joyeusement. C'est pire que jamais !

— M. Monteith dit qu'on se sert de mes motocyclettes pour aller sur la lande.

— Ah, oui, c'est pratique, elles peuvent faire du tout-terrain. Mais les temps sont difficiles par ici. Il n'y a pas de travail à la campagne, pas de travail à la ville. Les gens sont de plus en plus pauvres. On retourne à l'époque de ma grand-mère, quand on ne mangeait jamais de viande, à part un lapin de temps en temps. L'ennui, c'est que maintenant, les gens de la ville se mettent aussi à braconner, et ils n'y vont pas de main morte. Un mouton, une vingtaine de faisans, attrapés pendant leur sommeil avec des torches. Les propriétaires ne sont pas contents, et les gardes-chasse non plus. Alors, quand ils en chopent un, ils ne sont pas très tendres.

— Du braconnage à la campagne, des agressions dans les villes, finalement, c'est la même chose.

— Mais pour vous et les vôtres, tout va bien, répondit poliment Mme Mooney.

— Oui, si je peux continuer.

– Tant que les enfants ne donnent pas trop de souci.

– Il y en a toujours pour qui cela s'arrangera, mais...

– Ça ne nous ferait pas de mal si on créait des emplois dans la région, dit-elle en regardant timidement Molly.

– M. Monteith ne peut rien faire ?

– Je ne crois pas qu'il en ait envie.

– Oui, peut-être, dit Molly. Je crois que je vais aller me refaire une beauté, ajouta-t-elle en se levant, un peu embarrassée.

Sans doute Monteith aurait-il pu faire quelque chose. Molly espérait bien qu'on lui chipait ses truites et ses faisans. En ouvrant la porte de sa chambre, elle s'aperçut que Bert était sorti. Peut-être qu'écrasé de remords, il regrettait déjà de s'être laissé aller. Toute sa joie l'abandonnait ; Molly le voulait là à présent, plus que tout autre chose. Soudain, la porte s'ouvrit et Bert apparut, en smoking, un verre de Martini dans chaque main. Il l'embrassa et lui tendit un verre.

– Tiens, ça me rapelle une scène de cinéma. Tu entres en smoking, tu m'embrasses sur la nuque, pendant que je mets mes diamants.

Il s'assit sur le bord du lit et la regarda se poudrer le nez devant la coiffeuse.

– Il faut que je te parle de Corrie.

– Oh, inutile de prendre toutes ces précautions. Je suis au courant de la situation, si tu veux qu'on en reste là, tu n'as qu'à le dire.

– Elle a demandé le divorce, mais je ne suis pas si sûr qu'elle soit bien décidée.

– Il y a un autre homme dans sa vie ?

– Je ne crois pas. Je pense simplement qu'elle ne sait pas très bien où elle en est, et si elle revient... Euh, je ne veux pas me quereller avec elle. C'est ma femme, et la mère de mes enfants. Je lui dois une certaine loyauté.

– Bien, Bert. Je ne suis guère surprise, dit-elle, son tube de rouge à lèvres à la main.

Elle lui raconta qu'elle vivait avec Richard Mayhew, tout en lui confiant que la situation était peu satisfaisante pour l'un comme pour l'autre.

– Mais toi, tu ne m'as pas tout dit, ajouta-t-elle soudain.

Il la regarda, ouvrit la bouche comme pour parler, puis se ravisa.

– Je crois que si.

– Ah ? Tout d'un coup, j'ai eu comme l'impression que tu me cachais quelque chose.

Bien sûr que oui. Il connaissait toute son histoire depuis quarante-cinq ans, et d'une certaine manière il en savait plus sur elle que Molly elle-même. Tous deux fixaient leurs pieds.

– Je ne te demande rien. Donne-moi simplement ce que tu pourras me donner. Pour parler franchement, je me demande même comment je trouverai le temps de te faire entrer dans ma vie.

— Oh, j'y entrerai bien quand même, dit-il en la poussant vers le lit.

— On sera en retard pour dîner, murmura Molly.

— Nous avons tout le temps, répondit-il en déboutonnant les boutons de perles noires.

— Ce ne sera pas facile de te laisser partir, dit Molly, parmi le désordre de leurs vêtements.

— Ce ne sera pas facile de partir, dit-il d'un ton également sombre.

Molly s'arrangea pour arriver dans la salle à manger en même temps que les autres. Bert vint s'asseoir à sa place après tout le monde.

— Excuse-moi, Jessica, lui murmura-t-il à l'oreille. J'avais perdu mes boutons de manchettes, comme d'habitude.

— Et où les as-tu retrouvés ? demanda Jessica, assise à côté de lui.

— Sous le lit.

— Evidemment, sous le lit, dit Jessica du même ton neutre.

Molly, de l'autre côté de la table, n'entendait pas ce qui se disait, mais elle comprit la signification du regard de Jessica. En regardant Bert, elle se sentit soudain très faible. Un sourire béat illumina son visage. Elle essaya de le réprimer et de porter son attention sur les propos de Mary Floyd.

Il y avait vingt personnes à dîner ce soir-là, que Mme Mooney servait avec son expression de satisfaction placide. Alors, c'est ça le monde des industriels dans leur maison de campagne ! C'est ça qui fait rêver Isabel et les autres ? Pourquoi ne vais-je pas vivre tranquillement avec Fred et Bert dans une petite maisonnette ? Mais finalement, des tas de gens comptaient sur elle et sur ses usines. Et puis, si elle menait cette vie paisible, elle s'ennuierait peut-être bien vite.

— Vous souriez ? lui dit Jamieson.

— Je pensais à une histoire d'amour à la campagne.

— Oh, je ne crois pas que vous soyez la seule à y rêver, répondit gravement Jamieson. Mais il faut avouer que la plupart d'entre nous ne résisteraient pas plus de six mois.

Malgré la faible lumière des bougies, Molly s'aperçut que les visages, sous leurs expressions attentives ou amusées, semblaient fermés. Elle se demandait si, comme les autres, elle aussi avait l'air de penser à trop de choses à la fois. Une fois encore, elle se tourna vers Bert qui écoutait Jessica. On lisait de la gentillesse, de l'attention et aussi une certaine gêne sur le visage oblong. Sans doute Jessica faisait-elle allusion à un secret ou à une vieille rancœur, et Bert se sentait mal à l'aise devant la colère ou la tristesse de son hôtesse. « Il est trop bien pour moi, songea Molly. Cela va finir par tout gâcher entre nous. » Etrangement, elle se souvint de la lettre qu'elle avait reçue la semaine précédente. « Ecris-moi, ma petite Molly. Ici, c'est un trou, mais je peux recevoir autant de courrier que je veux. Envoie-moi une cassette, j'aimerais entendre ta voix », lui avait écrit Arnie Rose de sa prison. C'était bizarre de voir l'ancienne terreur de Londres demander une correspondante. Elle avait essayé de lui enregistrer une cassette, mais le souvenir de s'être fait piéger par Arnie rendait sa voix des moins amicales. Finalement, elle avait dicté une lettre joyeuse à sa secrétaire qu'elle avait envoyée avec des cassettes vierges. Ce serait peut-être plus facile si Arnie commençait la conversation et puis, il n'y avait plus guère de raisons d'en vouloir à un homme qui passerait le restant de ses jours en prison dans un quartier de haute sécurité.

— C'est difficile à croire, dit Molly à Mary Floyd, mais je ne suis allée qu'une seule fois à l'étranger. Mon fils a déjà quasiment fait le tour du monde, mais moi, je ne suis allée qu'à Paris.

C'était avec Johnnie, elle se souvenait encore du jardin du Luxembourg, des huîtres, du vin, de l'ivresse de l'amour.

— Je sais que tout le monde a besoin de vacances de temps en temps, dit-elle, s'arrachant à sa rêverie. Je ne sais pas pourquoi je n'en ai jamais pris. C'est sûrement pour cela que j'apprécie tant d'être ici.

Elle était amoureuse à Paris, et elle l'était de nouveau aujourd'hui. Impatiemment, elle attendait le moment où elle et Bert se retrouveraient après être rentrés chacun sagement dans sa chambre. Elle avait bu, trop et trop vite. Le dîner n'en finissait pas, et on n'avait pas encore servi le dessert ! Elle refusa une mousse au chocolat, but un grand verre d'eau, se demandant combien d'heures il lui faudrait encore patienter. Elle fut soulagée qu'on la demande au téléphone sitôt le repas terminé.

— Que se passe-t-il ? demanda-t-elle à Shirley.

— Excuse-moi de perturber ton week-end chez les snobs, mais les camionneurs de Liverpool vont entamer une grève sauvage. Et les électriciens de l'usine débrayent par solidarité. Wayne est en train de leur parler, c'est pour ça que je t'ai appelée. Il aimerait avoir tes instructions. Tu sais où nous en sommes ? Il nous reste une semaine pour terminer le travail et envoyer la marchandise aux docks. Et sans transports et sans électriciens, c'est impossible.

— Qu'il en dise le moins possible. Qu'il annonce simplement que nous venons tous lundi matin, et qu'il convoque une assemblée générale du personnel.

— Molly, Ferdinand voudrait que nous embauchions une équipe qui travaillerait de nuit, protégée par un énorme service de sécurité.

— Non, je ne veux pas engager de jaunes.

— Je ne crois pas que tu arriveras à grand-chose en faisant appel au sens civique des électriciens ! Bon, de toute façon, je te vois lundi ?

— Que Wong soit là aussi.

— Qu'est-ce qui t'arrive, ta voix me semble bizarre. Ça y est, j'y suis, tu es amoureuse ! Tu as rencontré quelqu'un ?

— Occupe-toi de tes fesses, ma chère, répondit Molly affectueusement.

Bert et Molly passèrent la nuit à faire l'amour et à bavarder. Un peu fatiguée, après le petit déjeuner, Molly se retira sur l'un des balcons de pierre qui donnaient sur les jardins et la lande. A demi somnolente, elle percevait confusément les voix des hommes qui parlaient dans la bibliothèque.

— ...n'a jamais aimé cette Maria Johnson. Pauvre fille ! C'est à peine croyable... abdication.... Maria Johnson....

Cependant, Molly se laissait bercer par le doux mélange de langueur et de suspense d'une nouvelle histoire d'amour. Elle se demandait s'il lui serait possible de vivre avec Bert. Il y avait sans doute trop de contradictions entre sa vie agitée de femme d'affaires responsable de nombreux salariés et une vie douce et paisible. Il serait certainement impossible de se partager entre deux mondes si différents. Et puis, Bert le désirait-il ? Sa femme reviendrait-elle à lui ? « Maria Johnson... » Le nom résonnait encore à ses oreilles jusqu'à ce que son instinct d'amoureuse la réveille.

— Il n'y aurait pas un exemplaire de l'*Observer*, ici ? demanda Bert Precious en ouvrant la porte de la bibliothèque. Jessica le voudrait.

— Bert doit savoir tout ça, dit la voix de Donald Monteith. Allez, Bert, viens donc nous raconter l'histoire de Maria Johnson, si toutefois elle a jamais existé.

Il y eut un moment de silence interrompu par une autre voix.

— Laissez-le donc tranquille, vous savez bien qu'il reste toujours motus et bouche cousue sur ce sujet.

— Je n'ai pas à en parler, dit Bert d'un ton crispé.

— Voyons, Bert, tout ça c'est de l'histoire ancienne, autant en parler ouvertement.

Molly, voulant épargner à Bert une passe apparemment difficile, alla rejoindre les hommes.

— Je viens de me réveiller. Quelqu'un n'aurait pas demandé l'*Observer* ? J'en ai un.

Bert la regarda un peu surpris, mais il réagit néanmoins.

— Parfait, venez avec moi, vous le donnerez à Jessica. Elle voulait vous montrer des photos et vous faire faire un tour.

Un peu plus tard, Bert et Molly se retrouvèrent sur la colline surplombant le lac.

— Je t'aime, Molly, mais je n'ai pas grand-chose à t'offrir, lui dit-il d'un ton triste.

— Je ne te demande rien. Si c'est de mariage que tu veux parler,

504

tu ne crois pas que pour moi, ça suffit comme ça ? Tant que nous sommes heureux ensemble...

Bert ne semblait pas l'écouter.

– Il y quelque chose que je devrais te dire...

Pourtant, il paraissait avoir des réticences, et éprouver une sorte de honte.

– Ne dis rien, je n'ai pas envie de savoir.

Ils n'avaient peut-être que peu de temps à passer ensemble, et Molly ne voulait pas gâcher ces précieux moments. Bert avait peut-être envie de se voir arracher des aveux, alors qu'elle désirait simplement être heureuse, et, depuis longtemps, elle ne croyait plus que le bonheur pouvait durer toujours.

– Je dois partir à Liverpool demain matin de bonne heure, dit-elle.

– Ah, répondit Bert tristement. Tu auras envie de me revoir à Londres ?

– Bien sûr, tu croyais le contraire ?

– Je pensais que je n'étais peut-être qu'une aventure de week-end pour toi.

– Et moi, j'avais peur que tu réagisses comme ça envers moi.

– Ce n'est pas mon genre.

– Le mien non plus. J'ai mauvaise réputation et tout le monde m'imagine pire que je ne le suis. Enfin, les gens se croient tous blancs comme neige.

– Les réputations sont souvent affaire de circonstances.

– Mais d'une certaine façon, on choisit la sienne.

– Les choix aussi dépendent des circonstances, dit Bert en regardant le ciel bleu, morose à nouveau.

– Oh, répondit Molly, un peu agacée par la gravité de la discussion. Ce qu'on est dépend de soi, ça ne sert à rien de le nier. De toute façon, si ce n'était pas le cas, les gens n'auraient plus qu'à aller se jeter dans le canal. Cela ne servirait à rien de continuer à vivre.

– Tu es vraiment optimiste.

– Heureusement, sinon, il y a longtemps que je ne serais plus là. Quand on a une vie bien réglée comme la tienne, on peut se permettre un peu de nostalgie, mais pour moi, ce serait du luxe !

En fait, Molly sentait bien que la gravité de Bert avait pour cause des raisons mystérieuses.

– Est-ce que cela a à voir avec ce que tu voulais me dire tout à l'heure ?

– Plus ou moins. Il y a un pub au village. Ils laissent facilement entrer en dehors des heures d'ouverture légales s'ils te connaissent. C'est à quelques kilomètres, tu te sens la force d'y aller ?

– Je serais partante pour un marathon. Allons-y, tu auras le temps de me parler de ce que tu voulais me dire en chemin.

— Je crois que je ne pourrai pas.

— Eh bien, je te parlerai de ma grève alors ! répondit Molly en haussant les épaules.

Elle aussi se sentait triste à présent. Elle n'avait pas espéré une vie de bonheur insouciant, mais elle était déconcertée par l'humeur sombre de Bert, qui rappelait un peu celle d'un homme qui n'ose pas avouer à une femme qu'il va la quitter. Elle regrettait de ne pas l'avoir laissé parler un moment plus tôt lorsqu'il y semblait prêt. Ils s'embrassèrent, adossés à un grand sapin, et tout fut de nouveau comme avant.

— Une bière avant le déjeuner, et une petite baise dans l'après-midi.

— Ça s'appelle une sieste.

— Pas là d'où je viens.

Un peu plus tard, dans le pub sombre aux volets fermés, Molly buvait calmement sa bière.

— Qu'est-ce que c'était que cette histoire à propos de Maria... je ne sais plus quoi ?

Bert regarda les deux hommes qui buvaient eux aussi leur bière illicite et répondit :

— Je ne peux pas en parler, pas maintenant.

— C'est un secret ?

— Oui, un secret qui ne m'appartient pas, répondit-il, plus triste que jamais.

— J'espère que tout s'est arrangé ; de toute façon, tu n'y es pour rien. Alors, n'y pense plus, ça nous gâcherait la journée. Bois donc ton horrible bière, je t'en offre une autre.

Les sentiments de culpabilité d'un homme joyeux face à une épouse confiante et naïve doivent être peine légère à côté de la honte que je ressentais devant Molly qui essayait de me remonter le moral dans ce pub obscur. Je n'osais pas lui avouer tout ce que je savais d'elle ni que j'avais surveillé son destin pendant pratiquement toute sa vie. Comment aurait-elle réagi ? Comme plus d'un homme dans la même situation, je cachais la vérité, de peur d'affronter sa colère. J'espérais simplement que nous pourrions continuer à nous aimer, que mon silence et le poids du secret que je connaissais ne changeraient rien entre nous. J'étais pitoyable, et en y repensant, je suis toujours horrifié par ma propre stupidité. En fait, après cela, tout a changé. Surtout à cause de moi et de mes sentiments de culpabilité. J'ai peut-être joué le rôle du méchant, mais le moins qu'on puisse dire, c'est que je n'ai pas été très efficace. Ce jour-là, le respect du devoir et ma lâcheté m'ont fait perdre beaucoup plus que je n'ai gagné.

Le couple, toujours main dans la main, reprit la route de la maison à travers les bois, taisant leurs secrets. Car c'était Molly qui savait que Joe Endell était son frère, et Herbert Precious qui connaissait les véritables parents de Molly. Comme tous les secrets, ceux-ci les éloignèrent l'un de l'autre. Bert Precious se mit à penser à son épouse et à ses enfants, et Molly s'inquiétait déjà au sujet de sa visite du lendemain à Liverpool. Bert songeait à son défunt fils et Molly à l'épouse absente. Ils passèrent la nuit comme s'il n'y avait plus de secrets entre eux, mais ce fut une chance qu'ils dussent se séparer le lendemain. Que Bert Precious se décidât ou non à parler, leur relation était condamnée.

Dans le réfectoire encore en construction de son usine, Molly observa les deux cent cinquante visages qui lui faisaient face et se leva.

– Je n'ai pas grand-chose à vous annoncer, mais je veux quand même vous dire que je n'ai pas monté cette usine pour le seul plaisir d'être patron. J'ai emprunté et même mendié pour gagner ma vie, et comme vous aussi vous êtes là dans le même but, nous sommes au moins d'accord sur ce point. Je ne me suis pas lancée dans l'industrie pour jouer les négriers à l'ancienne, je ne vais pas vous donner des coups de bâton pour que vous vous rebiffiez et que je décide de tout automatiser pour pouvoir vous mettre à la porte. Il faut donc trouver un autre moyen de faire avancer les choses. Voilà ce que je vous propose : je vous cède cinquante pour cent des parts, et bien sûr, vous recevrez les dividendes correspondants, si toutefois il y en a. Et cela, ça dépend de nous tous. Les contrats seront prêts demain matin mais j'ai absolument besoin d'une réponse dans les vingt-quatre heures, car une grève est déclenchée, et si elle se poursuit, il va falloir que vous conduisiez vous-mêmes les motocyclettes aux docks pour qu'elles puissent être livrées aux Etats-Unis. Grève ou pas, ces motocyclettes vous appartiennent pour moitié, et si elles ne sont pas livrées à temps, nous risquons la faillite. Si tout marche bien, dans un an ou deux, vous commencerez à recevoir un pourcentage des bénéfices. Mais réfléchissez bien avant d'accepter, car si nous fondons une sorte de coopérative, je suis grillée auprès des banques. Plus personne ne prêtera de l'argent à une société dirigée par les travailleurs. Je suis déjà fort endettée, et c'est vous qui m'aiderez à rembourser ce que je dois. Bien sûr, dans le nouveau contexte, tous les comptes seront mis à votre disposition. Ma sœur et son mari, les comptables de cette entreprise, se tiennent à votre disposition. J'avais l'intention de mener à bien ce projet depuis longtemps, mais je voulais attendre que le bilan soit équilibré. Avec le tournant que prennent les choses, si vous aussi vous vous mettez en grève, parce que vous estimez que je vous traite comme une bande de sales gosses capricieux, cela risque de ne jamais arriver.

» Prenez toute la journée pour y réfléchir, consultez vos responsables syndicaux, vos maris, vos femmes, peu m'importe. Vous pouvez transformer l'usine en lieu de réunion s'il le faut, mais donnez-moi votre réponse avant mardi à midi.

Après cette adresse, elle sortit du réfectoire silencieux, se demandant quelles pensées traversaient l'esprit des hommes et des femmes qui se tenaient là. Elle s'y était prise au mauvais moment, elle aurait dû annoncer ses propositions beaucoup plus tôt. Jack considérerait sûrement ce projet comme une manœuvre pour briser la grève. Il aurait sans doute raison, mais elle n'avait pas le choix. Avec Wayne, Shirley, Wong, et les avocats, elle passa la journée à préparer les nouveaux contrats. Epuisée, avec Fred qui commençait déjà à s'ennuyer, elle rentra à Framlingham. Ils arrivèrent à l'heure du petit déjeuner, pourtant, personne n'était encore levé.

Il y avait des magazines de jardinage dispersés dans le salon, selon toute apparence, le projet d'Isabel et de Richard pour restaurer l'ancienne roseraie était en chemin. Sous l'effet du week-end paisible passé avec Bert Precious, ou des angoisses provoquées par l'usine de Liverpool, Molly se sentit très amère. « C'est d'une femme que j'ai besoin ici, pas de deux jardiniers en herbe ! » songea-t-elle en abandonnant les catalogues luxueux. En préparant le déjeuner, elle regrettait Meakin Street et le brouillard qui estompait la lumière du vieux lampadaire. Elle se rapelait Ivy qui venait chercher ses enfants dans la rue en tablier, à grand renfort de cris, elle se souvenait des repas joyeux avec Joe Endell, parmi les milliers de dossiers et les amis qui commentaient gaiement leur journée au Parlement. Soudain ses yeux s'emplirent de larmes. Regrets pour le bonheur passé, espérance d'un nouvel amour avec Bert Precious, poids des soucis, ou bien la rancœur de voir qu'on dépensait si légèrement un argent difficilement gagné ? Elle ne savait d'où venait sa tristesse.

Après le petit déjeuner, pour éviter Richard et Isabel sur le point de se lever, Molly et Fred allèrent voir l'ancienne roseraie derrière le mur de brique. Elle avait été négligée pendant des années. Des buissons obstruaient l'arche, des plants anarchiques poussaient dans l'herbe et grimpaient le long du mur. Une statue brisée trônait au centre du jardin.

— Moi, je l'aime bien comme ça. C'est comme dans les histoires de fantômes, mais si on la nettoie, après on ne pourra plus venir jouer ici.

Molly acquiesça d'un signe de tête. Elle aussi aimait ce charmant désordre. Elle ne voulait pas qu'on le transforme en une pièce de musée qu'on a à peine le droit d'admirer. Pour elle, c'était le coup final. Jour après jour, elle affrontait des problèmes terre à terre comme par exemple livrer du matériel à des ouvriers qui touchaient le chômage et ne pouvaient pas travailler sans risquer d'attirer l'attention de voisins peu compatissants qui n'hésiteraient pas à les dénoncer, ou fonder une coopérative à deux cents kilomètres de chez elle. Il lui semblait que son amant révolutionnaire et sa belle-mère n'avaient rien d'autre à faire que tailler les rosiers. Malgré des idéologies différentes, tous deux essayaient de recréer le même rêve. Alors qu'elle se débattait avec ses dettes, ils ne parlaient que fleurs et fontaines ! Même Fred avait plus de bon sens. Quand elle retourna vers la maison, elle trouva un message de Bert parmi les factures et les diverses notes qui l'attendaient. Elle ne l'avait pas appelé pendant son séjour à Liverpool, et elle ne l'appela pas non plus à ce moment-là. Trop écrasée de soucis, elle n'avait guère envie de se montrer dans la banalité quotidienne – Lady Allaun qui attendait les résultats d'une importante négociation et qui s'énervait pour quelques roses ! Pourtant, en regardant un étourneau, une brindille dans le bec, il lui semblait percevoir une odeur de mystère tout autour d'elle. Elle imaginait une vieille maîtresse extravagante, voire complètement folle, une relation bizarre avec les classes supérieures et les services secrets... Mais en fait, tous ces fantasmes ne correspondaient guère à la personne qu'ils étaient censés concerner. Néanmoins, elle était sûre qu'il se passait quelque chose d'étrange, et elle comprit qu'elle était incapable d'assumer une quelconque situation qui ne soit pas claire comme de l'eau de roche. Isabel avait également noté un appel de Joséphine : « Joséphine a quitté son mari. Elle est partie au Pérou. Quel dommage ! On dirait que le numéro deux attend déjà son tour. Isabel. »

Est-ce que Bert aimerait la Molly d'aujourd'hui, empêtrée dans ses problèmes familiaux, femme d'affaires agitée qui avait horreur des roses ?

Le lendemain matin, en attendant l'appel de Liverpool qui lui dirait si les travailleurs avaient accepté sa proposition, elle ouvrit une petite lettre de Herbert Precious. Il avait des choses à lui dire qu'il ne pouvait pas transmettre par écrit. Est-ce qu'elle accepterait de le rencontrer bientôt afin qu'ils puissent en parler ? Molly, ulcérée, se demandant pourquoi il ne pouvait pas agir simplement et décrocher son téléphone, répondit brièvement par écrit qu'elle n'avait pas de temps à perdre pour les mystères, qu'elle apprécierait toujours les moments qu'ils avaient passés ensemble, mais qu'elle estimait leurs chances de bonheur pratiquement nulles. Elle sortit dans l'air froid et vif pour aller poster la lettre elle-même. Plus tard, elle regretta son geste, mais se dit qu'il était tout à fait normal d'éprouver des regrets, que cela ne prouvait pas qu'on avait eu tort.

Elle espérait malgré tout que Bert lui répondrait, ne serait-ce que pour dire qu'il était triste de la voir réagir ainsi. Quand rien ne vint, elle haussa les épaules, pensa qu'il y avait un mystère qui la dépassait et que peut-être elle n'avait jamais vraiment compris Bert. Elle versa une larme, et sa vie continua comme avant. Elle ne savait pas combien cela lui avait coûté de prendre la décision de dévoiler un secret, ni à quel point il s'était réjoui d'avoir trouvé un modus vivendi agréable grâce auquel ses révélations ne provoqueraient que peu de remous. Mais une semaine à peine après qu'il eut reçu la lettre de Molly, son épouse lui téléphona pour annoncer qu'elle revenait. Finalement, Bert se conforma au vieil adage qui consiste à ne rien faire et à laisser le temps décider pour soi.

Si Corrie était revenue parce qu'elle avait véritablement changé d'avis ou parce que Jessica n'avait par perdu de temps pour lui parler des nouvelles amours de son mari, ou tout simplement pour assister au mariage du prince Charles, Bert Precious ne le sut jamais. Elle non plus, sans doute. Quoi qu'il en soit, à son retour, fidèle à sa nature, elle reprit les rênes du ménage. Pas seulement dans le sens où elle redécora l'appartement, et reprit les clés des placards pour ainsi dire, mais en faisant un véritable effort pour fermer la brèche qui s'était ouverte il y avait bien des années et horriblement agrandie à la mort de leur fils. Sa bonne volonté apaisa un mari épuisé et désillusionné qui s'inquiétait de voir ses revenus rongés par l'inflation et ne savait guère quel avenir l'attendait. Ce n'était pas pour rien, finalement, qu'il nourrissait une passion pour les femmes de tête, son épouse Corrie, et son vieil amour romantique, Molly Allaun. Néanmoins, un couple raccommodé, où personne ne dit clairement ce qu'il pense, n'est pas toujours très confortable. Ce fut une chance qu'à ce moment, son cousin, monseigneur Paul Fitch, offrit à Bert un poste d'archiviste dans les caves du Vatican où rien n'était répertorié. Après tout, Bert Precious avait préparé une thèse, fort appréciée, sur les relations entre Rome et les hordes barbares du VIIIe au Xe siècle. Il connaissait bien le latin et présentait toutes les garanties de discrétion nécessaires. Il devait également contrebalancer les travaux de toute une équipe d'ecclésiastiques sur un projet de grande envergure. Ce fut donc grâce à sa capacité de tenir sa langue et à sa loyauté envers ses employeurs que Herbert Precious obtint un emploi mieux adapté à sa personnalité que tout ce qu'il avait fait auparavant. De plus, il était bien payé et avait souvent l'occasion de partir à l'étranger. Cette situation ne convenait guère à Corrie qui fut donc chargée de s'occuper de la vente de la grande maison de Hyde Park Gate, dont il avait hérité de son père, pour aller dans une demeure plus modeste, demandant moins d'entretien, où elle aurait pu profiter d'une plus grande intimité avec son mari. Néanmoins, si Bert se sentait plus heureux dans des caves poussiéreuses à recenser les scandales d'Alexandre V, elle préférait ne pas se plaindre. Au même moment, elle nourrissait un certain nombre de ressentiments contre Molly Allaun qui était apparue à la une des journaux et à la télévision, en tête d'une longue colonne de motocyclettes, en route pour les docks, faisant un signe joyeux au policier qui les accompagnait. Cet incident lui fit une publicité très favorable en Europe et aux Etats-Unis. Néanmoins, Corrie n'apprécia guère de voir la présidente d'une société florissante exhiber des jambes plutôt bien galbées au grand public.

Corrie trouvait Molly trop jeune et trop couverte de succès pour la vie qu'elle avait menée. En fait, Molly se contentait de faire bonne figure pour masquer une situation financière inquiétante, car sa sorte de coopérative lui donnait bien des soucis qui étaient loin d'être tous réglés. De plus, elle était en pleine querelle avec son frère Jack qui prétendait, qu'en Angleterre comme à l'étranger, on interpréterait sa philanthropie comme une horrible manœuvre destinée à briser une grève d'une entreprise hostile aux droits des travailleurs. Mais Corrie ignorait tous ces détails, qui de toute façon ne l'auraient guère consolée.

Molly s'inquiétait également pour sa production. Les demandes intérieures ne cessaient d'augmenter, mais cela ne suffirait pas à faire tourner l'usine de Liverpool. Il fallait absolument qu'elle élargisse son marché à l'étranger, et on ne se lance pas dans l'exportation du jour au lendemain. Un an après l'ouverture, elle pouvait tout juste payer les fournisseurs, les salaires et les intérêts de l'emprunt. Subrepticement, elle injectait les bénéfices de sa manufacture londonienne dans la grande usine Messiter. Tout en essayant de démêler les problèmes posés par un système encore jamais expérimenté par d'autres, elle regrettait plus ou moins de ne pas avoir écouté Shirley et tenté de survivre à la grève sans se lancer dans une aventure périlleuse.

— Cela portera peut-être des fruits à long terme, dit un jour Shirley. Mais pour le moment, il y a des hic, et on n'en a pas besoin !

— Parfois, je me réveille en plein milieu de la nuit, et je regrette de ne plus être en prison, répondit Molly.

Pendant ce temps, Joséphine couvrait les révoltes de Los Angeles, tandis que le futur gendre de Molly « passait son temps à faire la révolution au café du commerce », comme, furieuse, elle le confia un jour à Shirley.

— Eh bien, quoi de plus normal pour un révolutionnaire ? répliqua malicieusement Shirley.

Molly s'était mise à rire.

— Tu as raison, puisque Josie va nous l'amener, autant l'embaucher aux Roses et Jardinage de Framlingham !

— J'ai de la chance d'être mariée avec un Chinois.

Souvent, Molly songeait à mettre fin à sa relation avec Richard

Mayhew, mais comme tous les forcenés du travail, elle ne supportait guère l'idée d'un bouleversement dans sa vie affective. Elle avait besoin de stabilité et, tant que Fred et Richard étaient contents de pouvoir installer des plates-bandes, elle n'avait que de la reconnaissance à exprimer. Elle s'accommodait de ses soucis d'affaires et de ses exaspérations familiales en se disant que, d'une façon ou d'une autre, les choses finiraient bien par changer. Comme toujours.

1985

— Wayne, qu'est-ce que tu fais là-bas ? Je te croyais dans le Nord. Et la chaîne de montage qui était tombée en panne ? C'est arrangé ?

— Peu importe. J'ai quelque chose à vous annoncer.

— Que s'est-il passé ? cria Moly dans le bureau de Meakin Street.

— Rien qui puisse vous inquiéter. C'est à propos d'une nouveauté de George, je ne veux pas en parler au téléphone.

— Pourquoi ? demanda-t-elle, se rendant compte au même moment que Wayne devait craindre les oreilles indiscrètes. C'est urgent ?

— Oui, mais cela n'a rien à voir avec ce que vous croyez. Venez donc me rejoindre à Framlingham.

— Et la chaîne de montage ?

— Kennedy s'en charge.

— Bon, j'arrive.

En rentrant à Framlingham, Molly s'attendait plus ou moins à trouver les signes annonciateurs d'une nouvelle catastrophe. Pourtant, tout paraissait normal. En passant la tête par la porte du salon, elle aperçut Isabel près du feu.

— Ils sont aux écuries, lui dit-elle. Ils sont tout excités à propos de je ne sais quoi. Fred a refusé d'aller à l'école ce matin.

Molly se précipita dans le couloir. En passant devant le grand miroir du vestibule, elle vit l'image d'une femme d'âge mur, aux cheveux pâles, et se rappela la fillette qui passait devant ce même miroir pour aller rejoindre Mme Gates à la cuisine. Elle traversa la cour brumeuse et rejoignit l'atelier où George travaillait. En costume marron, ses grandes jambes allongées sous l'établi de Formica, il dormait. Tout près de lui, un objet rond de la taille d'un ballon de football, légèrement aplati au sommet trônait sur la table. Wayne avait une tasse à la main.

— Je me suis retourné cinq minutes pour faire du thé, et quand je suis revenu, je l'ai retrouvé dans cet état. Il a travaillé jour et nuit toute la semaine.

– C'est ça la nouvelle ? Ça marche ?

– Hum hum.

Fred arriva et marqua une pause en voyant George endormi. Déjà Molly se voyait riche, à la tête d'une entreprise employant des milliers de travailleurs. Wayne sut lire dans son regard.

– Il a réussi, je savais qu'il y arriverait, dit Wayne.

Molly se sentait trop nerveuse pour demander à Wayne de lui faire une démonstration du fonctionnement du nouveau moteur. Cela faisait des années que George voulait utiliser l'électricité comme source d'énergie pour le Messiter, mais même Molly savait que pour cela, il faudrait une batterie énorme. George prétendait qu'il n'aurait pas besoin de batterie mais simplement d'une sorte de volant qui emmagasinerait l'énergie à l'intérieur même du moteur. Il fallait donc trouver un alliage assez résistant pour supporter les frictions permanentes sans poser de problèmes de sécurité. Si jamais le volant se détachait pendant que la motocyclette était en marche, il serait projeté à la vitesse d'un boulet de canon. Et puis, il devait avoir une puissance suffisante pour actionner le Messiter sans pour autant l'alourdir. Au fil du temps, George avait trouvé un acier laminé très résistant, découvert un moyen d'emmagasiner l'énergie et, pour réduire les frictions, avait décidé de placer le volant dans un tambour cylindrique. Il avait également reconçu le Messiter pour lui assurer un bon fonctionnement avec le nouveau moteur. Le plus important, c'était de s'assurer que, si le tambour éclatait et si le volant se détachait de sa monture, il ne devienne pas pour autant un dangereux projectile. Un tambour trop imposant, et la machine serait alourdie, une structure trop fragile, et l'on courrait à la catastrophe. Molly avait suivi les progrès de George d'un œil sceptique, elle le voyait bien résoudre difficulté après difficulté, mais ne croyait pas qu'on puisse produire un moteur électrique totalement autonome. Apparemment, c'était fait.

– Et les problèmes de sécurité ?

– George a utilisé deux tambours. L'un en fibre de verre à l'intérieur, et l'autre en acier laminé à l'extérieur. Il est impossible que les deux se fissurent en même temps. Ils résisteraient à une balle. Il n'y aurait qu'une bombe pour les faire lâcher, et dans ce cas, personne ne s'inquiéterait d'entendre un volant siffler à ses oreilles.

– Alors, l'énergie proviendra de ce tambour qui sera monté comme les anciens moteurs.

– Je dois dire que George voulait aussi revoir la ligne des motocyclettes, abandonner les pédales et les chaînes, mais je lui ai dit de laisser tomber. Tout ce qu'il faut, c'est deux reposoirs pour les pieds. Finalement les gens préféreront peut-être que le nouveau modèle ressemble à l'ancien et puis, il est peut-être plus pratique que l'on ne croit. J'ai essayé de le dissuader, mais il ne m'a pas écouté.

— Tu ne veux pas l'essayer, maman ? demanda Fred, toujours près de la porte.

— Mais nous n'avons pas de cadre pour le monter ? dit Molly qui cherchait encore à retarder le moment où elle constaterait par elle-même que George avait réussi à produire assez de puissance dans un globe argenté pour faire grimper une mobylette sur les côtes les plus raides à vingt kilomètres heure.

— Je le fixerai demain, dit Wayne. De toute façon, il fait trop noir pour aller faire un tour ce soir. Molly, vous voulez voir ce que ça donne ?

Molly prit le moteur et le lui tendit.

— Ça pèse moins d'un kilo et demi.

George qui s'était éveillé regarda Wayne relier le moteur à un tableau de commande.

— Molly, observe bien l'aiguille, dit-il.

A toute vitesse, l'aiguille dessina un arc sur le cadran.

— Hourra ! s'écria Fred.

— George, George, ta mère serait tellement fière de toi ! dit Molly. Je ne sais pas quoi dire, j'arrive à peine à y croire.

— Vous verrez bien demain, vous pourrez l'essayer.

— George, viens dîner à la maison, ensuite, je te raccompagnerai chez toi, tu as besoin de repos.

Ils sortirent de l'atelier. Molly allait fermer la porte quand soudain elle s'écria :

— Mon Dieu, il ne faut pas laisser ça ici.

— Pourquoi ? dit George.

— Mais cela vaut des millions ! Et tes notes aussi. Il faut le mettre en sécurité jusqu'à ce que l'on ait déposé le brevet.

— Ah, et où va-t-on le ranger ?

— J'ai un coffre-fort dans ma chambre, décréta Fred. C'est un copain qui me l'a donné, son père est avocat et il venait d'en acheter un autre. Je l'ai payé quinze livres.

— J'espère que tu n'as pas oublié la combinaison.

Molly alla donc placer les plans et le moteur dans la chambre de Fred.

Le repas se déroula en silence. Molly sortit une bouteille de champagne, mais il y avait quelque chose dans la pâleur et l'épuisement de George qui empêchait de célébrer véritablement l'événement.

— Félicitations, George, et merci. On se voit demain matin. Mieux vaut ne parler de rien, pour le moment, dit Molly en quittant George.

Fred était monté dans sa chambre. Molly alla rejoindre Isabel au salon qui regardait un feuilleton à la télévision. Molly se demandait de quoi George et Wayne pouvaient bien parler. George avait dû mener une vie bien solitaire à Framlingham depuis le départ de Wayne. Il logeait à présent chez une nièce de

Vera Harker. Apparemment, il n'avait guère d'amis. Désormais, il serait riche. Que ferait-il de tout cet argent ? Rien sans doute, dommage !

– Où est Richard ? demanda Molly.

– Oh, il ne vous a pas dit ? Il est parti faire un voyage éclair à Berlin pour aller proposer un scénario à un producteur de cinéma.

– Ah bon.

– Quelque chose ne va pas ?

– Non.

– Vous m'avez l'air préoccupée.

– Je réfléchissais.

– Je suis sûre qu'il a laissé un message pour vous au bureau de Londres.

– Ce n'est pas ça.

Isabel semblait un peu déroutée. Si Molly et Richard se séparaient, c'en serait sans doute fini de la roseraie. Et Isabel s'entendait bien avec Richard, elle se sentirait seule sans lui. Pour ne pas empêcher Isabel de voir une de ses émissions préférées, Molly prétexta qu'elle avait envie de lire. Etendue sur le divan de la bibliothèque, elle réfléchissait. Si elle voulait exploiter le nouveau moteur de George, il lui faudrait des capitaux énormes, une nouvelle usine, ou même plusieurs. Et puis, la découverte de George trouverait peut-être d'autres applications. Molly dormit très peu cette nuit-là. Elle se réveilla à l'aube et prépara le petit déjeuner de Fred bien trop à l'avance.

– Tu sais à quoi je pense, maman ? dit-il en observant ses tartines trop grillées et déjà froides. Il vaudrait mieux ne pas laisser tout ça dans ma chambre. Je n'ai pas envie que des agents de Dallas viennent tout ficher en l'air maintenant, je viens juste de finir de ranger mes cassettes.

– Hum hum, répondit vaguement Molly.

– Tu sais, l'espionnage industriel, ça existe !

– Oui, oui, j'en ai entendu parler.

– Ça ferait un sacré choc à Isabel de voir des Arabes fouiller toute la maison pour voler les plans ! Il nous faudrait des gardes !

– Et des bergers allemands ?

– Oh, oui ! dit-il, enthousiaste.

– Oh, mon Dieu, dans quel monde grandissent les gosses de maintenant ?

Pourtant, elle était impressionnée de voir que son fils en était arrivé aux mêmes conclusions qu'elle. George était trop dans la lune pour envisager de telles éventualités, et Wayne n'avait parlé de rien, mais au moins, Fred était d'accord avec son point de vue.

– Tu as raison, il faut prendre des précautions, mais cela ne sera pas toujours amusant pour toi.

518

– Un garde du corps, ça ne me dérangera pas, bien au contraire.

George et Wayne arrivèrent un peu avant huit heures et demie. Dans un coin de l'atelier, Molly les regarda monter le moteur sur la nouvelle Messiter.

– S'il se détache, que se passe-t-il ?

– Il tombe par terre !

Un peu plus tard, Molly somnolait sur une chaise quand Wayne vint lui dire :

– C'est prêt. A vous l'honneur !

– Non, George d'abord.

– Je l'ai déjà essayé pour faire les derniers tests sur le tambour.

– Alors, d'accord.

Molly saisit le guidon et poussa la mobylette dans la cour.

– Vous devez contrôler la vitesse avec ça, dit George en indiquant un levier sur le guidon. A droite pour accélérer, à gauche pour ralentir. Mais les réactions sont assez lentes, alors gardez toujours la main sur le frein. S'il faut s'arrêter rapidement, on ne peut pas compter sur le frein moteur comme sur les véhicules à essence.

George lui donna une petite poussée, Molly mit le contact, pédala pendant quelques mètres et, avant d'avoir atteint l'entrée de la cour, elle sentit le moteur réagir. Elle tourna le levier du guidon vers la gauche. Comme George l'avait dit, il n'y avait guère de frein moteur. Elle était déjà parvenue au demi-cercle de graviers devant la maison lorsque la machine se mit enfin à ralentir. Elle roula doucement dans l'allée ; les cailloux craquaient gentiment sous les roues. Elle emprunta la route et, en silence, sans le moindre effort, fendit la brume légère. Elle s'attendait presque à voir la petite bicyclette s'envoler et voguer dans l'air. Elle fit demi-tour ; l'engin braquait très vite et faillit heurter une voiture qui avait débouché d'un virage. Molly poursuivit sa course entre les champs et le mur d'Allaun Towers et rentra à contrecœur.

– George, c'est fantastique ! C'est très amusant. Je ne sais pas exactement ce qui se passe, mais j'ai l'impression que tout le monde en voudra. On a l'impression de retourner en enfance et de monter sur des patins à roulettes pour la première fois !

Elle regarda affectueusement la petite motocyclette et revint à des pensées plus terre à terre.

– La production doit être relativement bon marché. Il me faudrait des chiffres précis sur les coûts des modifications du cadre et des freins. Tu as une idée là-dessus, Wayne ? Je pose la question à tout hasard, je n'espère pas que tu puisses me donner un chiffre aujourd'hui.

– Non, mais en fait, ce n'est pas vraiment nécessaire, car la seule chose qui est sûre, c'est que cela reviendra beaucoup moins cher que l'ancien modèle. A moins que le prix des matières premières n'augmente subitement. Mais il y a encore tous les tests...

— Il faudra faire au moins quinze mille kilomètres, et sous des climats différents.

Molly rendit la motocyclette à Wayne.

— Enferme-la.

— Que se passe-t-il ?

— Oh, rien, cette fois, c'est pour mon fils. Il donnerait n'importe quoi pour faire un tour ! George, tu lui avais prêté celle qui ne répondait pas aux normes de sécurité...

— Il l'a prise tout seul.

Molly regarda Wayne emmener la motocyclette.

— C'est vraiment une petite merveille, dit-il, fier de lui.

Plus tard, ils discutèrent de la nouvelle machine en prenant le café.

— Il y a un problème, non, des problèmes, dit Molly. Le premier, c'est de savoir si j'ai le cran nécessaire, et le capital, pour me lancer dans cette aventure. Le deuxième, c'est plutôt une question. Est-ce que ce moteur pourrait s'adapter sur une voiture ?

— Je ne vois pas ce qui l'en empêcherait, dit George. Le principe serait exactement le même. On avait travaillé sur un projet semblable au début des années quatre-vingt aux Etats-Unis, mais il y avait un os... Je ne vois pas pourquoi...

— C'est là toute la question. Dès que l'on dépose une demande de brevet, les ennuis commencent. George, on te proposera sûrement des fortunes pour cette machine. Si tu téléphonais à n'importe quel constructeur automobile, on t'en offrirait certainement des millions. Soit pour développer le projet, soit pour laisser dormir en attendant l'occasion de le produire, ou de l'éliminer du marché.

— Oui, j'y ai pensé, dit Wayne en fumant son cigare.

— C'est à toi de décider, George. Et puis, tiens, Wayne, donne-moi donc un de tes cigares, dit Molly tandis qu'on entendait la porte s'ouvrir. Mais tu es en danger, George, comme nous tous d'ailleurs.

George regarda Wayne qui confirma d'un signe de tête.

Richard pointa la tête par l'entrebâillement de la porte.

— Lui aussi, dit Molly. Bonjour, Richard. Tu es revenu bien vite de Berlin.

— J'aurais grand besoin d'un café.

— Va-t'en faire un, nous sommes occupés.

— Bon, je te verrai plus tard, dit-il en haussant les épaules.

— Fred a compris tout de suite. Il sait très bien qu'il a besoin d'un garde du corps. Les rapts d'enfants sont chose courante de nos jours. Nous avons entre les mains un moteur qui peut faire rouler des voitures, des camions, et je ne sais quoi. Il y a des millions et des millions de livres en jeu. Vous en êtes conscients ?

– Oui, dit George d'une voix hésitante.

– Je vais appeler ma femme, pour lui recommander la prudence, dit Wayne.

– Vous voulez dire qu'on va essayer de nous voler nos plans ? demanda George.

Pauvre Lil, pensa Molly, elle n'avait pas vécu assez longtemps pour voir son enfant réussir brillamment... et rester un enfant !

– Ecoute, George, imagine que tu aies été cocher de diligence au moment de l'invention du chemin de fer, qu'aurais-tu fait ?

– Je me serais mis à la vapeur, répondit George, sans la moindre pointe d'humour.

– Bon, peu importe. Tu ferais mieux de prendre tes plans et de disparaître. Tu peux aller vivre à Ramsgate avec Sid. Cela te fera des vacances au bord de la mer, Dieu sait que tu en as besoin. Et tout le monde doit être prudent. Nous allons embaucher des gardes du corps. Wayne, quand tu téléphoneras à ta femme, dis-lui qu'il faudra qu'elle partage sa vie avec d'anciens flics. Moi, je ferai la même chose ici. Isabel va sûrement devenir folle, mais tant pis. Pendant ce temps, il faudra que je décide si je peux me lancer dans l'aventure, et toi, George, il faut que tu saches si tu veux vendre ton projet et prendre une retraite confortable, ou continuer avec nous. Bon, je peux annoncer ton arrivée à Sid ?

George acquiesça, il commençait à croire que Molly avait raison de s'inquiéter.

Wayne alla téléphoner dans une autre pièce.

– Vous avez raison, c'est dommage que maman ne soit plus avec nous, j'aurais pu faire beaucoup pour elle. Elle n'a pas eu une vie facile.

– Alors, comment a-t-elle pris la nouvelle ? demanda Molly à Wayne qui revenait.

– Comme d'habitude, elle m'a dit qu'elle aurait dû se marier avec un honnête fermier, et ensuite, elle m'a demandé de les choisir beaux garçons.

– Eh bien, prends-en des moches, dit Molly, compatissante.

– Vous pourriez obtenir des subventions du gouvernement, dit Wayne.

– De l'argent qu'on enlèverait aux hôpitaux !

– Il vous faut absolument un financement.

– Il y a forcément une meilleure solution.

La journée se déroula rapidement. George s'en alla à Ramsgate ; les avocats vinrent de Londres ; Wayne, accompagné de gardes du corps, retourna à Liverpool ; Molly expliqua brièvement la situation à Isabel qui prit bien la chose.

Richard Mayhew, cependant, refusa de vivre dans ce qu'il appelait une forteresse armée et partit pour Londres une heure plus tard. Molly dînait avec Isabel quand le téléphone sonna. C'était Herbert Precious qui disait avoir quelque chose d'important à dire et qui demandait à Molly de venir le rejoindre à Londres. Incapable de s'arrêter une minute, Molly accepta, dit à Isabel qu'elle serait rentrée pour dix heures, et, dans la nuit, traversa le cordon de sécurité qui patrouillait avec des bergers allemands pour emprunter la route de Londres. Elle savait qu'il faudrait bientôt sortir des problèmes immédiats pour envisager la suite, mais elle se sentait épuisée. Un an plus tôt, alors qu'elle était allée le consulter pour une petite angine, son médecin lui avait conseillé de prendre des vacances. « Non, tout va bien, je suis solide. » Et lui, qui avait vu mourir Mme Gates, avait répondu : « Même les gens solides finissent par craquer, cela surprend tout le monde, eux les premiers, mais c'est comme ça. Ce n'est pas irrémédiable, mais il faut que vous soyez raisonnable. » Bien sûr, à l'époque, elle n'avait guère prêté attention à cette conversation, mais à présent, les mots du médecin lui revenaient à l'esprit. Pourquoi avait-elle accepté d'aller rejoindre Bert à Meakin Street, alors qu'elle venait de transformer Allaun Towers en forteresse ? Etait-ce une fuite en avant pour ne pas avoir à réfléchir à ce qui était important et à ce qui ne l'était pas ? Elle avait senti une certaine urgence dans la voix de Bert ; apparemment il ne s'agissait pas d'une simple déclaration d'amour. Et d'ailleurs... après tout ce temps. Peut-être Tom avait-il des ennuis ? Secrètement, elle espérait que Corrie Precious avait filé aux Bahamas avec son nouvel amant. « Non, Mary Waterhouse, tu n'auras pas cette chance ! dit une voix intérieure. Ressaisis-toi, finalement, il y a plus à plaindre que toi. »

Elle poursuivit cette réflexion en traversant la campagne obscure, puis la banlieue aux maisons éclairées. Il n'y avait pratiquement personne dehors. Dans les quartiers extérieurs de la ville, on avait déjà installé des décorations de Noël criardes dans les vitrines protégées par de lourdes grilles. Certaines boutiques étaient condamnées, avec une pancarte « A vendre » sur les panneaux de bois.

Comme Piccadilly était bloqué par un cordon de police, elle fit un détour pour arriver à Meakin Street. En ouvrant la porte, elle savait que Bert Precious était déjà arrivé.

— Monsieur Herbert Precious..., commença le directeur du bureau.

— Je sais. Tony et Sarah, vous pouvez partir maintenant, ajouta-t-elle, obéissant à une impulsion.

— Mais...

— Prenez du travail avec vous si vous voulez.

« Il n'est pas dangereux », se dit-elle en montant l'escalier, mais elle n'y croyait guère.

Il était installé sur un fauteuil, les jambes étendues. Molly ne put s'empêcher de lui sourire, pourtant, il avait un visage grave. Inquiète, Molly lui proposa un verre, et en ouvrant le placard où il n'y avait plus que du gin et de l'armagnac, elle se demandait ce qui se passait. Corrie était-elle morte ? Non, cela ne ressemblait pas à Bert de venir lui annoncer ce genre de nouvelle. Avait-il besoin d'argent ? Il ne l'aurait sûrement pas fait venir à Londres pour ça. Elle ne pouvait imaginer aucun motif pouvant justifier une telle urgence.

— Alors, Bert, comment vas-tu ? J'avais envie de te contacter, mais comme Corrie était de retour, j'ai pensé que moins je me montrais, mieux c'était.

— Tu m'as manqué, Molly. En fait, j'ai quelque chose à te dire.

— Eh bien, dis-le tout suite, je ne supporte pas qu'on tourne autour du pot avant d'annoncer de mauvaises nouvelles.

— Ce ne sont pas des mauvaises nouvelles. Tu avais raison dans ta lettre, quand tu parlais de secrets et de mystères.

— La brigade des mœurs ! Tu fais partie de la brigade des mœurs, c'est ça ? Cela a un rapport avec Joséphine ? Que se passe-t-il ?

— Ce n'est pas Joséphine, mais c'est en relation avec ta vraie famille.

Molly s'assit en silence, pensant qu'il avait découvert que Joe Endell était son frère. Au même moment, elle entendit la voix de femme entonner la mélodie française.

— Tu seras sûrement furieuse d'apprendre le rôle que j'ai joué dans cette affaire.

— Bon, ça suffit, ce qui me rend folle, c'est de te voir tourner autour du pot. De toute façon, je crois que je le sais déjà, dit-elle, incapable de se retenir plus longtemps, c'est à propos de Joe.

— Joe ? Non, que s'est-il passé avec Joe ?

— Toi, d'abord.

— Molly, as-tu déjà entendu dire que Sid et Ivy n'étaient pas tes véritables parents ?

« Oh, que oui, songea Molly. Je lui apprends ce qu'il ne savait pas, tandis que lui m'annonce quelque chose que je sais déjà. »

— Oui, Ivy me l'a dit avant de mourir. Tu sais qui c'étaient, mes vrais parents ? demanda-t-elle soudain.

— J'ai ordre de te le dire.

— Des ordres de qui ?

— De Sa Majesté la Reine.

— Tu plaisantes !

— J'aimerais savoir ce que tu as à dire à propos de Joe.

— Eh moi, j'aimerais savoir en quel honneur la reine s'intéresse à ma petite personne ! répliqua-t-elle.

Molly aurait souhaité être moins fatiguée, elle voulait que la voix se taise. Elle avait l'impression de devenir folle. Pour cacher son trouble, elle parla la première.

— Bon, d'accord, je pensais que tu étais venu m'annoncer que Joe était peut-être mon frère. On nous a trouvés tous les deux dans la même maison, et la pauvre femme était peut-être notre mère.

Bien sûr, nous n'étions pas au courant quand nous nous sommes mariés. Joe ne l'a jamais su. Mais ça m'est égal. Joe et moi, nous nous aimions, et tout est très bien comme ça. Simplement, je ne veux pas que mon fils l'apprenne tant qu'il est jeune. Ça pourrait le perturber à son âge. Je ne veux pas qu'il passe toute son adolescence à se torturer à propos de sa naissance.

Elle regarda Bert qui l'observait en silence, et sauta immédiatement sur ses pieds.

— Mon Dieu ! Qu'est-ce qui t'arrive ? Tu es tout pâle. Tu veux que j'aille te chercher quelque chose ?

Pendant un instant, elle crut qu'il avait perdu l'esprit. Peut-être que cette allusion à la reine n'était que du délire.

— Oh, Molly, c'est encore pire que je ne le pensais.

— Bon, bois plutôt ton armagnac, dit Molly dont la colère montait. Tu sais, il n'y a plus grand-chose qui puisse me choquer. J'ai eu plus d'ennuis dans ma vie que toi de petits déjeuners. Alors, qu'est-ce que tu avais à me dire ?

Il lui raconta donc toute l'histoire.

— Tu es née en France, en 1936, dans un village, Poulaye-sur-Bois, dans la région de la Loire. Ta mère, c'était Maria Johnson, et ton père, Edouard, qui était alors Prince de Galles.

— Quoi ? Tu es complètement fou !

— Non, dit Sir Herbert en prenant une profonde respiration. Juges-en par toi-même.

Il lui parla d'une jeune fille d'une famille catholique anglaise séduite par le prince. Il lui parla de la cérémonie clandestine officiée par l'abbé de Poulaye, de la naissance six mois plus tard d'un garçon, son frère, puis de la sienne, deux ans après, juste avant l'abdication d'Edouard qui venait de reprendre la couronne au début de la même année. La petite fille, à la suite d'une série d'événements, allait devenir Mary Waterhouse.

— Maria Johnson avait accepté de rester en France et de ne pas causer d'ennuis. Tu sais comment les filles étaient à cette époque, on les avait élevées dans le respect de Dieu, de leur mari, et de leur souverain, et pour elle, il représentait au moins deux de ces choses. Et puis, elle venait d'une famille catholique qui vénérait un martyr de la religion qui avait été brûlé à Smithfield en raison de ses convictions.

— Epargne-moi cette leçon d'histoire, dit Molly d'un ton morose. J'imagine très bien la situation. Un jeune idiot qui met une fille enceinte, une cérémonie clandestine qu'il n'a pas le courage d'assumer en public... Ce qui m'intéresse, c'est ce qui concerne ma naissance.

Herbert Precious continua d'une voix ferme, comme s'il avait souvent projeté, ce qui n'était que la vérité, de lui confier toute l'histoire.

— Maria Johnson continua à vivre en France, dans le plus complet isolement. Peut-être espérait-elle que son mari la reconnaîtrait au grand jour plus tard, peut-être s'était-elle résignée. Mais la France est tombée aux mains des Allemands, et les parents sont intervenus dans l'affaire. Ils sont allés voir le roi et la reine pour leur demander de rapatrier leur fille et ses enfants. Apparemment, cela faisait un moment qu'ils voulaient qu'elle revienne, mais elle avait toujours refusé, car elle avait promis de ne jamais retourner en Angleterre et de toujours garder le secret. C'était une fille très respectable. Elle était allée en France, car elle ne voulait pas faire partie de la cour et avait annoncé à ses parents qu'elle désirait entrer dans les ordres. Ils l'avaient envoyée chez une tante pour qu'elle réfléchisse. C'est là qu'elle a rencontré le Prince de Galles.

Herbert Precious regarda Molly, assise en face de lui, le visage parfaitement calme et impassible, et soudain, il eut peur d'elle.

— Cela a dû faire un choc au jeune roi. Il n'avait sans doute jamais espéré prendre la couronne, et se retrouvait à la tête d'un pays en guerre menacé d'invasion quand il a appris la nouvelle. Mais il a eu une attitude conciliante. Immédiatement, il a envoyé huit hommes à Poulaye-sur-Bois, mais ils n'ont trouvé personne. La gouvernante leur a dit que Maria Johnson était partie quelques jours plus tôt avec ses enfants et un serviteur qui, paraît-il, savait piloter un avion. Alors, comme il n'y avait plus guère de raisons de laisser des hommes dans un pays occupé, qui risquaient de tout raconter sous la torture, on les a rappelés en Angleterre. Quinze jours plus tard, on a signalé un avion qui avait atterri dans le Kent à la nuit tombante. Un paysan a retrouvé l'appareil le lendemain dans un champ. On craignait que ce ne fût des Allemands. La reine a envoyé mon père faire une enquête dans le Kent et il a découvert qu'un couple étrange et deux enfants avaient pris le train pour Londres, le matin de la découverte de l'avion. C'était une toute petite gare où tout le monde connaissait tout le monde, et ils avaient attiré l'attention. Mais il n'y avait plus trace de Maria Johnson. La famille était dans tous ses états. Les Johnson ne comprenaient pas pourquoi leur fille n'avait pas essayé de les contacter, si c'était bien elle qu'on avait vue à la gare.

— Ils n'ont pas fait grand-chose pour elle, quand même, enfin, pas après son mariage, dit Molly calmement.

— Je ne sais pas pourquoi elle n'est pas allée les voir. On l'a mise sur la liste des personnes recherchées, avec toute une série d'espions et d'étrangers qui ne s'étaient pas déclarés officiellement. Un mois plus tard, un policier a repéré une femme avec deux enfants dans une rue de Londres. La chasse était terminée. Les papiers et les tickets de rationnement avaient été établis au nom de Maria Lavalle, née Johnson, qui s'était échappée de France en avion. Bien sûr, on l'a interrogée, mais apparemment, on a cru à son histoire, et toute l'affaire s'est perdue dans le labyrinthe d'une bureaucratie bien perturbée à l'époque. Elle a obtenu ses tickets et a disparu. Alors mon père s'est rendu à l'adresse qu'elle avait donnée.

— Et devinez où..., dit Molly du même ton neutre.

Elle effrayait Herbert Precious de plus en plus. A quoi pensait-elle ? Comment pouvait-elle rester si calme, comme si toute cette histoire était totalement dépourvue d'intérêt ? Et comment réagirait-elle en apprenant que, selon toutes probabilités, sa mère était toujours en vie ?

— Il est arrivé trop tard à Meakin Street. La maison était en ruines. Il a appris qu'on avait emmené la femme en ambulance, il a pu savoir ce qu'était devenu un des enfants, toi.

Herbert Precious marqua une pause, attendant la réaction de Molly.

— On avait emmené Joe à l'orphelinat, se contenta-t-elle de dire.

— C'est ce qu'il semblerait. Dommage qu'on n'ait pas pensé à faire une enquête à l'époque.

— Cela aurait évité un inceste. Si du moins quelqu'un avait osé se mouiller et voir son nom mêlé à tout ça.

— Molly, sois raisonnable. Au début, tu étais plus en sécurité à Meakin Street. L'invasion paraissait imminente. Imagine ce qui serait arrivé à la famille royale si Hitler avait pris le pouvoir. Et puis, personne n'avait besoin de scandale à l'époque.

— Ni à l'époque, ni plus tard.

— Plus on garde un secret, plus il devient difficile à dévoiler.

— Raison de plus pour ne pas en faire, dit Molly en s'enfonçant dans sa chaise. Alors, voilà toute l'affaire, c'est fini. On t'a dit que tu pouvais tout raconter, tu as sorti ton baratin, et voilà tout.

— Il y a encore quelque chose.

— Le contraire m'aurait étonnée.

Il la fixa un instant, comme s'il voulait anéantir son agressivité.

— Ta mère est sans doute encore en vie. Elle est retournée en France, dans le village où tu es née. Elle était encore en parfaite santé il y a trois mois. Elle a survécu au bombardement. Elle vous a sûrement cru morts tous les deux. Ou elle était dans un tel état qu'elle n'était même plus capable de réfléchir. Je ne comprends pas pourquoi elle n'a jamais demandé d'aide à personne. Bien sûr, ses parents sont morts pendant la guerre, son père au combat et sa mère à la suite d'une pneumonie en 1944.

— Elle sait que je suis toujours en vie ?

— Non. Euh... nous ne... je ne savais pas qu'elle était en vie jusqu'il y a quelques années.

Molly perdait son calme olympien.

— Tu aurais pu m'envoyer un télégramme ! dit-elle, en colère. Je ne comprends pas comment tu as pu garder tout ça pour toi pendant si longtemps et puis venir tout raconter sans la moindre raison...

Molly s'interrompit, rongée par l'amertume. L'amertume de voir qu'on lui avait tout caché sur sa propre vie pendant si longtemps. L'amertume de savoir qu'on n'avait cessé de l'espionner, que même pendant leur idylle, Bert n'avait rien dit...

— Quand nous étions ensemble en Ecosse, tu savais déjà tout ! Même que ma mère était vivante ! Et tu ne m'as rien dit, rien ! C'est ignoble ! Ça me dégoûte ! Je n'ai jamais rien entendu d'aussi répugnant ! Trahison et tricheries de la première à la dernière ligne ! J'ai connu des truands, des maquereaux, je croyais avoir tout vu. Ah, on a bien raison, les crimes les plus odieux sont commis par les hommes en col blanc ! C'est toi, Bert, le criminel en col blanc.

Bert écoutait ses reproches en silence.

— C'est odieux, toi, un vulgaire espion ! Et c'est encore pire, parce que tu as couché avec une femme que tu espionnais depuis qu'elle a eu... quinze, vingt ans ? Et que ton père a espionnée avant toi ! C'est sur mon dos que ta famille a gagné sa vie, depuis que je suis née. Moi, Mary Waterhouse de Meakin Street, ah, un joli gagne-pain pour ta famille de gentlemen ! Tu es exactement comme Arnie Rose ou Charlie Markham. Ils s'engraissent sur le dos des plus faibles qu'eux ! Mais toi, tu mets des gants blancs, c'est la seule différence. Je ne comprends pas comment tu oses rester en face de moi. Tu devrais rougir de honte et te cacher sous le tapis. Et pourquoi maintenant, je me pose la question. Pourquoi maintenant, après toutes ces années, aurais-tu décidé de libérer ta conscience ? Tu n'avais pas tant de scrupules avant ? Qu'est-ce qui a changé ? Bien sûr, plus personne ne peut montrer du doigt le père indigne depuis longtemps. Et maintenant, c'est assez vieux pour que tout cela fasse partie du passé, un nouveau chapitre dans les livres d'histoire, au même titre que la maîtresse d'un roi ou un traité de paix signé il y a des siècles. Ça n'a plus d'importance qu'on découvre la vérité....

Molly marqua une pause mais reprit bien vite :

— Et puis, pour plus de précautions, tu as le contrat dans ta poche. Et tu vas me faire signer une promesse de silence éternel en faisant appel à mon patriotisme, pour la ramener à ton monarque qui te promet sa reconnaissance éternelle. Eh bien non, je ne signerai rien, mon cher Prince des Ténèbres, et Seigneur des Marais !

Malgré sa colère, elle repensait à Joe Endell. Mais en imaginant comment il aurait réagi, elle en arriva à d'autres conclusions. Herbert Precious la regardait un peu comme une araignée regarde une mouche qu'elle ne sait pas comment prendre dans les mailles de sa toile. Elle se leva, s'approcha de lui et lui cria au visage

– Salaud ! Tu attends bêtement que je signe sans même me rendre compte de quoi il s'agit en fait. Fred est un enfant légitime, Joe et moi, nous étions légalement mariés. Nous représentons bien plus qu'un simple inceste, nous sommes les héritiers de la couronne. Ce n'est pas une promesse de silence que tu viens chercher, mais une renonciation au trône ! Eh bien, ils auraient dû envoyer quelqu'un d'autre, Bert. Tu ne vaux rien en affaires ! Tu m'as déjà laissée réfléchir trop longtemps ! Si tu avais été plus efficace, tu serais déjà en route pour le palais, avec tous les papiers en poche. Tu es trop lent et trop scrupuleux. C'est un bon point pour toi ! Après tout, tu n'es peut-être pas aussi pourri qu'Arnie Rose.

– Molly, protesta Bert difficilement. Fred n'est pas un enfant légitime. Toi et Joe, vous n'aviez pas le droit de vous marier.

– Essaie donc de me le faire croire. Et puis, on pourrait toujours voir ce que le tribunal en pensera ! Avant, quand je ne connaissais rien à rien, je me serais peut-être laissée impressionner par ton cinéma, mais maintenant, c'est trop tard. J'en ai beaucoup trop vu, alors, inutile de prétendre que mon fils est un bâtard. S'il le faut, j'irai jusqu'à la cour européenne de justice !

– Ce n'est pas de ça que je voulais parler.

– Je sais très bien de quoi tu veux parler. Tu veux ménager la chèvre et le chou ! Cela fait des années que tu es mêlé à cette sale histoire, ça se voit sur ton visage, j'en suis gênée pour toi.

– Molly, c'est pourtant vrai, il faut régulariser la situation. Ce n'est qu'une formalité, personne ne veut faire de ton fils un bâtard. Personne ne te veut de mal. Tout le monde est comme moi, tout le monde regrette que la situation ait été si douloureuse et si inextricable.

– Oui, mais il n'y a que moi qui passerai à la moulinette ! C'est ça ? Il n'y a que moi qui me ferai avoir ! Je me demande ce que Joe Endell penserait de tout ça. Je ne sais pas qui a eu tort ou raison, mais tout ce que je sais, c'est que ça me dégoûte. Je ne serais même pas restée une minute à t'écouter si je n'avais pas éprouvé des sentiments pour toi. Tu dis que ma mère est en France, où exactement ?

– Poulaye-sur-Bois. Mais je t'en prie, n'y va pas tant que tout le problème n'est pas résolu.

– Tiens, la famille, il n'y a que cela qui compte quand il s'agit de droits, mais on ne trouve plus personne pour les sentiments, d'après toi ?

– Je te propose de demander une réunion avec des... conseillers.

– Le plan numéro un a échoué, passons au plan numéro deux ! Une réunion avec des experts en droit... Ah, c'est ça, je suis vraiment une héritière légitime alors... J'imagine que je mets la monarchie dans un beau pétrin, je pourrais revendiquer mes droits, dit-elle en faisant les cent pas. Au Moyen Age, on m'aurait sauté dessus à Meakin Street par une nuit sans lune et on m'aurait tranquillement égorgée ! Le problème, c'est que je suis vivante. Quand a-t-il abdiqué ?

— En décembre 1936.

— Alors, il avait encore tous ses droits à la naissance de Joe, et à la mienne aussi.

— Tu es catholique, tu as été baptisée.

— Et alors ? Qu'est-ce que ça change ?

Bert ne répondit pas.

— Les catholiques n'ont pas droit au trône dans ce pays ?

Bert acquiesça d'un signe de tête.

— Alors, nous y sommes. Vous vous posez des questions tous autant que vous êtes. Oh, Bert, Bert, quelle sale histoire ! Cette pauvre femme qui a toujours espéré voir son mari revenir. Elle devait être à moitié folle, pour avoir un enfant de lui après qu'il se soit mis en ménage avec cette Mme Simpson, si c'est bien son nom. Et après, elle se réfugie en Angleterre. Elle se fait bombarder et elle croit ses enfants morts, pourquoi personne ne l'a aidée ? Elle devait être dans un piteux état ! Pourtant, c'était elle, la femme légitime, même s'il s'était remarié avec une autre. Quelle horreur, je me défendrai jusqu'au bout, ne serait-ce que pour elle.

— Prends un peu de temps pour réfléchir.

— Tout se mélange, le présent, le passé, l'avenir... Je ne comprends plus rien. Ma mère est vivante, mais ma seule mère a toujours été Ivy. Mon père est une sorte de roi défroqué, mais c'est Sid Waterhouse, mon vrai père. Qu'est-ce que j'en ai à faire de tous ces gens ? J'ai l'impression que mes enfants ne sont plus mes enfants, mais les héritiers de la couronne à la neuvième génération. Quand je suis entrée ici, j'étais encore Lady Allaun, épouse, mère et propriétaire d'une usine de motocyclettes, et maintenant, qui suis-je ? Quelqu'un dont tu ne m'as jamais parlé, la fille de quelqu'un d'autre... Oh, Bert, je suis fatiguée. En faisant le trajet pour Londres, je me suis rendu compte que cela faisait des années que j'étais au bord de l'épuisement...

— Molly, est-ce que tu comprends que tu n'auras jamais plus de soucis d'argent ?

— Ah, bravo, Bert ! Quand la proie est prête à craquer, on sort les pots-de-vin ! Si je signe, je touche un salaire en tant que membre de la famille royale ? Ecoute, Bert, la seule chose qui est sûre, c'est que je ne veux rien de ces gens-là, rien du tout. Ne serait-ce que pour Fred. Un adolescent n'a pas besoin qu'on lui jette une histoire d'inceste à la figure. Je n'ai pas la moindre envie de me ballader dans ce pays avec ces trois millions de chômeurs, et de me dire : « Ah, ah, quel bonheur ! tous ces taudis m'appartiennent ! Qu'est-ce que j'en ai, de la chance ! » Tu vois, je vais te dire quelque chose, si tu me demandais comme ça au cours d'une simple conversation ce que je préfère, être ce que tu dis que je suis, ou bien simplement la fille de Sid et Ivy, l'épouse de Joe Endell, eh bien, je te répondrais que tu peux garder ta couronne et ton sceptre ! Tu ne me crois pas ? dit-elle en l'observant intensément. Toi et ta famille, vous avez été élevés dans le respect du devoir et de vos supérieurs. Eh bien, tu peux être fier de toi. Tu leur as rendu de bons et loyaux services. Mais, à moi, tu as manqué de respect. Cela fait quarante ans que tu me caches qui sont mes vrais parents. J'ai lutté, j'ai souffert, je suis même allée en prison. J'ai épousé Joe Endell, ce qui ne serait sûrement pas arrivé si j'avais connu la vérité. Tu m'as espionnée, Bert, tu m'as surveillée au cas où je m'attirerais trop d'ennuis ou que je découvre par moi-même ce qu'on aurait dû me dire de toute façon. Toi, c'est eux que tu respectes, moi, je ne mérite rien. Rien d'étonnant à ce que tu penses que je devrais me sentir honorée d'être enfin acceptée dans la grande famille. Je devrais me sentir élevée de ma condition, eh bien, c'est raté. Toute cette histoire me répugne.

Herbert Precious sortit enfin de sa torpeur.

— Ecoute, Molly. Tu racontes n'importe quoi. J'ai assez entendu de sornettes pour aujourd'hui. J'ai essayé d'être raisonnable. Il faut que tu comprennes que personne ne savait quoi faire. Tout ça s'est produit au mauvais moment... C'est insupportable... Mais tu as raison, je suis dans une situation ridicule. Il vaut mieux que je m'en aille. Mais promets-moi de ne rien faire, avant que nous ayons l'occasion d'en reparler.

— Toujours les bons vieux trucs. Ne bouge pas jusqu'à ce que je te le dise... et dans quelques jours, je m'aperçois que tu as encore manigancé quelque chose.

— Pourquoi réagis-tu ainsi ? Personne n'a envie de te piéger.

— Va-t'en, Bert, va-t'en. Je n'en peux plus, dit Molly d'un ton las.

Après le départ de Bert, elle s'assit un instant pour réfléchir à ce qui s'était passé. Elle téléphona à son frère Jack et lui raconta ce qu'on venait de lui apprendre. Il la laissa parler sans l'interrompre.

— Molly, tu n'as pas l'air dans ton assiette. Je viens te voir.

— Non, Jack, pas maintenant, je suis trop fatiguée. Je voudrais dormir.

— Rappelle-moi si tu veux. Ne fais rien pour l'instant. Il faut que j'y réfléchisse aussi, dit Jack qui paraissait de plus en plus ébranlé au fur et à mesure qu'il comprenait les tenants et les aboutissants de l'affaire. Quelle histoire ! Mais comment ont-ils pu se comporter ainsi ?

— Je ne sais pas, je ne comprends rien. Et puis, il faut aussi que je te dise...

Elle lui parla également de l'invention de George Messiter.

– Oh, non ! C'est trop pour aujourd'hui ! Tu es sûre que tout va bien ?

Elle lui répondit que oui et raccrocha. Elle écouta les messages sur le répondeur automatique, passa quelques coups de fil et alla se coucher. Elle se réveilla à une heure du matin et comprit qu'elle ne pourrait pas retourner à Framlingham le lendemain. Richard se serait sûrement remis de sa crise et l'attendrait, flatté de vivre dans un camp armé, enthousiasmé par la découverte de George, tout en se plaignant des inconvénients de la situation d'un ton snob. La moindre allusion aux propos de Herbert Precious ne ferait qu'aiguiser son intérêt. Molly ne se sentait pas le courage de prendre une décision, sous le regard scrutateur des curieux. Le moindre espoir de fortune et de sang royal, et Richard quitterait pour de bon l'actrice qu'il voyait en cachette à Londres, pour briguer la place du nouveau seigneur de Framlingham. Et pendant ce temps, Isabel fouillerait la maison de fond en comble à la recherche de ses perles disparues.

C'était toujours le passe-temps auquel elle s'adonnait lorsque la perspective d'un événement grandiose s'annonçait. Molly, qui se doutait que les perles avaient été dérobées le jour du mariage de Joséphine, avait cessé de pleurer sur cette perte, et redoutait la chasse frénétique d'Isabel Allaun.

Sur le grand lit aux pommeaux de cuivre, elle avait l'impression de voguer sur un océan aux vagues furieuses qui déferlaient vers elle pour l'engloutir.

Elle s'endormit de nouveau et se retrouva à cueillir des mûres le long des haies des champs de Framlingham. A côté d'elle, Jack, en bottes, écartait les branches épineuses sous un soleil cuisant. Elle sentait la chaleur et la brûlure des épines sur ses doigts rougis.

Soudain, elle dansait au Roxy avec Jim Flanders, tournoyant sous les lampes colorées. Elle sentait encore le tissu rugueux de sa veste contre ses épaules nues, ainsi que le parfum dont on vaporisait parfois la salle. L'orchestre continuait à jouer, tandis qu'elle valsait dans les bras de Jim. Puis, tremblante, elle marchait dans les rues humides et mangeait des frites avec Jim sur le chemin du retour, bras dessus, bras dessous, encore étourdie par la musique.

Le brouillard obstruait toutes les fenêtres le jour de la mort de Jim Flanders ; Johnnie Bridges l'embrassait le long du canal, près des eaux mortes et glauques ; assise sur le divan, elle bavardait tranquillement avec Steven Greene après sa nuit de travail ; immobile, le cadavre de Ferenc Nedermann reposait sur le lit, les yeux grands ouverts ; Joe Endell venait vers elle à Meakin Street, un énorme dossier et un bouquet de fleurs dans les bras. Tel un lutin, Joséphine hurlait dans son lit ; Mme Gates dessinait un M de miel tremblant sur sa tartine ; George Messiter dormait, la tête sur l'établi, à côté du globe argenté du nouveau moteur ; des bouchons de champagne sautaient ; Ivy criait : « Tu ne peux pas tout avoir ! »

Le film de sa vie continuait à se dérouler. Elle faisait l'amour avec Johnnie Bridges sur le lit où elle dormait à présent ; elle grelottait de froid devant la tombe de Steven Greene. Il y avait des flammes partout, une voix de femme chantait en français. « Ça ne sera plus long, maintenant », disait l'infirmière dans le corridor. Sid cherchait des bonbons dans sa poche un vendredi soir en rentrant du travail... « Est-ce que je rêve ou est-ce que je suis déjà en train de mourir ? » se demandait Molly.

En se réveillant, Molly ne pensait qu'à une chose, ne pas retourner à Framlingham. Elle téléphona au directeur chez lui, lui dit de ne pas se présenter au bureau, et de transmettre la consigne aux autres employés. Elle appela Fred à Framlingham, et, tout en se sentant coupable, annonça qu'elle reviendrait bientôt, mais qu'elle ne savait pas encore quand. Epuisée, terrifiée par son propre comportement, elle se recoucha, obéissant à une aspiration presque animale à la paix et à la tranquillité. Elle regarda les moineaux voleter dans les branches dénudées du sycomore qui poussait dans la cour sans qu'on ne l'ait jamais planté. On sonna à la porte, mais elle ne répondit pas. Elle avait oublié que Jack devait venir la voir. Le téléphone sonnait mais était vite coupé par le répondeur automatique, pourtant, il lui rappelait à chaque fois qu'elle avait une décision à prendre. Le lendemain, toujours seule à Meakin Street, elle crut devenir folle, mais elle s'en moquait. Elle dormait, faisait des rêves inquiétants, entendait les portes claquer dans la prison de Holloway, les bouchons sauter au Dorchester, et la voix de Lord Clover qui lui débitait des secrets d'Etat alors qu'elle était allongée sur le lit, silencieuse et nue. Pendant tout ce temps, elle ne se lava pas, ne se coiffa pas. Elle mangeait peu, d'ailleurs elle n'avait pas faim. Le troisième jour, tandis que la sonnette retentissait de plus en plus souvent et que le répondeur prenait de plus en plus de messages, elle se prépara une tasse de thé. « Non, non, taisez-vous ! » Mais une voix intérieure lui murmura que le plus gros de la crise était passé. Ce soir-là, quelqu'un posa le pouce sur la sonnette, et l'y laissa.

— Molly, Molly, je sais que tu es là ! Ouvre-moi, sinon j'appelle les autres, et on défonce la porte. Ne fais pas l'idiote ! Ouvre !

Shirley observa la robe de chambre et les cheveux emmêlés de sa sœur qui se tenait dans l'encadrement de la porte.

— Jack m'a tout raconté. On voulait bien te laisser seule un moment, si c'était ce dont tu avais envie, mais on a eu peur que tu fasses des bêtises. Tu vas bien ?

— Hum hum.

— On voulait même prévenir la police, mais j'ai préféré venir moi-même

— Tu aurais mieux fait de rester chez toi.

– Effectivement. Pour l'accueil que je reçois ! Tu te payes de drôles de vacances. Tu veux du thé ? Quel foutoir ! s'exclama Shirley en regardant la vaisselle sale. Cela fait des années que tu te surmènes, et maintenant, il y a cette histoire de famille royale, et la découverte de George, qui est sûrement plus importante. Tu es venue ici pour t'écrouler tranquillement. Je ne crois pas que Jack soit d'un grand secours en ce moment, il ne sait pas quoi penser, pourtant..., dit-elle de l'air d'une personne qui évite les sujets épineux en s'adressant à un malade. Enfin, peu importe. Pourquoi prends-tu de l'aspirine ?

– Le mal de tête. Ça arrive à tout le monde. Ce n'est pas la peine de me considérer comme une folle pour autant.

– Tu n'en es pas si loin, tu sais bien que c'est ce qui t'attend si tu continues. Tu ne veux pas prendre des vacances ? dit-elle en servant le thé. Une semaine ou deux dans une maison de repos ou ailleurs ? Personne n'est indispensable, tu sais.

Molly sentait que les autres étaient prêts à prendre le relais si c'était nécessaire, pourtant, cette offre lui paraissait inacceptable. Elle se passa la main sur le front.

– Tu as mal à la tête ? C'est ton corps qui te donne un avertissement. Je vais appeler un médecin.

– Ça suffit, Shirl, dit Molly qui sentait que sa sœur, avait repris le flambeau d'Ivy Waterhouse et que rien ne pourrait l'arrêter.

– Tu ferais mieux de céder, répondit Shirley, le téléphone à la main. Docteur Bleasdale, dit-elle, elle accepte de vous voir.

Et voilà, encore un coup monté !

– Bon, eh bien, puisque tout est arrangé, tu peux partir.

– Non, j'y suis, j'y reste.

– J'ai envie d'être seule.

– Considère-moi comme un tampon entre toi et le reste du monde. Allez, va te coucher et dors un peu avant l'arrivée du médecin.

Molly entendit sa sœur écouter les messages et donner quelques coups de fil. Plus tard, Shirley vint lui demander ce qu'elle désirait pour dîner. Le médecin ne serait sûrement pas pire que cette sœur autoritaire. Un peu déçu de voir une femme d'affaires efficace si abattue, il se contenta de dire sur un ton de semi-reproche :

– Je vous conseille de faire un bilan de contrôle, mais pour le moment, je vais vous prescrire quelques médicaments.

– Un bilan de contrôle, mais pour qui il me prend ? Une vieille guimbarde ?

– C'est mon généraliste dit Shirley.

– Je n'ai pas besoin de quelqu'un qui attende que j'aille mieux pour avoir la conscience tranquille, dit Molly.

Shirley haussa les épaules. Molly s'endormit. Le lendemain, Shirley appela un autre médecin, Molly refusa de le voir.

– Tu ne peux pas me ficher la paix ? Même les animaux, on les laisse dormir sur leur paille quand ils en ont envie. Fous-moi le camp, et dis à l'infirmière du quartier de passer de temps en temps, si cela peut te rassurer.

Molly entendit confusément le médecin et Shirley parler d'hospitalisation. Plus tard, sa sœur sembla avoir une querelle avec Bert Precious sur le pas de la porte.

— C'est vous et vos âneries qui l'ont mise dans cet état. Alors ce n'est pas le moment de venir l'embêter, vous êtes la dernière personne qu'elle ait envie de voir.

Bert Precious grommela quelques mots.

— Bon, bon, j'écoute, dit Shirley.

Il y eut d'autres murmures, mais Molly s'endormit. Elle était persuadée que Shirley mettait des calmants dans sa nourriture. Elle rêva de Johnnie Bridges et se réveilla en pleurs. « Premier amour... », pensa-t-elle. Elle retomba dans sa somnolence et cette fois revit Mme Gates.

Plus tard, Shirley fit entrer Fred et apporta les fleurs de Herbert Precious.

— Maman ? dit timidement Fred qui n'avait jamais vu sa mère malade. Ça va mieux ?

— Oui, beaucoup mieux.

Molly promit à Shirley de ne rien faire pendant qu'elle emmènerait Fred au cinéma avant qu'il ne retourne à Framlingham. Avant qu'il s'en aille, Molly observa son fils pour s'assurer que son visage ne portait aucun signe de tare quelconque. On racontait souvent que les enfants de l'inceste devenaient fous ou idiots.

— Richard a été très déçu qu'on ne le laisse pas venir vous voir, dit Isabel.

— Ordre du médecin, répondit brièvement Molly.

— J'ai profité de mon passage en ville pour faire une commande chez Harrods, pour Noël. Je pense que c'est moi qui organiserai les fêtes cette année.

Molly détourna le regard.

— Que penseriez-vous de canards sauvages ?

— Des canards sauvages ?

— Il faudrait aussi commander un sapin.

— Je ne me sens pas très bien.

— Oh, ma chère Molly, excusez-moi, je vais vous laisser vous reposer.

Quelques secondes plus tard, Shirley passa la tête par la porte.

— Je n'ai pas pu l'empêcher de venir.

C'en était trop pour Molly, et soudain, ses yeux s'emplirent de larmes. Elle qui avait pratiquement gardé les yeux secs jusqu'à présent ne pouvait plus s'empêcher de sangloter. Elle entendait Shirley, visiblement ulcérée, bavarder avec son mari.

— George insiste. Il se demande combien de temps il doit encore rester à Ramsgate. Je ne sais pas quoi lui dire.

– Dis-lui de ne pas bouger, répondit Ferdinand Wong.

Il vint apporter des roses à Molly qui le regarda d'un air soupçonneux.

– Je prépare le dîner pour ce soir, poulet aux champignons noirs. Et je ramène Shirley à la maison, je suis sûr que tu n'y verras pas d'inconvénients. Elle est très fatiguée, et toi, tu as besoin de réfléchir.

– J'ai besoin de vacances.

– Oui, mais je ne crois pas que tu sois capable de te reposer, et toi ?

– Je ne sais plus qui je suis.

– Tout le monde en est là.

– Tu es venu me donner une leçon de philosophie orientale ?

– Non... Oui. Peut-être. Je suis venu t'offrir mon aide, tout en sachant que tu allais te remettre, mais sans savoir quand. Si c'est aujourd'hui, mon aide te sera peut-être utile. Sinon, cela te mettra en colère.

Il semblait ne rien attendre d'elle, et surtout pas qu'elle prenne une décision. Immédiatement, Molly se sentit plus calme.

– Ferdinand, est-ce que Shirley met des tranquillisants dans ma nourriture ?

– Plus maintenant, je le lui ai interdit.

– J'étais épuisée au moment où tout ça est arrivé. Et pendant toutes ces années, je me suis torturé l'esprit en me demandant qui j'étais, qui était Joe. Et puis, voilà Bert Precious qui vient me faire des révélations. J'ai changé de nom si souvent, dit Molly en pleurant. Comment savoir qui on est quand on s'appelle Waterhouse, Flanders, Endell, Allaun... Quand votre mère vous dit que vous n'êtes pas son enfant...

– Herbert Precious a proposé de t'accompagner en France pour aller voir ta mère.

– Non, pas avec lui.

– Tu as raison.

– Elle n'a pas la moindre vie intérieure depuis que je la connais, dit Wong à Shirley, une fois en bas. C'est une personne active et terre à terre, mais même elle a besoin de repos et de réflexion de temps en temps, comme tout être humain.

Shirley observa son mari. Elle était très énervée par les retards que provoquait la maladie de sa sœur. En fait, tard le soir, Wong avait écouté les messages, ouvert le courrier et fait de son mieux pour faire patienter les clients qui avaient besoin d'une réponse personnelle de Molly sans que personne ne s'aperçoive de rien afin que Wayne puisse continuer à diriger les usines. Pourtant, les irrégularités de l'entreprise posaient de plus en plus de problèmes et allaient bientôt atteindre un point de non-retour si Molly ne se rétablissait pas rapidement.

– Elle a toujours été comme ça, dit Shirley qui trouvait étrange de voir son mari s'intéresser aux causes de la maladie de Molly. Et je la vois mal sombrer dans la méditation. Ce n'est pas dans sa nature. En général, cela ne signifie rien de bon.

— Pour le moment, elle en a besoin.

— Je me moque de ce que tu penses. Elle n'avait jamais eu de problème d'identité jusqu'à aujourd'hui. Tout ça, ce ne sont que des clichés, en fait, elle nous fait simplement une dépression nerveuse. Et tu sais aussi bien que moi que nous avons besoin de savoir quand elle se remettra. Et il faut que cela soit bientôt. A côté des affaires au jour le jour, George est coincé à Ramsgate avec une nouvelle invention, et Noël approche à grands pas.

— Et pendant ce temps-là, toi, tu vas rentrer à la maison.

— Et Molly ? cria Shirley

— Elle est mieux toute seule.

— Oh, il y a des moments où tu réagis vraiment comme un Chinois !

— Fais ce que je te dis, répondit-il, implacable.

Après le départ de Shirley, Molly retomba dans sa rêverie. Les jours s'écoulaient tandis qu'elle restait dans sa maison et dans sa rue qui prenaient un aspect étrange depuis qu'elle savait que, depuis sa naissance, elle faisait partie de l'Histoire. Parfois, Molly ne pensait à rien. Elle errait en robe de chambre, pratiquement sans manger, entre le sommeil et la veille. Un jour, elle tomba dans l'escalier, et se releva, avec une épaule douloureuse en pleurant : « Oh, Joe, Joe, si seulement tu étais là ! » Seul l'écho de sa propre voix lui répondit. « Ivy ! Ivy ! » cria Molly. De nouveau, le silence pour seule réponse. Elle remonta se coucher en sanglots.

Le lendemain, elle se leva et sortit. Jack Waterhouse fut horrifié en voyant sa sœur dans le hall de la Chambre des communes. Elle était pâle, maigre, négligée.

— Ne t'inquiète pas, lui dit-elle. Tout va bien. Il y a simplement quelque chose dont je voulais parler avec toi.

Ils s'installèrent dans un petit bureau que Jack partageait avec trois autres députés. Molly but deux tasses de café et grignota quelques biscuits tout en lui exposant son projet. Jack se demandait si elle n'avait pas perdu la raison.

— Ce n'est que justice, je suppose. S'il peut y avoir une quelconque justice dans cette affaire. Tu signeras la renonciation alors ?

— Signer ? Moi, jamais ! Je ne renoncerai jamais à mes droits.

— Quels droits ? Mon Dieu, Molly, tu es complètement folle. De quels droits tu parles ? Les seuls droits que tu dois revendiquer, c'est d'être une citoyenne comme les autres dans un pays démocratique. J'ai l'impression que tu veux justifier le chantage par les injustices qui ont été commises.

— J'ai horreur de signer, j'ai toujours l'impression d'écrire avec mon sang. Réfléchis, Jack, souviens-toi de tante Rosie, la sœur préférée de Sid qui est morte d'une pneumonie en 1927 parce qu'elle n'avait pas de quoi payer le médecin et qu'elle était mal nourrie. Ces temps vont revenir. Les gens tombent malades parce qu'ils sont sans travail, que leur maisons sont mal chauffées et qu'ils sont dans un état de malnutrition permanent. Alors, ne viens pas me parler de justice ni de chantage. Le monde dans lequel nous vivons va devenir de plus en plus dur.

– Bon, très bien, je ne peux pas te dire le contraire.

Avant de prendre la décision d'écrire ses Mémoires, Molly n'annonça pas publiquement comment elle avait obtenu le financement nécessaire à la fondation des Usines Automobiles Messiter. Ferdinand et Shirley étaient au courant, bien sûr, car c'est eux qui avaient calculé à combien se montait la pension qu'elle aurait dû recevoir en tant que membre de la famille royale de sa naissance à 1985. Sir Herbert Precious s'en doutait bien, lui aussi, mais, si personne ne prit la peine de confirmer ses doutes, personne ne vint les démentir non plus. Ferdinand Wong, gagné par l'enthousiasme en voyant le chiffre astronomique, avait même suggéré de demander des intérêts, mais Molly avait rejeté cette proposition. Plusieurs millions de livres, disait-elle, c'était largement suffisant pour monter une entreprise de construction automobile à petite échelle. Après, la société serait sûrement capable de voler de ses propres ailes.

Son entrevue avec la reine à Buckingham Palace fut moins glacée qu'elle ne l'avait craint, car Sa Majesté la Reine s'était montrée plus qu'aimable. Beaucoup plus tard, Molly confia à Herbert Precious que la Reine semblait soulagée qu'on puisse parler de cette histoire au grand jour et heureuse de faire une donation à l'industrie britannique. Elle trouvait même un aspect amusant à ce dénouement original qui mettait fin à cinquante ans de honte et d'anxiété. Pourtant, elle ne fut guère ravie de voir Molly refuser de signer la renonciation, mais comme Molly le disait elle-même, elle s'était plus ou moins attendue à cette réaction. Quoi qu'il en fût, la rencontre fut plutôt agréable, et les deux parties se séparèrent en termes cordiaux. En fait, disait Molly, on ne pouvait rêver plus aimable cousine.

Ainsi, la manufacture de motocyclettes Messiter se convertit progressivement dans la production de voitures, puis d'autres véhicules à propulsion électrique. Vers 1990, une voiture sur dix en Grande-Bretagne, et une sur cent à l'étranger provenaient des usines Messiter, qui surmontèrent la crise de la fin des années quatre-vingt et du début des années quatre-vingt-dix en suivant une politique d'intéressement des travailleurs et de direction conjointe avec les ouvriers qui semblait porter ses fruits. En fait, quand prirent fin la férocité de la politique gouvernementale en vigueur dans les premières années de la société et les hésitations des gouvernements qui se succédèrent, l'exemple de Messiter sembla une des meilleures solutions pour vivre avec son temps. D'ailleurs, les produits ressemblaient à la société. La direction, comme les véhicules, était dépourvue de tout caractère agressif, prétentieux, bruyant ou scandaleux. Ainsi, l'entreprise survécut à huit ans de remous économiques, de violence sociale et à la répression qui s'ensuivit, et à toutes les tensions d'un pays en crise. La propriétaire, Molly, née Waterhouse, puis successivement Flanders, Endell et finalement Allaun, qui, pour une raison mystérieuse, ne reçut jamais de récompense honorifique royale, gagna ainsi au moins une note, sinon une page, dans l'histoire de l'industrie britannique.

Quant au reste, la vie poursuivit son cours comme prévu. Isabel Allaun vécut jusqu'à l'âge de quatre-vingt-dix ans, et, si elle fut désolée de voir Richard Mayhew quitter Framlingham, elle se consola quand son fils Tom revint vivre au village avec son amant, bien qu'elle ne comprît jamais les relations qui unissaient les deux hommes. Shirley et Ferdinand Wong furent nommés directeurs des usines automobiles. Shirley eut des jumelles, et la famille finit par s'agrandir car Wong avait fait revenir parents et cousins juste avant que Hong Kong ne reprenne son indépendance. Joséphine, deux fois divorcée, épousa un aimable propriétaire de garage, Joe Marks. Elle vivait heureuse, et comme elle travaillait pour Amnesty International, elle en profitait pour s'envoler vers Prague ou la Thaïlande, chaque fois que tous les enfants d'un précédent mariage de son mari menaçaient de débarquer. Jack Waterhouse perdit son siège au Parlement, travailla au ministère des Transports et retourna vivre avec sa première femme, Pat, qui quitta son mari pour lui. Sid Waterhouse mourut paisiblement par un jour d'été, entre les petits pois et les laitues dans son jardin de Ramsgate. A l'âge de dix-huit ans, quand on apprit toute l'histoire à Fred qui était sur le point d'aller passer un an dans un kibboutz en Israël, il ne voulut pas le croire. Il quitta le pays, mais téléphona de Jérusalem pour annoncer qu'à présent qu'il avait compris quel rôle le temps et la chance avaient joué dans la vie des Juifs, il voulait bien croire tout ce qu'on voulait, mais que, naissance royale ou pas, inceste ou pas, cela ne changeait rien. Molly ne saisit pas très bien le raisonnement, mais fut soulagée de voir que sa confiance dans la santé mentale et l'intelligence de son fils était justifiée. Fred revint de son séjour avec deux doigts en moins perdus sur la frontière libanaise.

— Maintenant, je ne pourrais plus saluer d'un carrosse royal ! dit-il en rentrant.

1996

La dernière cassette se tait. Sir Herbert est toujours assis dans le silence de son cabinet ivoire et bleu à Londres.

Les derniers mots de Molly résonnent encore en écho dans la pièce : « Il me semble que mon histoire peut se terminer par les retrouvailles avec ma véritable mère, le jour où je lui ai présenté Fred, en sachant qu'à sa mort, elle laisserait quelque chose derrière elle. C'est sûrement ça, le véritable dénouement, et l'on pourait dire "La vie continue" en guise d'épilogue, ce serait la meilleure morale de toute cette aventure. »

– Oh, mon Dieu ! s'écrie Sir Herbert Precious, absolument furieux dans sa maison vide.

Ce dernier cliché, qui résume toute la philosophie terre à terre de Molly, prononcé sur un ton enjoué, est vraiment plus qu'il n'en peut supporter, après toute cette série de révélations aussi embarrassantes qu'inutiles qu'elle tenait à dévoiler au grand jour. Que faire ? Il y a assez de matière dans le récit de Molly pour en tirer un feuilleton télévisé en cent épisodes, assez pour que magazines et journaux se lancent dans des enquêtes effrénées, assez pour détruire une entreprise gigantesque, renverser un gouvernement, voire mettre la monarchie en cause ! Il n'y a qu'à tirer sur un fil, pour que l'écheveau se déroule...

Epuisé, désespéré, il fixe sans le voir son énorme chat noir et blanc, qui tapote furieusement à la fenêtre pour qu'on le laisse entrer. Il regarde le jardin, éclatant de lumière sous le soleil, le grand noyer, immobile au milieu de la pelouse. Les feuilles sont encore d'un beau vert sombre, pourtant, par endroits, quelques touches de jaune annoncent leur prochaine chute. Il se tourne vers l'immense horloge de son grand-père, dans un coin de l'alcôve. Elle indique quatre heures. Sir Herbert soupire et va ouvrir la porte-fenêtre. Le chat se précipite à l'intérieur et se frotte contre ses jambes.

– Si seulement Joe Endell avait vécu, murmure-t-il, pris d'un soudain accès de pitié pour Molly.

Mais il sait aussi que si Joe Endell avait vécu, les Mémoires de Molly n'auraient sans doute jamais vu le jour.

La sonnerie du téléphone retentit bruyamment dans la pièce silencieuse. C'est sans doute son souverain qui veut des informations sur le récit de Molly, ou Molly elle-même, impatiente de connaître son opinion. Toujours alerte pour un homme de son âge, Sir Herbert s'enfuit rapidement, loin du téléphone, du chat et de la maison. Il décroche son manteau dans le corridor, et hèle un taxi dans la rue.

Il s'enfonce dans le siège, heureux de cette promenade dans les rues animées, bruyantes et colorées de Londres qui le conduira à la paix du club auquel il appartient.

C'est peut-être en France que nous devrions quitter Molly, tandis qu'avec son fils, elle traverse la cour pavée de la grande demeure grise, qu'elle sonne à la porte, et qu'elle aperçoit la silhouette courbée de la vieille servante, qui a été la compagne de sa mère pendant ces longues années d'exil.

A moins que nous ne préférions la laisser au moment où son fils et elle se retournent pour faire un signe aux deux femmes voûtées et frêles, qui, telles deux feuilles mortes sur le point de s'envoler, semblent à peine tenir sur le dallage de pierre. Perdue dans la brume, la grande demeure se dresse derrière elles, lourde structure de crénelages, contreforts et baies. L'une des silhouettes, la mère de Molly, lève lentement le bras, puis le repose sur l'épaule bienveillante de sa compagne. Les deux femmes commencent à monter doucement les marches du perron, alors que Molly et Fred descendent l'allée et dépassent la rangée d'arbres perdue dans la brume qui borde le chemin avant de franchir la porte et de rejoindre la voiture qui les conduira à l'aéroport.

Achevé d'imprimer en juin 1987
sur presse CAMERON,
dans les ateliers de la S.E.P.C.
à Saint-Amand-Montrond (Cher)

Dépôt légal : juin 1987.
N° d'Impression : 1157.